LES TABLES

DE L'HUMANITÉ

Origines

Roman

Ce livre est un ouvrage de fiction. Les noms, personnages et événements ici relatés sont issus de l'imagination de l'auteur à des fins de pure fiction. Toute ressemblance avec des personnes ou des situations existantes ou ayant existé ne serait que purement fortuite et bien involontaire.

Éditeur : BoD - Books on Demand
12-14 rond-point des Champs-Élysées 75008 Paris
Impression : Books on Demand, Norderstedt, Allemagne

Illustrations : Roger AMIOT
Conception/Composition : Stan KARKO

ISBN : 978-2-322-27101-6
Dépôt légal : décembre 2020

Stan KARKO

LES TABLES

DE L'HUMANITÉ

Origines

Roman

Du même Auteur :

Une Plume Dans L'Encrier Maçonnique *(2013 – Dervy)*

Recueil de Nouvelles (collectif)

ΔΔΔ

À la Croisée des Chemins

Nouvelle Policière

3e Prix au Salon Maçonnique du Livre et de la Culture
de Rennes Saint-Grégoire (2013)

ΔΔΔ

Le Messager… Chemin de Lumière

Conte Initiatique et Symbolique

1er Prix au Salon Maçonnique du Livre et de la Culture
de Rennes Saint-Grégoire (2015)

ΔΔΔ

« 2 » – Livre illustré en couleur *(2020 - BoD)*

Recueil de Nouvelles
illustré couleur par Roger AMIOT

À Florence,
au nom de l'Amour Éternel.

À tous les miens,
et à tous ceux qui se reconnaissent pour tels.

« Un mensonge auquel tout le monde croit,
devient une vérité »

1

Paris, 19e arrondissement
22 h 50 – à notre époque

Bien qu'à bout de souffle, Wesley Snarck ne stoppa ni ne ralentit sa course. Ses pieds nus, sur les pavés pourtant glacés et ruisselants de la chaussée, le brûlaient, entaillés de toutes parts au contact des irrégularités du sol. L'ensemble de son corps menaçait rupture, ses muscles réagissaient difficilement à ce qu'exigeait sa tête et ses poumons en feu souffraient à chaque nouvelle goulée d'air glacial inspirée. Il sentait bien que même son esprit voulait le lâcher, épuisé de ce combat permanent à lutter contre des forces qu'il ne parvenait plus réellement à identifier.

Cependant, l'instinct de survie était plus fort que tout. Il savait qu'à la moindre halte pour se reprendre, ses poursuivants gagneraient sur lui un précieux terrain, au risque de le rejoindre pour le déposséder… puis le tuer. Tels étaient les engrenages complexes de sa destinée. Il en avait longuement évalué tous les aspects avant de l'accepter, en connaissait tous les dangers y compris celui d'une éventuelle issue fatale à son égard. Il avait donc conscience que sa vie allait peut-être s'achever là, à ce moment précis, mais ceci n'était pas l'*Important*. L'*Essentiel*, en effet, était la mission sacrée dont il avait la charge, *Sa Mission* ; né pour la parfaire, éduqué et formé pour la parachever au détriment de toute autre considération même vitale. La seule chose primordiale était la transmission de l'*Anneau*, ce bijou étrange qu'il portait à l'auriculaire droit depuis maintenant près de dix années. Il avait su jusqu'alors le préserver, le protéger, il était enfin temps de s'en séparer pour le passer au doigt du nouvel élu.

Mu par une force insoupçonnée, semi-conscient, il poursuivit sa course effrénée quand soudain, au détour d'un angle de rue, la pointe de son pied vint accrocher la bordure du trottoir. Il bascula, plongeant la tête la première vers le sol. Il ne put lancer ses mains en avant pour se protéger le visage et son front heurta violemment la fonte d'une bouche d'égout.

Malgré l'atmosphère acérée, une étrange et douce chaleur le pénétrait. Il perdait pied. Cette impression insidieuse d'un bien-être certain, il ne la connaissait que trop bien. *S'en extraire, vite ! Ne pas se laisser envahir par ce cotonneux soulagement temporaire, ne pas faillir à la mission... si près de son terme.*

Surmontant cette pernicieuse liesse passagère, il s'imposa de faire le constat de sa chute. Tentant de bouger ses orteils meurtris, sa bouche se tordit de douleur et il fit maints efforts pour qu'aucun son ne s'en échappât. *Le moindre cri, dans ce pesant silence ouaté, alerterait la meute à mes trousses.*

Trois de ses orteils s'étaient brisés à l'impact du choc. Il se maudissait de cette seconde d'inattention et rageait d'avoir eu l'idée saugrenue d'abandonner ses chaussures quelques minutes plus tôt. Pourtant cette décision s'était avérée salvatrice. Devenu silencieux, il avait entendu ses agresseurs lancer des ordres en tous sens et se séparer pour tenter de le retrouver au plus vite ; mais, n'ayant plus le martèlement des pas de sa course pour les guider, ils avaient concédé du terrain et permis à Wesley Snarck de les distancer quelque peu.

À présent, sa tête bourdonnait. Une douleur sourde s'insinuait peu à peu dans son crâne et cette maudite torpeur qui le regagnait. Son reflet, dans une vitrine, lui révéla un flot de sang qui coulait, depuis ses cheveux, tout au long de son visage marqué d'inquiétude, de fatigue, et maintenant par l'angoisse d'échouer. Machinalement, il s'essuya au revers de la manche de sa veste, trempée et sale. Ce faisant, bras levé, il ressentit à nouveau la violente morsure de la déchirure à son flanc droit. Il remit en place, tant bien que mal, le tissu bouchonné qu'il y avait appliqué un peu plus tôt pour en limiter le saignement et, appuyant fortement sur la plaie, gémit involontairement. La balle n'avait pourtant qu'à peine effleuré sa chair, creusant un sillon net qui s'était presque immédiatement transformé en abondante source d'épanchement sanguin. La douleur était très vive. Le cataplasme de fortune s'était arraché lors de sa chute, décollant et tiraillant les fils de tissu agglutinés au sang coagulé, meurtrissant ses chairs. Voilà que sa blessure recommençait à suinter, à saigner. *Ne pas s'en soucier ! Faire abstraction de tout et surtout de soi. Focaliser toute énergie à la sauvegarde de l'Anneau et le transmettre dans le temps imparti.*

C'est à cet instant qu'il entendit se rapprocher une cavalcade de bottes, au moins trois personnes. *Fuir et se cacher, vite !* Rampant laborieusement sur le sol pour rejoindre un providentiel renfoncement proche, il n'en eut malheureusement le temps. Il fut tout d'abord ébloui par des lampes torches illuminant toute la rue givrée, créant une myriade de minuscules étoiles prismatiques. Puis, il sut que sa dernière heure venait de sonner quand deux déflagrations l'assourdirent, si puissantes qu'elles semblaient venir de l'intérieur même de son crâne.

Sous la lune embrumée de novembre, calé à un soubassement de pierre, une main pressant son flanc droit, ses yeux hagards se levèrent vers les cieux obscurs d'où dégoulinait une bruine gelée et compacte. D'entre les nuages sombres, il entrevit la constellation des Gémeaux puis, dans un souffle et pour lui-même, il prononça une incantation divine aux éléments cosmiques dans une langue très ancienne et inconnue de tous.

Kmhet stodt Ang'Râ-gar
« Puisse le Créateur m'accepter en son concept
Trâh knom ar' fritger impoh qsato
« La Terre enfouir et ronger ma dépouille impure
Krâo gzileht e pteratsi
« Le Feu brûler la lande qui y pousserait
Awalh ek gzaïnit tfendorw zuelt
« L'Eau en laver les cendres maléfiques
Ar' Gzouth bâachileth gzouniht ag'verh touhanit
« Et l'Air éparpiller tout cela jusqu'aux cieux infinis

Plus personne dorénavant ne pourra transmettre l'énigmatique *Anneau* convoité, ni garder l'un des secrets les plus anciens de l'Humanité. Plus rien maintenant pour s'opposer ni empêcher le voile de se lever sur le long processus ancestral caché aux Hommes depuis des millénaires et dont il était l'ultime garant.

Les *Autres* avaient réussi, au terme d'une course décennale sans répit, à se saisir de l'*Anneau. Ils* allaient pouvoir dès lors ouvrir le mystérieux coffret qui leur dévoilerait les incroyables secrets séculaires dont *Ils* n'imaginaient pas un seul instant l'extraordinaire portée pour l'Humanité toute entière.

Interrogeant les éthers, ses dernières pensées conscientes furent évocatrices des conséquences de sa mission avortée.

« Pourquoi l'antique Roue des Destinées s'est-elle dévoyée ainsi, maléfique, de son droit sillon tracé ! »

Une brûlure fulgurante traversa tout son être, coupant nette sa réflexion, derniers soubresauts de son cerveau anéanti.

*« Donner l'*Anneau *aux profanes, c'est remettre entre des mains non-initiées tout l'équilibre précaire de ce bas-monde... »*

Il se sentit happé par de funestes mains, fermement tiré sur les pavés. Son corps était brisé, sa pensée ne l'était pas moins.

« Ainsi mise en lumière, la révélation des secrets des Sept Grands Sages sumériens détruira la justesse de cette équation fragile alors que, ... »

Comme la montagne se voit crever par la toute puissance du bouillonnement d'un magma indomptable, du tréfonds de son organisme le point de non retour sourdait, porte entrouverte sur le monde de l'au-delà.

« ... fol espoir escompté pourtant déçu, demeurant au giron des initiés... »

Une dense sensation d'abandon l'envahit, il lui semblait rester là, inerte, figé telle une statue de marbre, la poitrine immobile, les poumons vides.

« ... les portes divines occultes et hermétiques aux vivants... »

Puis, une lueur aiguë passa devant ses yeux mornes.

« ... se seraient ouvertes sur une ère nouvelle et magnifique, si bénéfique à l'Human... »

Enfin le calme s'installa puis…

… la plénitude.

2

Plaine de la Mésopotamie méridionale,
IIIe millénaire avant notre ère.

Malgré sa déclinaison de fin de journée, l'astre solaire brûlait encore toute la contrée d'Entre les Fleuves, dardant ses rais torrides à travers la limpidité d'un ciel d'une pureté mystérieuse. Les huttes éparses étouffaient sous la chaleur accablante tandis que les constructions de briques crues, souvent à étage, tentaient de la repousser du mieux de leur ingénieuse conception.

Tout était silencieux, la vie semblait avoir quitté chaque recoin du village.

Un peu à l'écart de ce regroupement d'habitats sommaires, Akurgal le Grand, tapi dans la fraîcheur toute relative de son zarifé de roseaux, n'avait osé mettre le nez dehors. Il méditait la *Parole des Ancêtres*, transmise depuis des générations. Il était l'un des Sept Grands Sages sumériens en fonction, un des rares initiés à la mémoire de tout un peuple, de toute une civilisation.

Traditionnellement issus d'une lignée engendrée par les Grands Seigneurs venus éduquer les hommes, les Sept Grands Sages représentaient, sur cette Terre d'en-bas, les sept particules divines devant guider l'espèce humaine dans l'inextricable dédale chaotique de son évolution au travers des âges. Ils possédaient une incommensurable érudition dont le point d'origine se perdait dans l'abîme de la nuit des temps, excellant dans bien des domaines, tant en mathématiques qu'en astronomie, maîtrisant l'Art de guérir aussi bien que celui de l'Architecture. Ils dominaient l'agronomie, tellement de sciences et de techniques, que tous s'attachaient à croire que les Dieux eux-mêmes, ces Grands Seigneurs de l'Au-

Delà, descendaient encore régulièrement depuis le Monde d'En-Haut chuchoter à l'oreille de cette poignée d'élus mortels pour les instruire de leurs immenses savoirs et leur transmettre d'étranges pouvoirs.

L'étendue de leurs facultés était inimaginable aux communs. Ils parlaient aux éléments, comprenaient la pierre, la terre, le vent et la pluie, dialoguaient avec l'oiseau, la feuille ou l'araignée. Plus encore que leur contrôle des choses du terrestre, ils démontraient une multitude de dons énigmatiques, incompréhensibles aux yeux des vivants, qu'ils pratiquaient durant de longues séances rituelles à l'ensorcellement si effrayant. Comme possédés, ils réalisaient des voyages transcendants dans toutes les couches du Cosmos au cours desquels ils échangeaient avec les esprits des strates parallèles, parcourant ainsi tout l'Univers d'Orient en Occident, du Midi au Septentrion et du Nadir au Zénith. Ils détenaient surtout la faculté incroyable de communier, lors de cérémoniels secrets, avec le *Feu Principiel* même, lien tangible avec le Créateur et Ordonnanceur de toute vie et toute chose, leur induisant ainsi le fabuleux pouvoir de l'Art Divinatoire. Ils communiquaient également avec l'âme des défunts, les esprits du Monde Inférieur, lors d'impressionnantes transes ; avec ceux aussi de l'immensité céleste lors d'apathies fulgurantes. Enfin, ils pouvaient se mesurer aux forces les plus obscures et infléchir ainsi la terrible course expansive, insidieuse et envahissante, des Ténèbres.

Akurgal entrouvrit ses paupières gonflées de fatigue. Le retour à la réalité de cette Terre lui était de plus en plus pénible, érodant son énergie physique, malmenant son juste équilibre, l'incitant à se maintenir dans d'autres sphères plus suaves où explosait la toute puissance de son esprit, où sa vieille carcasse octogénaire ne le faisait plus souffrir. Pour autant, il savait sa mission inachevée, son Grand Devoir inaccompli. Pour construire cette Terre, cette Humanité, seule la sagesse ancestrale reçue devait l'orienter, nourrir sa réflexion, loin du tumulte profane de ses congénères, écarté des considérations matérialistes de ses contemporains, bien au-delà des conflits qui menaçaient jusqu'à la pérennité des sumériens et plus globalement de l'Homme. Pour tout cela, il se devait d'Être encore, même si son corps brisé le suppliait de cesser.

Sa vie s'était construite en dehors du temps présent, en marge des autres. Tout jeune encore, Akurgal avait été choisi par son Maître, Gilgamesh le Sage, alors qu'inconsciemment il maraudait dans une dimension dont il ne saisissait tout le sens, il arpentait alors l'esprit du grand sage. Ce dernier avait traversé maintes régions parfois hostiles pour venir le chercher. Au terme d'un long périple, il l'avait soustrait aux siens pour lui transmettre tous les enseignements qui avaient fait de lui ce qu'il était devenu. Enfant, il n'avait donc guère partagé de jeux avec ses semblables et plus tard, n'avait eu à se soucier de l'apprentissage d'un labeur agraire ou artisanal qui incombait à chacun, dès le plus jeune âge. La communauté le nourrissait comme elle nourrissait son Maître. Tous apportaient le tribut nécessaire à leurs survies comme à celles de ses six confrères apprentis et de leurs Maîtres instructeurs. Chacun avait conscience de l'importance que revêtaient les Sept Grands Sages dans l'évolution de leur société et la juste pensée indispensable entre les hommes. Akurgal avait grandi sous l'égide de celui qui, patiemment, année après année, lui avait enseigné toutes ses connaissances, avait minutieusement façonné son esprit en mémoire collective des savoirs de tout un peuple.

Il avait appris tant de choses, tant de concepts, tous les mythes et légendes qui transcrivaient la puissance symbolique de leur civilisation, ainsi que toutes les sciences jusqu'alors connues, qu'il craignait, aujourd'hui, d'en perdre l'essence même. Bien sûr, il eut été plus que temps de choisir pour chaperonner et éduquer son descendant afin de lui transmettre *La Connaissance* mais, à ce jour, il n'avait décelé en aucun enfant, dans tout le territoire, celui apte ou digne d'être son successeur. Aussi maintenant était-il en proie à l'angoisse poignante que toutes ces fabuleuses notions acquises ne s'évaporent dans les rouages du temps et de l'oubli, que la *Conscience* ne disparaisse à jamais avec lui.

« La tradition orale a ses limites, pensa-t-il, *tout doit être transcrit sur les tablettes d'argile. De quoi sera fait le monde de demain ? Il lui faudra connaître l'impressionnante somme de nos éruditions, sinon pourquoi ?... »*

Il devenait impérieusement nécessaire de mettre à profit leur toute nouvelle science, celle de l'écriture compréhensible, seul lien matériel durable et inaltérable jusqu'aux générations futures.

Bien qu'il voulut s'en extraire, sa pensée persista à errer sur ce fait. Rien ne pouvait ni ne devait se perdre car si, comme l'avaient relaté les Anciens depuis des siècles, le ciel déversait de nouveau ses torrents diluviens de pluies, faisant gonfler les eaux tumultueuses des deux grands fleuves, tout s'anéantirait sous leurs impétueux débordements. « *Que resterait-il alors de nos sciences et de notre culture si élaborées ? D'éparses bribes de résurgences altérées s'estompant dans la souvenance faillible des Hommes.* »

Pire, parfois Gilgamesh avait évoqué le souvenir ancestral de roches en fusion, s'abattant sur les terres et les eaux, créant des explosions si violentes qu'elles éradiquaient d'un souffle toute vie et des vagues si hautes qu'elles engloutissaient tout à leur passage. Son Maître disait que cela était survenu, dans la profondeur des âges, et que les sumériens, colportant oralement les événements, en avaient miraculeusement réchappé comme certaines peuplades du Grand Delta, par-delà les déserts, les Bâtisseurs de Pyramides et peut-être d'autres aussi dont ils ignoraient encore l'existence.

Il fallait consigner tout cela, sans plus attendre, et tout le reste, sans omission, pour que les générations à venir aient accès à tous ces savoirs, tracer pour édifier la mémoire collective des Hommes avant qu'elle ne se délite dans les arcanes du temps.

Akurgal tremblait, fiévreux, sur sa paillasse végétale. Il se sentait soudain si faible, si mortel. Il était détenteur d'une infinie connaissance qui pourrait bien s'ensevelir en même temps que sa dépouille. Il fit un ultime effort de concentration pour capter les vibrations de la pensée de Gilgamesh le Sage qui reposait dans son antre hypogée depuis de nombreuses années déjà. Il avait besoin une nouvelle fois de son Maître, de son conseil avisé ; nécessitait sa grande sagesse pour annihiler ses tourments actuels. Lui seul imposerait son accord à cette science mémorielle novatrice. Il arrivait encore souvent à Akurgal le Grand de partir à la recherche de l'esprit de son Mentor, de tenter de s'insinuer dans sa démarche visionnaire. Même éteint, Gilgamesh le Sage résidait toujours dans le fondement de sa pensée spirituelle, fil ténu de sa conception à voir et transmettre les choses. Il n'était pas rare non plus que dans son sommeil, des rêves précis donnent une nouvelle impulsion à sa quête de la Voie, au *Chemin des Destinées* et Gilgamesh le Sage habitait très souvent ses songes, plus présent que jamais.

Avant que son Maître ne parte pour son long voyage éternel, au-delà des sept portes du Monde Inférieur, Akurgal le Grand lui rendait visite régulièrement, afin de lui donner ses impressions et d'évoquer avec lui ses préoccupations mais surtout de s'enquérir du *Signe* dont il lui avait tant parlé et que chaque génération de sages attendait pour qu'enfin la *Grande Prophétie* puisse prendre forme, consistance et vie. Ce *Signe,* révélateur du point de départ de la traversée des temps, n'avait pas véritable forme humaine connue, personne finalement ne savait ce qu'*Il* serait. *Il* apparaîtrait un jour, simplement, comme une évidence, sans équivoque possible, à l'un d'entre eux ou à l'un de leurs descendants. Gilgamesh le Sage l'avait attendu bien avant lui, durant de longues décennies nourries d'espoir, puis était parti sans qu'*Il* ne se révélât, sans qu'*Il* ne vînt bousculer le cours de l'existence des destinées. *Aurait-Il patienté, à l'ombre de la grande roue ancestrale du temps, pour qu'enfin la Grande Prophétie puisse être durablement tracée, que l'argile demeure gardienne de La Connaissance, véritable sanctuaire de la mémoire sumérienne ?* C'était tout à fait plausible et Akurgal le Grand attendrait donc lui aussi avec patience et sagesse qu'*Il* se manifestât pour que tout puisse être transcrit avant de voyager à travers les âges pour se manifester à l'universalité des Hommes.

3

Holmès Beach, 17 h 10
Floride - États Unis

Sur la vaste terrasse en marbre de Carrare de sa superbe villa surplombant la baie de Holmès Beach, Tom Vockler, pensif et impatient, regardait s'ébattre deux sublimes naïades dans les eaux limpides aux reflets moirés de la piscine lorsque la sonnerie de son téléphone cellulaire retentit enfin.

La cinquantaine très avantageuse, cet ancien sportif de haut niveau, champion national de base-ball à trois reprises, avait su garder la silhouette de ses trente ans. Le regard vif et profond, d'un troublant gris métallique, il dégageait une extraordinaire aura ne laissant personne indifférent. Le verbe haut et le mot juste, doublés d'une prestance naturelle lui facilitant tous contacts et approches de ses contemporains, avaient simplifié une reconversion officielle des plus réussies.

Il possédait une kyrielle de magasins d'articles de sport dans presque tous les états du pays lui assurant un très confortable train de vie ; et avait su, le moment opportun, conquérir bonne partie de la vieille Europe en séduisant nombre d'investisseurs de l'efficacité de son concept commercial innovant.

Le teint halé tout au long de l'année, le sourire immaculé et ravageur, il déployait son mètre quatre-vingt-huit avec élégance et jouait quotidiennement des atours légués par la nature, qu'il prenait grand soin de cultiver encore aujourd'hui. Il passait son existence entouré de jeunes et jolies créatures, avait ses entrées dans tous les lieux stratégiques du pays et donnait réception très souvent en sa demeure, accordant son accès à tous ceux qui pouvaient le servir professionnellement ou éclairer la voie plus obscure de sa quête secrète. Il butinait alors les petits groupes d'invités de sa voix grave et enjôleuse, la parole toujours appropriée, le compliment facile, pour en soustraire de multiples informations et confidences masquées. Il savait tout et se devait de tout savoir des manigances et autres intrigues entourant son quotidien ainsi que de celles des personnes évoluant dans son cadre existentiel.

Pour l'heure, téléphone satellite rivé à l'oreille, le front plissé par la contrariété, il écoutait le récit d'un de ses hommes sur l'issue fâcheuse de la poursuite qui venait d'avoir lieu, quelques minutes auparavant, dans les rues sombres de la capitale française, à près de sept mille cinq cents kilomètres de là.

Quand l'homme eut fini de narrer ses péripéties parisiennes, Tom Vockler vociféra.

– Vous me dites que je viens de perdre l'un de mes plus précieux collaborateurs !...

Ensuite, il gronda tel un orage invisible au loin, caché derrière les crêtes découpant l'horizon, qui rugit et dont une approche rapide et chaotique est incontournable.

– N'aviez-vous donc pas tous les atouts en main pour mener à bien cette mission... sans casse ?

Le mutisme dépité de son interlocuteur ne fit en rien s'apaiser l'ouragan de sa colère qu'il sentait monter avec force et vélocité. D'une voix glacial qui cristallisait chaque mot, il trancha pour aller à l'essentiel, le but projeté de cette algarade nocturne, la seule chose au final qui revêtait de l'importance.

– Avez-vous seulement l'*Anneau* ?

À l'autre bout de la connexion, la réponse de l'homme, hésitante et négative, n'était pas du goût de l'américain dont le regard s'assombrit encore un peu plus. Après de longues secondes de silence, il reprit d'un ton sec et cinglant.

– J'attends de vous, dès ce soir, un rapport circonstancié sur cette opération ratée par mail.

Puis, fort de son ascendant hiérarchique sur son interlocuteur, il asséna sans fioritures, tant malveillant que menaçant.

– Ne me décevez plus, Willy !... cet *Anneau* est capital pour nous, et vous le savez bien. Il serait très dommageable que vous ne puissiez me le rapporter au plus vite ! Débrouillez-vous, vous avez carte blanche. Cet Anneau, il me le faut par tous les moyens mais, à l'avenir, évitez de faire trop de remous et de laisser indices et traces de votre passage. Vous n'avez plus aucun droit à l'erreur, vous savez ce qu'il vous en coûterait !... Et récupérez-moi cette dépouille sans attendre, discrètement, je ne tiens pas à ce que la police française fouine plus avant cette piste !

Au combiné muet à son oreille, il ponctua son réquisitoire à charge uniquement, pour river le dernier clou.

– Vous m'avez bien compris, Willy ! Votre vie ne tient plus qu'à un fil très ténu. Je veux l'*Anneau* sans délai ou alors...

Et il coupa net la communication. Bien conscient de sa menace formulée qu'il risquait de mettre à exécution sans tarder, il tourna son regard vers l'horizon, là où les vagues écumantes de la mer du Golfe du Mexique se perdent, à se confondre avec le ciel.

Il resta un long moment contemplatif puis, se dirigea d'un pas vif et souple vers la baie entre-ouverte de son bureau, sans prêter la moindre attention aux deux silhouettes nues et élancées, étendues sur les moelleux draps de bain qui entouraient la piscine.

Dans l'atmosphère feutrée et climatisée de son bureau, il tapota nerveusement la souris sans fil abandonnée sur son tapis. L'écran de son ordinateur s'illumina aussitôt. Machinalement, il composa son code d'accès sécurisé puis, s'imposa un court instant de réflexion, assis derrière le clavier. Navigant sur les icônes distinctives face à lui, il prit soin d'envoyer un même court message à deux adresses de son répertoire, issues d'un unique et même dossier crypté spécifique intitulé "*The Sumerian Ring*". Une fois l'envoi confirmé, il se renversa sur son fauteuil, envisageant la meilleure des solutions à adopter. Il resta ainsi, immobile, de longues minutes, les yeux mi-clos devant les arabesques multicolores revenues danser sur l'écran de veille de son PC.

Depuis la baie coulissante entrebâillée, il entendait les rires aiguës en cascade des deux jeunes femmes plaisantant avec son majordome venu leur servir des rafraîchissements.

Enfin, il s'ébroua pour s'extraire de cette torpeur motivée par l'adversité, bondit de son siège, attrapa une veste à la hâte et descendit les quelques marches menant au vaste garage en sous-sol de sa résidence.

D'un coup d'œil circulaire, il embrassa le parc automobile qui s'offrait à sa vue satisfaite ; les véhicules de luxe étaient sa passion et tout particulièrement les voitures de sport. Son choix se porta sur un modèle italien, d'un rouge caractéristique. Il s'installa avec un plaisir non feint derrière le volant cuir flanqué de ses palettes, poussa le bouton "start" et s'émerveilla de la douce mélopée du vrombissement de la mécanique. *« Une symphonie parfaite »* pensa-t-il avant de sortir en trombe de son garage et d'enfiler l'allée gravillonnée du parc de sa propriété. À la suite de son passage, un épais nuage de poussière s'élevait péniblement dans la moiteur de cette fin d'après-midi.

Quand les pneus du bolide touchèrent l'asphalte de la route, Tom Vockler vira brusquement sur la gauche dans un crissement strident et plongea à vive allure, dans un mugissement sonore, vers la ville en contrebas.

4

Paris, 23 h 16
Commissariat central du 19ᵉ arrondissement

La capitaine de Police Valérie Nouellet se repassait en boucle toutes les possibilités envisageables concernant l'homme assassiné retrouvé un peu plus tôt dans l'une des rues de son territoire d'investigations. Elle ne parvenait à faire le lien, à trouver la juste hypothèse cohérente sur cet homicide. S'agissait-il d'un règlement de compte ? D'un crime crapuleux ? Mafieux peut-être ?… cette affaire s'annonçait tout autant ardue qu'étrange car sans l'appui du moindre témoignage recueilli et avec si peu d'indices exploitables. Dans le flou de ces premiers constats, tout ne pouvait être que suppositions douteuses, supputations aléatoires ou intuitions hasardeuses. Elle ne détenait rien qui puisse faire démarrer son enquête. Si seulement la victime avait pu être identifiée, qu'elle tienne une identité, quelconque fut-elle, pour pouvoir partir sur une base tangible.

Songeuse et perplexe, elle regardait défiler sur l'écran de l'ordinateur à proximité, sans vraiment les voir, les centaines de visages que le logiciel de reconnaissance morphologique des personnes fichées sur le sol national français flashait, furtivement, aux côtés de la photo de son cadavre. Elle n'en attendait aucun miracle mais sait-on jamais, un coup de chance.

En proie à une intense cogitation, elle s'appuya pesamment, tête en arrière, contre le dossier de son fauteuil qui s'inclina. Sa longue chevelure dorée ondula en cascade et son opulente poitrine ouvrit exagérément un corsage par trop ajusté. Bien qu'en jupe courte, elle posa les talons de ses bottes sur le plateau du bureau, laissant à chacun le plaisir de contempler sa plastique parfaite. Malgré sa concentration, taquine et provocatrice, elle lançait de furtifs regards alentours, s'amusant de l'effet produit sur la gent masculine qui l'entourait.

Elle était jeune, trente-deux ans à peine, une belle vivacité d'esprit, sculpturale avec son mètre soixante seize et la stature d'une championne de natation. Physiquement, elle possédait tous les arguments nécessaires à rendre fou son entourage. Alors, elle en jouait à chaque instant, repoussant les plus timorés et acceptant volontiers les plus téméraires et persévérants. Elle aimait plaire, déranger, imposer sa présence. Ce penchant pour le moins incitateur avait induit chez elle une déviance qu'elle ne cachait plus. Elle aimait le sexe pour le sexe, de façon presque bestiale, dans des rapports de forces qui pouvaient parfois sembler malsains au commun des mortels. Avec elle, aucun risque de vivre une aventure « fleur bleue », cela ne lui représentait aucun intérêt. Elle ne se consacrait volontairement qu'aux idylles sulfureuses, aux échanges très pimentés, bien au-delà des conventions usuelles. Au jour le jour, le commissariat se révélait être un terrain de chasse propice à ses rencontres sans lendemain. Le stress du métier favorisait l'acceptation des coups de canif que ses collègues mariés donnait allègrement à leur contrat nuptial ; relations sans risque de conséquences et permettant tout chantage possible en cas de dérive pénible. Les célibataires, en interne, ne l'intéressaient pas ou si rarement, car beaucoup trop vite accaparants et désireux d'histoires sentimentales durables. C'était surtout en dehors du cadre de sa vie professionnelle qu'elle assouvissait toutes ses fantaisies lubriques, parcourant durant des nuits entières les bars des quartiers chauds, les clubs libertins, les bas-fonds scabreux et autres lieux de débauche de la capitale. Rien n'échappait alors à ses folles nuits parisiennes.

Un bip informatique la tira de ses rêveries libidineuses, le logiciel de reconnaissance venait de parcourir l'intégralité du fichier national sans pouvoir lui fournir la moindre identité. Cela ne la surprit pas, elle s'en doutait. Elle jura pour elle-même face à ce néant, ce vide abyssal. Cette affaire puait l'énigmatique à plein nez et allait lui donner sans coup férir du fil à retordre, elle en était malheureusement intimement persuadée.

Qu'avait-elle en fait, un homicide par balles, un homme de morphotype caucasien, plutôt sportif quant à sa carrure, petite quarantaine, cheveux et yeux bruns, avec pour seule piste exploitable une anomalie congénitale ressemblant à une cicatrice sur la joue gauche ainsi qu'un auriculaire sectionné à la main droite. Bien peu de choses en somme pour démarrer une enquête tambours battants, elle qui se distinguait habituellement par des affaires rondement menées et élucidées dans des temps records.

À sa prise de fonction, dans ce commissariat de quartier où elle avait été mutée, elle avait dû s'employer avec fermeté pour faire valoir et admettre son autorité hiérarchique. Dans cet univers principalement masculin, teinté d'un machisme flagrant aux plaisanteries graveleuses souvent déplacées, elle avait été quelque peu malmenée par des subordonnés butés dont insupportaient sa jeunesse et surtout sa condition féminine. Elle avait fait l'objet de coups tordus de la part de ces misogynes invétérés, et mise en porte-à-faux à point tel que beaucoup auraient demandé leur mutation sur le champ mais, à chaque fois, elle s'en était sortie sans faire moindrement appel à ses supérieurs ni avoir recours à des sanctions disciplinaires. Ceci lui valut, au fil du temps, d'acquérir le respect et la considération de tous. Son autorité s'était finalement avérée naturellement et aujourd'hui, personne n'aurait osé la lui contester. Elle s'était imposée à terme, de façon innée, grâce à sa forte personnalité, comme une réelle meneuse, incisive et volontaire, impartiale et dominatrice, fine observatrice et douée d'une exceptionnelle intuition sans bornes. Les résultats étaient tombés rapidement, incontestables, faisant l'unanimité dans ses rangs y compris auprès de ceux qui avaient été les plus fervents acteurs de la destruction orchestrée de sa carrière naissante et qui, maintenant, étaient devenus les défenseurs les plus zélés de son génie policier et de son incontestable ascendant.

Repoussant l'ensemble hétéroclite de ses pensées, elle héla ses hommes à disposition, presque agressive devant le vide qui ouvrait la voie à cette affaire. Elle distribua sèchement quelques ordres. Deux d'entre-eux retournaient sur les lieux du meurtre rejoindre les trois autres enquêteurs restés sur place. *Avoir des indices à tout prix, pour démarrer quelques pistes plausibles.* Elle demanda à un autre de ses sbires de rechercher tous les meurtres de ces dernières années présentant un cadavre à l'auriculaire amputé. *Peut-être était-ce une signature après tout !* Un quatrième se chargerait des recoupements avec l'étranger pour ce même type d'homicide. *Il fallait trouver tout de suite le petit détail, si infime soit-il, qui les conduirait sur le bon filon.*

Accompagnée de trois autres de ses policiers, elle quitta vélocement le commissariat, tous s'engouffrèrent dans une voiture banalisée qui, sirène hurlante, emprunta les grandes avenues de la capitale.

5

Rome, 23 h 22
Église San Pietro in Montorio – Mont Janicule

Le Père Di Gregorio, septuagénaire à l'embonpoint certain, savourait cette fin de journée, seul, au sein du sublime édifice que représentait l'Église San Pietro in Montorio de Rome, érigée sur le Mont Janicule, lieu supposé de la crucifixion de Saint Pierre et dominant la Cité du Vatican.

Comme chaque soir, bien après la fermeture des portes de l'église, il laissait vaquer son esprit à de pieuses pensées, cherchant à déjouer le flot de ces souvenirs qui venaient encore aujourd'hui l'assaillir, lui infligeant d'exténuantes insomnies. Il avait passé le relais depuis près de trente ans et pourtant, même après tant d'années, les trop sombres images du passé revenaient et résonnaient dans sa tête comme si elles dataient d'hier. Sans plus aucun contact avec la confrérie, coupé de tous, plus rien ne filtrait de l'étonnante quête extraordinaire dont il avait été l'un des acteurs principaux assurément, pour le moins durant les dix années où l'énigmatique anneau tant convoité ceignait son doigt. Au terme de cette décennie mouvementée, son refus d'assumer sa nouvelle fonction au sein de la société secrète lui avait valu d'être sévèrement écarté de cette trame occulte, et l'avait condamner à un impératif silence total sous la menace d'une mort inévitable. Il se surprenait d'ailleurs parfois d'être encore en vie. Sans doute le choix de sa reconversion avait-il enjoint à la clémence, influençant la décision de l'épargner de la mort. Il en était en tous cas intimement convaincu mais gardait toutefois la crainte de voir surgir quelque assassin pour le faire définitivement taire, même après tout ce temps écoulé. *« Peut-être les choses avaient-elles changées au cours de ces folles décennies contemporaines... »* se rassura-t-il.

Un souffle d'air froid enlaça ses chevilles et le soutira avec violence de ses réflexions. Étonné, il se tourna machinalement vers la porte principale dont le groom rabattait lentement l'un des lourds battants. Quand il vint brusquement claquer contre l'huisserie, un vacarme assourdissant envahit les hautes voûtes ogivales, formant un troublant écho contre les murs des chapelles jouxtant la nef.

Pris par la panique de ses dernières pensées, Di Gregorio dévala la travée centrale en direction du chœur, craignant qu'il ne soit probablement déjà trop tard pour sauver son âme impure et se demandant si le Tout Puissant pourrait absoudre ses agissements d'autrefois. Les flammes vacillantes des cierges épars ne laissaient entrevoir que des ombres floues et mouvantes, dangereusement non identifiables. La lune ne parvenait à percer les vitraux de sa faible lueur.

Essoufflé, le prêtre s'arrêta brusquement pour scruter derrière lui la pénombre. Rien ! Le vide, le néant. Après quelques minutes à fouiller l'obscurité, il remarqua près de l'entrée, tapis derrière un gros bénitier en pierre ciselée, les contours incertains de ce qui pouvait bien être un homme. *« Qui donc a bien pu entrer alors que les portes étaient verrouillées depuis longtemps déjà ? »*

Un frisson lui parcourut l'échine. Il grelottait sous sa soutane à la résurgence des sinuosités de sa vie antérieure. Comment tout cela serait interprété par la Justice Divine ? Lui qui pensait son nouveau choix d'existence expiatoire, suivant le dogme à la lettre, doutait à présent des bienfaits de cette option. Le pardon n'existait donc pas plus dans la justice des hommes qu'en celle du Très Haut. L'heure du jugement de Dieu approchait, inexorablement. L'idée le fit frémir davantage encore alors que giclaient mille images des forfaits d'antan éclaboussant ses yeux apeurés.

Cherchant à rationaliser les événements présents pour apaiser ses tourments, il se remémora les seules rares personnes détenant les clefs de l'édifice et qui auraient pu avoir l'idée saugrenue de venir à pareille heure avancée de la soirée.

– Luigi ! appela-t-il timidement. Est-ce vous Luigi qui faites tout ce bruit ?

Il espérait une réponse positive de l'organiste de l'église qui avait pris l'habitude de venir parfois s'exercer en pleine nuit ou pratiquer quelques menus entretiens à son sublime instrument, mais… seul le silence lui répondit. Terrorisé, il essaya d'une voix tremblotante qui se voulait pourtant forte et assurée.

– Qui va là ? L'église est fermée à cette heure ! Répondez à la fin, qui que vous soyez !…

C'est alors qu'il vit s'élever une femme de haute stature, svelte, dont la chevelure rousse et flamboyante semblait presque inconvenante en ce lieu. Un visage hâve rehaussant une aube noire de laquelle semblait jaillir un pentagramme doublement circonscrit en fils d'or. Ses longues mains fines et blafardes prolongeaient les amples manches du vêtement dont une – ses yeux s'écarquillèrent à sa vue – était armée d'une dague à la lame étincelante et au manche orné de pierres précieuses.

– Mais… mais que me voulez-vous ? balbutia-t-il. Qui… qui êtes-vous ?

Il ne le savait malheureusement que trop bien. Cette femme était représentante de la branche des « *Sumériennes Antiques* », les gardiennes originelles des *Tables de l'Humanité*.

La femme suivit l'allée centrale et se dirigea sans un mot dans sa direction, semblant flotter au-dessus du dallage de pierres polies par des années de saintes processions. Le prêtre agrippa le dosseret d'un banc de bois, le souffle court, le front perlant de sueur. Son cœur battait à tout rompre et venait élancer ses tempes d'un martèlement effrayant. Sa bouche restait bêtement ouverte sans plus qu'aucun son n'en sorte. Il regardait, pétrifié, s'avancer vers lui celle dont la main allait l'anéantir. Aucun bruit de pas, seul le bruissement de la lourde cotonnade troublait la quiétude toute relative du lieu. Quand elle ne fut plus qu'à quelques mètres de lui, la jeune femme s'arrêta, posa cérémonieusement la dague au sol, s'agenouilla et proféra une litanie dans une langue qu'il ne comprit pas, lui qui pourtant était éminent linguiste, réputé et recherché pour ses traductions d'écritures anciennes.

Son esprit lui intimait l'ordre de fuir, de courir jusqu'à la petite porte menant à la cour étroite et de se réfugier dans *Le Tempietto*, l'œuvre de Donato Bramante, où il savait pouvoir être en sécurité par la neutralité symbolique du lieu. Mais son corps ne réagissait plus, pas le moindre soupçon de mouvement, il était totalement tétanisé. Aux derniers accents de cette liturgie macabre et incompréhensible, ses yeux s'arrondirent d'effroi en voyant la jeune femme se relever et se soustraire de son habit qu'elle plia avec soin, obéissant à un rituel qui lui était inconnu mais dont il subodorait l'issue. Elle posa son aube au sol et se présenta complètement nue devant le prêtre. Entièrement imberbe, hormis sa longue chevelure éclatante qui tombait en larges boucles jusqu'à son bassin, ce corps élancé semblait avoir été tatoué de toutes parts, des chevilles jusqu'au cou. S'y mêlaient diverses formes géométriques, des lettres majuscules enluminées, une branche de lierre, une autre d'acacia, ... Un serpent, dont la tête triangulaire avec un œil grand ouvert au centre était posée sur son pubis, remontait en spirale le long de sa jambe droite. Un phénix bicéphale couvrait toute la surface de son dos, depuis la nuque jusqu'au bas des reins. Son sein gauche était largement recouvert d'un scorpion hostile épuré dont l'apex caudale semblait prêt à terrasser l'observateur fortuit de ce tableau vivant. Le Père Di Gregorio n'en revenait pas, cherchant dans ses souvenirs de bibliothécaire quelque signification plausible. Trop de symboles juxtaposés, correspondant à tant d'exégèses différentes, plus rien ne prenait sens à ses yeux, il y avait là un imbroglio de tant de courants d'idées convergentes et divergentes que la traduction de cette fresque humaine en devenait improbable voire impossible.

Sa réflexion fut vite interrompue, car devant lui, la jeune femme fléchit pour revenir s'agenouiller face à la dague. Elle s'en saisit en prononçant une phrase inintelligible, dans cette langue surannée qui lui restait hermétique. Puis, elle s'avança lentement, ondulante, ses genoux affleurant le sol. D'entre ses cuisses écartées, la triangulation de la tête reptilienne reprenait vie au cadencement de ses déhanchements. L'œil le transperçait, jaugeait les profondeurs de son âme, fouillait jusqu'à son intime le plus insoupçonné. Le curé barricada profondément ses yeux. *« Fuir le Vice, se concentrer sur la seule Vertu »*. Les quelques mètres parcourus lui semblèrent une éternité et quand il perçu le souffle tiède de sa tortionnaire, il pria silencieusement pendant que la lame effilée lui tranchait l'auriculaire de la main droite. Son hurlement de douleur transfigura le lieu et vint se répercuter dans tous les recoins du saint édifice. Sans y prêter la moindre attention, le jeune femme se saisit du doigt venu rouler au sol et le plaça délicatement un peu à l'écart. Se relevant alors et tenant la dague à deux mains, elle perfora sans hésitation la poitrine offerte de l'ecclésiastique par cinq fois, lui incisa la gorge à trois reprises puis enfin, soulevant la soutane sanglante couvrant le corps en proie à des soubresauts nerveux, traça, de la pointe recourbée de son arme, sept lignes nettes et parallèles sur la cuisse gauche du moribond, surmontées de deux triangles décalés entrelacés.

Le sang bouillonnait des plaies béantes, jaillissant au rythme cardiaque qui peu à peu s'amenuisait.

La meurtrière s'allongea, dos nu sur les dalles glacées, leva la dague vers la voûte céleste, juste au dessus de ses yeux, abaissa la lame maculée du sang qui commençait à coaguler jusqu'à ses lèvres et la baisa puis, se mit doucement à fredonner un cantique étrange. La mélopée l'emporta dans une transe volontaire, son corps convulsant légèrement au rythme de son chant énigmatique aux intonations gutturales. Quand enfin un silence pesant revint, elle s'assit en tailleur, incisa délicatement l'intérieur de sa cuisse sur environ trois centimètres, dans la continuité des dix-sept autres incisions plus anciennes déjà tracées. Alors, satisfaite, elle se releva, retrouvant toute l'énergie et la mouvance d'un être normal. Avec des gestes précis, elle ramassa l'auriculaire et le roula dans un carré de soie orange sorti de la poche de son aube.

Prenant soin de ne pas souiller ses pieds par le sang impur répandu sur le sol, elle agrippa le lourd corps du religieux et le traîna jusqu'au maître-autel. Avec une vigueur contrastant de sa frêle physionomie, elle souleva le prêtre rondouillard qui devait approcher le quintal et le déposa sans effort sur la dalle sacrée de pierre taillée. Elle remit en ordre sa soutane, lui étira les deux bras dans une position de crucifixion puis, posant ses doigts au pli du coude, ramena l'avant-bras à la main mutilée jusque sous la gorge incisée. Elle plaça les deux jambes bien rectilignes et dressa les pieds, pointes vers le ciel. Ainsi placé, le corps dans ces alignements et perpendiculaires de membres formait un « 4 » ; *« Tu es né poussière, tu retourneras poussière »*. Elle resta un instant à contempler son œuvre qui se devait d'être parfaite, recula d'un pas, reprit sa dague à deux mains, inspira profondément et frappa, avec une force inouïe, le visage de l'abbé qui se fendit dans une symétrie millimétrique. Elle essuya la lame de son arme à un bout de soutane non souillé, regagna le point originel de son rituel, juste en dessous de la corbeille de l'édifice, ramassa son habit dont elle se revêtit et disparut dans la pénombre de l'allée centrale en direction du narthex où elle se faufila par un vantail de la lourde porte principale. Sur le parvis de l'église, elle huma l'air, insistante et soupçonneuse, puis scruta l'immensité de la nuit, guettant le moindre souffle de vie. Enfin, elle tourna les yeux vers les étoiles, accrocha son regard à la blême Vénus à peine visible mais dont elle connaissait la position à la perfection, et balbutia quelques mots dans son langage impénétrable. Enfin, soulagée du devoir parfaitement accompli, la rousse sembla s'enfoncer dans la nuit romaine.

Caché derrière les tuyaux des grandes orgues de l'église, un homme, tapi dans l'obscurité de l'endroit, était resté totalement immobile et silencieux pendant le déroulement de l'intégralité de la scène offerte à ses yeux horrifiés. Il attendit un bon moment avant de s'extraire de son observatoire puis, restant sur ses gardes, quitta l'édifice par la petite porte menant au *Tempietto,* dans l'étroite cour centrale. Alors seulement, rassuré, il prit son téléphone portable, composa un numéro à l'international vers les États-Unis et narra à son interlocuteur la barbarie dont il venait d'être le témoin. Quand il eut raccroché, il tira de sa poche un paquet de cigarettes blondes, en alluma une et profita de la sérénité retrouvée du lieu.

Il n'eut aucun temps de réaction quand le filin d'acier vint enserrer sa gorge le privant de tout afflux d'air. Après s'être débattu quelques instants et malgré ses tentatives pour tenter d'échapper à son agresseur, son corps se relâcha. Sa main droite abandonna le mégot fumant qu'elle tenait encore, son paquet de cigarettes chut sur le sol. Dans un ultime sursaut, ses yeux injectés de sang virent une longue mèche rousse, poussée par la brise légère, voleter et venir balayer sa joue.

La jeune femme, aux mains gantées de soie blanche, ramassa le paquet de cigarettes et le replaça, en même temps qu'une carte, dans la poche intérieure du blouson de cuir sombre de l'homme qu'elle venait d'étrangler.

6

Tampa, Floride - 17 h 55
Clinique Privée du Golfe

Tom Vockler gara sa Ferrari F430 rutilante à l'emplacement lui étant réservé sur le parking de la Clinique Privée du Golfe de son ami, obstétricien et généticien de renom, Wolfgang Schteub. Il caressa avec sollicitude le hayon vitré et brûlant à l'arrière de son bolide qui laissait apparaître la superbe mécanique de la machine. Son corps frissonna à ce contact réconfortant.

Il s'engouffra par les portes automatiques de l'entrée principale de la clinique, répondit distraitement au salut des agents assis derrière leur banque d'accueil et se dirigea rapidement vers l'ascenseur de la section administrative. Arrivé au cinquième étage, il déambula dans les couloirs jusqu'à une petite pièce gardée par deux vigiles armés. Après quelques mots d'usage et de politesse, il introduisit sa carte dans le lecteur magnétique de la lourde porte coulissante. Dans un glissement feutré, celle-ci lui libéra l'entrée d'un petit vestibule. Toujours au moyen de son sésame, il appela l'ascenseur privé menant aux bureaux de la direction. Quelques secondes plus tard, à l'ouverture des portes, il fut ébloui par le soleil déclinant du soir qui baignait tout le septième étage au toit de verre de l'immeuble. Les parois verticales formées d'immenses verrières offraient une vue panoramique sur l'ensemble de la ville.

Une jeune et belle hôtesse se précipita vers lui, le flattant de sa voix douce et mielleuse, l'œil pétillant d'un désir certain.

– Bonjour Monsieur Vockler, toujours aussi radieux… fit-elle enjouée malgré la mine dépitée de son interlocuteur.

– B'jour Susan, marmonna l'autre sans conviction.

– Suite à votre appel, j'ai prévenu le Docteur Schteub de votre venue. Il vous attend dans son bureau.

Un faciès gris et fermé pour seule réponse.

– Laissez-moi vous y conduire, Tom, minauda-t-elle encore, espérant quelque réaction du visiteur.

Tom Vockler ne prêta aucune attention à ses ronds de jambe et la suivit en silence, soucieux de ce qu'il venait annoncer à son ami, crispé par l'adversité qui les tenaillait.

Vexée par cette subite indifférence non coutumière, Susan le devança sans plus mot dire dans le dédale des larges couloirs. Leurs pieds s'enfonçaient dans une confortable moquette grège et le regard était attiré par de superbes toiles de grands maîtres fidèlement reproduites ornant les parois.

Arrivés à destination, la jeune femme pressa le poussoir du visiophone encastré dans le mur, attendit que son occupant l'invite à ouvrir l'épaisse porte capitonnée dont la gâche électrique venait d'émettre son discret déclic. En s'effaçant, elle introduisit Tom Vockler puis, raide et froide, tourna les talons, renfrognée, sans un regard pour celui qui venait de l'ignorer.

Une fois la porte refermée sur l'homme et avant même de venir le saluer, le sémillant Docteur Wolfgang Schteub se saisit d'une télécommande dans l'un des tiroirs de son vaste bureau en bois précieux. Il fit descendre derrière le battant un lourd rideau composite à double parois, isolant ainsi phoniquement la pièce du monde extérieur. Alors seulement il se leva pour aller accueillir son ami, l'interrogeant sans préambule.

– À ton visage, les nouvelles n'ont pas l'air bonnes !

– Pas bonnes ? Catastrophiques, veux-tu dire ! Nous venons de perdre un de nos hommes à Paris, fragilisant notre force d'action et risquant de nous faire démasquer. Ce n'est pas la première fois qu'une telle chose arrive.

Le visiteur se torturait nerveusement les doigts.

– Je m'inquiète, Wolfgang, de la tournure que prennent les événements.

Il baissa piteusement la tête vers le sol.

– De plus, l'*Anneau* s'est une nouvelle fois envolé dans la nature, volatilisé, disparu !... Combien de temps nous faudra-t-il encore pour nous en approcher de nouveau et pouvoir enfin nous l'approprier définitivement. Sans lui, les secrets contenus dans ce maudit coffret sont inaccessibles !

Le gynécologue lui enserra les épaules amicalement et l'invita à s'asseoir dans un large fauteuil de cuir fauve. Il alla jusqu'au bar en acajou et en sortit deux larges verres en cristal à fond épais. Il se tourna vers Tom et lui lança d'un ton ironique :

– Toujours sur glace ton scotch, mécréant…

– Toujours ! Je sais, un Bourbon de cette facture se boit sec, Monsieur l'Expert !

Le médecin, tout à la réflexion inhérente des propos de son hôte, appuya machinalement sur la palette du distributeur de glace, en emplit le tiers d'un verre et versa dans chaque, deux doigts d'un Bourbon rare. Il tendit à Tom son verre dans un cliquetis cristallin, huma le sien avec recueillement avant de reprendre la parole.

– Tu sais combien cette mission reste délicate ! Nous avons tant cherché, fait tant de sacrifices pour qu'un jour cette révélation se réalise, qu'il n'est pas temps de nous laisser aller en baissant les bras. Nous avons encore, partout sur le globe, de nombreuses sentinelles affûtées à ce dessein. Elles parviendront à nous faire remonter la filière et récupérer le joyau. Sois tranquille, Tom, tout n'est que question de temps et du temps, il n'en reste que bien peu avant la passation des pouvoirs.

Il fit courir lentement ses narines au-dessus de l'ouverture de son verre pour vérifier si l'union des accords complexes du liquide mordoré était maintenant parfaite. Le breuvage n'ayant atteint la perfection de son équilibre, il reprit :

– A-t-on une idée précise du nouvel élu ? Du prochain porteur de l'*Anneau ?* Une liste de trois noms avait été avancée, a-t-elle été épurée ?

Tom Vockler resta coi, éludant ces questions dont il ignorait les réponses. L'autre poursuivit.

– Quant à la mort du membre de notre trio, comment veux-tu que quelqu'un puisse en trouver l'origine ? Nous avons tellement pris soin de brouiller toutes les pistes.

– Je sais tout cela, Wolfgang, mais aie conscience que nous ne sommes plus les seuls dans cette quête…

Il fit tournoyer avec un agacement évident les glaçons dans son verre.

– À Rome, tout à l'heure, un ancien Porteur a été sauvagement exécuté. Rudolf Van Kriek, devenu le Père Di Grégorio…

Il leva vers son ami des yeux interrogateurs, cherchant à voir l'impact de sa déclaration, à déceler une moindre réaction pouvant corroborer ses propres angoisses présentes mais, son vis-à-vis resta de marbre.

– Un de nos hommes se trouvait sur place, infiltré depuis longtemps dans l'entourage du prêtre. D'après ses dires, l'exécution a été rituellement orchestrée, avec une barbarie et des détails d'une cruauté inimaginable, par une jeune femme rousse. Ma conviction est que ce rituel correspond à celui d'une *Sumérienne Antique*. Pourquoi cet assassinat ? Van Kriek alias Di Gregorio n'était plus au fait des arcanes de cette quête depuis des lustres. C'est étrange que le groupuscule cherche à éradiquer toutes les traces du passé ! Les *Sumériennes Antiques* tuent les leurs comme tout pion venant interférer dans la logique de progression du processus qu'elles poursuivent. Auraient-elles quelque convoitise malveillante aux secrets du coffret ? Elles semblent ne plus être là pour seulement les protéger mais bien pour se les accaparer dans une lutte sans partage, se les approprier pour une domination exclusive lors de leur révélation. Les membres de cette société obscure sont des furieux, des fous qu'absolument plus rien n'arrête, pas même les assassinats fratricides…

Cette longue tirade avait vidé Tom de toute énergie et laissé son interlocuteur pensif et sans voix. Puis, le docteur Schteub but enfin une gorgée de son verre, savourant le précieux nectar aux subtiles saveurs à présent idéalement dosées. Il avait besoin de réfléchir à ce que venait de lui confier son ami.

Il laissa ses pensées retracer les bribes historiques de toute cette captivante épopée occulte : Les *Sumériennes Antiques* – aussi nommées *Gaéliques* du fait de leur camp de base retranché dans les méandres profonds de l'Irlande – étaient l'armée gardienne du secret originel. Composé de combattantes redoutables, uniquement des jeunes femmes toutes rousses et empreintes d'une connaissance érudite, ce groupe protégeait depuis toujours les mystères anciens pour lesquels lui et son ami avaient déjà dépensé tant d'énergie. La promesse d'un trésor incommensurable devant faire changer la face du monde à sa mise en lumière et des pouvoirs absolus à ceux qui en auraient la révélation, avaient jonché de cadavres la voie de cette quête. Les membres de cette société initiatique excellaient dans l'élimination radicale de toute entrave à la préservation de ces secrets. Pour autant, aujourd'hui, cette escouade effroyable n'était plus détentrice du coffret qui les contenait et parvenait à grand peine à protéger l'Anneau servant de clef à son ouverture. Que révélera ce satané coffret mystérieux impossible à ouvrir par la force. Muni de légendaires protections partiellement confirmées un scanner effectué, le rendaient inviolable de toute intrusion sauf à en détenir le sésame adéquat pour déclencher son mécanisme d'ouverture. Fabriqué dans un matériau composite, semi-ferreux, semi-minéral, il avait fallu se servir de techniques particulières pour finalement n'entrapercevoir difficilement de vagues formes mystérieuses de rouages et de fioles contenant des liquides dans la partie externe de sa double paroi. Du noyau interne ? Rien, pas le moindre soupçon d'image. Une des fioles s'était brisée, il y avait près de huit ans, lorsque les experts de son laboratoire avaient, à sa demande, essayé d'ouvrir cette boîte de Pandore coûte que coûte. Ils avaient alors stoppé toute tentative supplémentaire, s'étaient replongés dans la fabuleuse légende à la recherche des « clefs » et gardaient espoir que leur malencontreuse action n'ait pas détérioré le fabuleux contenu annoncé. Ils avaient le coffret, ne manquait que cette maudite clef pour l'ouvrir. Ils avaient été à deux doigts de la posséder la nuit dernière. Le généticien était certain que très bientôt ils en seraient détenteurs et ainsi s'ouvriraient à eux les secrets millénaires les mieux gardés jusqu'alors.

S'extrayant de leurs difficultés de ces dernières années, le Docteur Schteub reprit :

– Ce que tu me dis là est fâcheux, Tom, et dénote d'une dérive qu'il nous faut prendre en considération mais qui, peut-être, servira encore mieux nos desseins.

Tom lui jeta un regard interrogatif. Le médecin lui expliqua que l'agitation actuelle révélait la fin imminente d'un cycle et, comme à chaque fois, confirmait la réalité de la passation de l'*Anneau,* l'exactitude de leurs calculs quant à la détermination de sa date. Tom écoutait la théorie de son ami avec une attention toute particulière, nourrie de l'aboutissement du fruit de leur travail durant la dernière décennie.

– Tom, recontacte toutes nos troupes en Europe ! Envoie tous les hommes basés à Paris quérir ce que nous cherchons depuis si longtemps. Cette clef nous fait défaut, il nous la faut, au plus tôt ! Fais aussi rapatrier « notre » corps avant que la police française ne s'attarde sur sa dépouille et diligente une enquête un peu trop poussée.

– J'ai ordonné le retour du corps sur nos terres. À cette heure, il n'est déjà probablement plus entre les mains des autorités françaises. Quant à nos hommes, ils sont tous sur le qui-vive et restent à la recherche de l'*Anneau* disparu. Je leur ai donné carte blanche pour aboutir à notre objectif.

Les deux hommes restèrent encore de longues heures à échanger sur la légende des Sept Grands Sages sumériens, leurs secrets et sur les stratégies à mettre en œuvre pour qu'ils soient les élus de leur révélation.

7

Mésopotamie, Village d'Akurgal le Grand,
Quelques temps plus tard.

Un jour, alors que les rues du village étaient complètement désertées – certains hommes partis travailler aux cultures, d'autres s'affairant à améliorer sans cesse les techniques de leur artisanat ; femmes occupées dans leur logis à quelques travaux ménagers ou d'éducation de leur progéniture – des cris stridents percèrent l'immobilité du silence relatif. Akurgal le Grand était une nouvelle fois en totale communion avec la pensée de Gilgamesh le Sage lorsque ces hurlements terrifiants, tout proches, le firent sursauter. Ces déchirements n'avaient rien d'humains et le grand sage n'y reconnut non plus aucun cri animal recensé dans le registre de ses connaissances.

Méfiant, il sortit prudemment, un bâton à la main, constater l'origine de ce lugubre éclat. À peine eut-il tourné l'entrée de sa hutte qu'il se retrouva face à une femme, recroquevillée sur le sol, les traits tirés par la douleur. Elle semblait presque inhumaine, effrayante, tant sa peau, pourtant souillée de poussière, était blafarde, diaphane, quasi transparente.

Gisait là, au pied de son logis, une étrangère à son village et aux peuplades répertoriées jusqu'alors, ahanant toute la souffrance d'un enfantement difficile. Le vieil homme se précipita vers elle en jetant à l'écart son arme précaire inutile, puis, devant le spectacle affligeant de cet être en gésine et agonisant, pressa sa main sur la bouche tordue par l'épreuve, pour en étouffer les plaintes. La parturiente tournait des yeux horrifiés, visage émacié, le corps arc-bouté presque entièrement recouvert d'une boue rougeâtre formée de la poussière agglutinée par son abondante transpiration. Elle avait peur ! Akurgal pouvait lire l'angoisse dans son regard, une pointe de terreur même. Mais quoi de sa pensée présente ? *Craignait-elle qu'il brisât sa vie par quelque mauvais coup ou l'abandonnât à son maudit sort ? Non, rien de cela !* Le grand sage pénétrait doucement son âme torturée, adoucissait petit à petit ses tourments. La chaleur écrasante de l'été associée au pénible travail de son accouchement éprouvant, avaient transfiguré cet être pour lui rendre une expression presque animale. Cependant, la présence altruiste du patriarche lui redonnait semblant de face humaine avec cet indicible espoir qui rejaillit du plus profond d'un œil même devenu terne. *Le suppliait-elle de lui venir en aide jusqu'au terme de son travail et par delà de sauver son enfant à naître ?...*

Dans un effort extrême, la jeune femme expulsa le nouveau-né dans la terre à ses pieds, son ultime hurlement de souffrance retenu par la main fermement plaquée sur sa bouche. La rupture pelvienne et l'importante hémorragie inhérente eurent rapidement raison de sa faible résistance. Durant d'infimes secondes, ses lèvres esquissèrent un vague sourire de soulagement dans la paume osseuse d'Akurgal pendant que les feux de son regard vert aux reflets dorés s'éteignaient inexorablement. Elle poussa son dernier souffle de vie entre les doigts serrés de celui qu'elle avait cherché si longuement. Au sol, l'enfant remuait faiblement, silencieux.

L'essuyant à l'étoffe d'un pan de son vêtement, le sage fut d'abord surpris par la couleur de peau de cet être chétif. Elle était d'une blancheur livide, inconnue en ces terres d'entre les fleuves, opaline comme celle de sa pauvre mère morte en lui donnant vie. *Quel peuple pouvait mettre au monde une telle créature ? Était-elle seulement humaine ?* Akurgal s'interrogeait, ébahi. De surpris, le vieux sage devint stupéfait, interloqué, à la teinte de la chevelure de cette fragile chose venue prendre vie aux contreforts de son zarifé. Les rares cheveux épars de l'enfant, collés à son front laiteux par les fluides de la parturition, empruntaient les nuances du soleil mourant lorsqu'il bascule à l'occident pour fermer la carrière du jour et rejoindre l'horizon, celles de la flamme du feu quand elle dévore les bûches desséchées de l'olivier et de l'acacia ou bien encore, les tonalités subtiles de cette argile de qualité, profonde et oxydée, dont les siens tiraient briques et récipients.

Un nouveau-né de carnation blanche à la pilosité nuancée de roux ! N'était-ce pas là le Signe tant attendu ? Troublé, le grand sage vérifia le sexe de l'enfant dont il n'avait déjà plus aucun doute. *Une fille !* Il repensa alors aux propos colportés depuis les temps les plus reculés et qu'il avait reçu comme héritage d'une des possibles reconnaissances du *Signe* :

« *Alors descendra de l'Univers Céleste une Créature que l'on ne saurait dire humaine tant sa peau sera différente de celle des hommes de cette terre d'en-bas. Demeurant résolument sans voix, Elle éclairera de sa chevelure de feu le Chemin des Destinées à travers les âges de l'Humanité tout entière. Symbole parfait de l'antinomie des Hommes, divin féminin et fidèle voyageuse des desseins des Sept Grands Sages, Elle sera garante attentive de la transmission, toujours passant vaillamment les millénaires sans faille, de l'Anneau né après Elle et porté jusqu'à l'ultime souffle du dernier d'entre nous, le plus sage des Sept Grands Élus de notre civilisation moderne, refermant ainsi la porte mystérieuse sur notre mythe occulte.* »

La voix gutturale de Gilgamesh le Sage résonnait encore dans son crâne de cette élocution.

Il tenait là, lui, Akurgal le Grand, dans ses longues mains tremblantes, toute la fragilité du *Signe* qui allait, de sa toute puissance en devenir, orchestrer le destin de la *Grande Prophétie* pour les millénaires à suivre. Son regard embué d'émotion se posa à nouveau sur la faible enfant immobile. Elle semblait presque sans vie, irrémédiablement silencieuse mais, le léger mouvement de sa poitrine le convainc qu'elle vivait encore et était simplement privée du don de la parole.

Une chaude larme traça alors un sillon sur sa joue ridée et poussiéreuse, ému d'avoir été celui choisi, lui qui attendait avec espoir depuis tant d'années, pour mettre en œuvre l'application de la *Grande Prophétie*. Quand la larme vint s'écraser sur le front pâle de l'enfant, celle-ci ouvrit brusquement les yeux. L'intensité de profondeur de son regard vert aux contours mordorés pénétra le patriarche jusqu'au tréfonds de son âme, le contact venait d'être scellé, le *Signe* s'était révélé.

Akurgal le Grand savait maintenant, comme Gilgamesh le Sage l'avait fait pour lui-même, que s'ouvrait la longue et délicate voie de l'apprentissage de l'enfant à qui il convenait de transmettre tous les enseignements secrets reçus avant que sa propre enveloppe ne quitte définitivement la condition terrestre.

Ce joyau à peine vivant était le trait d'union universel entre les générations passées et futures jusqu'à l'ultime révélation de la *Grande Prophétie*. Cette enfant miraculeuse était le Présent, le seul instant véritable dans l'existence de l'Humanité.

8

Rome, Hôtel anonyme proche de la Vieille Ville,
Quartier du Trastevere, ruelle anonyme

Beth O'Neill regagna sa chambre d'hôtel en passant par la courette arrière où quelques chats errants se disputaient les ordures débordant des poubelles.

L'établissement était sans prétention mais avait l'avantage de sa situation : être au cœur de la cité romaine. Il avait été choisi pour cela mais aussi pour sa discrétion, son accessibilité depuis les petites ruelles, ses multiples issues et son personnel très conciliant si peu exigeant des formalités administratives. Il était parfaitement anonyme et l'un des points de chute retenus par la société secrète dont elle dépendait, pour les missions organisées à Rome. Aucun artifice cherchait à rendre le lieu plus plaisant, pour autant, son architecture typique lui conférait un charme indéniable, désuet, où il faisait bon séjourner, dans un confort quelque peu spartiate mais suffisant. Le bâtiment, très vétuste et sommairement entretenu, s'élevait sur quatre étages desservis par un vieil escalier de bois aux marches usées en leur centre sur lesquelles avait été jeté jadis un tapis maintenant éculé, aux teintes indéfinissables. Le rez-de-chaussée était consacré à un accueil sans fioritures qui jouxtait une salle sombre et malodorante, empestant fort la fumée froide de cigarettes, où étaient servies les collations matinales. Des relents lourds de cuisine s'y répandaient depuis l'office situé en sous-sol. Le restant de la journée, cette salle reprenait ses fonctions de bar de quartier où se côtoyait tout un monde bigarré et bruyant, surtout les jours de marché.

Gravissant lestement les marches fatiguées de l'escalier, Beth O'Neill bifurqua sur la droite, dans le petit dégagement du second étage faiblement éclairé par des veilleuses. À la porte du fond, elle introduisit sa clef dans la serrure et entra. La pièce était sobre, sans effets inconsidérés. Une moquette récente et moelleuse recouvrait un parquet ancien qui grinçait aux endroits de passage. Un mobilier fonctionnel et bon marché garnissait l'espace, sans recherche particulière d'harmonie. Il devait se remplacer au coup par coup, produisant un curieux effet chamarré, privant l'endroit de toute unicité de style.

La jeune femme n'y prêta aucune attention. Cette chambre était son « dortoir », son lieu de récupération, sans la moindre attache, sans y chercher une quelconque personnalisation, avant de repartir inlassablement vers d'autres horizons pour de nouvelles missions à remplir. Celle de ce soir s'était soldée par une totale réussite dans une parfaite réalisation rituelle. Dès demain, elle serait de retour à Paris où seule lui importait l'intimité plaisante et douillette qu'elle avait clandestinement su créer dans son cocon parisien pour ses périodes d'inaction et de repos. L'environnement quotidien au cours de ses « sorties professionnelles », qu'il fut sordide ou luxueux, elle n'en avait que faire, toute concentration absorbée par les détails et l'aboutissement de ce dont pour quoi elle avait été envoyée.

Cette pensée ramena Beth des années en arrière, dans la banlieue nord de Dublin, où elle grandît puis suivît le cursus de son instruction au sein de la Société. Là-bas, seuls comptaient les apprentissages, au détriment de toute considération d'agrément de vie. Dans le gigantesque hangar bardé de tôles vertes, un espace résidentiel archaïque avait été aménagé. Murs en parpaings bruts, peints à la hâte, d'un blanc laiteux, verrières métalliques à près de trois mètres d'un sol en béton lissé. Une véritable « chambre de princesse » où elle et ses congénères couchaient huit par chambrée, sur des lits superposés au confort incertain, sans chauffage ni ventilation, avec le givre qui cristallisait sur les carreaux la condensation de leur respiration en hiver et une chaleur étouffante et moite lors des étés caniculaires. Les douches communes, ouvertes à l'inquisition de tous, privaient chaque résidente de la plus minimale des intimités. Le seule lieu où il était possible de se retrouver avec soi-même, hors du regard des autres, étaient les toilettes, bien maigre consolation. Tout repère à une existence conventionnelle avait disparu. Le but était de briser, dès le plus jeune âge, toute tentative d'individualité au profit d'une cohésion sans appel vouée à l'unité du groupe pour parfaire sa fonction. Apprendre à résister en toutes circonstances, tel était le credo de la « Fabrique », l'adage disciplinaire pour constituer des rangs armés solides de combattantes surentraînées. Un quart en ferraille emplit d'une nourriture énergétique insipide, une paillasse en dehors des courants d'air, un emploi du temps sans loisir pour un physique et un mental rompus à toute épreuve.

La *Fabrique* s'était installée au cœur d'une friche industrielle désaffectée où jadis résonnaient le tintamarre des machine-outils, incessante fourmilière grouillante et populeuse qui relâchait, à heures fixes, des cohortes ouvrières disciplinées et asservies. Les hautes cheminées de briques crachaient des colonnes épaisses de fumées grises et noires qui s'élevaient difficilement, pesantes, dans un ciel déjà trop bas pour pouvoir les absorber. La santé des plus vulnérables s'emportait à la pesanteur de la pollution mais ces brouillards artificiels faisaient la fierté de la banlieue nord, gages d'une activité débordante, d'une vie trépidante rythmée par les allées et venues incessantes d'une masse abondante à chaque changement de poste. Puis, petit à petit, la vétusté des installations et la mondialisation avaient rempli leur office, rongeant ainsi ce tissu vital et transformant la zone en sordide dépotoir nécrosé, au nom de la rentabilité et des enjeux financiers. L'homme n'y était plus rien mais y avait-il seulement été considéré un jour ? La désolation se répandit rapidement, comme une épidémie de peste, inguérissable. Les ultimes usines encore en fonction migrèrent rapidement au sud de l'agglomération, sur un site flambant neuf et sécurisé qui avait été édifié, laissant la partie nord sombrer dans le chaos d'un abandon total. Entre les longs bâtiments devenus silencieux, bien peu osait s'aventurer dans ce véritable coupe-gorges où s'affrontaient régulièrement des bandes rivales pour des conflits dont l'origine leur était parfois incertaine.

C'est donc dans ce lieu fantomatique que depuis quelques décennies, l'entrepôt 228 avait été réaménagé aux besoins des « Sumériennes Antiques », société pour le moins obscure d'où ne filtraient aucune information, ni sur sa provenance, ni sur ce qui s'y tramait pas plus que sur ses enjeux et buts recherchés. Quinze mille mètres carrés de vastes halles d'entraînement aux diverses pratiques de combat remplaçaient les ateliers d'antan. Murs et cordages d'escalade flirtaient avec le faîtage à plus de vingt mètres de hauteur ou encore s'agrippaient aux érections des cheminées monumentales. Quelques bureaux épars pour les instructeurs, des salles grises et sans âme où se dispensaient les enseignements théoriques de tout un processus antique que la culture moderne n'aurait pu concevoir comme possible ou réel. Une érudition pourtant étonnante et occulte formatant ces soldats de l'ombre à un destin précis et savamment orchestré.

Le programme était simplissime, apprendre à combattre dans n'importe quelle condition pour préserver et protéger des secrets antiques dont elles n'avaient qu'une conscience relative. Ainsi, de cinq heures du matin jusqu'à la tombée de la nuit, s'évertuaient des dizaines de jeunes filles rousses qu'apportaient des fourgons depuis la « nursery ».

Malgré tout cela, les privations et les brimades, la sollicitation permanente jusqu'à leur perte d'identité, la souffrance quotidienne de cette vie rudimentaire où l'effort était perpétuel, toutes gardaient espoir car l'une d'entre elles portait l'incroyable empreinte de la Lignée Divine, née aux confins des civilisations millénaires.

Ainsi avait été l'enfance puis l'adolescence de Beth O'Neill, tout comme le début de sa vie de jeune adulte. Émue par ses souvenirs anciens, elle balaya cette nostalgie en se disant que c'était la *Fabrique* qui avait fait d'elle ce qu'elle était aujourd'hui. Avait-elle eu à en souffrir ? Quelle aurait été sa destinée en dehors de ce processus quasi militaire ? La mélancolie la gagnait, le doute aussi, à la fois sur ce strict tracé de sa vie sans qu'elle ait pu réellement y participer mais également sur la véracité et l'utilité finale des missions que son état-major lui commandait. N'y avait-il pas une autre existence possible, faite de relations plus paisibles, peuplée d'amis, d'instants sereins de répit ? Tout ce qu'elle croisait au quotidien de ses missions et auquel elle ne prêtait le moindre intérêt, n'était-ce pas là l'essence de la vraie vie ? Qu'avait-elle à ce jour, un petit appartement acheté en cachette pour pouvoir s'y replier sur elle-même et méditer aux méandres de son parcours.

Quelles relations ? Aucune. Elle avait pour seule amie cette petite fille fragile à son arrivée à la *Fabrique* et qu'elle avait prise sous son aile. Elles avaient tout partagé durant leurs années passées en Irlande au point de se sentir des jumelles. Quid des autres pensionnaires ? Rien ! Rien de plus que des appuis stratégiques sur lesquels elle pouvait compter au besoin mais qu'un jour elle risquait de combattre et d'éliminer ; c'était malheureusement déjà arrivé à certaines déviantes de leur cause établie. Beth en avait été particulièrement perturbée.

Beth O'Neill retira son aube, ébroua sa longue chevelure de feu et fit couler l'eau de la douche. Elle regarda dans le miroir piqué le reflet légèrement déformé de la perfection de son corps, caressant doucement sa peau fine. Elle écarta légèrement sa cuisse pour y observer les dix-huit entailles régulières dont la dernière, toute fraîche encore, s'irisait sous le modeste éclairage. Un rictus de satisfaction habilla ses lèvres, elle avait une fois de plus achevé son devoir, sans anicroches, même si elle avait dû parfaire son œuvre en étranglant le seul témoin probable de la scène, trahi par son eau de toilette bon marché incommodante qu'elle avait décelée dès son entrée dans l'édifice. *On ne prenait pas Beth O'Neill en défaut !*

Son regard insista sur ces stigmates jubilatoires, marques protectrices des secrets millénaires si bien gardés. L'homme étranglé n'avait eu droit à cet honneur, poussière insignifiante du monde des vivants dans la mystérieuse dimension des secrets antiques. Il ne figurait pas sur la liste, il n'appartenait pas à sa mission. Il n'était que l'un des quelques dommages indispensables disséminés sur le tracé immuable de la Grande Voie. Un parasite imperceptible, pas même un grain de sable ni un contre-temps.

Éradiquer tout ce qui se mettait en travers du chemin de la Mission, sans état d'âme, sans réfléchir ! Rien ne pouvait ni ne devait la bloquer ! Sauf la mort, ce qui lui restait inconcevable.

Se penchant en avant, elle massa doucement ses chevilles endolories et fatiguées. Ensuite, ses mains vinrent délicieusement suivre les contours du serpent tatoué tout au long de sa jambe droite pour finir leur course sur son sexe qu'elle effleura avec délicatesse et pressa lentement. Elle sentait poindre une fulgurante montée de désir aussi se précipita-t-elle sous les jets brûlants de la douche pour parachever son plaisir et purifier tout son être de ses agissements de la soirée et des souillures profanes émanant de ceux dont elle avait brisé les vies.

Enfin calmée, elle sécha sommairement son corps détendu et vint s'allonger sur le lit. Elle attrapa son téléphone satellite et put narrer la chronologie et les détails des dernières heures écoulées à celle dont dépendait le cours de son existence. Elle écouta avec attention ce que sa guide lui indiquait – sans même une once de félicitation pour la réussite de sa mission – et mémorisa les nouveaux ordres que sa correspondante lui distillait. Elle serait de retour à Paris sous quarante-huit heures, seul cela comptait pour elle en cet instant. L'idée même la comblait d'une joie égoïste, la transportait. Alors, satisfaite et soulagée, elle éteignit la lumière et plongea rapidement dans un lourd sommeil réparateur.

9

Paris, 01 h 26
Sous-sol d'une maison particulière

La pièce était froide et humide. Un faible halo de lumière, dispensé par une ampoule poussiéreuse à bout de fils au sommet de la haute voûte briquetée, rendait les lieux lugubres et peu accueillants. Étendu sur une simple table métallique recouverte d'un matelas en mousse hors d'âge, l'homme tentait de s'extraire avec difficulté de son engourdissement, la mémoire vacillante.

Par habitude et avant même que ne soit perceptible le moindre mouvement de sa part, il tendit l'oreille, cherchant à recomposer l'environnement dans lequel il se trouvait et qu'il ressentait comme sordide et souterrain. Pas un son n'émanait de l'endroit.

« *Je suis seul en ce lieu.* »

Il mit alors en exergue son extraordinaire olfaction. Les ailes de son nez palpitèrent subrepticement.

« *Hygrométrie saturée et fraîcheur certaine laissent présager d'une cave... un sol en terre battue, des murs en pierres calcaires et briques enduites à la chaux.* »

Il percevait aussi, de façon furtive, une exhalaison sure distinctive, l'âcreté fongique des moisissures du bois pourrissant.

« *La porte sans doute, rongée par les effets de l'humidité latente et du temps.* »

De l'intérieur, aucun bruit particulier ; cependant, non loin, des vibrations souterraines, sourdes et sonores, confuses mais bien perceptibles... les trépidations caractéristiques du passage d'une ligne de métro proche dont le faible écho décrivait la grande hauteur d'un plafond voûté.

« *Je suis toujours à Paris !* »

Cette pensée fusa dans son esprit comme un flash, telle une évidence. Il ne savait l'interpréter tout comme il ne parvenait pas non plus à s'expliquer pourquoi il avait cette extraordinaire faculté à déterminer son environnement par ses seuls sens. Son ouïe et son odorat ainsi que l'empreinte que pouvaient laisser les éléments qui l'entouraient sur sa peau, lui permettaient de reconstruire tout l'univers avoisinant sans que sa vision ne lui soit nécessaire.

Après plusieurs minutes à s'imprégner de l'ambiance du lieu, alors certain que personne n'était présent, il entrouvrit de façon quasi-imperceptible ses paupières et mit à contribution sa vue quelque peu brouillée.

« *En effet, je suis seul !* » et il ouvrit alors grands les yeux.

Force lui fut de constater que ses impressions, une fois de plus, s'avéraient justifiées et ne l'avaient pas trompé. Il se trouvait au fond d'une cave à peine éclairée, attaché sur une sorte de paillasse. Une potence à ses cotés distillait au compte-gouttes un liquide transparent depuis la poche plastique qui y était suspendue.

Il tenta de se redresser. Impossible ! Il était pieds et mains liés, deux larges sangles passées sur son torse et ses cuisses le maintenaient fermement plaqué à sa couche d'infortune. Inutile de tenter quoique ce soit dans cette mauvaise posture, les liens étaient bien serrés, aucun mouvement n'était envisageable.

Il inspira profondément pour se mettre en état de relaxation maximale. Il fit alors travailler ses méninges, essayant de retracer le fil ténu des dernières heures mais tout restait inextricable dans sa tête, rien ne perçait.

« *Quelles substances m'administre-t-on ? Fallait-il y voir une main charitable ou bien au contraire un processus chimique à lui soutirer des informations ? Quelles informations ?* ». Quoiqu'il en soit, il était loin d'être dans son état normal. Tout se mêlait dans sa tête, tout n'était que chaos.

Son cerveau embrumé flottait dans des éthers médicamenteuses et il ne ressentait aucune douleur. Il se contraint à une concentration optimale pour parvenir à trouver la trame des événements proches. « *Proches ? Depuis combien de temps était-il retenu prisonnier de cette cave ? Une heure, un jour ? Plus... une semaine ?* »

Rien ne lui revenait à l'esprit pour l'instant, ni qui il était, ni ce qu'il faisait là et encore moins ce qui avait pu l'y conduire. Son cerveau bloquait et confirmait, en boucles itératives, comme un vieux vinyle rayé, sa présence dans la capitale française.

« *Mais pourquoi suis-je à Paris ?* ».

Son amnésie actuelle l'empêchait de l'entrevoir.

Des pas feutrés dégringolaient un escalier de pierre et se rapprochaient.

« *Deux personnes, faibles corpulences, des femmes à n'en pas douter.* »

La vieille porte en bois vermoulu, située au fond de la cave, grinça sur ses gonds et racla le sol spongieux. Deux silhouettes apparurent et se profilèrent dans la pénombre. Une goutte de sueur roula de son front pour venir s'écraser sur le matelas juste à côté de son oreille. Il se surprit d'en écouter si puissamment le bruit.

« *Comment était-il possible d'entendre avec autant d'intensité une simple goutte de sueur tombant sur de la mousse ? On le droguait, on lui instillait dans les veines un redoutable poison annihilant sa mémoire immédiate et créant la plus grande des confusions dans sa tête.* »

Plus aucun repère, sa matière grise ne parvenait pas à dresser la liste des produits produisant un tel effet.

« *Mais pourquoi l'aurais-je pu ? Qui suis-je ? Suis-je en train de plonger dans une folie certaine ou bien est-ce que j'émerge des noirceurs d'un quelconque inconscient ?* »

Glissant lentement jusqu'à lui puis se penchant au-dessus de son corps ligoté à leur merci, les deux faciès lui étaient totalement inconnus.

« *Où suis-je ? Qui me garde ainsi prisonnier ?* »

Ces visages, à la physionomie plutôt sereine, arboraient ce qui semblait être des sourires réconfortants. Ces deux personnes ne lui étaient donc pas néfastes ?

Il avait, face à son regard trouble, une dichotomie de teintes, deux effigies féminines floutées dont il ne distinguait que mal les traits. Chacune était entourée d'une aura qui contrastait la vision de l'autre. Une claire, une sombre. Le Blanc, le Noir, l'une semblait rayonner la Lumière alors que l'autre figurait les Ténèbres.

À cet instant, l'homme se demanda où le conduisait son esprit. Plutôt que de se préoccuper de sa condition présente plus que périlleuse, sa pensée errait dans des fanges mouvantes, vers des considérations étranges. *Qu'était-il advenu de sa rationalité ?* Il fit maints efforts pour se reprendre.

« Qui sont-elles ? Que me veulent-elles ? »

Ses questionnements restèrent sans réponse.

L'une des femmes approcha encore, celle à l'aura ténébreuse, et murmura délicatement à son oreille. La voix pénétra si violemment sa boîte crânienne que l'homme se tétanisa de douleur dans la seconde. Les mots chuchotés venaient vriller ses tympans, s'enroulaient, dolosifs, à chacune de ses circonvolutions, faisaient éclater leur écho aux parois osseuses, perpétrant une souffrance qu'il n'avait jusqu'alors imaginée. Le flux des syllabes ressemblait à un puissant marteau-piqueur venu briser, une à une, chaque fibre de sa conscience.

« Mais d'où vient cette hypersensibilité auditive ? »

Le martellement verbal se poursuivait, l'emportant toujours plus proche de la rupture, à la frange de l'irréversible. Le déchirement galopait, incisif, fractionnait sa raison puis envahissait, telle une lame de fond, tout son corps jusque dans ses extrémités. Il remua fébrilement sur sa couche pour faire cesser ce supplice, faire comprendre à ce masque obscure qu'il devait arrêter, au risque de le perdre. Cependant, la torture perdura. Il ne parvint pas à rendre intelligible ce que la voix essayait de lui dire, devant lutter contre ce chuchotement devenu tumulte et tempête dans sa tête. Dépassant les limites du supportable, les yeux révulsés, dos arc-bouté, mâchoires crispées à se rompre les dents qui crissaient les unes contre les autres, son cerveau abandonna sa quête, disjoncta en une fraction de temps et tout son corps se relâcha.

Avant que l'homme ne sombre à nouveau complètement dans les brouillards épais de l'inconscient, telle une lueur vive dans la noirceur de l'instant, un souvenir lointain jaillit tout à coup, subit et brillant…

… circulaire !

10

Paris, 19e arrondissement – 01 h 48
Morgue de la Clinique des Buttes-Chaumont

Dans les couloirs sans âme du 2nd sous-sol de la Clinique des Buttes-Chaumont, la capitaine de police Valérie Nouellet et trois de ses lieutenants marchaient d'un pas de charge derrière une aide soignante leur servant de guide. S'arrêtant à la croisée de deux artères, celle-ci tendit évasivement la main vers la droite et d'un ton monocorde et impersonnel, les avisa sans détour :

– La morgue, au fond du couloir, porte de gauche.

Sitôt le renseignement distillé, elle les planta, repartant précipitamment en sens inverse vers de plus urgentes préoccupations. Un des policiers, l'œil grivois, ne put s'empêcher de regarder avec insistance ce déhanchement évocateur s'éloigner, faisant virevolter blouse blanche autour de hanches si bien dessinées, avant qu'il ne disparaisse à l'angle d'un mur.

Malgré son humeur massacrante, Valérie Nouellet le rappela sommairement à l'ordre, en plaisantant :

– Hervé, concentre-toi un peu sur cette foutue enquête plutôt que sur le joli cul des infirmières !

Son subordonné rétorqua, philosophe :

– Mieux vaut avoir les yeux rivés sur un beau cul que les mains engluées dans une sale affaire, Chef !

– Et arrête un peu de m'appeler « Chef », Ducon, ou tu retournes à la circulation dès demain matin.

– OK Miss, désolé, mais j'ai raison, pas vrai ?

– Vrai que cette affaire pue le roussi dès le départ et qu'un beau cul est bien plus sympa à mater !

Prononçant cette phrase en pouffant, elle s'était placée en avant de ses hommes et marchait en chaloupant exagérément du bassin. Le quatuor hilare combla promptement les quelques dizaines de mètres le séparant de l'entrée de la morgue de l'hôpital. Poussant la double porte battante vert tilleul, ils arrivèrent dans un sas exigu, face à une petite guérite en verre où somnolait l'agent de service, le cheveu hirsute. Lorsque Valérie Nouellet frappa au carreau, le jeune homme sursauta.

– Euh oui... c'est pour quoi, M'dame ? demanda-t-il en se redressant, laissant choir de ses genoux la revue de sudoku qui l'occupait pendant ses longues gardes nocturnes.

La capitaine de police sortit sa carte officielle qu'elle plaqua contre la vitre dans un claquement sec.

– Capitaine Nouellet, commissariat du 19e. Nous venons rendre une petite visite à l'homme tué par balles qui a été amené tout à l'heure.

L'agent hospitalier leva vers elle des yeux bouffis de sommeil et dans un bruyant bâillement s'étonna :

– Ah !... on a récupéré un « perforé » ? fit-il, surpris, en se frottant les paupières. J'savais pas, j'ai pris mon poste depuis une heure à peine !

– Quel nom, vot' client ? interrogea-t-il.

Haussant les épaules en signe d'impuissance, la capitaine lui lâcha :

– Si seulement je le savais...

Puis, d'un ton badin, ajouta :

– Dites, vous réussissez souvent à vous endormir comme ça, aussi vite, pendant votre job ?

Décomplexé et factuel, grattant sa barbe naissante :

– Bah ! Les patients ne sont pas trop exigeants ni trop bruyants et ces satanés sudokus sont le meilleur des somnifères qui soit ! allégua-t-il.

De sous le plateau vide de son pupitre, il tira une tablette sur laquelle étaient déposés un clavier antique et une souris filaire. Sans conviction, il double-cliqua icônes, dossiers et fichiers jusqu'à obtenir l'index du jour. Glorieux, il annonça de sa voix empâtée :

– 00 h 12, admission de...

Il leva son regard embrumé dans les jolis yeux azur de son interlocutrice et continua avec un sourire morne :

– Individu de sexe masculin, identité inconnue, la quarantaine ou moins, de type caucasien, yeux marrons, cheveux bruns, cicatrice à la joue gauche, auriculaire main droite amputé. Mort probable par balles. En attente d'instructions pour autopsie.

– Ça doit être ça ! attesta Nouellet, rassurée. Dans quel tiroir le maccab'…

– Ben... souci M'dame la Commissaire…

– Capitaine, mon gars, capitaine seulement, ça suffira !... Quel souci ? le coupa-t-elle le sourcil interrogateur.

– Ben vot' type là, il est sorti pour transfert officiel, enregistré à 00 h 47 ! Le corps a été récupéré par l'équipe légiste de la police. Vous êtes pas au jus ? Ça merde sévère dans vos services, M'dame la Commissaire !

L'employé, maintenant totalement extrait de sa somnolence, avait retrouvé un ton plus provocateur. Il reprenait assurance et aplomb. Il exécrait la police et leurs façons arrogantes, par trop directes, leur air supérieur. Il en avait fait les frais, par le passé, au cours d'une jeunesse étudiante assez dépravée dont la résurgence l'assaillait à chaque fois qu'il était face aux forces de l'ordre.

– Dis-donc, petit rigolo, tu t'es fais un clown avant de venir ici toi ! riposta la flic d'un ton sec et tranchant, sans appel, remplaçant sciemment le vouvoiement courtois par un tutoiement beaucoup plus direct.

Elle sentait bien la déviance que prenait cette discussion et entendait garder la main.

– Si le corps avait été transféré dans nos services de médecine légale, je serais au jus comme tu dis. File-moi le nom du légiste qui a signé l'ordre de transfert…

L'employé, scotché par la virulence de la répartie, replongea sur son écran, boudeur, sans en rajouter. Il savait avoir face à lui une adversaire bien trop excédée pour pouvoir poursuivre ce petit jeu de ripostes sans en subir des conséquences fâcheuses.

– Cool ! J'voulais pas vous froisser, M'dame la Commissaire. Vot' Doc c'est Robin Lambert ! Ça vous dit p't'être quelque chose ! rétorqua-t-il renfrogné de s'être fait rembarrer de la sorte mais avec un large sourire narquois, histoire de ne pas s'en laisser compter.

– Putain de merde ! C'est quoi ce bordel, aboya la capitaine en furie. Il n'y a pas de Lambert chez nous ! Quel est l'abruti qui était en poste juste avant toi ? Appelle-moi ton boss sur sa ligne directe et fissa !

L'invective à peine terminée, ses yeux lançant des éclairs, elle se tourna vers Hervé, son subordonné, et lui claqua :

– Toi, puisque tu as une grande passion pour le petit cul des infirmières, tu me règles ça, vite fait ! Je veux savoir où ce bon Dieu de corps est passé et surtout qui l'a emporté. Tu m'appelles dès que tu as des éléments de réponse…

Le dénommé Hervé, interloqué, resta bouche bée pendant que l'agent, combiné téléphonique dans sa main légèrement tremblante, réalisait que sa nuit de garde allait être bien longue et désagréable.

– Vous, avec moi ! lança-t-elle à ses deux autres hommes restés silencieux. On bouge !

Immobiles, près de la guérite en verre, l'agent mortuaire et Hervé regardèrent s'éloigner la crinière blonde ondulante flanquée de ses deux sbires disparaissant derrière la porte à battants. Quand celle-ci fut refermée, ils échangèrent un regard de soulagement. L'orage était passé et la foudre n'était pas tombée bien loin.

11

Allemagne, hiver 1990-1991
Forêt Noire, Région de Schluchsee

Au cœur l'immense Forêt Noire, sur les contreforts du Mont Feldberg dominant le Lac de Schluchsee, la nuit sans lune avait jeté son épais manteau de mystère sur toute la région. Les hautes cimes frêles des résineux oscillaient dangereusement au gré de la puissance du souffle glacé d'un vent du nord qui ne faiblissait pas. Malmenées par les violentes bourrasques, elles se désarticulaient comme les pantins animés du grand théâtre nocturne de l'hiver. Depuis plusieurs jours, les masses d'air convoyaient des cortèges de lourds nuages compacts saturés d'humidité qui, dès l'accalmie tempétueuse terminée, chacun le savait ici, laisseraient s'épancher de pesants flocons immaculés qui recouvriraient tout le paysage d'une importante couche neigeuse gelée. Seuls les premiers redoux du printemps viendraient à bout de ce linceul de glace, réveillant alors la nature cristallisée de son coma hiémal.

Au centre d'une clairière, à quelques encablures de la grosse bourgade ensommeillée, entourée d'une dense muraille de sombres sapins austères, une vaste bâtisse ressemblait à un navire fantôme nimbé des brumes vespérales remontant de la vallée. En contrebas, au creux du cratère façonné par les collines depuis des millions d'années, respiraient imperceptiblement les eaux profondes du lac, sans reflet, presque sans vie. Tout semblait s'être figé dans ce fantomatique silence glacial ponctué des seuls lugubres craquements de la forêt violentée par les éléments. La longue bâtisse ancienne, à l'architecture régionale typique, campait fièrement sur ses solides soubassements appareillés de pierres de taille. Les gros murs du rez-de-jardin, de moellons scellés et percés de rares étroits orifices tenant lieu d'ouvertures, résistaient sans peine aux assauts. Les étages, façonnés d'épaisses planches de bois sommairement délardées et fixées sur un entrelacs de poutraisons, souffraient de la véhémence climatique dans des grincements plaintifs continuels. Les nombreux rajouts menuisés décoratifs – balcons, débords et rives – s'agrippaient au mieux de la structure pour ne pas être arrachés et emportés par les rafales. Cependant, dans ce chaos, tout l'ensemble s'arc-boutait, solidement ancré sur ses fondations, pour résister vaillamment à la virulence de la tempête, et ce depuis plus de deux siècles, sans sourciller.

À l'intérieur du bâtiment, pas un murmure, pas un souffle, pas la moindre lueur de vie. Rien ! Tout était posé, silencieux, serein. Les nombreux enfants de l'orphelinat tout comme le personnel dormaient profondément depuis bien longtemps déjà, habitués aux caprices fantasques du climat et tranquillisés par la robustesse de leur armure. Même le veilleur de nuit s'était assoupi sur sa chaise, rassuré par l'immobilisme et la tranquillité de ce lieu protégé par des remparts si savamment conçus.

Dehors, à quelques distances seulement, emmitouflés dans de longues parkas militaires fourrées, quatre silhouettes ténébreuses observaient, cyniques, ce paisible tableau malgré les tourmentes cinglantes qui rabattaient sur leurs visages les premières giboulées de grésil. Blotti dans le creux de la paume de l'un d'entre eux, un boîtier noir muni d'une courte antenne et d'un commutateur. Dans la seconde suivante, un éclat maléfique transfigurant son regard, le mercenaire appuya sans hésitation son index sur le bouton rouge du dispositif de mise à feu.

– Et hop... badaboum... susurra-t-il entre ses lèvres gercées, se délectant par avance du spectacle à venir.

Subitement, de violents éclairs transpercèrent les murs du rez-de-chaussée de la vieille ossature et un fracas assourdissant vint perturber cette sérénité. Les explosions s'enchaînaient à un rythme frénétique. Une, deux, trois… huit déflagrations aussi tonitruantes que dévastatrices. La clairière et toute la vallée résonnèrent de ce tumulte meurtrier faisant vibrer les arbres séculaires jusque dans leurs racines, ridant les eaux étales du lac en contrebas.

Bientôt, tout l'édifice s'embrasa. En un instant, de longues flammes vives pourléchèrent l'intégralité des façades extérieures. Agiles et sans retenue, elles escaladaient de leur aisance malsaine les éléments, dévorant tout à leur passage, gravissant les rampants de la toiture, déjà jusqu'au faîtage. Dans cette coque maintenant éventrée, des détonations perpétuelles, provenant des cuisines et des locaux techniques en sous-sol. Le dynamitage sapait la fière armature qui se pensait inaltérable, éboulait les refends, affaissait les planchers, écrasaient les cloisons, démantelait la charpente. Toute la triste architecture s'effondrait sur elle-même, pantelante, comme aspirée par la malfaisante inspiration d'un Diable acharné, avant d'être recrachée dans un panache de milliers d'escarbilles rougeoyantes propulsées à plusieurs dizaines de mètres de hauteur. Le puissant râle du Maudit s'échappait de sa gorge enrouée, respiration rauque et chaotique, encombrée des glaires fulgurants de l'ignominie. Œil rubescent, jouissif et déchaîné, auscultant l'excavation vide des ténèbres, face tordue et crispée, le profil du brasier cyclope s'extasiait de la véhémence incandescente.

Alors les étages s'abattirent sur les niveaux inférieurs, broyant sans complaisance corps et matières avec rage dans un enchevêtrement apocalyptique. Le sinistre Malin jubilait de son consommé du soir, savourait son brouet nocturne, insatiable et vorace. Quand enfin se turent les tonitruantes éructations explosives, ce fut le vacarme de l'embrasement qui envahit la clairière, promenant son écho circulaire morbide sur les monts alentours. Puis, tout se cristallisa pour accueillir le pire lorsque, déchirants et effroyables, s'élevèrent les hurlements… une longue plainte crue fissurant les tympans, foudroyant l'admissible ; une virulente mélopée infernale arrachant à la plus sage des raisons les lambeaux du tolérable et de l'intelligible, à pleines griffes assassines. L'horrible cantique dédié au plus Sombre s'accompagnait de ces funestes chœurs affligeants, véritable requiem aux croches cruelles, indicibles, aux accords dissonants et dantesques, orchestration luciférienne de la voix liquéfiée des anges pris au piège de l'incendie, géhenne grouillante d'une souffrance exprimée par cet hululement macabre.

Peu avant, les vitrages avaient jailli simultanément, créant sur la noirceur de la nuit une myriade d'étoiles étincelantes célébrant la virulence de l'ardeur, presque fringantes. À travers les minuscules ouvertures béantes du comble mansardé où logeaient les dortoirs, de petits corps enflammés s'agitaient sporadiquement en tous sens, danse discontinue de torches humaines courant vers le providentiel abri inaccessible, tombant sous les viles semonces bouillonnantes, s'écorchant aux lames gazeuses, se recroquevillant sur leur atroce souffrance. Certains plus audacieux, repoussés par le refoulement des langues brûlantes, s'essayaient à sauter par les lucarnes pour venir s'écraser trois étages plus bas sur les dalles lisses de la large terrasse périmétrique. Les os se brisaient, les corps se disloquaient, les crânes s'éventraient à la dureté du sol, laissant échapper une soupe cérébrale effervescente. Encore toutes frémissantes, les carcasses juvéniles finissaient de s'y consumer dans un grésillement insoutenable. Puis, peu à peu, avec la langueur terrifiante d'un temps infini que la morale primaire voudrait pourtant stopper, l'exécrable chorégraphie des torchères humaines glissant le long des façades ralentit. La fournaise du gigantesque brasier avait eu raison de la totalité des êtres vivants débusqués jusque dans les plus infimes recoins de la demeure.

La chaleur ambiante était telle, que les voitures garées sur une esplanade proche fondaient littéralement, elles coulaient sur elles-mêmes comme les sinueuses volutes légères d'un cône glacé au rayonnement torride d'un soleil caniculaire.

Un peu après, seul le crépitement des vestiges de la bâtisse emplissait la vallée mêlant sa rythmique diabolique et désordonnée à celle, cadencée et régulière, du long convoi des véhicules de secours qui, dans le lointain, gravissaient les routes escarpées depuis la vallée.

Derrière le premier rideau qu'offraient de gros sapins noirs, à une centaine de mètres seulement du charnier incendiaire, le petit groupe des quatre pyromanes savourait l'achèvement de leur folie meurtrière. L'un d'eux, les yeux émerveillés d'un tel exploit, invita le reste de la troupe à le suivre pour rejoindre leur camionnette stationnée plus haut sur le bord d'un chemin de terre. Une fois à l'intérieur, il décrocha le gros combiné fiché dans la console centrale et composa le numéro de son employeur éphémère. Regard fiévreux, encore halluciné de leur forfait, il attendit que les sonneries s'égrènent. Il fallut un temps manifeste avant que la communication ne fût effective avec son interlocuteur situé aux États-Unis. Dès qu'il reconnut la voix déformée par les ondes du Docteur Wolfgang Schteub, traînante et nasillarde dans l'écouteur, il lança sans ornements :

– C'est fait, Patron !... votre orphelinat n'est plus qu'un vaste tas de braises duquel aucun survivant n'a pu s'échapper.

– Parfait ! Beau travail ! Je savais que je pouvais compter sur votre professionnalisme. Surveillez quand même les abords pour vous assurer qu'il n'y ait aucun rescapé puis, déguerpissez avant l'arrivée des secours et oubliez jusqu'à mon existence. Je fais virer immédiatement la somme convenue sur le numéro de compte que vous m'aviez transmis.

– Soyez sans crainte, Docteur, la zone est propre. J'attends l'argent et vous oublie à jamais.

Il raccrocha et, consciencieux, saisit quatre paires de jumelles à vision nocturne dans un sac posé au sol côté passager. Il en tendit une à chacun de ses acolytes et tous se mirent à scruter très méticuleusement le site.

Plus bas, au centre de la clairière, grondait toujours et encore la terrible bête furieuse, invulnérable, crachant ses farandoles de lueurs tourbillonnantes vers des cieux si bas qu'ils semblaient vouloir étouffer la prédatrice, l'avaler, l'absorber. Des jets de lave perçaient les entrailles de l'immonde créature – panse nécrophile, gonflée et gavée d'existences en fusion, de vies déjà éteintes – d'où s'échappait une épaisse fumée olfactive mixant à la puanteur du sinistre le remugle abominable des jeunes chairs carbonisées. La nauséabonde gueule de la Reine des Abysses, Grande Maîtresse des Ténèbres, expirait avec satisfaction son haleine fétide.

À l'arrière du vaste bâtiment embrasé, protégée sous une couverture kaki détrempée et masquée par la haie vive des lauriers bordant une parcelle potagère à l'abandon, une femme courait à perdre haleine. Dans ses bras, un jeune enfant de huit ans à peine, la peau ravagée et boursouflée par les flammes, respirait encore faiblement... salement amoché mais vivant !

Sans un regard en arrière ni se soucier des tentacules glacés dévalant la montagne et qui maintenant l'enlaçaient, elle fuyait l'épouvante et cherchait à rallier au plus vite l'encre coagulée de la forêt. Ses pieds entremêlés aux herbes hautes, ses jambes griffées aux érections épineuses affilées, elle avançait coûte que coûte, tombait, se ramassait, grignotait peu à peu l'espace tendu vers le rempart salvateur des colonnes résineuses. Dépassant la camisole protectrice, une longue mèche de chevelure ondulait au rythme de sa course effrénée, empruntant les nuances du brasier dont la jeune femme venait de réussir à s'extraire par miracle en emportant le chétif corps flasque du garçonnet.

Sauver l'Enfant ! Sauver l'Élu !

En quelques instants seulement, déjà s'engouffrait-elle avec son protégé dans l'anonymat de la dense forêt et ses buissons inextricables, ainsi préservés de tout œil inquisiteur et… sauvés !

12

Mésopotamie
Hutte d'Akurgal le Grand.

Akurgal le Grand déposa délicatement, sur une natte de joncs tressés recouverte de tissus de lin, l'étrange créature qu'il venait de sauver d'une mort certaine. Il la débarbouilla à l'aide de linges humidifiés, prit grand soin à pincer le cordon ombilical et enroula le nourrisson d'étoffe malgré la pesante chaleur qui régnait sous sa hutte. L'enfant semblait curieusement attentive au moindre de ses gestes. *Comment cela était-ce possible ? Une nouveau-née !*

Des mouches tournoyaient autour du berceau de fortune. Le Grand Sage y plaça des branchages aux feuilles répulsives pour les maintenir à distance. *Il fallait faire vite !*

Délaissant un court instant l'enfant à sa couche, il sortit cacher le corps sans vie de sa mère derrière une palissade de roseaux, l'enfouissant sous un amas de fagots feuillus. *À la nuit tombée, il faudra enterrer discrètement cette malheureuse à l'écart du village sans que personne ne le remarque.* Il balaya soigneusement à l'aide d'une branche de palmier-dattier toutes les traces de l'endroit où avait eu lieu la naissance, recouvrant les traînées de sang de terre poussiéreuse.

Ceci fait, il se posta et attendit un court instant sur le bord du chemin que passe un enfant du village. Dès qu'il en avisa un, il l'arrêta et lui demanda d'aller quérir sans attendre le Grand Sage Lugalzaggesi ainsi que Bittati son épouse, lui indiquant qu'il s'agissait là d'une mission de la plus haute importance. Le gamin, désœuvré et fier de ce service à rendre, prit ses jambes à son cou aux ordres du patriarche.

Akurgal revint rapidement auprès de l'enfant. Elle respirait calmement et semblait même s'être endormie. Une vague intense d'émotion et de fierté s'empara de lui, le transporta.

Combien de générations de Grands Sages avant lui avaient attendu cet illustre moment ? Combien avaient espéré durant de

longues années être celui choisi ? Mais ô combien serait lourde par contre la tâche lui incombant dorénavant pour construire et mettre en place le principe même de la Grande Prophétie par l'entremise de ce Messager à instruire !

Il lui restait encore une chose d'importance à faire, celle de se voir confirmer rituellement l'appartenance du *Signe* à la Grande Loi Céleste des Destinées. Il ranima alors la braise du *Feu Primitif* qu'il gardait constamment allumé au centre de sa hutte depuis des décennies. Celui-là même que Gilgamesh le Sage avait alimenté avant lui des années durant et bien d'autres encore, antérieurement. *Le Feu symbolique des Ancêtres, l'Origine des Mondes, l'Essence de Vie, le Lien cosmique, la Source vive, l'Infini.* Il y jeta quelques poudres mystérieuses tirées de jarres entreposées dans un coin et attendit l'apparition de volutes bleutées et orangées entremêlées qui commençaient déjà à s'élever délicatement de l'âtre.

E-Temen-An-Ki, la Maison du fondement du Ciel et de la Terre se matérialisait peu à peu.

Il versa un peu d'eau contenue dans une coupelle d'or pour que s'épaississe la fumée. *Une simple goutte de l'eau douce sacrée de l'Océan Primordial !* Symboliquement, à cet instant précis, le Hé-Kal devint Debhir, Naos, E-Ur-Imin-An-Ki, la Maison des Sept Guides.

Akurgal le Grand se plongea dans une profonde méditation, accompagnant son introspection de sons gutturaux aux vibrations de basse. Une fois l'équilibre des énergies trouvé, il s'appliqua à interroger la puissante mémoire collective des générations de sages qui l'avaient précédé. Il lui fallait cette révélation, cet assentiment du Collège des Anciens, tous partis depuis bien longtemps au-delà des sept portes du Monde Inférieur pour rejoindre l'Unité de la Matrice Initiale en franchissant les sept sphères planétaires. Ses longues mains parcheminées tremblaient fébrilement, sa gorge recommençait à émettre la lancinante mélopée gutturale intérieure quand soudain, il pencha vivement son buste en avant en expirant tout le volume d'air contenu dans ses poumons. Il offrit son visage au rougeoiement de la braise ravivée et ouvrit grands ses yeux dans l'épaisse fumée qui émanait maintenant du brasier.

Alors il vit !…

Il scruta ce que l'âcreté des volutes lui livrait. Se reflétait dans ses pupilles le tracé d'une épopée couvrant les millénaires à venir. Une particule flamboyante dans l'océan de ténèbres, jusqu'à l'Illumination totale. La Voie gravée du *Signe,* de sa descendance, Lignée Divine s'insinuant dans le cloaque gargouillant pestilentiel des humains à instruire jusqu'à l'ultime révélation, celle dictée par la *Grande Prophétie*. Puis, progressivement, ses yeux s'emplirent de larmes qui effacèrent peu à peu le Chemin des Destinées. Tout s'estompait doucement, s'étiolait, seule une profonde réminiscence resterait à jamais burinée dans sa mémoire. Le feu parut s'éteindre entièrement mais, une timide flammèche vint s'enrouler autour d'une branche sèche d'acacia en faisant disparaître la fumée des révélations et resurgir la puissance mystérieuse du Feu Primitif.

Satisfait, Akurgal le Grand se redressa, retrouva une position de parfaite verticalité. Puis, souriant, il sortit petit à petit de son invocation, soulagé par ce que venait de lui révéler le Collège des Anciens. Il savait que le *Signe* était né là, ce jour, à portée de main, à quelques mètres de lui. Alors il attendit sereinement l'arrivée de ceux qu'il avait fait mander, laissant galoper sa fertile imagination nourrie aux inflexions des prévisions confessées par le Feu.

Peu après, Lugalzaggesi le Sage et son épouse Bittati étaient installés sous sa hutte, de grands yeux inquiets habillant leurs visages. Akurgal leur conta sa bonne aventure.

– Mes amis, tout à l'heure, une étrangère est venue jusqu'à ma hutte donner naissance à cette enfant…

Sa main indiquait la couche sommairement installée contre la paroi de son zarifé, sur laquelle gesticulait maintenant sans bruit le nourrisson.

– Son choix n'était certainement pas dénué de fondements puisque cette enfant est blanche de peau et rousse de chevelure. Depuis son premier souffle, aucun son n'est sorti de sa bouche, elle est donc privée du don de parole.

Il laissa un silence pesant s'installer, désireux que chacune de ses paroles pénètre parfaitement les deux êtres à son écoute.

Il ajouta :

– Lugalzaggesi, j'imagine que tu rejoins ma pensée…

Le sage interpellé rejoignait en effet la logique de sa pensée, fort des enseignements que lui-même avait aussi reçus. Bittati en revanche, profane à toute cette trame réservée aux seuls initiés qu'étaient les sept Grands Sages, n'entendait encore rien aux propos délivrés par Akurgal. Face à son visage circonspect, ce dernier reprit :

– Je suis entré en communion avec le Collège des Anciens, le *Signe* vient d'effleurer notre village pour s'y établir. Une telle créature née n'importe où ailleurs aurait été molestée et tuée sur le champ, si différente… Sa mère, venue jusqu'ici, devait savoir ou être guidée par une force supérieure. Au bout de son périple, elle nous offre son cadeau, le *Signe* et perd la vie, comme le conte la légende des Anciens.

Le couple écoutait sans mot dire, fasciné par les déclarations faites par le grand sage. Ce dernier devint plus sombre.

– Bittati, tu as donné la vie il y a bien peu de temps ! Ton fils s'est malheureusement éteint hier et tes seins sont gonflés de bon lait. C'est pour cela aussi et surtout que je vous ai fait appeler avant quiconque…

Le grand sage tourna son faciès anguleux vers la jeune femme et lui adressa un sourire de compassion.

– Bittati, pleure ton fils mais nourris cette enfant. Sans ton lait, cette petite est vouée à la mort. Nourris-la… mais n'en parle surtout à personne ! Tous doivent ignorer la réalité de sa présence, nous seuls saurons puis les cinq autres sages, d'ici quelques temps. Son avènement a été programmé, sa destinée est grande. Il nous faudra tout lui enseigner, en aparté du monde, pour qu'elle réalise ce dont pour quoi elle est venue au monde : la *Grande Prophétie*.

Intriguée tout autant que curieuse, l'épouse attristée se leva pour se pencher au primitif berceau d'étoffes où pleurait l'enfant silencieusement. Quand ses yeux se posèrent sur cette créature, elle recula, horrifiée.

– Akurgal ! s'écria-t-elle, qu'est-ce cela ? Es-tu certain que cette « chose » sera humaine en grandissant ? Elle ne ressemble à rien que l'on connaisse !

Akurgal l'apaisa, doucement.

– Elle l'est et elle le sera, de toute évidence. Elle est la preuve irréfutable que d'autres espèces humaines existent, si différentes d'apparence mais finalement identiques à nous en tous points. Donne-lui ton lait maintenant, cette enfant a faim !

À contre-cœur, Bittati extirpa un sein lourd et gorgé de son corsage. Elle prit dans le creux de ses bras cet animal que le Grand Sage pensait humain, surmontant sa répugnance, et posa, à dégoût, les lèvres au mouvement de succion instinctif à côté de son téton violacé. La créature étrange n'hésita pas longuement et aspira avec empressement le nectar nourricier indispensable à sa survie. Ses petits doigts s'ouvraient et se refermaient au rythme de sa tétée, évoquant le plaisir procuré par ces premières gouttes d'essence vitale qui la rassasiaient et l'emporteraient loin.

– Reviens plus tard, pour la nourrir encore. Cela te soulagera et surtout ne prends pas les herbes que je t'ai prescrites ! Mais attends avant d'aller… j'ai des confessions importantes à faire dont certaines te concernent.

Akurgal fit une pause. Ce qu'il avait maintenant à annoncer allait transfigurer le chemin paisible de Bittati et Lugalzaggesi. Il en avait conscience mais ne pouvait faire autrement. Il fallait qu'ils se plient à cela, au nom du *Signe* et de la *Grande Prophétie*, sans tristesse ni fatalité.

– Rapidement, il nous faudra cacher l'enfant, ailleurs, pour la former et l'éduquer à sa grande destinée sans qu'aucun ne se doute de son existence. Je connais ce lieu idéal de retraite, un endroit discret, presque inaccessible et tellement loin du village et de toute vie, un refuge où personne n'aurait jamais idée d'aller.

Il prit encore un temps certain avant de poursuivre. Il fallait maintenant que Lugalzaggesi et son épouse acceptent ce qu'il allait leur exposer, condition indispensable au succès du projet.

– Lugalzaggesi, commença-t-il d'une voix douce mais ferme, tu vas devoir officiellement répudier ta femme pour t'avoir donné un enfant de si mauvaise constitution puis, bannie du village, nous la conduirons avec l'enfant en ce lieu sacré tenu secret.

Lugalzaggesi était resté de marbre face aux propos, conscient des sacrifices nécessaires pour parvenir à la mise en place de la *Grande Prophétie*. Bittati de son côté, plus ignorante de tous ces grands mystères occultes, se tortillait et semblait vouloir vivement réagir aux chamboulements majeurs et négatifs qu'allait indéniablement causer la présence de cette créature qu'elle apparentait déjà au Terrible Mal, à son propre malheur. Akurgal le Grand vint couper court à toute réactivité de la jeune femme.

– Ma chère et tendre Bittati, n'aie crainte et ne sois pas triste de ce rejet qui n'est qu'illusion. Ta haute mission est si importante, universellement fondamentale. Nourrice du *Signe,* ton nom entre dans la composition des limons inaltérables servant de lit au long fleuve de l'Histoire des Hommes.

Le Grand Sage lui saisit tendrement les deux mains pendant que Lugalzaggesi enroulait son bras réconfortant autour de ses épaules frémissantes, soudainement si fragiles.

– Sois honorée du Devoir qui s'impose et prends le meilleur soin de cette entité magnifique. Ainsi s'inscrit ton destin sur cette terre, pour le Bien commun. Cette merveille est pour nous tous, La Conscience qui doit perdurer à travers les âges. Elle est l'Origine d'une superbe Lignée Divine ! Le point de fusion initial de ce que deviendra le Monde et l'Humanité après le chaos de l'évolution de l'espèce humaine, dans les millénaires à venir.

La jeune femme que cette annonce intempestive effrayait tant, hasarda de manifester son opposition mais son époux vint souder ses lèvres fières aux siennes tremblantes puis pénétra de ses yeux perçants le regard apeuré de son épouse. Il souffla quelques mots apaisants à celle qu'il chérissait par-dessus tout et l'osmose de la compréhension opéra.

Akurgal le Grand alors reprit, lentement :

– Nous te rendrons visite aussi fréquemment que possible et t'apporterons tout l'indispensable pour que tu nourrisses et élèves au mieux cette perle délicate. Sache cependant qu'il te faudra te débrouiller souvent seule car nous ne pourrons pas être toujours présents à tes côtés. Tu as reçu les enseignements nécessaires à cette autonomie, il te faudra les mettre en exergue. Je et nous ne doutons aucunement de tes capacités et facultés à la réussite de cette ambitieuse réalisation.

Puis d'ajouter pour lui dépeindre

– Cette déesse que tu considères encore comme la succube de ta destinée, vois-la plutôt comme l'étincelle naissante illuminant le puits d'obscurité sans fond de l'illusion du confort de ta vie. Aime ce fruit fabuleux comme ta propre chair, prends-en le plus grand soin, Elle n'est pas démone mais divine et sera ton gage de sécurité bien plus que tu ne le penses à ce jour. Très bientôt, tu en découvriras la formidable toute puissance, l'absolue nécessité.

Les deux hommes rassurèrent encore longuement Bittati afin qu'elle intègre peu à peu tous les éléments de sa nouvelle existence à venir, au nom de cette *Grande Prophétie* absconse, pour le bien de tous, pour le besoin vital de l'universalité des Hommes.

Quand tout fut enfin dit, tous trois s'unirent en cercle, épaules enlacées de leurs bras, front contre front, au-dessus du feu primitif rubescent, leurs yeux ouverts à la braise sacrée. Alors, ils prêtèrent serment indéfectible. Les énergies giratoires développées autour de cette curieuse chaîne d'union fusionnaient leurs forces physiques et spirituelles, les unifiaient à jamais, pour que l'accomplissement des desseins du *Signe* puisse tracer la Voie, celle de ces hommes... encore si ignorants, celle d’une Humanité dont ils n’avaient pas même réellement conscience encore.

13

Rome, le lendemain matin
Église San Pietro in Montorio

Les *carabinieri* n'en revenaient toujours pas de cette violence, cette monstruosité avec laquelle l'assassin s'était acharné sur le pauvre Père Di Gregorio. Ils avaient été appelés au petit matin par la Sœur Magdalena, chargée de la mise en place de l'église *San Pietro in Montorio* pour l'office de sept heures. Ce dernier bien-sûr avait été annulé, les pieuses âmes matinales éconduites et refoulées vers d'autres édifices proches, en prétextant la profanation du lieu saint pendant la nuit. Les équipes médico-légales et scientifiques s'étaient rapidement, mais précautionneusement, éparpillées pour investir tout l'espace. Les zones stratégiques avaient été savamment protégées de toute pollution extérieure afin de préserver tout ce qu'elles pouvaient révéler, de précieux indices pour reconstituer et comprendre cette abomination.

Dans leurs combinaisons bleu pastel, les experts médicaux étaient penchés, décontenancés, sur la dépouille affreusement mutilée de l'ecclésiastique. Leur métier les avait rompus à bien des atrocités mais là, le dégoût et la répugnance se lisaient sur la pâleur de leurs visages. Ils côtoyaient ici la sauvagerie poussée jusqu'à son paroxysme. Visiblement, ils étaient rendus esclaves, avilis aux images sordides du déroulement machiavélique de ce meurtre qui naissaient dans leur esprit. Tous tentaient de les chasser au mieux de la concentration sur leur travail mais, les gestes n'étaient pas ceux habituels. C'est avec un cérémonial certain et une compassion vraie qu'ils prélevaient de-ci, de-là, emplissant quantité de sachets plastique et nombre d'éprouvettes destinés au laboratoire pour analyses. Les bris d'os, morceaux de chair et autres vestiges de ce corps tailladé, perforé et pourfendu, ne manquaient pas tout comme les traces, projections et autres flaques de sang.

Un peu à l'écart, tout de blanc vêtus, les techniciens de l'équipe scientifique n'étaient pas en reste. Ils arboraient la même mine blafarde que leurs collègues. Ils cherchaient à recomposer avec minutie la chronologie et le processus des événements morbides, plaçant au sol jalons, repères numérotés, collectant indices, mesurant distances entre les empreintes et les traînées de sang séché d'avec le cœur névralgique de cette abjecte scène de crime : le maître-autel sur lequel le corps avait été retrouvé. Les pinceaux à poudre révélatrice allaient bon train, tout comme, petit à petit, les commentaires de chacun. Les voix s'élevaient, feutrées, à peine perceptibles, puis prirent peu à peu consistance et emphase. Personne ici ne comprenait le motif d'une telle barbarie perpétrée sur cette homme d'église car, de prime abord, d'après les enquêteurs, rien ne manquait, ni statue, ni relique, tout était parfaitement ordonné et à sa place. Il ne pouvait donc s'agir d'un quelconque crime crapuleux. Il fallait bien y voir une signification autre que chacun repoussait : quel assassin avait pu accomplir un homicide aussi odieux si ce n'était la volonté manifeste d'y laisser une marque symbolique forte, de s'en prendre directement à l'institution religieuse même ! Ici, à Rome, à deux pas du Vatican ! En dernier ressort, les policiers s'interrogeaient pour savoir s'il convenait de fouiller de façon approfondie ou non le passé de la victime afin d'y desceller quelque obscure circonvolution, quelque secret agissement. Leur logique, somme toute, issue de leurs culture et éducation judéo-chrétiennes refusait cela, impensable et inconvenant ! Un homme d'église !... que trouver d'abominable ou de licencieux dans le passé d'un tel personnage, d'un individu aussi vertueux ?

Le cadavre dans la cour du *Tempietto* fut découvert un peu plus tard, alors que les équipes finissaient d'investir l'ensemble du territoire à la recherche de tout ce qui aurait pu expliquer cette ignominie. Face à ce deuxième corps, curieusement, la pression retomba d'un cran ; le meurtre était beaucoup plus conventionnel, convenable, presque plaisant. Strangulation au filin d'acier, voilà qui était plus dans la normalité des choses, *modus operandi* classique, sans rapport avec la folie meurtrière du maître-autel. Ici les éléments étaient clairs, nets, précis. Scène propre et plusieurs indices intéressants.

Pour autant, la perplexité demeurait : deux cadavres, la même nuit, dans l'enceinte d'un édifice religieux, posaient questions d'autant que les modes opératoires étaient fondamentalement différents. Un seul criminel ? Deux ? Les meurtres étaient-ils liés ? Fallait-il trouver une coïncidence à ces deux crimes que rien ne semblait relier ? Les suppositions se bousculaient dans la tête de l'inspecteur Silvio Santini face à ce deuxième corps. Au moins détenait-il l'identité de « ses » macchabées. Celle du représentant de l'église ne prêtait pas à confusion, Sœur Magdalena avait confirmé qu'il s'agissait bien du Père Di Gregorio avec lequel elle officiait depuis de nombreuses années. Quant à l'homme étranglé, cela avait été tout aussi simple à définir, sa carte d'identité se trouvait dans la poche de son blouson avec un paquet de cigarettes. Nolan Snarck, citoyen américain, trente-huit ans, signe particulier : malformation à la joue gauche !

Un des carabiniers, désabusé et facétieux, ajouta :

– Et un doigt en moins !…

Son supérieur le fusilla d'un air désapprobateur, l'autre baissa la tête, penaud. Appuyé à une colonne de pierre, l'inspecteur romain restait dans l'expectative à trouver un quelconque rapport, si tant est qu'il en existât un, entre ces deux meurtres. Un flash se fit dans son esprit, « un doigt en moins » venait d'annoncer son enquêteur. Silvio Santini s'approcha à nouveau du corps, l'examina minutieusement, s'arrêtant longuement sur les traits de ce visage puis fit descendre son regard jusqu'à la main droite du cadavre dont l'auriculaire amputé révélait une croûte sombre de sang coagulé. Il avait devant lui le sosie de la photographie reçue un peu plus tôt dans la nuit par mail via Interpol, des services parisiens de criminologie. Voulant confirmation dans la minute, il sortit son smartphone, composa le numéro du centre de regroupement et réception des indices internationaux, demanda à son interlocuteur de lui envoyer sur le champ l'image et le fichier en provenance de Paris. L'attente fut courte, la barre de téléchargement avançait déjà sous ses yeux impatients et bientôt, s'afficha sur son écran le visage de l'homme mort qu'il avait à ses pieds.

– *Mierda !* lâcha-t-il, interloqué.

Il tourna les talons, ordonnant à la cantonade que l'on ne quittât pas des yeux « son » cadavre, et partit à grandes enjambées en référer au Commissaire retourné à la scène principale, dans l'église, à côté du maître-autel.

– Commissaire… Venez voir !

– Pfff… tu ne vois pas que je suis occupé, Santini ! maugréa le commissaire, furieux.

– Regardez ! lui lança-t-il en tendant son téléphone sous les yeux de son supérieur.

Jetant un œil distrait à l'écran du portable, ce dernier lui siffla, hargneux :

– Tu n'as rien d'autre à foutre que de collectionner les photos de cadavres, Silvio !…

– Vous n'y êtes pas, Commissaire ! le coupa Santini. Ce n'est pas notre cadavre, c'est la photo qu'on a reçue cette nuit de Paris, un homicide sans identité sur lequel ils travaillent depuis hier !

Le Commissaire stoppa net tout ce qu'il faisait pour ne plus s'intéresser qu'à l'écran du smartphone de son subordonné. Son front se plissa d'incompréhension.

– Qu'est-ce que c'est que ce bazar ! vociféra-t-il. Le cadavre non identifié que Paris a perdu se retrouve chez nous avec une identité ! Les morts voyagent de nuit maintenant ? Pourquoi ici ?

– Pas tout à fait ça, Patron ! L'homme de Paris est mort dans la nuit comme le nôtre mais le leur a pris deux balles, on ne l'a pas étranglé. Ce sont bien deux hommes différents mais sûr, à voir la photo, des jumeaux !

– Des jumeaux…

Le Commissaire se renfrogna, resta silencieux un moment puis lança à l'inspecteur Santini :

– Rentre à l'usine, prends contact avec le flic français chargé de l'enquête à Paris, demande toutes leurs infos et recoupe avec les nôtres. Nos efforts conjugués devraient rapidement nous donner une explication et surtout une relation cohérente entre tous ces macchabées.

Sans attendre, l'inspecteur romain avala la travée centrale de l'église, disparut derrière la grande porte principale et plongea dans l'intense agitation de la capitale italienne.

14

Paris, 3-5 rue Erik Satie
Commissariat central du 19ᵉ arrondissement

Au petit matin, faisant suite à une longue nuit sans sommeil, la capitaine de police Valérie Nouellet était de retour dans les locaux du commissariat du 19ᵉ. Son périple fâcheux à la morgue de la Clinique des Buttes-Chaumont lui avait mis les nerfs à vif, elle fulminait.

Rageusement, elle repoussa du pied la porte de son bureau avec une telle virulence que la vitre en trembla.

Cette affaire était inconcevable ! Un mort découvert peu après 23 heures, conduit et admis à la morgue, tout à côté, juste après minuit, en repartait moins de quarante minutes plus tard, s'envolant dans la nature, au nez et à la barbe des services hospitaliers mais surtout de ceux de la police, de sa propre équipe, d'elle-même ! Ceux qui étaient venus soustraire cette dépouille n'étaient pas des amateurs mais des gens extrêmement bien organisés et renseignés. Le cadavre ne devait pas non plus être « ordinaire » pour qu'il soit aussi promptement subtilisé, récupéré sans laisser la moindre trace de son passage.

– On nous cache quelque chose !... mais quoi ? pesta-t-elle à voix haute en frappant avec vigueur du poing sur le bureau.

Autour d'elle, ses collaborateurs faisaient profil bas. Ce n'était pas le moment pour émettre le moindre avis, la plus insignifiante contradiction et encore moins une plaisanterie douteuse.

Le cœur de la flic palpitait dangereusement dans sa poitrine, à fleur de peau. Un rien pouvait la faire exploser. *Il faut que je me reprenne, vite, avant l'irréparable !*

Cherchant à se calmer, avec la faible lueur d'espoir d'obtenir au moins une information positive, elle s'enquit de nouvelles de ses hommes retournés sur place : rien ! Rien de plus, le néant, pas le plus infime témoignage et aucun indice supplémentaire. Elle raccrocha le combiné avec véhémence et interpella son collègue chargé de l'identification du corps mais les fichiers internationaux n'avaient toujours rien donné non plus. Londres et Berlin avaient répondu par voie électronique, de façon très laconique et négative. Ils restaient dans l'attente du résultat des autres pays européens adhérents au système. Julio, de Madrid, un bel ibère qu'elle connaissait bien pour l'avoir déjà rencontré et avec lequel elle avait plus que sympathisé lors d'une formation un peu trop arrosée dans le sud de la France, s'était fendu d'un appel, empli de l'espérance à renouer contact avec sa sculpturale consœur et déçu finalement de n'avoir pu lui parler. Il avait annoncé, lui aussi, qu'en Espagne le cadavre de Valérie n'était pas fiché et qu'aucun mode opératoire similaire n'était répertorié.

Valérie ruminait cet immobilisme quand vint s'allumer par intermittence un voyant sur son poste téléphonique. Un appel des services d'Interpol !... Elle décrocha machinalement le combiné, enfonça la touche correspondant à la ligne qui clignotait et prit la communication.

– Nouellet ! fit-elle sèchement.

– Ah ! Salut Val, c'est justement toi que je cherchais à joindre, commença son interlocuteur, familier. Pierre à l'appareil, comment vas-tu ?

– Mal, mon Pierrot, je vais mal avec cette foutue affaire qui démarre à l'aveuglette et qui n'avance pas d'un pouce ! Que me veux-tu ? trancha-t-elle avec un ton qu'elle aurait pourtant voulu moins cinglant ; son ami Pierre était quelqu'un de particulièrement sympathique et toujours disponible à la première demande.

– Attends un peu ! Écoute ça ! renchérit-il sans s'offusquer moindrement du ton acerbe qu'il pouvait tout à fait comprendre en pareille situation. J'ai peut-être quelque chose pour toi. Il y a une dizaine de minutes, un flic de la Ritale a appelé chez nous. Ils ont un macchab' sur les bras, à Rome, identique au tien d'après la photo que nous avons diffusée. Il m'a laissé ses coordonnées pour qu'on le rappelle…

Pierre savait détenir de quoi rendre le sourire à sa consœur. Un filon mince mais un filon duquel finirait par sourdre la vérité pour mettre en lumière un point final logique aux investigations de sa collègue. Il venait d'apporter la première vraie goutte d'eau au moulin assoiffé de l'enquêtrice. Il en était heureux pour elle.

– Ça vaut peut-être une soirée en tête à tête au pakistanais du coin, non ? ajouta-t-il espiègle.

– Ça vaut le pakistanais, le pousse-pousse et le grand saut, mon Pierrot. Si ton info est bonne, c'est moi qui régale et je te ferai peut-être même ma demande officielle en mariage, répondit-elle, d'une voix subitement redevenue enjouée.

Elle jubilait, son enquête venait de réellement commencer, elle en était intimement convaincue, grâce à Pierrot.

– File moi vite le numéro du bellâtre italien, je me vois déjà en vacances aux côtés du Saint Père…

Elle nota frénétique les coordonnées distillées, remercia mille fois encore et raccrocha, ravie.

Enfin une piste ! Elle avait reçu les quelques mots de son ami des services d'Interpol comme un électrochoc. Son cerveau s'était remis à surchauffer, en ébullition, échafaudant maintes hypothèses, s'accrochant à cette info comme un naufragé à la seule épave qui traîne à la dérive sur l'immensité de l'océan vide.

Sur les touches du clavier numérique de son téléphone, ses doigts composaient déjà, fébriles et tout guillerets d'enchantement, le sésame chiffré du lien avec son homologue italien.

– *Pronto ! Polizia romana, Trastevere. Che cosa posso per voi ? Vi ascolto…*

Son optimisme s'écroula d'un coup, comme un château de cartes balayé pâr un courant d'air.

– Euh... vous parlez français ? fit la capitaine hésitante, bien consciente que son italien était des plus limités et que la barrière de la langue allait sans doute lui poser de gros problèmes de compréhension.

– Si, Madame, petit piu, qué vous vouloir ? enchaîna laborieusement son interlocuteur dans un français des plus approximatifs.

– Je suis la capitaine de Police Valérie Nouellet… de Paris, ânonna-t-elle avec une lenteur calculée pour être certaine d'être bien comprise.

– L'inspecteur Santini a appelé tout à l'heure ici. Il faut que je lui parle de toute urgence ! C'est possible ?

– Ma si mamoiselle, Silvio il attend qué ça, votre appel… *non lasciate.*

Une douce musique lyrique la mit en attente. Vingt secondes plus tard, elle était en relation avec son homologue de Rome.

– Bonjour, Inspecteur Silvio Santini à l'appareil, vous êtes la capitaine de police Nouellet ?

Le policier avait une voix chaleureuse et mélodieuse, sans le moindre soupçon d'accent transalpin. Il avait débité ses premières paroles posément, Valérie souffla. Elle imagina assez facilement un homme sûr de lui, non emprunt aux passions et dont la maîtrise de la langue de Voltaire et de Hugo était parfaite.

Rassurée par cette entrée en matière facilitant leurs propos à venir, elle lui répondit :

– Capitaine Valérie Nouellet, en effet…

– Bien ! Alors voilà, reprit sans préambule le policier romain de son agréable timbre vocal. Nous avons retrouvé ce matin, dans la cour d'une église de *Roma,* un homme mort, identique en tous points à celui de la photo que vos services ont diffusée. Ce n'est pas votre cadavre, le notre est intact, il a été étranglé au filin d'acier mais il a très exactement le visage du vôtre. C'est à s'y méprendre. De plus, son auriculaire droit a été sectionné. J'ai tout de suite fait le rapprochement et appelé les services d'Interpol. Je crois que nous allons avoir des renseignements à partager et devoir comparer quelques informations.

Valérie resta sans voix. Les italiens avait récupéré un sosie de sa victime qui elle, restait introuvable à Paris. Les choses se bousculaient à présent dans sa tête, tant de questions affluaient mais l'inspecteur poursuivit, imperturbable :

– Ici, nous avons l'identité de notre macchabée, retrouvée dans son blouson. Il s'agit d'un dénommé Nolan Snarck ! Sans doute une belle avancée pour votre enquête… vous n'aviez aucune identité, je crois ? Ma hiérarchie pense qu'une étroite collaboration pourrait nous confirmer rapidement que nos deux hommes sont en fait des jumeaux ! J'en suis intimement convaincu car ils ont trop de similitudes malgré une photo d'assez médiocre qualité. Notre cadavre a lui aussi une cicatrice à la joue gauche.

L'information eut sur Valérie l'effet d'une gifle qui la sortit de sa torpeur.

– Des jumeaux !... vous pensez que ce sont des jumeaux ! Et vous avez l'identité, merveilleux ! Je crois Silvio...

Prise par l'euphorie du moment, elle s'était laissée aller à plus de familiarité avec son collègue italien sans qu'aucun frein ne l'arrête. Prise d'un doute, elle interrogea cependant :

– Je peux vous appeler Silvio ?

– Bien sûr, sans aucun souci... Valérie ! Nos échanges n'en seront que facilités, fit-il en réponse.

– Je crois donc, Silvio, qu'il faut que nous nous rencontrions au plus vite. Je vais voir avec mon supérieur si et quand je peux vous rejoindre à Rome. À mon avis, il ne s'y opposera pas. Ici tout est bloqué, nous n'avons strictement rien, même plus de cadavre ! Mes enquêteurs pourront aisément poursuivre leurs investigations en suivant quelques directives durant mon absence. En attendant, je vous fais passer une photo de meilleure qualité.

Valérie sentait une force particulière investir son corps et ses pensées. Elle avait repris la main sur cette foutue enquête et ne comptait plus la lâcher sans l'avoir entièrement résolue.

– J'ai hâte de vous rencontrer, Silvio, et de recouper avec vous les infos que nous détenons l'un et l'autre. Au fait, avez-vous une moindre idée du mobile du crime ?

Le court silence dans l'appareil lui laissa présager que là-bas non plus l'affaire n'était sans doute pas aussi simple et claire qu'un homicide classique.

– Et bien... hésita l'italien, ici c'est un peu particulier ! Nous avons retrouvé le corps de Snarck lors de nos investigations dans l'enceinte de l'édifice suite au meurtre odieux perpétré sur le curé de l'église. Meurtre d'une barbarie extrême, semblant répondre à une extermination rituelle très précise que nous cherchons à reconstituer. Nous avançons lentement sur ce point. Snarck a dû être là au mauvais moment, je suppose. Son assassin l'aura surpris et rendu au silence, peut-être a-t-il été témoin de la scène du crime, a-t-il voulu s'interposer, nous ne savons pas encore. Les légistes tentent de déterminer avec exactitude l'heure du massacre du prêtre et celle de la strangulation de Snarck. Ils évaluent les deux décès entre 22 heures et minuit.

Les deux policiers continuèrent encore longuement à discourir de détails mais la capitaine française n'était plus vraiment attentive aux accents de leur conversation. Son esprit était accaparé par autre chose. Elle était persuadée que les éclaircissements de son enquête – les solutions ? La solution ? – seraient obtenus à Rome et qu'il fallait qu'elle se rende impérativement au-delà des Alpes de toute urgence.

Quand elle eut raccroché, décidée et combattante, elle se précipita dans le bureau du commissaire pour négocier son départ pour la capitale italienne. Elle savait posséder les bons arguments à infléchir la décision de son patron en sa faveur et obtenir son accord.

15

Tampa, Floride (U.S.A.)
Banlieue Nord de la ville

Dans la chambre climatisée du premier étage de sa modeste villa de la banlieue nord de Tampa, Jessica Fletcher reprenait peu à peu ses esprits. Alitée depuis plusieurs semaines maintenant, du fait d'une grossesse multiple délicate – son gynécologue lui avait annoncée qu'elle allait donner naissance à des triplés – elle ne pouvait plus se mouvoir ni rien organiser dans sa propre maison. Elle ne regrettait aucunement son inscription au programme d'assistance à domicile proposé par la Clinique Privée du Golfe. L'ensemble du personnel mis à sa disposition était à ses petits soins et le Directeur, le charmant Docteur Wolfgang Schteub, avait même dépêché pour elle une équipe médicale permanente jusqu'à son terme, prévu pour la fin du mois suivant.

Dans l'immédiat, elle ressassait en boucles itératives ce que Linda, l'infirmière en chef à son service, venait de lui annoncer : Luis, son compagnon, quelques heures plus tôt, avait été victime d'un grave accident de la circulation. Son deux-roues avait été violemment percuté par un camion sur West Sligh Avenue, au sortir de son travail du parc zoologique où il avait décroché un job depuis peu, grâce encore au bienfaisant Docteur Schteub qui avait intercédé auprès du directeur, son ami. L'état de santé de Luis était critique et tout pronostic très réservé. Il avait été plongé dans un coma artificiel afin de pouvoir réduire plus efficacement les multiples fractures en atténuant ses souffrances, et surtout tenter de diagnostiquer les conséquences de son traumatisme crânien qui ne laissait rien présager de bon.

Linda, très psychologue, avait tout fait pour la ménager au maximum. Elle avait usé du plus grand tact pour lui dispenser ce sordide événement chamboulant le cours de son existence.

La jeune femme enceinte l'avait tout d'abord écoutée sans bien comprendre, sidérée et sans réaction puis, avait explosé dans une crise de nerfs aux éclats tels que l'infirmière s'était empressée de lui administrer un puissant sédatif pour la déconnecter de la dolosive réalité présente.

La chambre était trouble, ses occupants ressemblaient à de vagues spectres indéfinis qui se mouvaient au ralenti dans un décor cotonneux. Les voix, douces et pâteuses, paraissaient si lointaines.

Jessica s'efforça pour sortir de son anéantissement malgré la résurgence de l'affliction qui la poignait.

« Luis allait peut-être mourir des suites de cet accident et il ne verrait jamais leurs enfants à naître d'ici quelques semaines. »

Quand elle eut recouvré enfin suffisamment de lucidité, ses premières paroles furent pour l'infirmière :

– Linda, avez-vous des nouvelles de Luis ? Dites-moi qu'elles sont bonnes…

Alors qu'elle prononçait ces mots, de larges rivières de larmes coulaient le long de ses joues crayeuses.

Linda, la mine défaite, soucieuse de la réaction de sa patiente, lui répondit avec douceur :

– Jessica, vous allez devoir surmonter une terrible fatalité… Luis n'a malheureusement pas survécu à ses blessures…

Puis, lui pressant légèrement la main, elle poursuivit :

– Tout a été tenté pour le maintenir en vie et résorber l'hémorragie cérébrale dans les plus brefs délais mais, les chirurgiens sont restés impuissants face à la gravité de ses lésions.

L'infirmière se tut un instant pour mieux observer de quelle façon Jessica ingurgitait l'information et comment elle risquait de réagir cette fois encore.

– Je suis désolée, Jessica, vraiment désolée ! Mais il vous faut dorénavant penser uniquement à vous et vos trois enfants à naître. Cela n'effacera certes pas votre douleur mais eux vont vraiment avoir besoin d'une maman forte pour les aider et les soutenir dans leurs premiers instants d'existence !…

Lui tenant toujours la main, Linda s'attendait à une nouvelle montée de réactivité exacerbée mais fut surprise par le calme de sa patiente qui ne disait plus rien, visage tiré par l'effroyable épreuve. Elle ne percevait qu'une légère crispation profonde de tout son corps, rien d'alarmant en fait. Quand elle vit la literie inondée, elle comprit vite que le choc de l'événement venait de provoquer chez la jeune femme un accouchement prématuré. Efficace, elle rassura Jessica restée sans réaction, fit appeler tout le personnel soignant dont elle disposait, puis, se rendant dans le boudoir attenant à la chambre, appela la ligne directe du Docteur Schteub. Son attente ne fut pas longue. Après deux brèves sonneries seulement, la communication fut établie. Elle dit à voix basse :

– Ça y est, Monsieur le Directeur, Jessica Fletcher est prête. Faites envoyer une ambulance pour venir la chercher, elle vient de perdre les eaux et devrait accoucher dans l'heure.

– Parfait ! répondit son interlocuteur. Je fais préparer un salle d'accouchement immédiatement et le personnel nécessaire. Au fait, où en sommes-nous avec son compagnon accidenté ? Toujours dans le coma ?

Linda l'informa, comme une évidence :

– Non, non, Monsieur, il est décédé, comme prévu !

Puis elle coupa la communication, revint dans la chambre, un large sourire apaisant accroché aux lèvres. Elle s'approcha du lit de Jessica qui commençait à sérieusement grimacer sous l'effet des élancements intermittents.

– Soyez tranquille, Jessica, tout va bien se passer. Je viens d'appeler le Docteur Schteub, il nous envoie sur le champ une ambulance, fait préparer une salle et la meilleure équipe médicale de sa clinique.

– Merci Linda ! prononça péniblement la jeune femme dont la phrase se solda par un cri déchirant puis, après que la contraction se fût apaisée, ajouta dans un souffle :

– Qu'ils fassent vite, je ne tiendrais plus longtemps !

Linda s'affaira avec un professionnalisme et une efficacité redoutables autour du lit, scandant des ordres brefs et précis aux assistantes présentes dans la chambre afin de préparer le départ de la parturiente dans les meilleures conditions et sans qu'un instant ne fût perdu.

Tout était pratiquement en bon ordre lorsque retendit la sirène de l'ambulance passant l'angle du carrefour le plus proche.

Dès que le long fourgon d'urgence se gara dans l'allée du jardinet parfaitement entretenu, les choses allèrent bon train. Chacun, le geste sûr, remplissait son office. En quelques minutes seulement, la civière emportant la jeune femme en plein travail fut chargée à l'arrière du véhicule.

Alors que ses assistantes s'astreignaient à rendre à la chambre son aspect originel, l'infirmière s'empressa de rassembler effets et papiers administratifs indispensables. Quand elle vint jeter un œil à la fenêtre pour vérifier où en était l'avancement du départ de sa patiente, l'ambulance, prête à partir, l'attendait.

Elle se précipita alors dans les escaliers, les dévala et traversa la cour fleurie avec promptitude. D'un bond leste, elle sauta à l'arrière du fourgon qui déjà démarrait bruyamment en direction du centre ville pendant que se refermaient les portes sur sa blouse blanche virevoltante.

16

Vincennes
Clinique Privée du Parc

L'homme était confortablement installé sur un lit médicalisé, la tête généreusement calée dans de gros oreillers odorant délicieusement la lavande. La chambre était lumineuse, un soleil hésitant perçait les grands voilages blancs de la large baie vitrée. Il faisait doux, les murs pastels appelaient à la sérénité. Il était bien, reposé. Un cathéter, planté sur le dessus de sa main gauche, distillait des produits administrés par l'intermédiaire de longs tubes translucides reliés à une potence. Il ne ressentait aucune douleur, n'avait surtout aucune idée de sa présence en ce lieu. Il essaya de se relever mais de terribles vertiges anéantirent ses tentatives. Il décela, au loin, dans les profondeurs de sa mémoire olfactive, un mélange de terre humide et de moisissure de bois dont il ne parvenait pas précisément à identifier l'origine. Il frissonna, comme par réflexe.

Il appela timidement :

– Hé-ho ! Il y a quelqu'un ?

Personne ne répondit à sa sollicitation.

Cherchant autour de lui, il repéra une poire d'appel lié par son fil à la large baguette technique en aluminium brossé au dessus de sa tête de lit. Il pressa vigoureusement le bouton dans l'espoir de la venue rapide de quelconque agent hospitalier. *Où suis-je et que fais-je ici, hospitalisé ?*

Un court instant plus tard, un homme dynamique, d'une taille impressionnante, blouse ouverte sur une chemise à carreaux et jean noir, entra dans la pièce en trombe, devançant deux ravissantes infirmières à sa suite.

– Monsieur Carlson, bonjour, lança-t-il, enjoué. Ravi de voir que vous êtes enfin de retour parmi les vivants ! Je suis le Docteur Yves Roche, votre mécanicien, et voici Annabelle et Lucie, vos deux bonnes fées.

Le médecin arborait un large sourire découvrant des dents d'une extrême blancheur, son regard était rieur et le ton de sa voix grave et attachante, plaisantait de chaque mot. Les infirmières, aux minois charmants, déplaçaient leurs silhouettes élancées dans la pièce avec élégance. L'une, très brune au teint mat, contrastait de sa collègue à la peau si clair qu'elle en était presque transparente et dont l'éblouissante chevelure rousse illuminait son passage. Elles dispensaient également un ravissement sincère.

« La Lumière et les Ténèbres » songea brièvement le patient alité sans en établir le sens.

Le médecin reprit :

– Monsieur Carlson, pour résumer succinctement la situation, vous avez été victime d'un accident de voiture mais soyez sans crainte, votre état de santé sur un plan physique n'inspire plus aucune inquiétude. Tout va bien. Avez-vous quelque souvenir de ce qui vous est arrivé ?

Un tsunami d'interrogations envahissait le territoire perdu de l'esprit de l'homme accidenté sans qu'aucune réponse ne parvienne à l'atténuer. La panique se lisait dans son regard.

– Non ! Rien ! Le vide total. Un accident vous dites ? Où suis-je en réalité ? stressa-t-il.

– Vous êtes actuellement à Vincennes, à côté de Paris, dans la Clinique du Parc. C'est ici même, à quelques dizaines de mètres de votre chambre, que votre véhicule est venu percuter violemment notre mur d'enceinte. Vous ne pouviez pas mieux tomber me direz-vous ! plaisanta le médecin.

Dans le lit, le patient écoutait sans aucune réaction, comme si un étranger lui contait une épopée qui ne le concernait pas. Les phrases tombaient sur un édredon de vide, sourdes et absconses, incompréhensibles à celui dont le cerveau avait dérapé.

Yves Roche poursuivit son histoire irréelle :

– C'est notre vigile qui, alerté par le vacarme, s'est vite rendu à l'évidence et a appelé nos services d'urgence. Nous sommes parvenus, non sans mal, à vous extraire de l'amas de ferrailles pour vous conduire directement au bloc opératoire. Notre directeur, M. Levallois, n'a pas tenu à alerter les services de police pour l'instant, les dégâts étant insignifiants à notre égard. Il attendait votre réveil pour dresser un éventuel constat et établir les circonstances de votre accident. Il semblerait que vous ayez perdu le contrôle de votre véhicule.

Rien de ce qui lui était narré n'évoquait la moindre résurgence d'un souvenir, une quelconque remontée de la plus infime bribe tangible à laquelle se raccrocher. *Un accident !... à Vincennes !...*

– Je ne me souviens de rien... ni d'avoir été au volant d'une voiture et encore moins d'avoir subi cet accident ! Pour moi, c'est le trou noir, l'obscurité totale, le néant !

Il finit par ajouter, au paroxysme de sa frayeur :

– Je n'ai pas non plus de souvenirs antérieurs. Vous dites que je m'appelle Carlson ?

Il avait dit cela en cherchant toute information relative à ces événements dans le tréfonds de sa mémoire endommagée mais rien ne reparaissait à la surface. Son océan mémoriel restait désespérément lisse, vide et sans écho. Il voulut à nouveau se lever mais les vertigineux étourdissements le reprirent.

– Ne vous agitez pas comme ça, Monsieur Carlson ! Restez tranquille ! Ce genre d'amnésie n'est pas rare et même assez fréquente après ce type de traumatisme. Tout devrait rentrer dans l'ordre et reprendre son cours normal dans les prochaines quarante-huit à quatre-vingt-seize heures.

– Mais qui suis-je au juste ? s'énerva le patient hors de lui de ne pas même parvenir à se redresser pour s'asseoir sur son lit.

Sans se départir de son calme, Yves Roche répondit :

– D'après vos papiers, vous êtes Monsieur Philip Carlson et avez trente cinq ans. Vous résidez en province, dans une petite ville du centre de la France, à Montluçon. Il semblerait que vous soyez représentant de commerce. Pour le reste, il vous faudra travailler de concert avec notre psychiatre dédié pour raviver vos souvenirs. Rassurez-vous encore une fois, vous êtes entre de très bonnes mains. Nous ferons tout notre possible pour reconstruire pas à pas votre existence passée.

– Philip Carlson, vous dites !... lâcha l'intéressé, presque pour lui-même, d'une voix blanche.

Ce nom ne lui disait pas la moindre chose. Il commençait à s'agiter inconsidérément, terrifié par le fait d'avoir perdu jusqu'à son identité propre. Deux mains vinrent appuyer fermement sur ses épaules pour le plaquer de nouveau à la literie.

– Restez calme, Monsieur Carlson ! ordonna le praticien d'un ton sans appel. Maintenant que vous avez recouvré partiellement vos esprits, il serait plutôt fâcheux que nous soyons obligés de vous administrer un puissant sédatif qui vous reconduise dans les brouillards de l'inconscience !

Des deux infirmières, la brunette, visage fermé, lui fit miroiter une seringue dans un rai de soleil. Carlson s'apaisa dans l'instant. S'il voulait comprendre le fichu foutoir dans lequel il se trouvait, il devait accepter leur aide et donc rester tranquille. La rouquine lui adressa un sourire de soutien comme pour le féliciter d'avoir pris la plus sage des décisions.

– Qu'ai-je vraiment, Doc ? demanda-t-il d'une voix étranglée laissant transparaître toute son angoisse.

Satisfait de voir son patient assagi et devenu plus raisonnable, le clinicien énuméra l'inventaire des blessures comme l'aurait fait une ménagère de sa liste de courses au supermarché.

– Peu de lésions corporelles, une entaille au côté droit, bien soignée à grand renfort de points de suture, une épaule démise parfaitement replacée, de menues fractures à trois orteils réduites avec dextérité, la radio nous le confirme, quelques hématomes et surtout des éraflures diverses et variées. Vous êtes un veinard en regard de l'état de votre voiture.

Après ce listing des tracas mécaniques, il fit une courte pause et embraya sur les dégâts psychologiques pour lesquels la réalité de guérison était beaucoup plus aléatoire et surtout dépendante du temps voire du hasard ou de la chance…

– Le plus inquiétant pour nous, reste le violent traumatisme crânien subi ! Si l'hémorragie a été totalement résorbée – plus de traces d'un quelconque désordre matériel – votre mémoire par contre en a visiblement pris un sérieux coup mais nous avons bon espoir que tout reprenne assez rapidement ses droits. Nous vous garderons en observation ici pour les prochains jours et ces deux superbes jeunes filles seront à votre entier service vingt-quatre heures sur vingt-quatre, du lundi au dimanche. Chanceux va !

Yves Roche resta volontairement évasif ; il était chirurgien en traumatologie, pas spécialisé en psycho ou en psychiatrie. Il ne voulait surtout pas interférer de manière négative dans la prise en charge du patient par les spécialistes *ad hoc*.

– Pour ma part, je suis disponible à toute demande et passerai vous voir au moins deux fois par jour pour constater l'amélioration de votre état de santé. Vous aurez aussi la visite de notre Directeur, prochainement, Monsieur Levallois tient absolument à convenir avec vous des modalités de mise en œuvre concernant la déclaration de l'accident. C'est un administratif avant tout mais bon… pour l'instant, votre seul souci est de vous reposer et de récupérer. Le reste est superflu.

Le Docteur Yves Roche, après un rapide examen de l'homme allongé, quitta la pièce. Les deux jolies infirmières s'attelèrent à accomplir leurs soins médicaux. Lucie, la rousse, refit le pansement épais de la blessure juste sous les côtes du dénommé Carlson. Ce dernier constata une longue cicatrice barrant son flanc droit sur une douzaine de centimètres, légèrement boursouflée, et recousue avec habileté. Elle ne le faisait pas souffrir et les chairs étaient barbouillées de désinfectant. Penchée sur son ouvrage, blouse entrebâillée, Carlson avait une très agréable vision sur les petits seins fermes et blancs de l'infirmière, ce qui provoqua chez lui une résurgence de sa condition de mâle. *Je suis bien vivant !* pensa-t-il, rassuré. L'infirmière ne sembla pas remarquer son regard insistant, elle continuait à prodiguer ses soins. Malgré sa gêne, Carlson ne put soustraire son regard à ce charmant panorama et fut surpris par le tatouage enveloppant le sein gauche de la jeune femme. Il représentait un scarabée aux fins détails minutieusement dessinés, embellissant de façon énigmatique mais superbement cette poitrine aux proportions parfaites. Ce tracé lui rappelait vaguement quelque chose, mais quoi ? Il était convaincu d'avoir déjà vu ce graphisme d'une extrême précision, mais où ? Il n'osa en faire part à la jeune rousse qui, pour le coup, aurait vraiment pensé que toute raison l'avait quitté définitivement.

Pendant ce temps, Annabelle, la jolie brunette, avait déroulé le turban serré des bandages entourant son crâne et s'appliquait, après avoir largement étalé pommades et onguents, à reconstituer le pansement. Philip Carlson sentait bien un point de douleur diffuse dans sa tête mais rien qui put, à son sens, provoqué de tels oublis, une telle amnésie. Peut-être était-il déjà sur la voie de la guérison, le grand retour à sa cohérence.

Les deux jeunes femmes discouraient ensemble, de tout et de rien, en effectuant leurs gestes mécaniquement. Elles ne prêtaient plus aucune attention à l'homme qu'elles soignaient.

Revenu à un peu plus de pragmatisme, le patient réfléchissait à sa situation, cherchant au plus profond de lui quelque image qui aurait pu faire le lien avec sa vie antérieure, faire réapparaître une trace même infime de son passé tant proche que lointain mais rien ne ressurgissait dans sa mémoire délitée. Elle avait été comme effacée par une main mystérieuse, méticuleusement réduite à néant. Pour autant, il avait bizarrement gardé tous les mécanismes de la vie quotidienne et une parfaite élocution. Ce fait le troublait passablement.

17

Mésopotamie
Village d'Akurgal le Grand

Alors que la nuit était encore dense, un bien curieux cortège s'échappait des remparts du village d'Akurgal le Grand. Sur l'étroit chemin serpentant entre marécages et roseaux, grinçaient les roues d'une charrette à bras, tirée par Lugalzaggesi le Sage et chargée d'un amoncellement hétéroclite d'objets disparates : fagots, jarres, tentures, récipients, fioles, onguents, ... Aux côtés de ce périlleux attelage, une femme, le dos courbé, protégeant dans ses bras recroquevillés le joyau fragile emmitouflé de linges que représentait le *Signe*. Ouvrant la marche, quelques pas en avant, Akurgal menait la troupe vers une destinée que lui seul connaissait.

Chacun savait que leur départ se devait d'être secret et plus encore le lieu de destination de leur expédition. Ils avaient pris grand soin à cela, ne mettant personne dans la confidence, pas même les cinq autres Grands Sages qui ignoraient encore jusqu'à l'existence de la prodigieuse enfant qu'ils emportaient. Tous trois, avant leur mise en route, avaient attendu patiemment que les sentinelles abandonnent leurs postes de guet pour aller quérir leurs remplaçants. Ce court laps de temps vacant de surveillance leur était suffisant pour s'éloigner assez du village, devenir invisibles derrière les hauts rideaux de végétation et que les bringuebalements de la charrette ne soient plus audibles. D'où ils se trouvaient, eux-mêmes n'entendaient déjà plus les battements du cœur du village, son souffle de vie.

Dans l'épaisse obscurité de la nuit, leur progression était bien difficile mais ils savaient ne pas pouvoir allumer de flambeau pour éclairer leur chemin sauf à se faire repérer. Akurgal, en éclaireur, par de brèves indications, prévenait ses compagnons des embûches et dangers de la route. Leur plus grande crainte était de tomber sur quelques brigands dont ils se méfiaient ou autres mauvaises rencontres que les cités repoussaient toujours plus loin de leurs murs ; pauvres hères qui n'avaient plus d'autres choix que de subsister de vols et de rapines. Par chance, rares étaient-ils la nuit, superstitieux de ce que pouvait contenir le lourd manteau sombre de la cruelle déesse nocturne.

Seule, cachée derrière un buisson fourni, une paire d'yeux d'ébène observait la scène avec délectation, perles obscures et brillantes dans l'air mat et feutré. Le visage émacié de l'observateur fortuit, encapuchonné d'une toile aux nuances vespérales, affichait un rictus malsain.

Après plusieurs longues heures harassantes, le convoi vira sur la droite, dans un sentier qui rejoignait au loin les rives du grand fleuve, à travers des plantations de palmiers-dattiers. Tant qu'ils restaient à couvert, leur marche serait sereine mais ils avaient conscience qu'une fois rejointe, la large voie longeant le fleuve les exposerait aux yeux perçants des guetteurs des hameaux édifiés le long du grand serpent aquatique. Akurgal avait son plan en cas d'arrêt inopiné par quelques gardes et avait revêtu pour ce faire sa longue robe de guérisseur. Si son nom avait parcouru toute la Mésopotamie par contre, son faciès n'était que figure imaginaire pour beaucoup sinon tous. Personne ou presque n'aurait su le reconnaître en le croisant sur tous les chemins de la contrée.

Lorsqu'ils arrivèrent enfin à vue du fleuve, Akurgal le Grand fit allonger Bittati sur le bord du plateau rugueux de la charrette. Le terrain étant plutôt plat, le surcroît de charge n'altérerait pas leur vitesse d'avancement. Dès lors, ils devaient se préparer à être arrêtés à tout instant par les gardes armés des villages jalonnant la rive. Akurgal remplaça Lugalzaggesi entre les timons afin que ce dernier puisse prendre son rôle de fantassin escorteur.

À peine eurent-ils parcourus quelques lieues qu'un groupe de trois hommes vint s'interposer à eux, pointe de lance tendue en avant et arcs bandés. Celui semblant emporter l'ascendant sur la troupe leur intima l'ordre de stopper, menaçant.

Il les interrogea sèchement :

– Qui êtes-vous et où menez-vous ce charroi ?

Akurgal leva la main en signe de salut pacifique et répondit avec le plus grand calme :

– Je suis guérisseur et voici mon escorte. Nous avons ramassé cette pauvre créature sur le bord d'un chemin. Elle est rongée par la vermine et porteuse du Grand Mal qui ravage nos plaines.

À cet instant, Bittati gémit faiblement puis se mit à tousser grassement et cracha au sol.

– Nous la conduisons à la Grande Cité pour tenter de la guérir ou brûler sa dépouille si elle ne survivait pas jusque-là. Nous ne pouvions la laisser agonisante et porteuse de ces maux, au risque de décimer toute la région.

La jeune femme, tassée et racornie dans l'enchevêtrement de leur chargement, redoubla de gémissements et de râles.

– Un conseil soldat, ne t'approche pas trop près d'elle si tu entends encore embrasser longtemps celle que tu chéris et voir ta progéniture grandir.

Malgré les sages recommandations d'Akurgal, le garde armé, dubitatif, craignait d'être berné. Il resta planté sur place et lança, agressif :

– Qui me dit que ce que tu avances est vrai ? Et pourquoi tout ce foutoir sur ta charrette ?…

L'œil du vieux guérisseur se fit plus malicieux, il reprit la parole sans en élever le ton.

– Viens constater par toi-même, l'ami, si tu veux… mais à tes risques et périls ! Je t'ai avisé de quoi il retournait. Libre à toi de n'en rien faire mais surtout, ne regrettes pas plus tard de ne m'avoir écouté. Sans fumigations pour te protéger, tu seras parti en moins de quatre lunes.

Cette fois-ci convaincu, l'homme en armes recula de trois pas, repoussant d'autant ses deux acolytes.

– Bon ! Passe pour la femme… mais que transportes-tu alors, tout ce barda…

– Ce ne sont que mes effets personnels, mes potions, poudres, herbes médicinales et onguents. Guérisseur itinérant, je transporte avec moi tout ce qui m'est nécessaire pour bivouaquer durant de longs jours et soigner au gré de mes cheminements.

Le soldat dut admettre la logique de la répartie du sorcier et finit par conclure, prudent :

– Admettons ! Passe alors ton chemin, sans traîner, et attends que nous soyons suffisamment éloignés de toi pour ne pas nous faire attraper par la vermine !

Le garde sauta par-dessus le fossé, imité par ses deux sbires et ils s'enfoncèrent loin dans le champ marécageux avant de leur crier de refaire route. Le convoi s'ébranla, tintinnabulant, et reprit sa lente progression. Les trois voyageurs échangèrent à voix basse en étouffant leurs rires pour ne pas être entendus.

Près de quarante jours après leur départ du village, et non sans avoir répliqué à maintes reprises l'excellent stratagème qu'Akurgal améliorait à chaque arrêt intempestif, le petit groupe quitta la large voie pour traverser le fleuve à gué et gravir un chemin s'enlaçant au flanc de la colline. Lugalzaggesi, plus vigoureux, avait repris les bras de la charrette pendant qu'Akurgal et Bittati poussaient au mieux, chacun à une roue, pour faciliter l'ascension du sentier fort escarpé. Tous ahanaient sous leurs efforts conjugués mais furent bientôt vainqueurs des éléments quand ils parvinrent à un faux plat plus aisé à parcourir.

Ils profitèrent de la sortie de ce passage difficile pour faire une halte bien méritée. Tous tentaient de reprendre leur souffle. Ils s'assirent sous la vaste voûte étoilée et Bittati leur servit à boire ainsi qu'une collation légère. Les deux sages, mastiquant lentement et buvant par petites gorgées mesurées, prirent le temps d'admirer les messages célestes que leur livrait la grande toile illuminée de la nuit. Puis, inspirés par la magie de la fertile messagère nocturne, ils évoquèrent de fabuleuses légendes mélangées à d'incroyables récits d'aventures vécues qui finissaient toujours par se confondre, créant un écheveau indissociable d'imaginaire et de véracité. Bittati écoutait à plaisir, émerveillée par leurs paroles extraordinaires, à la frange du ravissement. Elle aurait pu rester ainsi, toute la nuit, donnant le sein à cette enfant miraculée, en se saoulant de ces contes anciens si magnifiquement dispensés. L'enfant était particulièrement attentive aux intonations rauques des deux hommes mais avait fini par s'endormir sur le téton nourricier, une perle de lait à la commissure des lèvres.

Un frissonnement enlaça leurs épaules, la fraîcheur de l'éveil diurne les saisissait. Il était grand temps de repartir, avant que le puissant astre solaire n'anéantisse leur volonté à poursuivre. Chacun reprit sa place, le cortège put redémarrer. Akurgal rassura ses amis quant à la proximité de leur destination finale. Moins de deux jours de marche leur seraient suffisants pour la rejoindre. Tous commençaient à ressentir le lourd fardeau de la fatigue peser au bât de leur persévérance.

Le temps s'étirait, infini, au long de paysages de plus en plus rustiques, secs et désertiques, plus aucune végétation ne semblait pouvoir croître ou survivre. Les trois voyageurs souffraient sous l'accablante chaleur d'un soleil torride que la pureté des cieux n'amoindrissait pas. De ces deux ultimes journées de marche, pas âme qui vive. Ils n'avaient croisé aucun homme, pas le moindre nomade, pas même ou presque d'animaux. Seule la désolation de ces horizons arides accompagnait leurs pas lents et pesants qui roulaient sur la pierre des sentiers empruntés. La soif les tiraillait mais il fallait économiser l'eau saumâtre et tiède emportée pour parvenir jusqu'au but de leur voyage.

Arpentant depuis des heures une sente muletière de forte déclivité qui usait leurs dernières forces, Akurgal posa sa main sur le bras de Lugalzaggesi pour stopper le convoi. Ils étaient arrivés même si rien alentour ne l'indiquait. Ils se trouvaient sur cette minuscule piste où la charrette à bras, pourtant étroite, peinait à se maintenir sans chavirer dans le ravin. Ils étaient à flanc de coteau, une muraille rocheuse au-dessus d'eux et un désert de pierres abrupt en contre-bas. Akurgal fit signe que la retraite de Bittati et de l'enfant se tenait là, un peu au-delà de l'amas de roches qui les surplombait. Ils gravirent, non sans difficulté, le raide escarpement pour déboucher sur une courte esplanade circulaire étrangement herbeuse d'où sourdait une source merveilleusement fraîche. Planté sur un bord, un acacia fringant au feuillage bruissant masquait en partie l'entrée d'une grotte naturelle abritée des vents dominants.

– Nous y voilà ! Enfin... fit Akurgal le Grand. Le seul lieu de vie de ces contrées hostiles, le point de Lumière dans l'océan des Ténèbres.

18

Tampa, Floride (U.S.A.)
Clinique Privée du Golfe

Les quatre roues à bande caoutchouc de la civière emportant Jessica Fletcher en salle d'accouchement, chuintaient cruellement sur les dalles thermocollées du sol en damier. Le large couloir plongeait dans les entrailles du bâtiment, au cœur stratégique du premier sous-sol de la clinique.

Les pupilles angoissées de la jeune femme s'agitaient en tous sens, sans pouvoir se fixer sur le moindre élément. Un mal-être déstabilisant l'étreignait, insidieux, sans qu'elle pût en définir avec précision la teneur. Les portes colorées défilaient à vive allure, au rythme effréné des néons suspendus au plafond qui diffusaient leur lumière blafarde et stroboscopique sur les parois du tunnel. Cette vision l'emporta aux limites insupportables d'un déséquilibre total. Sa chimie intérieure basculait, ses repères disparaissaient. Tout tournait dans sa tête dans un manège hystérique qui lançait une foisonnante kyrielle de tableaux effrayants et tourbillonnants, sectionnés au hasard des arrêts sur image de sa conscience. La peur s'insinuait, trouble, sournoise, frayeur froide et implacable. Son estomac se révulsait, tout son interne, devenu incontrôlable, se mélangeait douloureusement, formant un chaos d'organes, de fluides, d'impressions nauséeuses.

Et puis ce bruit aussi, emplissant chaque parcelle de l'espace confiné, portant au loin ses échos métalliques et sourds sur la peau reptilienne de ce boyau lugubre et fade. Le crissement perçant des roues, telle une aiguille glacée s'enfonçant dans la profondeur de son crâne. Le tumulte des voix encore, confuses, surnaturelles, codées, ronronnement incompréhensible qui caparaçonnait sa fuite délirante.

Soudain, un reflux acide et brûlant galopa le long de son œsophage, saturant le moindre recoin de sa gorge en tsunami hépatique. Sa bouche s'emplissait de cette mixture innommable, corrosive, visqueuse et aigre. Elle expulsa cette régurgitation avec violence et dégoût, cherchant à se libérer de ces chaînes filandreuses gastriques. Un doux tissu imprégné d'un arôme fruité vint essuyer sa joue puis l'angle de sa bouche mais l'amertume fielleuse restait ancrée à la voûte de son palais, jusque dans ses fosses nasales, mal indicible tapi aux tréfonds de ses cavités. Des haut-le-cœur la chaviraient sans ménagement pendant que sa muqueuse buccale s'enflammait.

Subitement son regard se figea, son cerveau se déconnecta de la réalité de cet environnement mouvant, cette sensation glauque. Elle ne se préoccupa plus que d'une seule chose, l'insurmontable déchirure qui envahissait tout son bas-ventre, par intermittence, à une fréquence endiablée. Une lame tranchante s'enfonçait dans ses chairs, fracassant sur son chemin tous ses tissus, ses muscles, à chaque contraction nouvelle et que rien, ni même sa volonté, ne pouvait refréner. Les ongles profondément enfoncés dans la mousse du matelas qu'ils déchiquetaient, la jeune femme s'obligea à ne pas hurler la douleur extrême qui irradiait tout son corps. La souffrance s'amusait d'elle, l'embrasait, comme une étincelle se joue d'une meule de paille, dénuée de toute armure, sans défense, en victime offerte sur l'autel de la persécution.

Quand enfin les spasmes s'espacèrent et s'apaisèrent un peu, son cerveau tenta de reprendre contact avec ce qui l'entourait. Quelques bribes éparses de lucidité vinrent jusqu'à rallumer certains voyants de son raisonnement délité, véritables signaux de survie au cœur d'une réalité confusément opaque.

Je vais donner naissance à mes trois enfants ! Je vais engendrer la Vie... des Vies...

Émergeant de sa catalepsie, Jessica Fletcher remarqua, un peu rassurée, la présence de Linda trottant à proximité du chariot qui, d'une voix sèche, distribuait des ordres brefs, sans équivoque. Elle distingua aussi les agents hospitaliers qui, autour du brancard, l'apprêtaient pour son accouchement. Une sérénité tangible la regagnait peu à peu, se fondant en elle comme une délicieuse alliée, s'infusant de façon bénéfique à l'essence de ses tourments, béquille salvatrice de son équilibre physique et mental. Les choses redevenaient plus palpables, plus réelles : passage rapide d'une double porte bousculée par l'armature en métal de la civière ; voix audibles se voulant réconfortantes ; lumière franche et précise ; chaleur rassurante et enveloppante... mais toujours cette douleur vive qui l'aiguillonnait au plus profond de son être.

Dès son entrée dans la salle immaculée, tous la déposèrent avec précaution sur la table de travail préparée à cet effet, ils juchèrent ses jambes sur les supports et ses pieds dans les étriers. L'intense irradiation lumineuse se concentrait maintenant entre ses cuisses grandes ouvertes où œuvrait déjà une sage-femme.

– Reprenez votre souffle, Madame Fletcher... Tout va bien se passer... Nous avons la situation bien en main... Vous serez très bientôt soulagée...

Linda, toute proche, tenait tendrement sa main et murmurait à son oreille de douces paroles dont la musique tentait de bercer ses angoisses qui réapparaissaient.

– Ça y est, Jessica, vous pouvez vous laisser aller...

Me laisser aller ? Mais aller à quoi !...

Tout s'embrouillait à nouveau dans sa tête, la douleur insoutenable, l'arrivée de ses bébés, la mort de Luis, le signal lancinant des monitorings, les conversations autour d'elle.

Me laisser aller à quoi ?... À quoi bon !...

Son corps entier se relâcha, d'un coup sec, comme la corde d'un arc ayant propulsé son projectile.

... la flèche l'atteignit en plein cœur, en pleine poitrine ! Elle sentait s'épancher son fluide de vie... la lumière devint orangée, irisée de reflets moirés ...

– On la perd ! On la perd, faites vite !

La sage-femme tentait d'opérer au mieux entre ses cuisses maculées de sang. Un infirmier lui fit respirer une ampoule. *Olfaction nauséabonde !* Elle réagit violemment à cette inspiration provoquée, reprit plus ou moins conscience et poussa instinctivement avec toute la vigueur retrouvée. Elle ressentit un immense soulagement au passage de son premier enfant, une libération vraie, souveraine, méritée.

– Un joli garçon, Madame Fletcher, c'est un joli garçon ! Félicitations !...

Mais elle n'écoutait pas, n'entendait plus, déjà une nouvelle vague fulgurante la transperçait, bousculait ses entrailles, broyait les os de son bassin pour les réduire en mille éclats qui pénétraient ses chairs mutilées.

Au brouhaha environnant, vinrent s'ajouter les cris perçants de son premier né. Appels diffus que son cerveau n'analysait plus, ne comprenait pas... refusait !

Où suis-je ? Dans quel mauvais rêve ?...

Aucune réaction à l'aiguille qui piqua la veine durcie de son bras gauche. Par contre, le produit injecté par Linda la brûlait férocement, remontait le long de son membre endolori pour venir emprisonner son cœur, l'enserrer dans un étau, toujours plus fort. Du coin de son regard halluciné, elle vit la figure familière de l'infirmière, calme, sereine, voulut lui faire part de cette sensation d'incandescence épouvantable mais son esprit vacilla sous la douleur de son deuxième garçon qui venait de naître en déchiquetant cruellement son nid fécond. Ses hurlements effroyables s'adjoignirent à ceux crispants de son aîné, au tumulte alentour, formant une géhenne hurlante, muraille hérissée des lambeaux de sa raison barricadant les oripeaux de sa conscience trahie.

Elle avait l'impression d'être au centre d'une arène, taureau molesté de banderilles.

Non ! Elle était au cœur d'une piste, cercle de silice blanche, apprêtée à la virulence d'un combat de coqs ! Autour, la masse criait, houle gesticulante, excitée et barbare. Tous n'étaient déjà plus des hommes mais devenus de vils tortionnaires enflammés, déchaînés, survoltés... heureux...

Des bras puissants la saisirent...

Luis... mon Amour, ma Vie...

La famille de Luis au Mexique, quand il l'avait présentée aux siens... la fête qui s'ensuivit, les chants, les danses, la musique aux rythmes endiablés...

... lui soulevèrent le bassin puis la calèrent.

... longues soirées au clair de lune et dîners aux chandelles à écouter les groupes de mariachis jouer pour eux de si magnifiques sérénades...

Perfusion ardente maintenant dans son bras droit.

... ce besoin qu'avait eu Luis de l'emmener voir ce combat de coqs... les hurlements, la furie des parieurs aux yeux injectés de sang, la folie des effroyables bêtes humaines, sanguinaires, sans compassion ni retenue...

Et toujours cette maudite déchirure à chaque fois plus vive, augmentée dorénavant de cette horrible perception atrocement cuisante et corrosive d'avoir le feu courant ses veines.

... la danse légère et aérienne des plumes virevoltantes au-dessus de l'arène... duvet inconsistant, intemporel...

– Poussez, Madame Fletcher ! Poussez encore... Un dernier petit effort et tout sera bien vite fini ! Ne relâchez pas maintenant, poussez encore...

... Luis, mon Amour, voici mon plus beau présent... je t'offre nos enfants en cadeau éternel...

Les phrases ne martelaient plus l'intérieur de sa tête, elles s'atténuaient, comme ouatées, indéfinissables. Jessica commençait presque à ressentir du bien-être, à défaut, un soulagement réel l'étreignait, libérateur. Il lui sembla que peu à peu la salle s'était vidée, elle n'écoutait plus les pleurs de ses deux premiers enfants.

Que fais-je ici ?...

Les éclairages violents eux aussi s'estompèrent pour devenir des flaques floues, presque rassurantes, chaleureuses.

... et les flaques de sang absorbées par le sable, auréoles qui grossissaient, qui grondaient... terrible ouragan...

Elle perçut à peine la venue de son troisième enfant, tant elle fut indolore et n'entendit pas la sage-femme lui annoncer qu'il s'agissait d'un troisième garçon.

... le puissant orage, bruyant et destructeur... ce voilier blanc sur les flots tumultueux, rouge sang, de la mer démontée...

Dans l'onde de sa sérénité retrouvée, la jeune mère fit une courte synthèse de sa vie, en quelques instants :

... des joyeux souvenirs de jeune fille aux périlleuses soirées de devoirs...

... Captain Luis... Bel Amour emporte-nous au loin... bravons la folle tempête...

... de ses parents disparus accidentellement dans le crash d'un bimoteur au sévère couvent des bonnes sœurs qui l'éduquèrent...

... jusqu'au-delà de l'horizon, Captain Luis... emporte-nous jusqu'au-delà de l'horizon...

... de sa dévastatrice solitude indescriptible à la rencontre du Grand Amour... inespérée...

... s'enfuir Captain Luis... chevaucher l'écume purpurine...

... de la mort de Luis à la naissance de ses trois fils...

... s'enfuir Captain Luis... toujours plus loin... toujours plus haut... pour aller rejoindre enfin... le soleil noir !

Déjà ses yeux noyés de larmes restaient fixement ouverts, perdant peu à peu leur éclat, alors que son cerveau finissait de faire défiler au ralenti les dernières images de l'album de son existence.

19

Tampa, Floride (U.S.A.)
Clinique Privée du Golfe

L'incendie de son orphelinat en Allemagne, sur les coteaux du Mont Feldberg dominant le miroir du Lac Schluchsee, avait permis au Docteur Wolfgang Schteub d'accumuler une petite fortune suite à l'indemnisation des compagnies d'assurances. Son relationnel éloquent sur site légitima une enquête tronquée concluant à un départ de feu accidentel consécutif à la vétusté d'une partie de l'installation électrique dans les sous-sols du bâtiment. Le médecin avait, à cet effet, distribué d'assez larges sommes d'argent aux uns et aux autres, dont les fruits n'avaient pas tardé à se faire ressentir. Les experts missionnés par les diverses autorités corrompues avaient diligemment rendu des rapports allant tous dans le même sens et attestant de la cause accidentelle. Dès lors, les assurances étaient entrées en action et avaient, au plus juste coût, dédommagé les familles du personnel décédé, se félicitant de n'avoir à le faire pour les près de cent corps d'enfants retrouvés dans les décombres. Trente deux adultes avaient péri dans les flammes et quatre-vingt quinze malheureux orphelins s'étaient consumés dans le brasier. Tous les registres ayant été détruits eux aussi, le Docteur Schteub avait donc confirmé l'exactitude de ces chiffres pour stopper toute investigation plus approfondie. Il savait pertinemment que le nombre de victimes ne correspondait pas à la réalité. Un enfant manquait à l'appel tout comme un adulte. Les pyromanes lui avaient pourtant certifié qu'aucun être vivant n'avait pu s'échapper de l'effroyable fournaise et qu'ils étaient restés un long moment en observation avant de quitter définitivement les lieux du sinistre.

Wolfgang Schteub était très partagé entre le soulagement d'un mauvais comptage rendu délicat par la véhémence de l'incendie et l'angoisse que deux survivants aient pu s'en extraire et prendre la fuite. Ce détail perturbant le poursuivait depuis des années même si, dans les jours et semaines qui suivirent la catastrophe, aucun rescapé ne se manifestât ni se présentât dans quelconque hôpital. Pour ce scientifique scrupuleux et maniaque, l'inexactitude de cette équation avait laissé chez lui de sérieuses séquelles : une nervosité latente, d'épuisantes insomnies et de sévères crises d'angoisse quand il ressassait le passé.

Ce temps était lointain ! Aucun signe ni aucun démon n'avait depuis surgi de cette époque révolue ! Sa vie s'était recomposée et reconstruite sur les décombres fumants de ce tas de cendres, un peu comme l'eût fait le mythique phénix. Sa nouvelle existence et sa passion s'étaient appuyées sur les articulations de cet épisode tragique qu'il avait provoqué, pour renaître plus puissantes encore. Cette tragédie n'avait eu finalement pour lui que des aspects positifs. Elle avait réussi à faire taire les nombreux détracteurs de ses théories, évincer les questions gênantes à l'égard de ses manipulations et clore les enquêtes devenues par trop pressantes et qui ralentissaient le cours de son programme expérimental de sélection génétique sur les naissances trigémellaires. Cet incendie avait surtout permis d'éliminer toutes les personnes trop proches de ses investigations douteuses ainsi que moult ratages et malformations de ses expérimentations plus que hasardeuses. L'Europe n'était pas le bon endroit sur cette terre pour pratiquer ce genre d'expériences, Tous, scientifiques ignares et timorés, politiques démagogues et policés, journalistes aigris et corrompus, n'y voyaient qu'exactions illégales et malversations dangereuses, recherches aventureuses allant à l'encontre du bien de l'Humanité, comme si le spectre d'un Führer encore dans les mémoires planait au-dessus de ses travaux et de ses thèses.

Que d'esprits rétrogrades et que d'intelligences inférieures... l'homme se satisfait de ne rester qu'un animal primaire qui se complaît dans sa fange !...

Il songea à ce qui l'avait conduit à cette destinée, lui, fils d'un simple commerçant autrichien, ambitieux et opportuniste, qui avait bâti sa fortune sur les sables pour le moins mouvants du terrain miné de la dernière guerre. Il se remémora la longue histoire tortueuse de ses origines que son père lui avait contée un jour où, au plus mal, sur un lit d'hôpital, il pensait n'avoir plus que quelques heures à vivre. Il combattait alors un cancer depuis plusieurs mois et la maladie semblait avoir raison de ses dernières ressources. Son père replongea dans le passé, d'une voix faible, concentré sur la narration des événements, en proie à maints efforts pour préserver la bonne chronologie et la fluidité des informations qu'il tenait à divulguer à son fils.

Né tardivement dans une famille juive, commerçant du textile, installée à Innsbruck, son père était le petit dernier d'une fratrie de cinq, celui que l'on n'attendait pas, le grain de sable dans l'engrenage bien huilé des habitudes. Sa venue remettait en cause toute la sage routine d'une existence paisible et bien rodée. Personne n’eut d'égard pour lui, tous trop accaparés par le maintien délicat des affaires dans une période déjà passablement troublée. Puis vinrent les coups, les humiliations verbales, les injures. Ce n'est que plus tard qu'il apprit de la bouche de sa propre mère la véritable origine de sa naissance. Il comprit alors les brimades et maltraitances d'un père bafoué, de frères meurtris, de sœurs flouées. Il était le fruit de l'adultère, l'enfant de la honte, le poison de l'honorabilité, le venin malveillant au sein de sa famille, de tout un peuple.

Ainsi, un soir d'hiver, à une époque où les officiers allemands venaient de plus en plus souvent en Autriche pour des séjours ludiques, sa mère était allée dans un des hôtels les plus luxueux de la ville, pour procéder aux essayages d'un uniforme commandé. *On ne travaille pas pour le Diable !* Le jeune officier fringant n'eut que peu d'efforts à fournir pour faire succomber cette femme éprise de liberté, usée par le travail et les grossesses. Elle était tombée éperdument amoureuse de cet homme aux belles manières sans se douter que lui s'amusait de sa naïveté et n'attendait que de jouir de bon temps. Une dizaine de jours suffit à lui créer une addiction irréversible pour cet amour impossible. Entrevues fortuites, ébats passionnés, fusion de deux êtres. Elle en était prête à tout quitter, à le suivre n'importe où. Il la raisonna lorsqu'il dût partir rejoindre sa division et lui fit promesse qu'ils resteraient en contact et se reverraient très bientôt pour unir leurs vies. De cette folle aventure, naquit un enfant au teint laiteux et aux cheveux châtain clair tirant sur le blond, aux antipodes de la peau mate et la pilosité très brune de la filiation Weissenberg.

À la fin de son adolescence, n'y tenant plus, il avait fui cette vie bridée à grand bruit, en emportant la caisse du magasin et en vidant le coffre familial, caché derrière un tableau du salon, grâce à la complicité d'une mère qui ne voyait en ce jeune adulte que le portrait de son amant envolé. Tous les objets de valeur facilement revendables avaient été dérobés ainsi qu'une respectable somme d'argent économisée année après année. Sa mère n'était alors plus que le fantôme d'elle-même. Il lui promit de revenir la chercher bientôt pour l'emporter vers une existence meilleure.

Face à ce qu'il avait subi tout au long de sa courte existence, la haine des « siens » l'emporta sur sa raison. Tout naturellement, il voua un intérêt aux groupuscules ultra-nationalistes à l'extrémisme naissant bien marqué. Ses origines avouées faisaient de lui un frère de sang de ces autonomistes exacerbés. Ayant déniché le groupe le plus radical, il s'y enrôla sans hésitation ni aucune appréhension. Samuel Weissenberg devint donc Günter Schteub – du nom de son géniteur – grâce à de superbes papiers obtenus à grands frais. Le pécule familial trouvait toute son utilité. Il vécut au cœur de cette faction particulièrement violente, à l'antisémite bien ancré et dont les actions de terrain étaient d'une rare cruauté envers ce peuple qui n'avait, pour ces mercenaires comme pour lui, aucune raison d'exister. Il n'était qu'un peuple vil, cupide, vénal, d'une prétention démesurée en s'arrogeant l'exclusivité d'être soi-disant élu. De son court vécu passé parmi ces sous-hommes, Günter ne pouvait qu'en attester, ce peuple n'était qu'une sous-race, bâtardise immonde de sous-espèces animales et qui osait se prévaloir de prérogatives inconcevables. Des parasites de l'espèce… à éliminer !

Lors de l'annexion de l'Autriche par l'Allemagne, un peu avant le début de la seconde guerre, Günter Schteub était devenu l'un des plus redoutés activistes, insensible, calculateur et sans état d'âme. Il faisait froid jusque dans le dos de ses prosélytes par des propagandes ulcérées, des théories à la verticalité telle qu'elles en venaient à dépeindre certains propos de son grand modèle comme trop modérés. Il n'avait pourtant que vingt-trois ans mais une ambition incommensurable et un fanatisme extrême s'étaient emparés de son discernement plus que perturbé.

Par l'entremise de ses obscures filières, il obtint pour sa mère de faux papiers tout aussi réalistes que les siens, parfaitement imités et permettant de mettre en avant une longue filiation autrichienne sur plusieurs générations. De quoi se mettre à l'abri de tout souci et pour lui de remplir pleinement le sombre devoir auquel il adhérait, la folie nazie du moment. Pour installer sa notoriété au sein du clan, il organisa, prit la direction et participa lui-même à l'arrestation de sa famille d'origine, ce père fielleux et fourbe, ces frères prétentieux et mauvais, ces sœurs hypocrites et méchantes.

Dans l'immeuble où le commerce emplissait tout le rez-de-chaussée, les bottes ferrées escaladaient les étages bruyamment. Au premier, porte de droite, l'appartement familial. Son père, son frère et sa jeune épouse tenant dans ses bras leur nouveau-né furent escortés à coups de crosse jusqu'à la rue où attendait un fourgon. Porte de gauche, les aïeuls qui, regard hébété, ne comprenaient pas l'attitude barbare d'un *petit-fils* bien difficilement reconnaissable sous son accoutrement paramilitaire. Ils avaient tenté d'intercéder, implorants, avant d'être sévèrement battus et jetés à l'arrière d'un camion. *Samuel* avait cruellement changé, dans ses yeux brillaient la flamme de la folie meurtrière et une sauvagerie qu'ils ne purent croire comme possibles. Au second, des coups de feu retentirent, la milice finit par emporter le corps inerte de l'aîné de la fratrie sur une civière, son épouse éplorée à ses côtés et leurs trois enfants pleurnichards agrippés à la manche de leur mère. Au dernier étage, ses deux sœurs voulurent également s'interposer aux intrus. Elles furent durement molestées, jetées contre meubles et murs, leurs vêtements déchirés attisant les convoitises d'hommes fanatisés bien au-delà des limites du tolérable. Après que lui-même eut pris le temps d'abuser d'elles, tour à tour – soufflant dans leur cou toute sa haine fétide et imposant sa supériorité à celles qui l'avaient humilié et snobé durant toutes les années de son enfance – il les laissa, pantelantes et outragées, tels des trophées accessibles et offerts aux assauts puissants de plusieurs rustres mercenaires qui les violèrent sans compassion. Asservis à ce spectacle morbide et lubrique, leurs maris ceinturés furent ensuite torturés avec un zèle tout particulier puis abattus. Les deux femmes violentées, tirées par les cheveux dans les escaliers, furent lourdement jetées sur le plancher froid en métal d'un véhicule, aux côtés des cadavres de leurs époux. Les cinq jeunes enfants issus des deux familles prirent étroitement place dans une camionnette sous un déluge de coups de bâtons. Lorsque toutes les portières claquèrent, convoi prêt à emporter sa cargaison, Günter Schteub était aux anges. Le chef de la faction armée savourait sa vengeance avec une délectation non dissimulée.

Agréablement calé dans l'épaisse sellerie en cuir de son fauteuil, sous la lumière éblouissante du septième étage illuminant son bureau, le Docteur Wolfgang Schteub dégustait un havane coûteux accompagné de son fidèle Bourbon. L'évocation de ses origines le laissait penseur, cherchant à mettre des images sur les événements narrés par son père. Certains détails précis – contés avec si affligeante malice, plaisir immoral et raffinement malsain – sur l'arrestation des sœurs violentées notamment, l'épouvantèrent. Il dut reconnaître que la cruauté, si elle était héréditaire, s'était largement estompée avec l'avènement de sa propre génération. *À moins que ce ne soient les temps qui diffèrent... ou la technologie !* Il eut alors l'image fugace de la jeune Jessica Fletcher éventrée, ensanglantée, aux viscères de laquelle il venait d'arracher trois magnifiques vies façonnées à sa cause propre, laissant s'éteindre, pantelantes et outragées comme jadis, des chairs devenues inutiles qui n'avaient plus lieu d'exister...

Dans le flux désordonné de ses pensées sanguinaires, des questions affluèrent, titillant son esprit, réclamant des réponses. Il décrocha alors son téléphone et appela un correspondant au Chili.

20

Gold Beach, Oregon (U.S.A.)
Grizzly Mountain Road

Le Sénateur Robert W. Harris, du Comté de Curry dans l'État d'Oregon, se rendait en visite à l'*Institut Médicalisé R. W. Harris* en suivant les méandres sinueux de la *Grizzly Mountain Road* rejoignant le sommet de la montagne éponyme où était perché son fabuleux « bijou ».

Confortablement installé à l'arrière de la grande limousine mise à la disposition de sa fonction, il regardait par la vitre fumée, l'alternance du jeu d'ombre et de lumière que créait le soleil à travers les colonnes des majestueux résineux multicentenaires.

Le constat de la grande dualité de la Vie ! Le Blanc, le Noir ! Le Bien et le Mal ! Le Tout et le Néant pour finalement ne devenir plus qu'Un dès lors que la pensée s'exerce à devenir plus globale, au-delà de ces formes duales matérielles pour aboutir au point ultime de l'élévation spirituelle.

Ce ruban d'asphalte tordu, il le connaissait dans ses moindres ondulations, dans ses plus infimes détails. Chaque virage, chaque déclivité, chaque tronçon ; rien de ce tracé n'avait plus pour lui de mystère. Il le parcourait depuis maintenant si longtemps, tant d'années, et si régulièrement pour aller quérir à sa source, l'essence même de ses desseins les plus secrets, en marge de sa fulgurante et foisonnante carrière politique.

Le doux berceau de mes armées ! La matrice de mes beaux anges tricéphales démoniaques ! Le creuset fécond de cette formidable matière vivante humaine formatée pour le seul et l'unique but convoité.

Bercé par la douce ascension de la montagne, il laissa flâner son esprit au symbolisme comparatif. Son corps, guidé par la transcendance mémorielle profonde inconsciente de son cerveau, anticipait chacun des mouvements à venir, calant imperceptiblement son dos dans l'épais dossier du siège alors que la voiture abordait une courbe, préparant ses muscles à la juste contraction avant toute décélération, prévenant instinctivement tout freinage avant qu'il ne soit encore effectif. C'était sa route, son chemin, sa destinée, sa Voie, l'artère vitale même où battaient les impulsions cachées de son énigmatique quête. Cette route, il l'avait construite, parachevée, pour le conduire au sommet de ses visées.

Il se sentait d'humeur enjouée en cette belle matinée hivernale ensoleillée qui révélait toute la splendeur et l'immensité du massif forestier. Il avait pourtant été réveillé en plein sommeil, vers trois heures du matin. Stridente, la sonnerie de son téléphone avait longuement vrillé l'intérieur de son crâne avant que son cortex cérébral, abruti de somnifères et de l'endormissement de plomb induit, ne se reconnecte laborieusement à la réalité. Il avait décroché péniblement, échappant le combiné, hagard et hébété dans l'obscurité, avant de pouvoir répondre d'une voix pâteuse. À l'autre bout de la connexion, la voix du Docteur Schteub l'avait rapidement extirpé de ses limbes nocturnes et médicamenteux. À Tampa, un nouveau trio était né !... Une courte pression sur le bouton de l'interrupteur poire de la lampe de chevet avait distillé brusquement une lumière crue dans la pièce. Ses yeux l'avaient brûlé un court instant puis s'étaient acclimatés à cette violente luminosité. Il s'était assis en sursaut au milieu de l'impressionnant désordre de sa literie défaite, témoignage de la grande agitation qui peuplait ses nuits.

Cauchemars confus, réflexions intenses torturées, digestion chaotique, viles résurgences du passé glauque, tracas du présent, aspirations de l'avenir. Son métier n'était pas de tout repos et la quête mystérieuse qu'il menait parallèlement n'adoucissait en rien ses tourments, bien au contraire.

Dès qu'il eût raccroché, il interrogea son agenda électronique, supprima tous ses rendez-vous de la matinée suivante. *Un mail à son chef de cabinet permettrait qu'il les replaçât au mieux de son emploi du temps. Il devait, toute affaire cessante, se rendre impérativement à l'institution qui portait son nom, son fabuleux « bijou », au cœur de l'immense forêt séculaire.*

Il allait découvrir et approcher les trois dernières pupilles admises, arrivées dans la nuit par vol spécial depuis la côte Est du pays jusque dans l'épaisseur végétale de son Comté. *Dichotomie géographique, contraste climatique, paradoxe dual, toujours...*

Son esprit léger flânait à nouveau avec délectation sur les événements de la nuit. Le Docteur Wolfgang Schteub lui avait alors annoncé le décès, dans sa clinique de Floride, d'une jeune femme ayant donné naissance à trois beaux garçons qui, bien que prématurés, étaient de parfaite constitution et en excellente santé. Trois nourrissons conformes à la perfection des exigences de leurs attentes. Sans aucune famille connue, Jessica Fletcher, leur mère, en mourant, venait de donner vie à trois nouveaux orphelins que l'institution allait prendre en charge jusqu'à leur majorité à défaut de pouvoir les placer ensemble en famille d'accueil. Rompu à ces malheureux « incidents », le médecin de Tampa avait rapidement fait tout le nécessaire administratif pour une admission sans retard à l'Institut spécialisée de l'Oregon dont le Sénateur était le parrain.

Un frêle sourire illuminant son visage, le politicien bientôt sexagénaire ne put s'empêcher d'y entrevoir un signe du destin. Il partait à la découverte de la naissance du douzième groupe, la Triade des Poissons dont l'efficacité redoutable prendrait tous ses effets d'ici une vingtaine d'années. Une nouvelle boucle venait de se refermer, un cycle prenait fin. Les douze unités tricéphales de troisième génération étaient constituées. Trente-sixième naissance trigémellaire depuis l'apothéose parfaite des frères Snarck, cent-huit « fils » aux marqueurs génétiques constamment perfectionnés, gènes améliorés par une sélection drastique, biologie génique de l'absolu dans un but permanent de perfection. *L'apprenti sorcier n'était-il pas devenu Dieu ?* Harris dut reconnaître avec admiration l'exceptionnel talent de ce généticien de génie, sa force de persuasion, son sens brillant de l'organisation et l'incroyable idée diabolique qu'il avait eue, voilà maintenant plusieurs décennies, pour défendre et servir leur objectif commun.

À l'époque de leur rencontre, Wolfgang était un tout jeune diplômé de l'une des plus prestigieuses écoles américaines de médecine. Surdoué précoce, sorti Major de sa promotion à moins de vingt-cinq ans, il avait, en complément de son cursus général, obtenu avec les honneurs plusieurs spécialisations, en obstétrique, en recherche génétique appliquée et en chirurgie de reconstruction plastique. Lui – un rictus ironique traversa son visage à cette pensée furtive – féru d'Histoire avec une passion marquée pour la néo-préhistoire, suivait encore ses études universitaires. Les compétences exceptionnelles de l'un, la folle passion de l'autre avaient établi une osmose atypique et soudé deux êtres exaltés dans une quête improbable et irrationnelle. L'approfondissement poussé des recherches historiques sur la période antique et tout particulièrement l'épopée sumérienne avait révélé de bien curieux aspects. Ils étaient entrés sans retenue dans ce qui apparaissait à tous comme de simples légendes ou mythes à considérer avec circonspection. Eux, forts de leurs investigations, y croyaient comme à une réalité plus qu'étrange certes, mais tangible. Ainsi s'était façonnée leur incroyable course éperdue, presque irréelle, qui aujourd'hui le conduisait au sommet de *Grizzly Mountain*. Près de quarante années à dénicher des indices, à décortiquer des documents, à étudier entre les lignes les récits abscons et autres légendes de l'époque. Aujourd'hui, comme au premier jour, l'un ou l'autre restait intimement persuadé que l'hypothétique voie s'avérait bien réelle et cachait, dans les profondeurs de ses mystères, des secrets et des révélations capables de transfigurer la face de ce monde ou, à tout le moins, changer l'attribution des pouvoirs sur cette terre et distribuer avantageusement les cartes en leur faveur.

L'inimaginable légende loufoque du départ, au fil du temps, s'était calquée à une authenticité surprenante, concordant à des événements contemporains bien réels avec une précision étonnante pour finir par s'apparenter à des prédictions effectives dont l'ultime arpège résonnait au diapason des heures présentes.

En faisant part à l'époque de sa découverte au tout fraîchement diplômé Wolfgang Schteub, tous deux, épris par cette folie ambitieuse d'arriver à leurs fins, avaient cherché comment mettre en place une stratégie pour posséder ces secrets. Ils avaient finalement convenu qu'ils devaient parvenir à infiltrer les rangs des défenseurs de cette trame antique impénétrable et surtout créer des bataillons de combattants aptes à rivaliser avec l'efficacité redoutable de ces lignes ennemies de l'ombre.

Le jeune médecin avait alors fomenté le macabre stratagème inouï qui venait ce jour d'accroître leur armée de ses trois derniers éléments symboliques.

Wolfgang avait besogné durement à l'élaboration de ses théories. Généticien virtuose, travaillant jour et nuit pendant des années, il accéda à la suprême récompense, posséder sa propre clinique privée dans le pays de tous les possibles, l'Amérique !... Tout s'était alors précipité, avec un laboratoire ultra-moderne à accès strictement réservé – sans rapport avec les caves sommairement équipées de Schluchsee – des équipes de chercheurs et généticiens émérites – rien à voir avec les assistants presque amateurs de l'Allemagne – il avait poussé l'étude génétique à son paroxysme. Ses fonds personnels presque illimités adjoints à ceux de sa maîtresse tout aussi conséquents, facilitaient l'élaboration de leur faction de combattants d'exception. Testant maints protocoles sur ses patientes sans trop se soucier des conséquences, Wolfgang Schteub avait mis au point des embryons au potentiel génétique exceptionnel, à la hauteur de l'absoluité visée en répondant à des critères extrêmes de sélection. Les microscopiques particules de vie étaient ensuite implantées à des patientes persuadées de la fécondation de leurs ovules par les spermatozoïdes de leur mari ou compagnon. En fait, elles n'étaient que de vulgaires ventres aptes à couver, des cocons sains et compatibles à recevoir la parfaite création de ce génie de l'éprouvette. Les embryons insérés contenaient nullement leurs gènes dégradés pas plus que ceux de leur conjoint tout aussi insignifiants. Le but final était de récupérer les nourrissons dès leur naissance, à l'appui d'un fichier très restrictif de mères stériles potentielles, n'ayant plus aucune attache ou famille et dont l'époux ou concubin répondait à une modélisation similaire. Dès la fragile nidation validée, suivant médicalement et psychologiquement de près le bon déroulement de ces grossesses délicates, les pauvres femmes devenaient toutes fortuitement veuves ; décès par maladie, accident de la circulation, du travail, ou autres causes variées issues de l'imagination débordante des décisionnaires fous de ce programme. Au terme de ces gestations difficiles, toujours suivies par une équipe médicale de la clinique à domicile, les possibilités de décès de ces mères venant d'accoucher étaient nombreuses à ne pas attirer l'attention des autorités, d'autant plus facilement à l'appui de son importante influence sénatoriale. Il arrivait parfois, rarement, que des ascendants ou collatéraux plus ou moins proches des victimes et jusqu'alors inconnus subissent un sort identique lorsqu'ils se manifestaient après le décès brutal des jeunes mères ou de leur ami. Wolfgang avait une aversion des généalogistes et leur traçage ! Une profession qui n'entrait pas dans la complexe logique de résolution de l'équation de sa quête.

Bien sûr il y avait eu cette anicroche en Allemagne mais ce n'était que de l'histoire ancienne, un passé révolu, disparu. C'était avant l'Amérique ! Avant l'extraordinaire présent ! L'incident avait été fort bien maîtrisé d'ailleurs, sans conséquences pour leurs projets et s'était avéré de plus très lucratif.

Les travaux européens de l'époque, encore excessivement expérimentaux et jonchés de nombreux ratages, avaient permis la maîtrise parfaite de tous les processus et protocoles actuels qui fonctionnaient maintenant à ravir. Les enseignements tirés de ces échecs d'hier étaient le ciment des réussites édifiées aujourd'hui. Il faut parfois quelques menus sacrifices pour voir s'élever les plus grands chefs-d'œuvre !

Le génie incontestable de Wolfgang, sa fortune adjointe à celle non moins substantielle de Rena, l'implication totale de cette dernière pour leur cause, tant d'autres qualificatifs encore... tout cela corrélé au pouvoir incommensurable de sa position sociale et de son influence inhérente ; ils formaient à eux trois la Sainte Trinité de leurs desseins. Rien jamais ne pourrait venir ternir la grande lumière de leurs aspirations ou occulter l'illumination finale du résultat brigué de leur quête que très bientôt ils obtiendraient.

21

Paris, Aéroport Roissy Charles de Gaulle
Rome, Aeroporto Leonardo Da Vinci – Fiumicino

Depuis la vaste salle de l'aéroport Roissy Charles de Gaulle, attendant l'appel pour l'embarquement de son vol à destination de Rome, Valérie Nouellet regardait, pensive, par les baies vitrées le tarmac en contrebas. Les yeux perdus dans le néant, en totale réflexion sur les éléments de cette difficile affaire à résoudre, elle assistait, sans y prêter une quelconque attention, au chargement d'un gros porteur transatlantique graffité American Airlines. Les employés, méthodiques, embarquaient une multitude de bagages en tous genres dans la panse ventrue de l'avion avec une efficacité de métronome. Un peu à l'écart, dans un long véhicule en stationnement, attendait un cercueil plombé. Quand le hayon arrière du corbillard s'ouvrit et que la bière fût emportée dans la soute de l'avion, elle ne se doutait pas que sous ses yeux, son cadavre venait une nouvelle fois de lui échapper.

Dans les enceintes de la salle, une voix doucereuse diffusait des informations en continu. L'annonce de son embarquement la fit sortir de ses rêveries.

« Mesdames et Messieurs, tous les passagers à destination de Rome, vol AF-422, sont priés de s'approcher de la porte 54 pour embarquement immédiat. »

La phrase fut répétée en anglais dans un premier temps puis, bien sûr, en italien.

Valérie suivit la cohue zombie et se glissa dans la longue file d'attente. Elle piétinait derrière un groupe dont l'origine latine ne faisait aucun doute, bruyant, parlant fort et gesticulant en tous sens. Puis, l'hôtesse prit ses carte et billet, vérifia son identité sur le listing, détacha une partie de son titre de transport et, tendant le surplus, lui souhaita un agréable voyage.

Dans la carlingue de l'appareil, Valérie se fraya un passage jusqu'à son siège situé juste au-dessus de l'aile. Elle fourra son petit bagage cabine dans la soute au-dessus des places assises et se tassa sur son fauteuil. Tête tournée vers l'extérieur, elle assista par son hublot, au décollage de l'appareil des American Airlines qui regagnait ses terres d'origine. Son regard plongea vers le sol, laqué de pluie, que la froidure semblait avoir vitrifié. Depuis le ciel maladif dégoulinait un rideau fin et froid, presque gelé. Le temps d'une banale journée de novembre à Paris.

Elle se saisit d'une revue dans l'aumônière du dossier face à elle pour s'extraire un peu de ses pensées et surtout compenser l'angoisse naissante qu'occasionnait chez elle chaque départ en avion. Elle n'affectionnait pas de quitter *son plancher des vaches* comme elle aimait à le rappeler. Pour elle, voler restait quelque-chose de surnaturel et son entourage avait beau la rassurer quant à la quasi-inexistence de risques, elle demeurait nerveuse à chaque décollage.

Peu de temps après, l'appareil s'ébroua et gagna l'extrémité de sa piste d'envol. Les réacteurs se mirent à rugir, faisant vibrer tout le fuselage. Quand le pilote lâcha le système de freinage, poussée dans l'épaisseur de son siège, la puissance de l'accélération mit à mal son estomac. Les premiers instants qui suivirent, alors que l'avion semblait encore hésiter en suspens au-dessus du sol, accrurent encore son malaise au point de l'obliger à fixer les deux traînées blanches dans le ciel chargé et frileux de l'hiver ainsi que le point brillant devenu minuscule qui se dirigeait vers l'ouest.

En vol, au-dessus des nuages formant une épaisse couche masquant la terre, elle n'avait plus été incommodée par son appréhension. Le simple fait de ne plus avoir de point de repère avec le sol, l'isolait de tout vertige donc de toute pensée négative sur les transports aériens. Elle s'était même assoupie puis avait profité du court voyage pour synthétiser les éléments de son enquête et imaginer son collègue italien avec qui elle passerait les prochains jours. *Comment sera-t-il ce fameux Silvio ? Pourra-t-elle lui confier ses informations sans réticence et lui, livrera-t-il tout ce qu'il sait sans détour ?* Elle en était à ce stade de ses considérations quand des turbulences la ramenèrent à la cruelle réalité. En fait, le pilote manœuvrait sa descente sur la capitale italienne. Ses angoisses réapparurent aussi vite que l'avion perdait de l'altitude. Elle avala sa salive pour déboucher ses oreilles, de nouveaux haut-le-cœur la bousculèrent, elle regretta la frugale collation servie et les deux bières arrosant les minables denrées consommées. Tout cela lui grisait l'esprit, l'anéantissait, la laissait KO, en vrac. Elle se sentait au plus mal et se promit, une nouvelle fois, de ne plus jamais remettre les pieds dans un avion. Quand enfin ses appréhensions se levèrent quelque peu, les pneus des trains d'atterrissage venaient de prendre contact avec le sol. Des applaudissements épars s'élevèrent, çà et là, et quelques passagers, les plus pressés, investissaient déjà le couloir central. Valérie respira profondément et resta patiemment assise à sa place.

Une voix impersonnelle débitait les informations d'usage. La température au sol était de 6° C. Frisquet certes, mais l'Italie semblait baignée d'un généreux ensoleillement souhaitant la bienvenue aux voyageurs.

Dès sa sortie de l'appareil, elle se dirigea directement vers la douane. En approchant des uniformes, un homme en civil s'en détacha et vint à sa rencontre. Il était grand, cheveux courts et parfaitement placés, d'un brun foncé, brillants de gel. Dans son costume gris anthracite, de belle coupe, rehaussé d'une chemise pourpre, les pieds chaussés de souliers à bout pointu, faits sur mesure dans une peau souple au ton crème surpiquée de gris, il avait très fière allure. A quelques mètres d'elle, visage éclairé d'un sourire radieux, il avait déjà la main tendue.

– Capitaine Valérie Nouellet, je suppose ?...

Avant même la réponse positive de la jeune femme, il se présenta en lui serrant fermement la main.

– Inspecteur Santini ! Avez-vous fait bon voyage ? Bienvenue dans notre beau pays.

Ils traversèrent, bavardant de banalités, la ligne des douaniers sans même s'arrêter. Certains d'entre eux saluaient avec envie et insistance le flic italien à leur passage. Valérie, troublée, s'en sentit mise à nue. Puis, ils se dirigèrent vers le parking souterrain. Galant, Silvio ouvrit la portière à Valérie, l'invitant à monter dans le véhicule et prenant son léger bagage qu'il déposa dans le coffre. Il s'installa à son tour derrière le volant sport de son *Alfa* rouge au confortable intérieur de cuir fauve. *Méticuleux et un poil précieux le quidam*, se dit la policière, étonnée par tant de sollicitude et les façons maniérées de son homologue.

– Bien, Valérie ! commença-t-il, en admirant les genoux joliment dessinés de sa passagère. Je vous dépose à votre hôtel tout de suite puis vous récupère ensuite ou préférez-vous que nous entrions directement dans le vif sujet ?

– Va pour le vif du sujet, je suis là pour ça. J'aurai bien le temps de me pomponner plus tard !

Tout en conduisant à allure soutenue sur les larges voies périphériques menant vers le centre de Rome, Silvio lui exposa avec moult détails la barbarie de la scène du meurtre de l'église *San Pietro in Montorio,* lui narra tout aussi précisément la découverte du deuxième corps dans la cour du *Tempietto* puis évoqua la situation de l'avancée de ses investigations à ce stade. Valérie écoutait, docile et silencieuse, absorbant tous les éléments et les multiples précisions que le conducteur lui annonçait au sujet de l'affaire. Elle avait cette capacité rare – et fort bienvenue chez un officier de police – de pouvoir synthétiser, en un instant, une kyrielle d'informations pour évaluer une situation et se faire une idée précise des faits. A la fin du long monologue de Santini, alors qu'ils pénétraient dans le flot bruyant et dense de la circulation du centre de la capitale, elle lui demanda si elle pouvait voir avant toute autre chose, le corps, objet principal de sa venue à Rome.

– C'est bien par là que je voulais commencer ! la rassura-t-il. Nous ne sommes plus qu'à deux rues de la morgue où est conservé le cadavre.

– Parfait ! Je n'en reviens toujours pas de tout ce que vous me dites. Je veux absolument voir ça de mes propres yeux. Au fait, avez-vous fait garder l'accès de la morgue ? s'inquiéta-t-elle.

– Soyez sans crainte, Valérie, deux hommes de mon groupe assurent la protection de la victime.

La voiture se gara dans un crissement sur les gravillons face à l'entrée principale. Silvio sortit promptement du véhicule et en fit le tour à la hâte pour ouvrir la portière à Valérie. Amusée, cette dernière l'ayant devancé, lui lâcha, un peu abruptement :

– Silvio, vous êtes d'une parfaite éducation, d'une galanterie devenue rarissime et dont les français n'ont apparemment plus l'apanage ! Mais bon, je ne suis pas en robe de soirée chaussée de talons aiguilles, ni invitée à une première au théâtre… donc soyez cool, laissez vous un peu aller ! Je ne suis qu'une flic française, rien de plus ! D'accord ?

À ces paroles, Silvio eut un léger retrait, blessé dans son amour propre et vexé que Valérie ait pu repousser ses attentions. Il sourit tout de même et répliqua docilement :

– Pardonnez-moi, Valérie ! Ceci est tout naturel chez moi. Je vous promets de faire les efforts nécessaires à l'avenir pour ne plus vous importuner avec mes façons d'agir un peu éculées.

Le ton était pincé mais le sourire qui l'accompagnait laissait entrevoir à Valérie que finalement il ne lui en voulait pas trop. Silvio avait été subitement comme un enfant pris en faute devant une grande personne qu'il ne connaît pas, emprunté et timide à la fois. Valérie lui rendit son sourire et tapota généreusement son épaule, ce qui vint clore l'incident.

Ensemble, ils avalèrent les marches les séparant de l'entrée et débouchèrent dans une pièce surchauffée. Là, taciturne derrière un bureau scrupuleusement vide, le fonctionnaire d'accueil leva un regard morne dans leur direction. Son œil se raviva à la vue de Silvio et surtout de la superbe accompagnatrice à ses côtés.

– Eh Silvio, tu reviens voir ton cadavre. Crois-tu que ce soit un endroit bien indiqué pour emmener une si charmante jeune femme. Elle peut rester ici pour t'attendre, je lui ferai un brin de conversation jusqu'à ton retour.

Ah ces italiens et leur côté flatteur, toujours le petit mot pour plaire, prêt à saisir toute occasion qui leur est donnée pour en rajouter un peu, pensa Valérie, médusée par ces flagorneries.

– La charmante jeune femme, comme tu dis, est Capitaine de police à Paris, répliqua sèchement Santini, alors tu gardes tes salamalecs douteuses et tu m'ouvres la porte des frigos !

– Ma, Silvio, je disais juste ça pour rire, tu le sais bien. En aucun cas, je ne voudrais importuner une si belle créature. *Mmm, bellissima…*

– Ouvre je te dis ! fit Santini excédé et confus de l'insistance de son compatriote.

Le fonctionnaire mielleux, renfrogné de s'être fait rabrouer de la sorte devant la belle étrangère, appuya sur un bouton à droite de son bureau. Un panneau du mur métallique s'effaça pour ouvrir sur un large couloir jalonné au sol de lumières bleutées. Valérie et Silvio l'empruntèrent. Les semelles en cuir des souliers de Santini couinaient sur le revêtement souple d'une propreté irréprochable. Après quelques mètres, ils bifurquèrent sur la droite et entrèrent dans une vaste salle réfrigérée, aux murs composés de tiroirs aux façades soigneusement étiquetées. Dans un coin, dès leur entrée, un homme s'était redressé, pieds rivés au sol, jambes légèrement fléchies, la main droite sur l'étui de son arme.

– Ah, c'est toi Silvio ! Excuse-moi mais on est un peu nerveux avec toute cette affaire.

– Rien de grave, Ricardo ! On revient juste voir le mort du *Tempietto !* Où est Carlo ?

– Parti chercher un café, il sera là dans cinq minutes.

Le naturel latin revenant au galop, le policier en faction, rictus niais d'adolescent attardé accroché aux lèvres et regard amouraché, dit à son supérieur :

– Tu ne me présentes pas la jolie dame à tes côtés ? Sauf votre respect, Madame, mais votre beauté devient presque inconvenante dans un tel lieu.

– Ça suffit, Ricardo ! l'exhorta l'inspecteur. Madame est la capitaine de police Valérie Nouellet, elle vient juste d'arriver de Paris. Mais qu'est-ce que vous avez tous avec vos mièvreries, vous ne pouvez pas lui foutre la paix ! Elle va avoir une belle image des italiens !

– OK boss, désolé !... et veuillez me pardonner, Madame la jolie policière.

Valérie s'amusait des flatteries excessives des hommes qu'elle avait rencontrés depuis son arrivée en Italie, même si, en effet, tous ces ronds-de-jambe devenaient un peu pesants comme venait de le souligner Silvio à son homme d'armes.

Silvio tira sur la poignée d'un des tiroirs. Celui-ci coulissa sans bruit, mu par des galets en téflon. Il révéla un corps recouvert d'un drap blanc. Silvio dégagea alors toute la partie supérieure du cadavre, jusqu'à la taille. La française n'en revenait pas d'un tel spectacle. Elle avait là, devant elle, le macchabée qu'elle avait photographié dans sa mémoire à Paris. Rien ne manquait, la dense chevelure drue d'un brun prononcé, le marron des yeux tirant un peu sur le noisette, le nez aquilin, les pommettes saillantes, les joues légèrement creusées, habillées d'un barbe de quelques jours sauf sur la joue gauche, à l'endroit précis de la malformation congénitale qu'arboraient les deux cadavres. L'expression tout entière de ce visage était identique à celui de Paris, même le teint légèrement grisé par la mort.

– Ce ne sont pas des jumeaux, Silvio ! À ce stade, ce sont de véritables clones ! Ce n'est pas possible qu'ils soient ressemblants à ce point, trait pour trait, défaut pour défaut. Je suis vraiment scotchée !

Ses yeux se tournèrent vers la main droite de la victime, et là, constat analogue.

– La main, c'est pareil, le même doigt a été coupé ! La peau fine parsemée de taches de rousseur, c'est littéralement incroyable, complètement dingue, effroyable même ! Je confirme que ce corps est bien la copie conforme du mien à Paris. Putain, mais qu'est-ce que ça veut dire tout ce cirque !

Replaçant le drap sur la dépouille et refermant le tiroir, Silvio invita Valérie à sortir de la pièce avant de trop en dire. Il craignait surtout que des oreilles indiscrètes ne captent ou ne glanent des informations encore tenues secrètes.

Une fois enfermés dans l'*Alfa*, ils purent enfin échanger plus librement leurs propos.

– Silvio, on nage en plein délire ! Cette histoire prend une tournure surnaturelle. Quand je te disais que nos macchabées n'étaient pas des jumeaux mais des clones, je le pensais réellement, tant le moindre détail est similaire. Même si ça fait un peu science-fiction, je suis en train de m'en convaincre.

La capitaine avait tout naturellement employé le tutoiement pour converser avec son collègue italien. Plongée au cœur même de leurs enquêtes croisées, le « tu » était instinctivement venu remplacer le « vous ». Silvio l'avait remarqué, ne s'en offusqua aucunement et s'embarqua dans son sillage.

– C'est vrai qu'à ta tête devant le mort, j'ai vraiment cru que tu voyais un revenant mais de là à parler de clones… il va falloir peser nos mots en présence d'autres personnes. Ma confiance reste très limitée en l'espèce humaine et j'ai trop peur de fuites possibles que des journalistes peu vertueux pourraient arracher en contrepartie d'un petit billet. Ça s'est déjà vu à maintes reprises et mes hommes ne restent que des hommes.

Santini tourna la clef dans le Neiman, le moteur de *l'Alfa* se mit à bourdonner délicieusement.

– On va aller voir mon Commissaire. C'est quelqu'un que tu apprécieras. Il est un peu rustre et grognon mais c'est un excellent flic et d'une intégrité légendaire.

La voiture sortit du parking et se dirigea vers le siège des bureaux de Silvio, au commissariat du quartier Trastevere de la capitale italienne. En chemin, ils continuèrent à se livrer leurs impressions quant à cette enquête saugrenue. Valérie fit remarquer à Silvio que leur tutoiement commun l'avait rendu plus communicatif et beaucoup moins guindé que dans ses ridicules principes mondains. Ils plaisantaient maintenant tous deux, certains de la confiance que chacun pouvait avoir l'un envers l'autre et persuadés qu'aucun coup fourré ou tordu ne viendrait ternir leurs échanges d'informations... ils se livreraient tout, tout ce qu'ils savaient, sans omission et sans cacher à l'autre une partie de leurs impressions.

22

Mésopotamie
Contreforts du Zagros

Pieds nus dans cette herbe étrangement tendre et fraîche, Bittati savourait l'instant. Elle jubilait d'être enfin arrivée au terme de leur voyage éreintant, heureuse de sa nouvelle existence qui se profilait, pleine de péripéties certes, mais s'annonçant cependant beaucoup plus sereine qu'elle ne l'avait imaginée au début. Au cœur de cette oasis mystérieuse, elle était maintenant certaine que tout se passerait bien, que s'ouvrait à elle un chemin sans doute complexe et difficile mais empli de joies, d'enseignements et de moments privilégiés. Une vie bien plus riche en somme que celle qu'elle aurait pu espérer en restant au sein du village où jusqu'alors elle vivait.

Ses orteils, endoloris par les longs jours de marche, baignaient dans l'eau limpide de cette source qui bouillonnait timidement au centre de l'esplanade. L'onde bienfaitrice réparait tous ses traumas, réinjectait dans son corps des énergies insoupçonnées. Les yeux tournés au sol, elle se surprit de constater que l'eau ne s'échappait pas pour former un ru et disparaître au loin mais, curieusement, retournait à la terre, à quelques pas de là, comme si elle circulait en circuit fermé, parenthèse féconde et autonome à la stérilité des paysages arides qui l'entouraient.

À quelques pas, sur le bord du terre-plein, confortablement calé dans des linges, gesticulait le *Signe*, cette miraculeuse entité, cette si sublime « chose » venue éclairer son existence et qui semblait vouloir elle aussi profiter de l'instant suspendu dans cet espace fourmillant des forces de la vie.

Lugalzaggesi, serein, bras chargés de tout un fatras, finissait de débarrasser le charroi pour installer aux meilleures conditions celle qu'il chérissait.

Tous transparaissaient d'un bonheur vrai, heureux, mus par une vitalité inconnue, le visage illuminé d'un rayonnement presque irréel.

Un peu à l'écart, s'avançant sous les branches aux feuilles argentées de l'arbre qui bruissaient à la brise légère, Akurgal le Grand déclara dans un souffle :

– L'Arbre de Vie, l'Arbre de la Connaissance… Ici reposent les toutes puissances spirituelles des Grands Seigneurs.

Puis, disparaissant sous la frondaison par la bouche sombre et béante de la caverne, il héla ses amis.

– Venez… Entrez dans ce lieu… assurément le plus sacré de toute la Mésopotamie !

Lugalzaggesi précéda Bittati qui portait l'enfant dans ses bras. Leurs yeux s'émerveillèrent dans la faible clarté apportée par un oculus percé à la haute voûte minérale. L'endroit était frais presque froid mais circulaient des ondes fantasmagoriques le transcendant. Depuis la roche du plafond, au pourtour de l'orifice, trois lianes tressées dégringolaient, se rejoignant à mi-distance et enfermaient à leur base, dans un nouage très particulier, une orbe de pierre aux parfaites proportions. Le globe oscillait au-dessus de la margelle d'un puits, imperceptiblement.

– L'Axe des Trois Univers Sacrés, le Lien de communication entre les dimensions. Là, la gueule froide du puits qui mène à l'eau douce de Océan Primordial… l'eau de l'Immortalité.

Lugalzaggesi n'en revenait pas. Lui, l'un des Sept Grands Sages sumériens, découvrait ce lieu sacré sans même en avoir un jour entendu parler. Akurgal avait des dispositions particulières à échanger avec les Grands Seigneurs. Il est vrai qu'il possédait des dons jamais croisés, détenait des connaissances jamais transmises. Il comprenait mieux maintenant les absences prolongées de son ami, suivies de retours presque luminescents où le vieil homme semblait avoir rajeuni, comme s'il eut été régénéré, ressourcé, revitalisé. Akurgal le Grand traversait les décennies sans vieillir. L'enveloppe se racornissait un peu bien sûr mais ni le cœur ni l'esprit semblaient subir les affres du temps, pas plus que son incroyable vitalité infatigable. N'était-il pas lui-même un de ceux-là finalement ?… un Grand Seigneur !

Akurgal s'approcha d'une lourde dalle de pierre de sept coudées de long sur cinq de large ; les trois coudées d'épaisseur étaient entièrement gravées d'inscriptions et de signes hermétiques. Cet autel ésotérique reposait sur trois colonnes superbement sculptées, en équilibre. En lieu et place de la quatrième colonne supposée, à l'angle nord-est, une cavité ménagée entre cinq pavés triangulaires formant une étoile parfaite. Le Grand Sage se pencha sur cette encoignure, écarta la cendre et souffla avec énergie. Après quelques instants, la braise du *Feu Primitif* qui sommeillait dans cet écrin pentagonal enflamma les brûlots disposés par le patriarche. Une lumière surnaturelle éclaira alors ostensiblement l'ensemble de la vaste cavité naturelle circulaire, dévoilant ses mystères. Le pied des parois était recouvert de bas-reliefs burinés représentant les scènes de récits épiques ancestraux. À hauteur de regard, une longue frise ciselée dans le rocher déroulait une phrase continue, écrite en spirale dextrogyre sur trois niveaux, dans un langage si étrange, inconnu des hommes, que visiblement seuls les Dieux pouvaient en comprendre la signification. *N'était-ce pas Eux d'ailleurs qui auraient inscrit ici leurs recommandations à la roche ? L'homme ne se devait-il pas d'en rechercher tout le sens symbolique ?*

À l'opposé de l'ouverture d'entrée, trois orifices obscurs et inquiétants plongeaient dans les entrailles de la montagne, trois portes basses invitant à découvrir des dimensions hypogées peu amènes. *L'homme craignait-il déjà ce qui lui était inconnu et se méfiait-il de ce que recelait l'univers du Monde Inférieur.*

Soudain, Akurgal saisit l'enfant qui cessa instinctivement de remuer, attentive aux paroles et aux gestes du vieil homme. Il l'approcha du *Feu Primitif*, les yeux du nourrisson reflétaient une lumière étrange. De sa poche, Akurgal tira une poignée de fines poudres qu'il jeta sur la braise renaissante. Une fumée irisée s'éleva de l'âtre, lourde, épaisse. Puis, dans un mouvement rapide et sans tergiverser, il maintint le *Signe* dans la haute colonne de volutes. L'enfant tourna alors sa tête vers les trois spectateurs médusés, les traits de son visage poupon s'étaient transformés en ceux d'une femme adulte, sereins. Son corps devint phosphorescent.

– *Ang'Râ-gar*, prononça la créature. *Trecht ey miktra zloden vria tolt zigmoÿ...*

Devant l'incompréhension marquée de Lugalzaggesi et Bittati, le *Signe* se tut puis il traduisit sommairement :

– E-Ur-Imin-An-Ki !

Le couple suffoqua aux paroles prononcées par cette *Chose* qu'ils ne parvenaient plus à nommer. Était-ce le nourrisson qui avait parlé ? Le *Signe* ou tout autre entité mystérieuse ?... Cette enfant, jusque-là dénuée du don de parole, venait de dire une phrase dans un langage inconnu puis avait évoqué *La Maison des Sept Guides,* tout naturellement, comme une évidence. Akurgal avait-il encore quelque surprenante manifestation à les troubler ?

Il ne leur laissa pas le temps d'une réflexion plus approfondie. Le vieux sage les invita à le suivre en s'engageant par la première porte basse trouée dans la paroi. Il tenait sur son bras le *Signe*, étrangement droit, la tête dressée. Sa longue main parcheminée soutenait le dos de l'enfant. Dès leur entrée, le boyau se subdivisait en deux, l'un grimpait sur la gauche en forte déclivité tandis que celui de droite plongeait vers des profondeurs peu engageantes, vers un nulle-part ténébreux et effrayant. Le conduit mesurait quelques coudées de largeur et sa hauteur permettait le passage d'un homme de bonne taille. Ils se faufilèrent dans ce tunnel obscur et aboutirent, après une courte distance, à une petite grotte circulaire, faiblement éclairée, tout comme la salle principale qu'ils venaient de quitter, grâce à un oculus traversant la montagne. L'endroit s'étendait sur cinq bons pas de diamètre et possédait le départ d'un nouveau corridor à l'opposé d'où ils se tenaient. Sans rien dire, Akurgal poursuivit. Une dizaine de pas supplémentaires dans cette nouvelle galerie les transporta vers une autre caverne, de dimensions similaires à la précédente et éclairée de la même façon. Akurgal stoppa, se retourna vers ses amis et, concentré sur les explications qu'il allait divulguer, leur annonça :

– Quatre autres cavités identiques à ces deux-là existent sur ce parcours de la sphère d'En-Haut. Le souterrain de la dernière grotte rejoint la vaste salle principale du Temple des Grands Seigneurs. Son arrivée se fait par le bas de la troisième porte. Ce parcours elliptique très singulier représente les dimensions célestes mais débouche au final par l'entrée du Monde Inférieur. Ce dernier a un itinéraire inverse et indépendant de celui où nous sommes. Le départ se fait en montant par la subdivision haute de la troisième porte pour s'achever par le bas de l'ellipse du Monde d'En-Haut. Ceci démontre symboliquement que ces Mondes Sacrés connexes sont très similaires et communiquent entre-eux par des échanges insoupçonnés d'énergies puissantes. Ainsi l'Homme doit s'attacher à découvrir l'invisible en chaque chose, cette partie offerte à celui qui désire voir avec ce que subodore son Cœur ; accepter qu'En-Haut et En-Bas ne soient que le reflet l'un de l'autre et que ce qui est dans l'Un vit dans l'Autre et vice versa.

Akurgal fit une pause pour que ces éléments infusent dans l'esprit du couple à son écoute. Pour Lugalzaggesi, il ne s'agissait là que d'un simple rappel par l'exemplarité du Temple des Grands Seigneurs. Pour Bittati, les propos révélaient une porte entrouverte sur une dimension qui lui était encore inconnue.

– L'ouverture centrale nous fait parcourir le Monde Plat des Hommes, ouvrant également sur six salles reliées par un tunnel, les six grandes étapes de la vie d'un Homme rattachées entre elles par le fil du chemin de son existence. Sa course circulaire se finit dans la salle principale, par la même entrée. Naissance – Vie – Mort sur le même plan de déambulation circulaire, à l'image du serpent se mordant la queue. Illusion du temps et du paraître.

Le Grand Sage embrassa le *Signe* sur le front puis ouvrit les bras. Dans la pénombre feutrée flottait le petit corps en apesanteur dans l'arc sec des membres du patriarche. Autour de la silhouette âgée de si peu de temps des hommes, un écrin de Lumière, un cocon de radiations colorées, boréales, filaments incandescents dans une chorégraphie en spirale. Il reprit l'enfant dans ses grandes mains osseuses et conclut :

– Ce que veut nous enseigner la conception de ce Temple est la réalité de ces trois dimensions sacrées. Chacune comprend sept salles figurant les planètes, la complémentarité des mondes, dix-huit longs voyages initiatiques pour aboutir à l'Ultime Vérité, à l'intersection mutuelle des trois Mondes, l'E-Ur-Imin-An-Ki de la grande salle principale. La Matrice de tout être et de toute chose. Là où la matière originelle se transforme et prend l'apparence de ce que nous voyons ou imaginons, de ce que nous sommes et est tout ce qui nous entoure. Mais aussi tout ce qu'il advient des êtres et des choses après leur fraction éphémère de temps conscient sur cette terre…

Puis, la voix rauque s'était tue, laissant planer dans les esprits tous les mystères ésotériques des Grands Seigneurs. Chacun avait conscience qu'une vie terrestre ne suffirait à les percer. Akurgal observa un instant ses deux amis ; de chaudes larmes d'émotion mouillaient leurs yeux ébahis d'être les témoins privilégiés de telles révélations.

Sur le bras du vieux sage, le *Signe* souriait, rayonnant d'une aura énigmatique. Sans ouvrir la bouche, la toute puissance de son essence spirituelle pénétra la pensée des trois humains présents et délivra la phrase gravée à la roche de la salle principale.

« L'Homme n'est pas l'espèce choisie. Se considérer comme telle n'est que sa vision arrogante biaisée au reflet torturé du vaste miroir faussé du Labyrinthe de l'Erreur. Il n'est rien plus que l'Aigle majestueux ou le Vautour, ce grand charognard ; l'infime Scarabée sacré ou le fuyant Rat des dunes ; le Serpent à collerette aux écailles irisées ou même l'extraordinaire Dragon mythique du Zagros ; qui ont leurs propres intelligence et langage. Il n'est rien plus que le Minéral ou le Végétal ; pas plus appréciable que la Nue moirée qui transporte la vie en ces contrées désertiques. Sa place et sa destinée ne sont pas plus primordiales que celles du grain de sable, de la goutte d'eau, du souffle de l'air ou de l'étincelle du feu, germes indissociables à toute vie sur cette terre. Il n'est rien de plus qu'une simple et infime particule divine d'un Tout si vaste qu'il ne pourra jamais en mesurer les limites infinies. Il est !… il est tout naturellement, dans tout ce que cela revêt d'importance et d'humilité, ni plus ni moins, Élément du Tout Divin. L'intelligence qui lui a été conférée en ces temps lointains des âges primitifs est infiniment perfectible, c'est un joyau brut à parfaire qui doit le conduire à décrypter le langage des signes pour trouver la Voie du Cœur. Quand enfin il en comprendra tout le sens mystique alors s'ouvriront à lui les chemins sublimes de l'existence, si sa volonté s'y accorde. »

Ensuite, un profond silence se fit.

23

Grizzly Mountain, Oregon (U.S.A.)
Institut Médicalisé R. W. Harris

Lorsque le long véhicule vira devant la grille en fer forgé, un homme en faction sortit de la guérite et le fit stopper pour contrôle. La crosse du Glock dépassant de l'étui qui pendait à sa ceinture et son air patibulaire contrastaient fort avec ce qu'il était imaginable d'envisager en arrivant à un tel lieu. Qu'y avait-il donc à protéger au-delà de ces grilles acérées et dans l'enceinte de ces bâtiments ? Quel étranger au service de l'Institution – à défaut d'être perdu – aurait bien pu venir s'aventurer jusqu'à ce cul-de-sac ? Le sénateur avait pourtant personnellement exigé une garde armée permanente devant l'accès de l'Institut avec contrôle strict et consignation des identités de tous ceux qui pénétraient en ces lieux. Une fouille méticuleuse des véhicules était pratiquée de façon aléatoire, tant pour ceux entrants que sortants. Rien n'était laissé au hasard.

Le vigile n'avait aucun doute possible sur les nom et qualité du passager assis aux places arrières, bien que masqué par les vitres teintées. Il aurait reconnu entre mille la grosse limousine du sénateur. Cependant, zélé et froid, il demanda :

– Bonjour, veuillez décliner vos identités et motifs de visite, s'il vous plaît.

– Bonjour Steve, répondit le chauffeur, Monsieur le Sénateur Robert W. Harris, en visite personnelle.

Ce dernier fit glisser la vitre fumée de sa portière puis, s'enquit après de l'homme de nouvelles de sa famille. Ceci eût pour effet d'adoucir un peu les traits tendus du gardien. Ensemble, ils évoquèrent un court instant les maladies infantiles, tracas en tous genres puis constatèrent d'un commun accord de l'arrivée précoce des premiers frimas de l'hiver qui allaient s'installer très bientôt et durablement sur la *Grizzly Mountain* et sa région, emmitouflant le comté d'un lourd manteau de neige et de glace.

Le chauffeur signa le registre tendu. Le lourd portail à double battants actionné par une ouverture électrique s'effaça sans un bruit. La limousine glissa à petite vitesse dans la large allée bordée d'arbres séculaires. De part et d'autre de ces rangées de hautes tiges, de vastes étendues d'herbages descendaient légèrement avant de rejoindre la lisière sombre de la forêt dense. Au loin, à travers les fantomatiques squelettes sombres des érables dépouillés de leur feuillage, une longue bâtisse se dessinait. C'était un bâtiment très ancien construit en pierres jointoyées et couvert de tuiles en terre cuite vieillies. Il avait autrefois abrité un orphelinat de jeunes filles tenu par des religieuses. Puis, laissé à l'abandon et n'ayant plus grande valeur, le tout nouvellement nommé Sénateur Harris ainsi que le Docteur Wolfgang Schteub y avaient vu une opportunité providentielle pour y installer une institution aux fins de leurs objectifs, loin de tout et de tous. Il étaient allés à la rencontre de la Supérieure de la Congrégation, partie s'installer dans des contrées moins sauvages et avaient négocié rapidement une transaction au profit d'une société écran créée à la hâte. Sous couvert d'une clinique en Floride et maintenant d'un nouvel Institut médicalisé à vocation d'accueil des pupilles du pays dans l'Oregon, leurs projets pouvaient s'épanouir et venir nourrir leur dessein commun. Le dynamique sénateur avait profité de toutes ses relations et habilement manœuvré ses semblables, usant de sa large influence, pour obtenir les subventions nécessaires à la restauration du bien et à l'élévation de ses extensions. En effet, derrière cette rugueuse bâtisse de trois étages superbement rénovée, s'étendaient d'impressionnants ajouts flambant neufs, répartis en trois ailes gigantesques et contiguës dont l'espace central ainsi délimité était équipé d'un vaste terrain de sport extérieur couvrant un immense parking souterrain et de nombreux laboratoires ultra-équipés. Construits de plain-pied, ces rajouts majestueux et élancés, aux façades de verre et aux toiture-terrasses végétalisées, s'intégraient magnifiquement au paysage environnant. Leur modernité tranchait agréablement, sur un plan architectural, par leurs lignes simples et épurées, de la rugosité pataude et massive de l'imposante construction originelle. Le budget de réhabilitation et d'édification de l'ensemble avait été colossal, les entrepreneurs sélectionnés y étaient restés asservis plusieurs années, sans relâche, pour achever l'édifice. Le sénateur s'était attaché à trouver l'intégralité du financement de l'opération, au fur et à mesure de son avancement, sur des fonds publics et privés et avait même largement contribué personnellement de ses deniers. On lui avait tout naturellement attribué le titre honorifique de parrain de cette exceptionnelle réalisation où il était adulé et se sentait comme chez lui. Il était fier de cette Institution à deux raisons, l'une parce qu'elle avait apporté un rebondissement à l'évolution de sa carrière qu'il n'aurait pu croire possible – il était en passe de devenir le Gouverneur de l'État… après quoi la route serait lumineuse – et l'autre car les pupilles élevées et formées ici nourrissaient les rangs de sa quête souterraine des secrets des Sept Grands Sages sumériens. Le surplus des installations abritait les infrastructures nécessaires à un orphelinat classique mais ne représentait qu'une partie minime des activités réelles de l'Institut. Une bonne couverture somme toute qui permettait de mettre en avant un bel altruisme sans limite pour la carrière du politicien et refoulait toute investigation par la bonté et la générosité de l'homme ainsi que la banalité de son œuvre de bienfaisance.

Après que la limousine ait stationné et son chauffeur lui eût ouvert la portière, le Sénateur gravit lestement les marches en pierre conduisant au large perron pavé à l'ancienne avec en son centre un blason coloré à l'effigie des armes de ses ascendances d'origine française.

À peine eut-il poussé la lourde porte d'entrée en sycomore sculpté que chacun le saluait avec courtoisie et reconnaissance. Il était ici quelqu'un de particulièrement apprécié, presque adoré. Il s'y sentait admirablement bien, entouré de gens prévenants qui lui devaient beaucoup si ce n'était tout. Il se savait n'y avoir aucun opposant, raison pour laquelle il aimait tant y venir, dans un climat serein et chaleureux qui le changeait de son combat politicien permanent. *Et puis la splendeur de ces paysages sauvages à perte de vue, leur beauté virginale, ces vallons boisés, cachant de vigoureux torrents poissonneux,* ... il se sentait l'âme poétique, ému et réellement heureux dans ces murs.

Il rendit à chacun son salut, agrémenté d'une petite phrase sympathique toute personnelle. Tous le connaissait bien-sûr mais lui-même s'était attaché à tous les décrypter au mieux d'infimes détails de leurs existences. c'était aussi à ce prix que les voix des électeurs se gagnaient ainsi que leur reconnaissance inconditionnelle et durable.

Dépassant le magistral atrium cathédrale, il bifurqua sur la gauche dans un long couloir sombre puis, emprunta sur sa droite la coursive illuminée de l'aile est. Ses yeux cillèrent un instant puis s'habituèrent à la forte luminosité. À travers les gigantesques baies vitrées, deux groupes de jeunes adolescents s'évertuaient après un ballon dans un match visiblement très disputé. Le sénateur fit une pause, observa les enfants en constatant le bon fonctionnement synchrone de chaque trinôme. Ici, pas de ratages, pas d'imperfections ; tous étaient parfaits, vigoureux, beaux, talentueux. Leur intelligence était très savamment sollicitée pour qu'ils acquièrent des connaissances pointues dans bien des domaines mais surtout des réflexes aux diverses techniques de combat et des capacités de survie impressionnantes aux conditions les plus extrêmes. Il reprit sa marche matinale avec plaisir. Cette déambulation dextrorsum rituelle l'enveloppait d'ondes majestueusement positives. Chacune de ses venues ici commençait de façon incontournable par cette usuelle promenade.

Lorsqu'il eût fini le tour des trois ailes récentes et retrouvé l'atrium, le sénateur Robert W. Harris s'avança jusqu'à l'ascenseur menant aux étages. Après que la cabine se fût stabilisé au second, il se dirigea sans hésitation vers la nursery. Plusieurs berceaux en plexiglas remplissaient l'espace d'une vaste pièce aux murs peints en bleu pastel. Une douce chaleur y régnait et une musique zen, en sourdine, embellissait le lieu. Une femme d'un certain âge sortit du bureau entièrement vitré ouvrant sur la salle et vint à son encontre, heureuse de cette visite impromptue. Un échange amical s'installa entre eux puis l'infirmière emporta le visiteur dans un des angles de la pièce où trônait un grand cube vitré bardé de capteurs. Pas le moindre doute l'habitait sur la raison de la venue du bienfaiteur des lieux. La nuit avait apporté son lot de graines de vie rejeté par le mauvais sort. À l'intérieur du cube médicalisé, trois minuscules êtres dormaient à poings fermés, tranquillement.

La puéricultrice murmura doucement :

– Nous allons les laisser en couveuse encore quelques jours après quoi, ils pourront regagner leur berceau individuel.

Le sénateur était émerveillé face à ce miracle de la vie. Une fois encore, ils avaient réussi ! Ils avaient réussi à écarter de ce bas-monde complexe des êtres inférieurs et d'aucune utilité – si ce n'était celle d'avoir amené presque à terme leur perfection – pour que demain, trois entités idéales puissent fouler la Terre et soutenir sans faille la réalisation de leur quête.

– Ils sont superbes... magnifiques... chuchota-t-il à son tour.

Le politicien sentait une forte émotion l'étreindre. Ses yeux s'humidifièrent, voilant sa vision.

– Je peux en tenir un dans mes bras ? poursuivit-il d'une voix un peu étranglée.

Son doigt caressait, fictivement, la main d'un des nourrissons plaquée à la paroi vitrée. Il aurait eu besoin à cet instant précis d'un contact physique, comme une pulsion irrépressible, avec la miraculeuse authenticité de la vie mais ses doigts, dans leur élan d'affection restèrent malheureusement paralysés et repoussés par l'obstacle transparent. La frustration seule à cela ne suffisait pas à nouer sa gorge, autre chose de bien plus profond le bousculait, il en avait pleinement conscience. Une nostalgie poignante enserra son cœur, pesante comme une enclume. Il se détourna de la femme en blouse blanche pour masquer son trouble.

La soignante sembla ne rien avoir remarqué.

– Sénateur... vous êtes incorrigible ! Laissez leur encore un peu de temps, ils sont dans un volume stérile, le réprimanda-t-elle avec douceur. Bientôt, ils seront pleinement à vous.

L'homme ravala sa fulgurante envolée émotionnelle. Il ne souhaitait surtout pas la dévoiler, elle aurait trahi un aspect de sa personnalité qu'il tenait à garder secret aux yeux de tous. Sa fragilité émotive, notamment face à des nouveaux-nés, était son talon d'Achille, il le savait mais personne d'autre ne devait savoir. Son rude métier lui avait appris qu'il ne pouvait partir au combat avec une armure aux fêlures visibles.

– Vous avez raison, avoua-t-il après s'être repris et redonné figure habituelle. Je suis vraiment incorrigible ! Mais voir ces petits êtres si fragiles me provoque un tel émoi...

– Venez !… le coupa compatissante l'infirmière constatant un nouveau bouleversement l’envahir. Une bonne tasse de café nous fera le plus grand bien !

La femme lui prit délicatement le bras et le guida jusqu'à la salle de garde où fumait fièrement une cafetière. Une succulente odeur de café grillé régnait dans la pièce exiguë. Elle proposa une chaise au visiteur affecté, servit deux tasses et appuya son fessier contre un meuble. Elle enchaîna :

– Vous savez, Monsieur le Sénateur, Lilas ma petite dernière a eu treize ans la semaine dernière et…

24

Vincennes
Clinique Privée du Parc

Quelques jours seulement après son accident, Philip Carlson se rétablissait physiquement de façon étonnante. Athlétique, son corps très réactif avait eu raison des tracas mécaniques et pansé plaies et contusions sans retard. Seuls ses orteils lui rappelaient, par intermittence, l'évocation de ce pénible épisode que son esprit refusait toujours à se remémorer. Cependant, la douleur demeurait tout à fait soutenable et n'était déjà plus très handicapante.

Sans blessures corporelles très importantes, le risque majeur, selon l'équipe médicale, résidait plus dans l'impact psychologique de son amnésie, mais finalement le patient acceptait assez bien tout cela et réagissait avec volonté. De nombreuses questions venaient l'assaillir à chaque instant, auxquelles le corps médical tentait d'apporter au mieux des éclaircissements trop vagues à son goût, mais l'absence de réponses claires et précises l'affectait de moins en moins. Sa phase de reconstruction psychique était en marche, il ne restait plus qu'à replacer patiemment, aux bons endroits, sur l'échelle tempo-mémorielle de son cerveau, les éléments dans la meilleure des chronologies ; quand ils apparaîtraient...

De sa vie antérieure, rien ou presque. Ses diverses investigations, aidé par les deux charmantes infirmières, l'avaient conduit à bien peu de choses. D'évidence, il habitait à Montluçon, une petite ville d'Auvergne, dans un appartement meublé au troisième étage d'un immeuble sans prétention situé sur le boulevard central circulaire. Là encore, l'évocation même de cette certitude n'avait aucunement interpellé sa mémoire. Les souvenirs se refusaient toujours à passer la barrière de son amnésie et refluaient dans le vaste territoire de son néant. Un appel à la société qui l'employait lui apprit qu'il venait d'être remercié et que le logement mis à sa disposition lui avait été retiré. *Fallait-il voir dans ce licenciement une raison quelconque à son accident ? Sans emploi et à la rue, devait-il piocher cette voie paraissant pourtant si stérile ?* Plus il s'acharnait sur cette piste, moins il parvenait à saisir d'éléments tangibles venant étayer son existence passée. Le constat était amer. Plus de famille, apparemment pas d'amis, ni de hobby, strictement rien ! Encéphalogramme plat ! Une vie totalement vide et morne, comme beaucoup peuvent avoir sans jamais s'en rendre réellement compte sauf lors d'un rappel sévère comme cet accroc accidentel. Il avait pris l'ensemble de ces informations en pleine figure comme un boxeur reçoit l'uppercut fatal le clouant au tapis, KO, à l'orée des contrées obscures de l'inconscience, entre la vie et la mort... quand la vie s'apparente à la mort.

Face à l'inconsistance de cette vie creuse, il décida de la balayer radicalement d'un revers de main comme s'élimine toute aspérité saugrenue d'une surface devenue curieusement trop plane. *À quoi bon se rattacher à ces évidences enfuies puisque plus rien de tout cela n'existait ?* Curieusement, au fond de lui, il avait l'intime conviction qu'il ne devait plus chercher de ce côté-ci, que la vérité était ailleurs. *Mais où ?* Cela abondait comme un principe absolu, une violente pulsion interne qui souhaitait se restructurer, reprendre forme et vie, une source ardente et bouillonnante ; une renaissance en latence bloquée sous les lourdes dalles scellées de sa souvenance perdue.

Pour lui, la clinique était le bouclier salvateur de ces assauts inconsistants. Égaré dans un marécage fangeux, elle prenait corps d'île providentielle sur laquelle il avait échoué, tout l'agrippait à ce lieu, le liait à cette racine plongée en pleine *terra incognita*. C'était à partir de ce point précis qu'il devait entamer sa reconstruction. Pourquoi aller pêcher dans des eaux troubles auvergnates ? Le torrent semblait si vide de matière, asséché, infertile. La surface lisse et policée de son anamnésie étale n'était qu'un leurre, un subterfuge, il en était convaincu, restait à comprendre le sens de toute cette dispersion. Ses abyssales profondeurs recèleraient de monstrueuses créatures à n'en pas douter, qu'il ne pourrait ignorer et devrait redéfinir pour les identifier avec justesse. C'était du tréfonds de lui-même qu'émergeraient les grains de son passé… il lui faudrait les agglomérer, tel un aimant attirant les limailles, pour en confectionner patiemment une consistance intelligible.

Outre cette quête d'un avant altéré, seule la clinique était apte à refaçonner sa mémoire. Le personnel soignant était précautionneux, attentif et indubitablement compétent, son le Directeur, M. Levallois, après avis de tout le corps médical, lui imposa qu'il restât plus longuement dans son établissement afin de se rétablir totalement. Il accepta bien volontiers, son impérieux désir à regrouper les éléments épars de son entité le lui commanda. Cela scellerait aussi la première pierre pour raccrocher sa vaste errance mentale à quelque chose de palpable, à pouvoir se fixer à partir du seul barreau visible de la grande échelle temporelle perdue dans ses brouillards insondables. Il mettrait ce séjour à profit pour réédifier sa paroi en glanant toutes les informations nécessaires à peut-être redécouvrir les traces de sa vie antérieure, sans autre contingence à le déconcentrer. La stricte condition non négociable formulée par M. Levallois était, fort logiquement d'ailleurs, de suivre scrupuleusement le protocole médical mis en place par les médecins afin qu'il recouvrât toutes ses facultés mémorielles dans les meilleurs délais.

Cette reprise de contact avec la réalité lui redonna le tonus adroit à ambitionner se battre contre l'adversité. D'un bond il se jeta hors des draps. *Vertiges piégeux... du cran bonhomme !* Ses pieds nus foulaient une sorte de coton hasardeux, une ouate molle, profonde, dont il ne parvenait à trouver l'appui des fondations. Main accroché à l'arceau métallique de la structure du lit, il rejoignit en louvoyant la fenêtre. Sa tête tournait, sa cervelle bourdonnait. Il était plus que temps qu'il se reprenne en mains. Ces drogues le guérissaient assurément mais elles altéraient fortement ses capacités physiques, donc mentales. Il devait les éliminer pour que son corps redevienne ce qu'il était – *Qu'était-il au juste ?* – et sa tête cesse à rechigner cette spéléologie introspective. *Qu'est-ce qui l'effrayait tant à trop chercher ?* Ses yeux parcoururent les vastes étendues engazonnées parfaitement entretenues. Au fond du parc, sous un rai frileux du soleil hivernal, l'étrange Maître Yashido s'exerçait. Cet atypique personnage qui le saluait avec déférence depuis son arrivée ici, réalisait de lents assouplissements puis révisa des séries d'enchaînements offensifs et défensifs contre un adversaire onirique. Une évidence frappa Philip. Il s'équipa, descendit rejoindre le Maître d'Art qui lui sourit silencieusement. Face à lui, le vieil homme indiquait des déplacements souples et simples. *Échauffement, décrassage...* Ensuite, les mouvements se complexifièrent, la gestuelle s'accéléra, son amplitude s'accrut, magistrale. Torsions des chevilles, circonvolutions du corps, ballet des mains, arabesques harmonieuses mais efficaces, chorégraphie des assauts, positionnement idéal des pieds, puissance du geste vif à fendre l'inconsistance de l'air, avec le mental au cœur de cette danse aérienne et le cœur au centre de cette édification spirituelle bien concrète.

– Tu as de bien remarquables aptitudes, Philip ! Je ne saurais t'enseigner plus.

– Mais d'où viennent mes facultés à cet Art ?

Toshiaki éluda avec un rictus indéfinissable.

– Une bonne douche et tu seras un homme neuf !

– Avec ce fichu bandage ?... impossible !

– Fais donc abstraction et exception de l'évidence, prends une bonne douche et tu verras, comprendras peut-être...

Alors qu'il s'éloignait du *dojo* herbeux improvisé, son cerveau s'attachait à déceler la provenance de ses capacités aux techniques de combat et d'esquive. Puis sa pensée bifurqua sur le Senseï Toshiaki Yashido, ce vieil asiatique d'un autre temps empli d'une si grande sagesse apaisante et d'une vivacité déconcertante presque irréelle. *Que faisait un tel personnage ici ? Il n'était pas un des patients visiblement. Pourquoi lui-même se sentait-il attiré par son magnétisme ? Les Arts Martiaux ? Assurément mais pourquoi ? Quoi d'autre ?* Ses considérations restèrent bloquées sous le lourd fardeau empesé de ses interrogations qui broyait sa raison.

Philip Carlson était en nage, cet entraînement salutaire avait réinitialisé son corps et son esprit. De retour dans sa chambre, il s'engouffra dans le cabinet de toilettes, se dévêtit et dénoua le large bandage qui enserrait son crâne. Toshiaki avait raison, une bonne douche et tout redeviendrait plus limpide. Sous les jets brûlants, toute sa parfaite « machinerie » reprenait vie, son processeur avait puisé une énergie nouvelle dans les ondes impalpables de cette thérapie gymnique. Il sortit de la cabine de douche à l'instant où Lucie fit irruption dans l'étroitesse de la salle d'eau. Son corps nu, ruisselant, était superbement dessiné, musculature saillante irisée de fines gouttelettes, si proche. Les yeux de la jeune femme rousse pétillèrent. Avant qu'il n'ait esquissé un mouvement, elle avait mis en travers de ses fines lèvres colorées son index et du bout de celui de son autre main, traça sur le miroir embué *« Surveillance »*. Carlson attrapa une serviette, effaça message et buée puis s'en ceignit les reins. Œil interrogateur, il fixa la belle infirmière qui d'un hochement de tête lui désigna le miroir. Dans son regard abasourdi, le reflet de son visage. Son front était intact, une infime petite cicatrice, juste cela, rien d'un trauma nécessitant tout cet attirail de bandages et de soins. *Que voulait lui signifier Lucie ? À quoi rimait cette mascarade ? Que voulait-on lui faire croire ?...*

L'infirmière attrapa le nécessaire à refaire son pansement, non sans avoir préalablement étalé des onguents simulant une bien plus importante blessure. Elle lui fit comprendre qu'ils ne pouvaient parler... puis elle sortit avec sur sa cornée l'estampe rémanente de ce corps admirablement sculpté. Un ravissement s'était emparé de ses lèvres, un enchantement de son esprit.

Le restant de la journée, Carlson rumina les bribes éparses de ses intrigantes impressions. Tant Yashido que Lucie avaient laissé une empreinte étrange dans ses pensées, une trace bien marquée sur laquelle ne se refermait pas la boue de son hébétude. *Le désert aride de ses souvenirs était-il la manifestation d'un quelconque traumatisme crânien ou bien plutôt inhérent à de malveillantes manipulations ?* Cela avait longuement viré dans sa tête, révulsant ses viscères d'une sensation bizarre et très désagréable, remuant sa logique à des accents moins francs, secouant sa docilité à réagir. À trop faire fonctionner sa « machine à penser », des rémanences jaillirent, quelques reflux ne manquant pas de le stupéfier. Des paquets incertains d'images hachées, sans grande cohérence, des fragrances subtiles, des sons si feutrés, des bruits si violents, des perceptions troublantes à lui faire dresser les poils des avant-bras. Il se surprit de ces résurgences paradoxales venues percuter son esprit encore bridé, des approximations pourtant si précises, pâles appréciations estampillées de certitudes, brèves théories douteuses jonchant le pavement de ses exactitudes. S'il ne parvenait encore à les décrypter clairement, à tout le moins était-il farouchement persuadé qu'elles représentaient des pierres réelles pavant sa route, particules volatiles du ciment de son parcours d'autrefois. Ainsi, lui apparurent des landes escarpées rejoignant des toitures aux tuiles chamarrées ; un vallon où courait une rivière éprise de liberté ; le visage d'une femme où fils d'argent le disputaient aux mèches nuancées de reflets auburn ; une autre, beaucoup plus jeune, également rousse, dont la gentillesse gravée aux traits n'évoquait cependant rien à sa souvenance. Puis vinrent les mots, étrangers, sans aucun sens, langue brutale, incompréhensible qui pourtant ne demandait qu'à se rendre intelligible. *Il ne pouvait que la connaître !* Des signes se matérialisaient, cunéiformes, inscrits avec une grande précision sur l'argile. *Que signifiaient-ils ?* Il hésitait... *divagations ou souvenirs ?*

Ses flashs abondaient en fin de journée alors qu'il était délié en partie des produits instillés dans ses veines durant la nuit. *« Suivre scrupuleusement le protocole »* avait dit le Directeur. Il commençait à douter des bienfaits de ces chapes médicamenteuses. N'était-ce pas une camisole chimique qui se déversait par ces tubes ? Le personnel soignant n'avait-il pas quelque physionomie démoniaque ? Les sourires arborés ne ressemblaient-ils pas à des rictus sataniques ? Les regards étaient-ils francs ? La compassion, vraie ?...

Il extravaguait incontestablement, il se fourvoyait dans des chemins boueux car tous avaient été tellement prévenants depuis sa réémergence. Sa difficile confrontation au néant l'emportait vers des considérations injustifiées. Il se trouva très partial, mais, au plus profond de son cortex endolori, le doute s'infiltrait lentement, s'insinuait, corrosif, et s'appropriait peu à peu ses synapses, se faufilait, bruissant, comme un serpent entre les pierres, caché sous les feuilles sèches.

Pour contre-balancer la dualité perturbante de ses pensées, l'amnésique n'eut d'autre choix que d'échafauder un plan. Il devait savoir, se forger des idées sans ombre, ne serait-ce sur les quelques indications qui lui avaient été fournies. Il choisit donc de rembobiner l'écheveau du fil de sa vie à contre courant, en commençant par les heures actuelles pour s'enfoncer dans la nébuleuse direction le menant jusqu'à ses origines.

25

Rome, 97 via Giovanni da Castel Bolognese
Commissariat Quartier du Trastevere

Alors que Silvio et Valérie déambulaient dans les couloirs anonymes des locaux de la police romaine, un jeune stagiaire se précipita à l'encontre de l'inspecteur Santini en gesticulant, une feuille virevoltante à la main. Au même instant, la capitaine Nouellet sentit, dans les viscères de son sac à main, la vibration caractéristique et insistante de son téléphone portable l'avertissant de la réception d'un texto.

L'information était tombée simultanément sur les écrans de Paris comme sur ceux de Rome. Elle faisait suite à la diffusion internationale de photographies des cadavres retrouvés par les pays respectifs, accompagnées de fichiers descriptifs précis des caractéristiques constatées sur les deux morts. Le renseignement émanait des services de police américains et annonçait qu'ils avaient classé une affaire, survenue quelques années plus tôt, dans laquelle leur macchabée semblait identique aux deux actuels.

Par chance, l'affaire n'étant pas résolue, le dossier avait été laissé en relative surface, dans l'écume des vagues de l'oubli. Il restait consultable et exploitable informatiquement. Son accès, loin d'être prioritaire, représentait cependant l'opportunité d'un ultime questionnement, comparaison de dernier ressort lors de demandes spécifiques comme celle formulée par l'Europe ou pour des dossiers particulièrement ardus.

« Homicide à l'arme blanche, victime non identifiée, meurtrier non appréhendé » indiquait le billet puis, un court communiqué retraçait brièvement les hypothèses ayant été retenues dans cette affaire. En pièces jointes du dossier informatique, les policiers trouveraient l'intégralité des éléments de l'enquête ainsi que de nombreux clichés.

Oubliant l'objet même de leur présence dans ces murs, Silvio emporta Valérie dans la tranquillité de son bureau. L'un comme l'autre n'avaient qu'une hâte : prendre connaissance des détails de ce dossier qui serait peut-être providentiel à l'avancée de leurs investigations. Sans prendre le temps de s'asseoir, l'inspecteur pianota le clavier de l'ordinateur jusqu'à l'apparition à l'écran les données briguées. Une satisfaction bien réelle éclairait le visage des deux enquêteurs, ils allaient enfin avoir un peu de consistance. Ils mirent de côté les clichés pour ne se concentrer que sur les détails amoncelés par la police américaine. Antérieurement au meurtre, l'enquête avait reconstitué un historique avéré qui pourrait peut-être les aider dans leurs recherches. Initialement, il s'agissait du braquage d'une bijouterie de Miami. Curieusement, seules trois pierres brutes avaient été dérobées dans le coffre de l'arrière-boutique, sans valeur particulière en regard de ce que contenaient tant le coffre que les vitrines du joaillier. Le braqueur, qui pourtant avait eu largement le temps d'alourdir son forfait avant l'arrivée des forces de l'ordre, n'avait saisi que ces trois seules gemmes à défaut de tout autre bijou ou pierre de valeurs pourtant bien plus significatives. Le mobile du vol restait sur ce point une véritable énigme pour les enquêteurs. Peu de temps après, un cadavre avait été signalé dans un terrain vague, non loin de la ville. Les empreintes digitales de la victime correspondaient à celles prélevées sur le lieu du braquage. La dépouille retrouvée était donc bien celle du mystérieux cambrioleur. Les autorités, malgré des recherches assidues qui durèrent plus de deux ans, n'avaient jamais réussi à l'identifier comme elles ne parvinrent non plus à retrouver son assassin. Les rares indices collectés sur place – une mèche de cheveux roux, des traces de pas légers dénotant un individu de faible corpulence, des empreintes digitales inexploitables – avaient amené les policiers à penser que l'assassin pouvait être une femme et le mobile, dans ce cas, probablement une querelle de couple ayant mal tourné. Le doigt amputé devait être consécutif à la récupération d'un bijou. Le corps de la victime ne correspondait à aucune description de personne disparue et n'avait jamais été réclamé. Au final, après de minutieuses investigations restées toutes infructueuses, l'affaire fut classée sans suite et archivée, les services de police de Miami ayant alors de bien plus pressantes problématiques à résoudre.

Les clichés anthropométriques joints à ce court résumé étaient suffisamment corrects pour ne pas avoir à hésiter une seconde sur l'apparenté de leur victime avec les deux cadavres européens.

Valérie et Silvio, reçurent cet élément comme un ouragan. Comment pouvoir expliquer que trois personnes maintenant, identiques en tous points, soient aujourd'hui mortes sans aucune assurance de leur identité autre que celle retrouvée sur le corps à Rome, Nolan Snarck. Aucun fichier jusqu'à présent n'avait pu attester officiellement de la véracité de cette identité. Tous deux attendaient ce que pourrait en dire l'identification outre-Atlantique, les nom et prénom retrouvés à Rome avaient été transmis aux États Unis dans l'espoir de l'existence d'une piste là-bas.

– Wesley, Nolan & Ted…

Dans l'encadrement de la porte, la carrure imposante du Commissaire Liaggio venait d'apparaître. Elle projeta une ombre pesante sur l'écran de l'ordinateur devant lequel s'interrogeaient les deux policiers. D'un seul bloc, ces derniers se retournèrent. Valérie détailla l'homme d'un regard acéré : la soixantaine bien marquée, cheveux drus grisonnants, une épaisse moustache fournie, poivre et sel, ourlait sa lèvre supérieure et de profondes rides fissuraient son front. De fines lunettes à cerclage métallique tenaient en équilibre sur l'arête d'un nez proéminent. Le tout était chiffonné dans un complet sombre bon marché tout juste égayé par une cravate cramoisie.

– Wesley, Nolan et Ted Snarck ! Voilà l'identité de vos macchabées… répéta le supérieur de Santini.

Dans sa grosse main trapue, une note reçue des services d'immigration des États-Unis. Il fit trois pas en avant, un large sourire sincère aux lèvres, et se présenta, la main tendue.

– Commissaire Liaggio… c'est un réel plaisir de collaborer avec une aussi ravissante collègue.

La poignée de main était franche, vigoureuse, celle d'un homme volontaire, directif et sans détour. Cette première approche singulière plut immédiatement à la française. L'officier plissa les yeux, malicieux, et reprit :

– Ça vient de tomber ! Citoyens américains, naturalisés en décembre 90, alors âgés de neuf ans. Nés en Allemagne, région de Schluchsee, Forêt Noire. Ce sont des triplés, parents décédés, pas d'autre famille. Séjour de quelques années dans un orphelinat local, ils ont ensuite été recueillis et adoptés par une famille émigrant vers les États-Unis. Un couple sans histoire, assez aisé, venu tenter sa chance pour la grande aventure américaine. Les parents adoptifs sont apparemment toujours en vie et habitent dans un bled en Floride… voilà, rien de plus !

– C'est déjà énorme, fit Valérie enjouée. On a nos identités et même un bout du cursus sur leurs origines. C'est génial !

Elle resta silencieuse un instant puis, soucieuse d'un point qui l'interpellait, interrogea :

– Mais comment se fait-il que les flics américains n'aient jamais fait le rapprochement entre leur cadavre de Miami et les identités détenus par l'immigration ?

Le Commissaire haussa les épaules, résigné et conscient des lourdeurs qui parfois affectent les circuits administratifs.

– Là-bas, c'est un peu comme partout… les infos ne doivent pas toujours très bien circuler entre les services, conclut-il. Chacun son train-train…

Tous trois prirent un air entendu sur la question puis, plaquant sa main sur l'omoplate de Valérie, Liaggio les invita à venir boire le verre de l'amitié dans un troquet juste à côté du commissariat.

– Avec toutes ces bonnes nouvelles, on l'a bien mérité ! C'est ma tournée.

Chemin faisant, Liaggio entreprit de charmer la jolie policière française, vantant sa beauté, flattant son intelligence. Quand il la questionna sur le chanceux qui devait partager sa vie à Paris, l'inspecteur Santini leva les yeux au ciel de désespoir pendant que la capitaine lui faisait une œillade entendue accompagnée d'un tonitruant éclat de rire. Tout miel, le commissaire poursuivit sa dithyrambe.

26

Tampa, Floride (U.S.A.)
Clinique Privée du Golfe

Lorsqu'il raccrocha le combiné, le Docteur Wolfgang Schteub était blême. Il pensait avoir une longue conversation avec son père mais apprit que ce dernier était tombé, quelques heures auparavant, dans une subite inconscience sans doute irréversible. L'infirmière particulière à son service avait fait venir le médecin qui ne laissait guère d'espoir sur l'issue à laquelle il fallait s'attendre. Le mourant avait cent quatre ans, était-il nécessaire d'en dire plus…

Cette cruelle nouvelle guida le généticien jusqu'à son mini-bar où il emplit à nouveau son verre, emportant avec lui la bouteille jusqu'à son bureau. Une fois réinstallé, il informa son secrétariat qu'il serait totalement indisponible et injoignable pour toute la fin de journée. Son esprit avait besoin d'ingurgiter la triste actualité et d'errer dans les méandres filandreux de son passé ainsi que ceux, plus lointains et non moins tortueux, de son propre père.

Sa pensée réintégra le récit narratif paternel distillé plusieurs décennies plus tôt et qui s'était agrémenté de détails au fil des ans et de ses propres demandes.

Moins d'un an après qu'il se fût vengé de ceux qui l'avaient éduqué dans la pire des souffrances, Günter Schteub se résolut à quitter la ville d'Innsbruck et même l'Autriche. Malgré des papiers fidèlement reproduits, lui et sa mère étaient trop connus pour ne pas risquer une délation donc une enquête qui immanquablement serait venue effriter le fin vernis faussaire encore bien fragile, laissant la dure réalité crue reprendre ses droits. Il avait tué ou expédié les membres de cette famille dans des camps où lui-même ni sa mère ne souhaitaient se voir incarcérés. L'idée première fut de fuir au plus loin la montée toute puissante du nazisme dont il exhalait lui-même les effluents sordides mais, depuis sa position interne à ces structures complexes, il comprit vite qu'aucun endroit en Europe ne serait à l'abri de la farouche volonté véhémente des envahisseurs. Son choix final fut bien plus hardi. À contrario de tous, il choisit de s'installer dans la gueule du loup. Ils avaient déménagé d'Autriche pour venir s'enraciner dans la petite bourgade de Schluchsee, en pleine Forêt Noire, au cœur même d'un pays qui emportait des convois entiers de prisonniers vers les zones du non-retour absolu. La stratégie retenue pouvait sembler complètement folle et irresponsable ; elle avait pourtant été extraordinairement judicieuse. En effet, quel nazi aurait pu croire cet homme et sa mère fatiguée, si parfaitement intégrés depuis quelques temps et appréciés de tous, considérés et tenant un commerce florissant, posséder des origines israélites ? Impensable… et leurs papiers en attestaient, sur plusieurs générations. Ce repli en terre hostile était le meilleur des remparts.

À force d'un travail acharné, l'épicerie familiale permit de substantiels bénéfices, grâce notamment à un marché parallèle organisé extrêmement juteux mais, cela ne suffit pas à ce jeune ambitieux dépourvu de toute vertu. Il avait décidé de s'enrichir vite, très vite, bien conscient qu'une guerre naissante offrait de belles opportunités mais sur une durée des plus limitées. Il avait alors mis en place tout un réseau supposé permettre aux personnes recherchées par la Gestapo de passer en zone libre. Fonctionnant par étapes, les réfugiés étaient conduits de petites baraques en refuges masqués par l'épaisseur de la forêt. Ils devaient y patienter avant de poursuivre leur fuite vers des horizons plus cléments. Des colonies juives entières, fuyant le risque des grandes agglomérations, affluaient de toutes parts pour venir se dissimuler dans l'anonymat du vaste massif montagneux. Un afflux de « matière première » continu tel qu'il eût été dommage de ne pas en saisir toute la substance. Les nombreux exilés emportaient peu avec eux, l'indispensable donc essentiellement toutes leurs valeurs – argent, économies, joailleries, titres de propriété, … Ce qui brille reste le principal aux yeux des hommes, fut-il d'un éclat trompeur ! Les tractations s'avéraient parfois longues et difficiles mais, au terme d'âpres discussions infinies, le « passeur » finissait toujours par avoir gain de cause en regard de l'horreur et la terreur qui habitaient les fuyards. D'importantes sommes circulaient de la main des fugitifs vers la poche de ce « sauveur providentiel ». L'argent s'amassait, les bijoux, les sous-seings au profit de ce « bienfaiteur philanthrope » jouant sur la corde sensible. Les bagages – bien trop encombrants et lourds pour ces longues courses nocturnes dans les forêts avoisinantes – s'accumulaient dans les caves de l'épicerie où ils étaient assidûment disséqués, triés, répertoriés. Tout l'inutile finissait dans la grosse chaudière à bois, le reste rejoignait la « caverne aux trésors ». Les ventes de biens immobiliers, falsifiées avec grand soin, se partageaient avec Maître Gustav Khoennen, tantôt pour l'un, tantôt pour l'autre. Quelques voyages vers les grandes cités assuraient le rapatriement d'œuvres d'art à l'emplacement soutiré par des méthodes peu orthodoxes ou sous le sceau de la confidence après la promesse de les rapporter à leurs propriétaires sans délai.

Ainsi passèrent, pour ces nouveaux villageois, les trop courtes années de cette guerre, enrichissantes et sous couvert d'un contrat protecteur et implicite entre Günter Schteub et les SS. En effet, une fois dépouillés, l'épicier faisait envoyer un contingent armé pour libérer les lieux devant recevoir le lot des prochaines victimes. Ne pas se salir les mains et ne pas laisser de traces, tel était le credo du petit « Samuel » qui percevait au passage les primes allouées par les autorités nazies selon le nombre de juifs arrêtés ou tués, pour bons et loyaux services à la patrie.

La volonté hitlérienne de créer une race pure laissait le jeune Günter dubitatif. Dans ses veines coulait un sang nazi métissé de gènes juives et ce mélange détonnant trouvait sa toute puissance aux tourbillons du torrent de la grande sauvagerie.

Günter Schteub avait ainsi grugé des centaines de familles qui, pour la plupart voire toutes, ne pourraient aujourd'hui revenir lui réclamer le moindre compte. Les circonvolutions d'une guerre aussi sordide et peu vertueuse avaient été une aubaine à l'enrichissement de la famille Schteub, les camps de concentration avaient cet avantage indéniable d'être une thérapie radicalement définitive et sans effets secondaires.

De ce pacte signé avec le Diable, la colossale fortune amassée était impressionnante. Elle avait permis bien plus tard la très rigide éducation d'un enfant unique arrivé tardivement. Günter avait plus de quarante ans et sa très jeune épouse, chétive, avait rendu son dernier souffle en donnant naissance à ce fils tant attendu. Le père éploré l'avait prénommé Wolfgang en mémoire à sa compagne, pianiste virtuose, partie bien trop tôt. Il avait hésité un instant avec « Richard », trouvant l'antisémitisme et les accents martiaux des compositions de Wagner plus en adéquation avec les nuances de son existence mais bon…

Orphelin de mère, l'enfant Wolfgang avait grandi sous l'égide de ce père endurci et de gouvernantes sévères et sans chaleur. Il s'était plié à cette atmosphère rugueuse dénuée d'amour même si, bien maladroitement, son père lui vouait une passion sans borne. Vinrent ensuite les internats, toujours dans les meilleures écoles, Wolfgang s'avérait être un élève particulièrement précoce et doué voire surdoué. Lorsqu'à seize ans à peine il orienta ses choix vers la médecine, sans hésitation, Günter l'expédia outre-Atlantique, dans une université d'excellence d'où il était sorti, après un cursus accéléré par ses facultés, major de sa promotion. Wolfgang était la fierté de Günter qui avait fait réhabiliter et aménager une vieille bâtisse acquise douteusement, sur les coteaux du Mont Feldberg pour en faire le premier laboratoire expérimental de son fils.

Pour le laisser libre et maître de ses agissements, Günter avait rapidement migré vers les États-Unis, usant ses deniers en diverses acquisitions – villas, bâtiments, immeubles, usines, terrains… Les contacts fréquents avec son fils prodige lui apprirent ses difficultés rencontrées en Allemagne, suspicions, contrôles et autres enquêtes. D'un commun accord, Günter avait fait édifier à Tampa, un vaste ensemble médical aux spécialisations nombreuses et un institut apte à recevoir le fruit des expérimentations génétiques de son fils. Dès lors, l'épisode hasardeux européen pouvait être éradiqué.

Quand Wolfgang s'installa aux commandes de ce vaisseau médical ultra-moderne, Günter Schteub, usé par une existence harassante, choisit de se retirer au Chili où il avait acheté une immense propriété de quelque mille hectares, endroit même où il venait de sombrer dans un coma irrévocable pour très probablement s'y éteindre.

Assis derrière son bureau, bouteille de Bourbon presque vide, Wolfgang Schteub ne parvenait pas à s'extraire de ce mal viscéral qui l'étreignait. Il avait tant encore à partager avec son aïeul qu'il lui était inconcevable que tout cela puisse s'arrêter ainsi, comme un couperet effilé sur la nuque raide d'un condamné. À travers les larmes qui se déversaient, une illumination traversa son esprit embrumé d'alcool : une main Luciférienne s'était jadis posée sur les épaules paternelles, main qui aujourd'hui guidait et enveloppait, protectrice, son parcours ! Pour la deuxième génération… le pacte était scellé.

27

Plaine de Mésopotamie,
IIIe millénaire avant notre ère.

Dans les temps qui suivirent la retraite secrète de Bittati aux contreforts lointains du Zagros, par delà les rives du Tigre, aucune âme de la petite cité ne s'inquiéta de son absence. Lugalzaggesi le Sage l'avait répudiée et bannie, elle n'avait plus à reparaître sans risquer d'y être lapidée sans autre forme de procès.

Un peu en retrait de tous, seule une créature perfide et vile s'amusait de l'ignorance de ses concitoyens, forte de ce qu'elle avait pu observer de l'étrange attelage qui avait fuit dans le dédale des marécages. Elle savait détenir là une information capitale lui procurant une parcelle de pouvoir au levier du chantage possible à l'encontre d'Akurgal ou de Lugalzaggesi. Elle attendrait le moment opportun pour abattre son atout et jouir de cette force. S'attaquer aux Sept Grands Sages n'était pas dénué de dangers, il lui faudrait glaner bien d'autres informations énigmatiques encore pour étayer sa délation et l'exposer au grand jour.

Ce qui inquiéta le plus les habitants fut l'envoi officiel, par Akurgal, de coursiers véloces à convoquer les autres grands sages de leur civilisation. Quel événement avait bien pu se produire pour que telle chose arrivât ? Tous s'interrogeaient et les commentaires comme toutes élucubrations des plus farfelues allaient bon train. Il se disait tout et n'importe quoi. Les rumeurs les plus diverses s'insinuaient entre les huttes, circulaient de hameaux en villages, galopaient de villages en cités, pour finalement envahir toute la Mésopotamie. Concentré sur l'importance de ce qui se tramait en marge de la vie courante des hommes, le vieux sage ne prêta pas attention aux folies du peuple. Son rôle présent était l'annonce de la venue du *Signe* et la mise en place de la *Grande Prophétie* ; calmer la population par une quelconque déclaration n'entrait pas dans l'équation à résoudre.

Lorsque les caravanes des hauts dignitaires passèrent les portes des remparts de la ville, chacun s'était forgé une idée bien arrêtée sur les événements à venir mais personne en définitive ne détenait la moindre vérité. Une agitation certaine bousculait les esprits tout comme une nervosité fébrile dont les plus faibles et vulnérables subissaient les contre-coups. Quelle catastrophe allait donc s'abattre sur le pays – un débordement outrancier du fleuve, une épidémie, quoi d'autre ? – rien ne filtrait de l'entourage des sept sages. Tout le monde restait dans l'expectative, glanant çà et là l'information nouvelle capable d'enrichir toute rumeur afin de la prolonger, la faire enfler en la déformant toujours un peu plus. Ainsi s'articulait la vérité de chacun… sur un amas précaire de suppositions aléatoires.

À l'écart de ce trouble grandissant qui saisissait tout le peuple, Akurgal le Grand et ses six comparses échangeaient sereinement des nouvelles et tracas de leurs contrées respectives. Quand tous furent repus de leurs conversations futiles, Akurgal éleva légèrement le ton. Tous les regards se tournèrent vers lui dans l'instant, sombres et focalisés sur un silence devenu pesant.

– Mes frères, Grands Sages du peuple sumérien, si je vous ai fait venir à moi, ce n'est pas pour discourir de banalités profanes mais pour vous évoquer des actualités de la plus haute importance. Je vous invite à nous rendre sous le grand mudhif sacré afin d'en converser en toute sécurité.

Les visages avaient quitté leur joyeuse bonhomie pour se concentrer sur les déclarations qu'ils allaient recevoir. Les sept dignitaires revêtirent leur tenue de circonstance et déambulèrent à pas décidés jusqu'au lieu de leur séance. Suivait, à courte distance, une vingtaine d'hommes en armes pour garantir leur sécurité et la confidentialité de leurs travaux secrets. Tous ceux qui le purent, assistèrent à la mise en place rituelle du Collège des Grands Sages, impressionnés d'une telle réunion et tentant de deviner ce qui pouvait ainsi troubler le *Chemin des Destinées*.

L'imposant mudhif sacré avait été érigé au cœur du village, sur une plate-forme circulaire de végétaux et d'argile mélangés. Maintenu au sec par de forts piliers d'acacia, l'entourait un large anneau, de près de quinze pas, d'une eau marécageuse et fangeuse privant tout accès indésiré jusqu'à l'édifice. Au-delà de cette douve protectrice s'étendait la cité semi-lacustre avec ses constructions de briques crues et ses huttes posées sur des îlots, ses venelles, ses rues et ses canaux. Enjambant cette fosse aquatique stagnante et saumâtre, des passerelles amovibles constituées de solides roseaux liés entre eux, prenaient appui sur des pieux solidement plantés. Elles formaient les rayons parfaitement espacés d'une étoile à sept branches dont le cœur ineffable cadençait mollement au diapason du métronome du *Feu Principiel* endormi. À la tombée du jour, les flambeaux s'enflammèrent, jetant une clarté toute mystérieuse au pourtour de ce large fossé. L'âcreté de la résine consumée rejetait des nuées d'insectes virevoltants. Les soldats repoussèrent sans ménagement les spectateurs ébahis pour libérer le passage aux Grands Sages qui arrivaient, visages fermés.

Chacun d'entre eux se présenta face à la passerelle lui étant dédiée. Lorsque Akurgal fit un premier pas sur le souple ponton, les six autres sages l'imitèrent. Arrivés à la première série de pilotis, ils basculèrent la rampe de roseaux que des assistants retirèrent sur la berge. Passant la deuxième rangée de pieux puis arrivant à l'esplanade centrale, chaque sage tira à lui la dernière courte portion de passerelle si bien qu'il ne restait, au milieu du chenal vaseux et obscur, que le tronçon médian du pont les ayant conduit jusqu'à l'édifice d'où émanerait la toute puissance de leur réflexion.

Dans la sombre fange aquatique, quelques bulles remontèrent à la surface avant d'éclater dans l'air crépusculaire. Personne ne remarqua le tube de roseau qui dépassait à peine des algues et se dirigeait vers l'enceinte sacrée des Grands Sages. Puis, l'extrémité du roseau disparut entre les épais supports de l'édifice et, une fois certain d'être dissimulé des regards fortuits, l'homme fit émerger sa tête ruisselante mais satisfaite.

Akurgal le Grand présidait la séance sur un trône de roseaux tressés. Les six autres s'installèrent, trois de part et d'autre, formant deux arcs de cercle au centre desquels attendaient patiemment, dans un écrin triangulaire minéral, des braises rubescentes. Autour de cette vasque de pierre étaient disposés un calame, un rouleau de papyrus, trois tablettes d'argile gravées, une timbale en or et deux petits sacs contenant des poudres colorées. Sur une coupelle, près du Maître de céans, gisaient les os friables et poussiéreux des trois phalanges d'un auriculaire ainsi que son métacarpe.

D'un claquement de langue sec et sonore, Akurgal le Grand intima l'ouverture rituelle de leurs ouvrages. Un silence total se fit. Il descendit les quelques marches où siégeait son trône et vint jusqu'aux braises. Il y souffla vigoureusement, empila quelques branches sèches d'acacia pour que le feu s'attise. En attendant que tout soit prêt, six vibrations gutturales psalmodiaient des cantiques étranges. Lorsque l'âtre ne contint plus qu'un vif tapis rougeoyant, Akurgal se saisit d'une poignée de poudre tirée de chaque sac et les fit voler au-dessus du feu, comme l'eut fait un semeur de sa semence fertile, le geste sûr et précis. Les particules restèrent un instant suspendues dans l'air puis virevoltèrent, aériennes, jusqu'à l'incandescence. Dès leur contact avec la braise, la fumée légère s'irisa, empruntant des nuances passant du vert bleuté à un orangé lumineux. Le Grand Sage déversa un peu d'eau du gobelet en or pour que s'épaississe les volutes, ainsi le *Feu Primitif* renaissait de ses cendres, ouvrant la voie du *Chemin des Destinées*. Attentif, chacun scrutait ce que révélerait la *Maison des Sept Guides*.

Revenu à sa place initiale, Akurgal le Grand s'appropria la Sage Parole et narra dans le détail le symbolisme des derniers jours écoulés pour que chacun s'en imprégnât. Tous furent informés de la venue du *Signe*, de son exil en un lieu sacré tenu secret, des apprentissages et enseignements devant lui être délivrés avant qu'*Il* ne dispense la Connaissance à travers le monde des Hommes. La *Grande Prophétie* venait de prendre naissance, de s'enraciner dans le tumultueux chaos des hommes ; restait à en déterminer la durée pour qu'*Elle* génère toute son efficacité.

Tous comprirent pourquoi ils n'avaient ressenti en aucun de leurs concitoyens, le successeur potentiel. D'évidence, maintenant que le *Signe* s'était manifesté, la destinée des Sept Grands Sages s'éteindrait avec leur génération. Un seul leur succédera tour à tour dans le dédale des âges pour protéger à distance le *Signe* et la lignée divine qu'*Il* engendrera.

Au bout du rang septentrional, Atrahasis l'Ancien souriait béatement à cette merveilleuse nouvelle. Il était le plus vieux des sept sages et la Mort l'invitait fréquemment à venir la rejoindre. Il pourrait partir bientôt, serein du devoir accompli. À ses côtés, Shu-Sin le Brave et Meskian-Gasher l'Érudit témoignaient du même enthousiasme. Face à eux, sur la rangée courbe du Midi, Igibar le Voyageur et Lugalzaggesi le Sage n'étaient pas en reste, leurs visages rayonnaient le bonheur d'être ceux que la *Grande Roue des Destinées* avait choisis. Seul Mesilim le Jeune semblait vouloir exprimer quelque objection. Sa langue claqua fortement pour demander la parole. Akurgal accepta sa requête.

– Akurgal le Grand, ô toi qui préside nos travaux, ô toi Très Illustre Sage parmi les Sept Grands Élus, ne pourrais-tu pas nous divulguer où se cache le *Signe* et nous le présenter ? Es-tu bien certain qu'il s'agisse de *Lui* ?

Une rumeur sourde de réprobation envahit la voûte végétale. Chacun savait que la multiplicité rendait le secret précaire. Aucun ne voulait savoir, au risque n'annihiler la *Grande Prophétie* avant même qu'*Elle* ne débute. De plus, mettre ainsi en doute la Parole Sacrée d'Akurgal était inconcevable et dénotait bien du manque d'expérience de Mesilim sans doute dû à son jeune âge et à sa fougue inhérente.

Le sage interpellé reprit le verbe, sans s'offusquer des propos de son congénère encore insuffisamment expérimenté.

– Très Cher Mesilim le Jeune, ô toi Grand Sage parmi les Sept Grands Élus, je peux te certifier que l'enfant née au pied de mon zarifé est bien le *Signe*. Cela m'a été confirmé par le *Collège des Anciens* dans les volutes du *Feu Principiel*. D'autres éléments m'ont également confirmé son appartenance à la *Grande Prophétie* tout comme la *Lignée Divine* qu'assurément elle engendrera.

Il riva alors son regard pénétrant dans celui attentif de son homologue.

– Par ailleurs, comme tous semblent ici en convenir, je ne peux ni te révéler l'endroit de sa retraite ni te présenter l'enfant ; ses jours en dépendent tout comme la réalisation de la *Grande Prophétie*. Je peux cependant t'assurer que ce lieu d'exil est le plus sacré de toute la Mésopotamie, il s'agit en fait du Temple même des Grands Seigneurs dont moi seul connais la localisation.

Sur sa natte, Lugalzaggesi le Sage acquiesça, confirmant le choix judicieux de son ami. Ce n'était visiblement pas du goût de son voisin Mesilim le Jeune qui voulait être dans la confidence. Il claqua de nouveau fermement la langue et faillit même prendre la parole sans y être invité. Le sage assis à ses côtés savait d'évidence où se trouvait le *Signe* alors pourquoi pas tous. Akurgal n'accéda néanmoins pas à sa requête. Ils s'étaient réunis pour définir les premiers axes de la *Grande Prophétie*, non pour se déchirer sur des points cruciaux et non négociables. Mesilim le Jeune devait en prendre instamment conscience, étant l'un des Sept Grands Sages, et refouler ces travers impulsifs qui caractérisaient les non-initiés.

De mauvaise grâce, le cadet des sages se renfrogna et plongea dans le silence, essayant de maîtriser ses audaces indignes du rang qu'il tenait et qui représentaient les voies filandreuses d'un monde vulgaire auquel il restait encore malheureusement beaucoup trop attaché.

Sous le plancher sommaire du grand mudhif, des oreilles clandestines à l'affût enregistraient chaque parole, s'imprégnaient de chaque information. Seule manquait la vision des débats mais cela n'avait pas d'importance pour l'homme qui espionnait. Malgré son corps transi par cette immersion prolongée, sa tête jubilait. Une brèche venait de s'entrouvrir dans la muraille inaltérable de la forteresse des Sept Grands Sages, une fissure dans la paroi sans défaut, une division dans l'unité. Un atout, encore… dont il savait comment l'exploiter au plus vite.

Dans le calme tout relatif retrouvé, les discussions reprirent. Trop de choses fondamentales restaient encore à résoudre pour se dissiper sur des points négligeables auréolés de nuances profanes face à la complexité de la tâche ésotérique à mettre en œuvre.

28

Rome, ruelle anonyme du Trastevere,
Rome, centre piétonnier de la Vieille Ville.

Pensant avoir rempli l'intégralité de sa mission en Italie, Beth O'Neill fut surprise de recevoir de nouvelles instructions de son état-major. l'appel intervint au moment même où elle bouclait son sac pour se rendre en gare centrale de Rome, Stazione Termini, Piazza dei Cinquecento. Dès la première sonnerie, elle sut que son retour en France était compromis. Avec un pincement au cœur, elle décrocha pour obtenir les justifications du prolongement de son concours. Concentrée, elle écouta avec attention les consignes que la femme lui distillait dans l'écouteur de son téléphone. Rien ne serait répété, elle devait enregistrer au fur et à mesure tout de la dense énumération lente des informations qui lui étaient livrées et s'imprégner de la globalité des détails inhérents à la poursuite de son engagement.

Une fois la communication terminée, elle déchaussa ses ballerines neuves, achetées la veille, pour les remplacer par sa vieille paire de chaussures de sport bien plus confortable. Elle retira son pantalon grège en flanelle légère et son chemisier de soie pour enfiler un jean délavé et un t-shirt d'un rose un peu passé. Bien que coquette à ses heures de loisirs, en opération, elle adorait les tenues décontractées lui permettant aisance de mouvement et de se fondre dans la foule, incognito.

Elle regarda l'heure à sa montre, attrapa son vieux blouson de cuir râpé et quitta l'hôtel. Sans hésiter, elle emprunta la venelle qui remontait en serpentant jusqu'à une petite place d'où elle pourrait gagner rapidement le centre piétonnier de Rome. Avec son dédale de ruelles étroites flanquées d'échoppes et commerces chatoyants ainsi que les nombreux restaurants aux terrasses qui empiétaient toujours plus largement sur les voies au grand dam des riverains, le cœur de la cité romaine paraissait ne jamais vouloir s'endormir.

Sa commanditaire lui avait transmis le lieu où elle retrouverait ses deux cibles dans l'heure. Au restaurant *Chez Milo*, dans une calme rue traversière, déjeunaient ensemble l'inspecteur de police italien Santini accompagné de sa collègue française Nouellet.

Vingt minutes d'un bon pas ! Cette marche soutenue au fragile soleil de l'hiver, dans le labyrinthe des rues bruyantes de Rome, lui ferait le plus grand bien. Chemin faisant, elle étudia les différentes stratégies à mettre en œuvre pour bloquer les deux enquêteurs dans leurs investigations. L'objectif n'était pas obligatoirement de les éliminer purement et simplement mais de les placer sur la touche, en retrait, de ralentir leur progression, bref, de gagner du temps. Pour autant, faire appel à Beth O'Neill – sa hiérarchie ne pouvait l'ignorer – c'était comme lancer un contrat sur ces deux têtes, dans le souhait inavouable de les rayer définitivement de la surface du globe. Sa réputation « radicale » l'amusa un court instant pendant que ses semelles foulaient, légères, les trottoirs irréguliers.

Quand enfin, après un bon quart d'heure, elle arriva à vue du restaurant, elle ralentit son allure, s'en approcha tel un prédateur en scrutant tout alentour afin d'évaluer la situation générale et les solutions de repli. Elle avança encore un peu, jusqu'au panonceau extérieur où s'étalaient à la craie blanche les menus proposés. Ainsi masquée, elle pouvait observer tout à sa guise l'intérieur de l'établissement qui regorgeait de monde à cette heure de pause de la mi-journée. Dans le fond de la salle, elle finit par aviser un couple, plutôt dépareillé, qui ne pouvait être que celui que l'on venait de lui décrire. Discrètement, elle prolongea son inquisition pour se forger une idée précise du tempérament de ses deux objectifs. Puis, satisfaite des enseignements de leur comportement, elle entra, demanda une table pour déjeuner et fut placée assez près de celle des deux policiers pour parvenir à les entendre. Seule l'allée où s'affairaient les serveurs les séparait. Elle tendit l'oreille en se plongeant dans la carte. Les deux investigateurs échangeaient à voix basse pour préserver la confidentialité de leurs propos mais, si proche, Beth O'Neill n'en manqua pas un mot. Ils concertaient sur les éléments de leurs enquêtes respectives maintenant devenues commune, évoquant points de vues et pistes à suivre. Lorsque le serveur revint à sa table, elle commanda sans réfléchir une salade « Milo », la spécialité du restaurant, et continua à épier ses proies en attendant d'être servie. Les deux policiers n'avaient pas cessé d'échanger. Ils dialoguaient à présent sur un étrange trio d'hommes morts, identiques au point de remettre en question le respect des lois sur le clonage humain.

Apparemment, ils n'avaient toujours pas fait le lien avec le prêtre qu'elle avait supprimé et encore moins avec l'existence de l'Anneau. Cependant, ils avançaient vite, bien trop vite en effet. Toute la finalité de sa mission prenait son ampleur. Ils avaient déjà découvert le troisième combattant de la triade et détenaient leurs identités. Ils tissaient leur toile, habiles et véloces, avec dextérité et professionnalisme, de Paris à Rome, s'étirant jusqu'aux États-Unis aujourd'hui… demain en Allemagne ? Il était temps d'agir sans attendre afin d'éviter que leurs recherches ne les emportent trop loin, au cœur même de cette trame antique, parallèle et pourtant si imbriquée aux heures contemporaines. Ceci compliquerait sérieusement les choses qui n'étaient déjà pas simples, de les avoir dans leurs pattes.

Quand l'employé de salle lui apporta son plat, par dessus son bras, Beth O'Neill croisa le regard de la policière française qui insistait lourdement dans sa direction, sans ciller. La jeune femme rousse tressaillit, montée fulgurante d'adrénaline. Continuant de la fixer, la flic parisienne se pencha vers son homologue italien lui chuchotant quelques mots à l'oreille. Ceci n'eut pour seul effet que d'accentuer dangereusement son malaise. Au moment précis où Santini voulut tourner la tête, Valérie Nouellet posa une main sur sa manche pour l'en dissuader. Les yeux azur ne lâchaient pas ceux de leur proie. O'Neill sentit une angoisse dérangeante l'envahir et la tétaniser tout à la fois. Sur la défensive, corps tendu comme un arc, prête à bondir, elle s'interrogeait sur la possibilité que les policiers l'aient déjà démasquée. Elle savait n'avoir pris aucune précaution particulière dans l'église, disséminant sans doute de nombreux indices qui pourraient à terme la confondre. Bien que cette hypothèse fut très improbable en si peu de temps, cette idée la bouscula à point tel qu'elle ne pût avaler la moindre bouchée de la copieuse et pourtant appétissante assiette qui venait de lui être apportée. Tout en discourant maintenant de façon désinvolte, la blonde continuait de river sur elle un regard intrigant, comme pour sonder son âme. *Quoi d'autre ?* Troublée, elle patienta un court instant, cherchant à tempérer sa réactivité et trouver la bonne issue à suivre. Ne parvenant pas à recouvrir son flegme habituel, elle but d'un trait son verre d'eau fraîche. Rien ne semblait pouvoir ôter cette boule qui lui étreignait le ventre et prenait des proportions inquiétantes. *Et toujours ces yeux fixés sur elle !...* N'y tenant plus, Beth O'Neill se leva en bousculant chaise et table, enfila l'allée précipitamment et alla payer son repas d'un billet au comptoir. Sans attendre sa monnaie, elle sortit en trombe sans prêter la moindre attention aux commentaires du serveur qui gesticulait derrière elle, soucieux d'avoir insatisfait une cliente et cherchant à comprendre pourquoi elle n'avait pas même attaqué son assiette. Sans se retourner, ses pas trottaient sur le bitume à une cadence folle. Ses cheveux lâchés ressemblaient à une boule de feu qui flottait dans l'air, la foudre s'accaparant l'étroitesse de la ruelle, poussée par une rafale tempétueuse imaginaire. L'homme de salle la poursuivit encore sur quelques mètres à l'extérieur de l'établissement puis revint, penaud, la mine déconfite, vexé du silence de la jeune femme qui avait déjà tourné le coin de la rue.

Depuis sa place, Valérie Nouellet avait assisté à toute la scène sans en comprendre véritablement le sens ni en saisir toute la portée. Conscient accaparé par l'intérêt des propos échangés avec son homologue italien, elle ne se douta pas que son inconscient gravait discrètement ce visage singulier dans un recoin profond de sa mémoire.

29

Vincennes
Clinique du Parc

Philip Carlson s'éveilla en sursaut. Il était en nage, enveloppé dans la tourmente cauchemardesque de son sommeil agité. Sur le chevet à son côté, son regard accrocha un affichage digital bleuté qui distillait une luminescence mystérieuse. 02:38 ! Les caractères flous s'imprimaient sur le fond de sa rétine, troubles et vacillants, sans que sa conscience n'en prenne la mesure. Son cerveau mit un temps incroyable, quasi parallèle, avant d'analyser qu'il s'agissait de l'heure et qu'il se trouvait en plein milieu de la nuit. *Où suis-je ?* Nouvel effort de concentration pour tenter de supplanter les brouillards épais de son engourdissement. *Ah oui ! la clinique... mon accident...* Toute une multitude d'éléments hétéroclites se bousculait dans son crâne. Diffus et pourtant presque palpables, ils cherchaient à déjouer sa confusion, véritable fil de survie accroché à la paroi abrupte et escarpée de son oubli. *Réminiscences du passé ?* De cet imbroglio disparate, des flashs acérés perçaient les lourdeurs médicamenteuses, ralenties et enténébrées, qui voilaient encore la lueur naissante de son discernement.

Une violente résurgence olfactive apparut. Crue, viscérale. *Mais d'où provient ce mélange fongique de terre humide et de bois putréfié ?* Il ne parvenait toujours pas à en identifier l'origine. Une image fugace vint pourtant s'imposer à lui quelques secondes plus tard. *Une cave sordide et froide, faiblement éclairée, une paillasse sommaire et nauséabonde, une voûte briquetée...* S'ensuivit la sensation de la rumeur environnante à ce tableau, bruit de pas dans un escalier, vibration sonore d'un métro proche... *Rappel d'une hallucination d'enfance ?... d'un vécu ancien ?* Rien ne filtrait, aucune souvenance. *Pourquoi alors cette douleur sourde associée qui me lance au flanc droit ? Pourquoi ce mal qui vrille l'intérieur de mon crâne ? Accident, blessure inhérente, inconscience, puis réveil, ici !* Des voiles infranchissables de son incompréhension surgirent des visions qui se matérialisaient peu à peu, des sons plus précis, presque intelligibles. *Mais qu'est-ce que ce claquement sec et assourdissant dont l'écho se multiplie à l'infini ?*

Sa tête virait de droite et de gauche, incontrôlable. Soudain, tout son corps se recroquevilla en signe manifeste de protection. *Coup de feu, lugubre détonation. Le projectile encore brûlant qui pénètre mes chairs. La vie qui bascule en un instant, qui s'évade inexorablement, sang chaud entre mes doigts gourds. Nuit glacée, tranchante, lapidaire. Tissu bouchonné, cataplasme de fortune. Courir, courir toujours, encore, loin, vite... fuir... fuir la mort !*

Dans son lit, Philip s'agitait en tous sens, comme possédé. Les oreillers constellaient le sol, couverture et drap en bataille. D'un brusque mouvement de bras, la potence métallique fut projetée contre le mur, arrachant les tubes reliés à son cathéter. *Liberté !* L'afflux devenait plus puissant, ses jambes imprimaient un pas de course, rythmé et rapide, ses talons venant marteler le matelas. Il transpirait, intensément. *Courte avance, chaussures rejetées, ses assaillants distancés. Course effrénée jusqu'à l'épuisement total. Et cette chaussée raide, froide, ennemie, pieds nus, douloureux. Trottoir, montée fulgurante d'une souffrance aiguë et puis, la pluie d'étoiles, soudaine, de haut en bas, de bas en haut... ce qui est en haut est en bas, ce qui est en bas est en haut. Fines gouttelettes de lumière irisée, la voûte étoilée, les cristaux de givre sur les pavés.*

Il se redressa brusquement, suffoquant, les yeux hagards et, l'instant d'après, retomba violemment le dos à plat sur sa couche, en catalepsie. Une lueur vive et étrange habitait l'intérieur de sa tête. Redondante, elle s'accrochait désespérément à la plus infime parcelle de sa mémoire chavirée. *Chute brutale, vertigineuse, cavalcade, résonances. Coups de feu ! Pan ! Pan ! Deux. Ma tête explose, la mort sournoise, insidieuse, force absolue sur la vie... « Kmhet stodt Ang'Râ-gar ».* Tout son corps tremblait maintenant, pris dans une transe inaltérable. *Et mes fossoyeurs qui me traînent, vulgaire dépouille, insignifiante chose humaine, à même le sol...*

enfouissement, entrailles de l'univers. Ce goût âpre et doucereux à la fois, dans la bouche, terre profonde et bois moisi. Et toujours cette lumière divine, extrême, sauvegarder l'éclair ancestral, la lueur d'un passé universel, d'un savoir secret millénaire... Cercle lumineux, brûlant, aveuglant, envoûtant... l'Anneau !

Cette fois-ci, Philip Carlson parvint à s'extraire définitivement des limbes, tourmenté. Son regard angoissé fit un tour circulaire et reconnut peu à peu les éléments. Il reprenait vie dans l'enchevêtrement des bribes hachées de ses visions, son esprit se raccrochait lentement à une réalité qu'il savait ne pouvoir être vraie.

02:56 ! D'un bond, il sauta au sol, délaissant le champ de désolation de sa literie en pagaille. Douce sensation de ses pieds nus sur l'épaisseur du linoléum tiède. L'instant suivant, il était déjà dans le minuscule bloc sanitaire, aspergeant son visage d'une eau froide et régénératrice. *Eau Douce de l'Océan Primordial !* Ses pensées restaient ancrées à cette histoire lointaine et morcelée qu'il se devait de recomposer pour enfin la comprendre. Pour autant, sachant ne pouvoir parvenir à relier tous les fils de cette trame énigmatique et mystérieuse, faute d'en posséder toutes les imbrications, son cerveau redevenu plus pragmatique les évinça pour se focaliser sur les derniers éléments tangibles qui ne manqueraient pas de le guider dans cette quête du passé. Il lui fallait reconstruire son histoire à l'envers plutôt que de s'obstiner à piocher dans la terre stérile de sa vie antérieure en espérant y voir germer quelques résurgences. Très vite, un simple gilet passé sur les épaules et les pieds chaussés de pantoufles, il s'escrima à essayer d'ouvrir la fenêtre. *Verrouillée !*

Par la porte entrouverte de sa chambre, le couloir semblait sans vie, artère creuse, vidée de toute substance. Carlson fit un premier pas, prudemment, les sens aux aguets. Dans l'obscurité relative, seul un pavé lumineux « issue de secours » au-dessus de la porte au bout du corridor dispensait son halo blafard, comme pour lui indiquer le chemin à suivre pour sa libération, la direction des réponses à son questionnement. À mi-distance, un rectangle de lumière barrait cependant la voie, inquisiteur, perturbant, le bureau des infirmières de garde. Sans un bruit, il se glissa jusqu'aux limites de cette ouverture éclairée. Une douce musique jouait en sourdine, il entendit aussi le cliquetis métallique d'instruments manipulés. Il hasarda un bref coup d'œil, le corps raidi, en alerte. Il entrevit une silhouette de dos occupée à préparer des plateaux de soins, une blouse blanche ondulant au rythme de la mélodie. Sans hésiter, il traversa ce rai lumineux pour continuer rapidement sa progression vers le bout du bâtiment. Lorsqu'il ne fut qu'à quelques mètres de l'issue vitrée, main en avant, prête à pousser la barre de sécurité, une alarme sonore retentit dans son dos. Son cerveau lui criait *« Fonce »* mais il resta figé, pétrifié, bras tendu vers cette espace de liberté si proche. L'alarme persistait à vriller le silence de son cri perçant, elle n'émanait pourtant que de l'infirmerie, sans dépasser quelques décibels mais, dans la situation de stress où il se trouvait, Philip Carlson la percevait hurlante, agressive. Son esprit parvint somme toute à se raccorder à plus de réalité. Une fraction de seconde plus tard, il était dehors, libre. L'infirmière, absorbée à identifier le patient venant d'actionner le signal d'appel sonore, ne remarqua pas le voyant rouge qui s'était allumé sur le tableau de contrôle, signalant l'ouverture inopinée de l'issue de secours.

Elle se précipita dans le couloir au moment même où au bout de celui-ci, le groom mécanique refermait automatiquement, dans un faible déclic presque inaudible, la porte sur le froid de la nuit. Par réflexe, l'infirmière frissonna, resserrant sur elle les pans de sa blouse, instinctivement, sans s'inquiéter de la provenance de ce courant d'air subit. Elle n'aperçut pas non plus l'ombre mouvante restée un court instant visible au travers du vitrage dépoli.

À l'extérieur, la fraîcheur nocturne enlaça Philip Carlson de ses tentacules glacés, intrusifs. Le contraste thermique était surprenant, le thermomètre devait jouxter les limites de la gelée. Sans en faire moindrement cas, le fugitif dévala les marches métalliques ajourées de l'escalier de secours qui s'enfonçaient vers l'obscurité inextricable du sol.

*Je vais pouvoir enfin vérifier... et savoir ! s*e dit-il alors qu'il longeait déjà le long vaisseau énigmatique émergeant de cette mer d'encre. Il savait où aller, par où commencer et chercher. Le constat de ces premiers indices viendrait infirmer ou corroborer ses impressions et ses doutes. Le chemin de son éveil mémoriel traçait la voie volontaire du compte à rebours de son existence.

Il le faut... pour demain !

30

Hôtel Aréna
Rome – quartier historique.

Cachée derrière la file des voitures en stationnement le long du trottoir, Beth O'Neill patientait. Elle avait retrouvé ses esprits, sa morgue ainsi que sa froideur implacable. Le trouble accusé au restaurant, bien qu'elle ne pût l'expliquer, était maintenant derrière elle, presque oublié. Il n'en restait qu'un bref éclat insignifiant à la structure de sa mémoire, comme celui d'un diamant brut exposé à la lumière après avoir été laissé à l'abandon au premier coup de ciseau du tailleur, juste pour en définir la pureté.

À l'instant, tel un félin guettant sa proie, dans la rue où se trouvait l'hôtel de Valérie Nouellet, elle était certaine de ne pas perdre son temps et que son instinct ne la tromperait pas. Bientôt l'inspecteur italien déboulerait du haut de la voie au volant de son *Alfa* pour rejoindre sa collègue française. Les policiers sont ainsi, formatés et prévisibles. Ils ne peuvent se résoudre à solutionner une affaire délicate sans en parler des heures avec leur partenaire, même largement en dehors des horaires d'une journée classique de travail. Au restaurant *Chez Milo*, avant qu'elle ne s'en échappe brusquement, tourmentée et gênée par le regard soutenu de la flic française, elle avait pressenti ce moment de fusion pure où les enquêteurs s'unifient pour ne devenir plus qu'un, sorte d'osmose alchimique indispensable aux bonnes fins de leur affaire.

Depuis son poste de guet, elle n'eut pas longtemps à attendre pour se le voir confirmer, l'*Alfa* rouge descendait bruyamment la rue à vive allure, ralentit à l'approche de l'hôtel pour s'immobiliser devant la guérite du gardien de l'entrée du parking souterrain.

L'inspecteur italien parlementa un court instant avec l'ombre installée dans son cube de verre, brandissant sa carte de police en direction de l'homme, avant que la barrière zébrée s'ouvre et qu'il s'engouffre dans les entrailles du bâtiment. Dès lors, Beth savait qu'elle disposerait de suffisamment de temps pour faire ce que sa conscience lui dictait, sans état d'âme. Elle sortit de la protection visuelle des véhicules derrière laquelle elle se tenait, traversa la rue et longea le trottoir jusqu'à l'entrée du parking. Le gardien était occupé à regarder, sur un minuscule écran de télévision, la retransmission d'un match de foot de l'équipe national. Rien ne pouvait plus le déconcentrer, les yeux rivés sur l'image oscillante, si ce n'était l'arrivée impromptue d'un véhicule demandant l'accès et encore l'aurait-il donné de bien mauvaise grâce. La jeune femme rousse se faufila silencieusement par le passage réservé aux piétons, masquée par un gros pilier de soutènement en béton. Elle descendit lestement la rampe qui menait jusque dans les profondeurs de la bâtisse. Les niveaux de parking étaient éclairés par de rares néons fatigués distribuant, çà et là, une lumière blafarde qui tressautait. L'endroit, mal aéré, empestait les gaz de combustion et l'huile brûlée. Le premier sous-sol était bondé, composant un véritable tableau surréaliste sur lequel l'artiste, mal inspiré, aurait jeté des touches multicolores criardes sur le voile d'une luminescence blanchâtre. Beth plissa le front, redoutant de devoir contrôler toutes les allées pour retrouver l'*Alfa*. Par chance, elle avisa un panonceau fixé sur un des piliers indiquant « P. Hôtel Aréna – 2ème sous-sol ». Elle reprit sa descente pour déboucher au niveau inférieur, quasi désert. Elle repéra immédiatement la voiture de Santini. Elle attendit de longues minutes, l'ouïe à l'affût du moindre bruit. Elle était bien seule dans ce lugubre caveau aux relents empestant les flatulences et effluents gazeux d'une décomposition mécanique irréversible annoncée. Un coup d'œil circulaire lui confirma l'absence de caméras de surveillance. « Big Brother » n'avait pas encore investi toutes les zones d'ombre de ce monde. Elle pouvait se mettre à l'ouvrage sans être dérangée. Elle retira son léger sac à dos, en sortit quelques outils et s'allongea au sol, juste à côté des roues à l'avant du véhicule. Comme il lui avait été enseigné lors de sa formation, elle perfora, à l'aide d'une micro-perceuse sur batterie et d'un minuscule foret, les durits métalliques d'afflux du liquide de freinage actionnant les étriers venant enserrer les disques. Des trous infimes d'où perlait à peine le liquide visqueux, gouttes démoniaques vitales qui s'épancheraient vers une fin inéluctable et programmée. C'est à force d'utilisation que la pression viendrait rompre ces artères sécuritaires ou purger exagérément le système, rendant le véhicule incontrôlable et provoquant l'accident. La mécanicienne satanique allait s'attaquer à l'autre roue quand le groom de la porte en fer à l'extrémité opposée du lieu vint la rabattre sur son huisserie, coup de feu dans l'atmosphère empesée de métaux lourds. Beth O'Neill stoppa instantanément toute action, expira lentement et se retint de tout geste. Il s'agissait d'un jeune couple aux rires insouciants qui ne pouvait être celui des deux policiers. Elle suivit l'écho de leurs pas sur le ciment lissé puis vit quatre pieds s'arrêter non loin d'elle, de part et d'autre d'une luxueuse berline allemande en stationnement. Le claquement feutré des portières résonna dans un bruit sourd, avalant les rires aigrelets puis, le vrombissement du moteur s'éloigna dans le cri des pneus sur le sol peint. Elle resta aux aguets avant de reprendre son ouvrage, bien consciente du danger d'être surprise en telle posture. Elle farfouilla encore aux côtés de l'*Alfa* de Santini, maîtrisant chaque geste, pesant chaque action pour que le résultat souhaité soit en adéquation avec ses attentes. En dernier lieu, elle fixa dans l'aile arrière un pisteur GPS ultrasensible de grande précision qui saurait lui indiquer le lieu où se produirait l'accident et quand cela arriverait. Son plus grand espoir était que Santini emmena, à cet instant, la capitaine de police française avec lui. Cela lui éviterait d'avoir à échafauder un autre stratagème pour éliminer sa deuxième proie. Quand elle eut terminé et tout vérifié scrupuleusement, elle rassembla tranquillement ses outils et les rangea dans son sac puis, s'achemina tout en souplesse jusqu'à la rampe de sortie.

Depuis le premier sous-sol, elle entendait les commentaires animés de l'évolution du match de football. Quand elle approcha du rez-de-chaussée, le gardien était hilare et criait seul dans sa guérite, coulissant ouvert et une cigarette à la main. Il exultait, l'équipe nationale venait d'inscrire un but à n'en pas douter. Beth en profita pour passer cette frontière avec l'extérieur en toute discrétion.

Une fois dans la rue, retrouvant quelques rares passants au visage glacé et au nez calfeutré sous de grosses écharpes de laine, elle inspira profondément une grande goulée d'air chargé de la fraîcheur de cette nuit de novembre. Elle rabattit la capuche de son sweat épais sur sa chevelure puis s'avança jusqu'aux baies vitrées de la salle de restaurant. Celle-ci était vide, seuls les employés s'évertuaient à tout remettre en ordre pour le service du lendemain. Un peu plus loin, elle risqua un œil à travers la vitre. Attablés dans un coin du bar de l'hôtel, elle retrouva ses deux policiers en grande conversation, derrière des tasses de café vides qui s'empilaient et des verres de cognac pleins. À leur comportement, l'alcool les avait déjà passablement grisés. Satisfaite, elle traversa d'un trot énergique la ville où l'attendait la chaleur réconfortante de sa chambre d'hôtel.

—

31

Vincennes
Clinique du Parc

Arrivé à l'angle du bâtiment principal, Philip Carlson chercha dans les ténèbres des points de repère. La nuit dense effaçait ce que son cerveau avait identifié quelques heures plus tôt. Levant la tête, il remarqua une fenêtre de laquelle s'échappait une lueur bleuâtre à travers la vitre… sa chambre ! Dans son crâne alors défilèrent les images enregistrées du plan de toute la structure de la clinique. Il fit demi-tour, l'entrée qui donnait sur l'avenue longeant le Parc de Vincennes était à l'extrémité opposée. Tel un chat, ses yeux s'habituèrent peu à peu à l'obscurité épaisse. Rapidement, il atteignit le bout de l'édifice. De grosses boules lumineuses posées à même le sol dispensaient des halos de lumière tout au long de l'allée. Restant à couvert derrière une haie arbustive parfaitement entretenue, il fut bientôt à quelques pas de la maison du gardien. Tout paraissait sans vie, volets clos. Aucune âme en éveil ne semblait présente. Au-delà de la barrière automatique striée, les hauts lampadaires de l'avenue nimbaient le bitume de flaques orangées d'où s'élevaient des vapeurs tortueuses. Philip Carlson réfléchit un court instant, hésita puis se faufila à l'extérieur de l'enceinte.

Assis à son pupitre, l'homme observait ses écrans de contrôle luminescents. Joystick en main, il actionnait avec une précision remarquable les caméras miniaturisées qui avaient été savamment disposées, rendant visibles toutes les zones du territoire que couvrait la clinique et son parc, à défaut de quelques rares infimes parcelles restées encore aveugles. Le même matériel avait été installé, à discrétion, côté de la voie publique, le long des murs qui ceignaient tout l'espace de la propriété.

Le vigile avait été tiré de son engourdissement, quelques minutes auparavant, par un signal sonore faible mais persistant. Il avait alors quitté, à regret, le salon où les émissions de la nuit accompagnaient ses longues heures habituellement tranquilles de veille, pour se diriger rapidement vers le « Mirador ».

Dès son entrée dans la salle de surveillance ultra-moderne, son regard fut attiré par un voyant rouge qui clignotait indiquant l'ouverture intempestive d'une des issues de secours. Aile Ouest, 1er étage, Couloir C, là où se trouvait justement le captif nouvellement amené. Un appel à l'infirmière de garde avait confirmé ses craintes. Le dénommé Carlson tentait une sortie en plein milieu de la nuit. Il suivait avec délectation l'homme en pantoufles, pantalon de pyjama et chandail qui évoluait le long du mur d'enceinte et semblait scruter avec insistance chaque détail de la maçonnerie. *Il ne fuira pas dans cet accoutrement ! Mais que cherche-t-il ?* Il poursuivit son observation méticuleuse, les yeux rivés sur les reflets bleutés des écrans. Quand Carlson quitta l'avenue pour bifurquer dans un petite rue perpendiculaire, longeant toujours le muret de clôture, il le laissa déambuler sur plusieurs dizaines de mètres avant de décrocher le combiné de la ligne interne. Le groupe d'intervention se tenait prêt à ramener le fugitif entre les quatre murs de sa chambre dès que l'ordre lui en serait donné. L'appel passé au directeur Levallois avait été moins bref. Ce dernier, désireux de savoir ce que motivait Philip Carlson, avait exigé qu'on le laissât libre de ses mouvements. Il voulait savoir si l'efficacité de son effacement était bien réelle. Le gardien José reçut donc ses instructions en ce sens et ne devait alerter l'équipe d'interposition qu'en cas d'écart inconsidéré de Carlson.

Un peu plus tard, alors qu'il se trouvait à l'opposé de la grande avenue, le fugueur s'immobilisa. *Ce devrait être là !* Par-dessus la grille, dans les voiles obscurs de la nuit, il distinguait l'imposante silhouette sombre des bâtiments. Sur la façade enténébrée, un œil unique brillait faiblement, balafré par des rideaux à persiennes, d'une pâleur presque irréelle. Le bureau des infirmières. Il s'approcha de l'enduit du muret, intact. C'était pourtant là que tous lui avaient indiqué le lieu exact de son accident, juste en face de cette ruelle qui se faufilait entre les pavillons ensommeillés de ce quartier résidentiel. Rien ! Pas le moindre impact, ni la moindre éraflure, pas plus qu'une réfection quelconque récente. Il frissonna, plus de ce constat que de l'air acéré qui l'enveloppait. Inutile de continuer ses recherches plus avant. *Était-il vraiment Philip Carlson ?* Il s'apprêtait à escalader la grille pour regagner son antre lorsqu'il repéra un petite porte de service dans le mur d'enceinte. À sa sollicitation, elle resta désespérément bloquée. D'un court élan, il vint la percuter de son épaule, l'huisserie grinça mais resta close. Au deuxième assaut, le métal rouillé céda, lui libérant le passage vers l'intérieur du parc. Prudemment, il se maintint sous couvert de la végétation, fit un grand détour circulaire pour rejoindre l'abri des constructions. Les parkings aériens étaient presque déserts, quelques rares véhicules s'éparpillaient en désordre. Aucun qui puisse être sa voiture accidentée. Il fouilla ainsi tous les recoins du parc de la clinique. Pas la plus infime trace d'un véhicule estropié.

La main posée sur le combiné du téléphone, prêt à faire intervenir les gardes, l'agent de sécurité scrutait toujours ses écrans de contrôle avec assiduité, dirigeant les caméras au fur et à mesure des déplacements de l'homme évadé. L'attitude de Philip Carlson était pour le moins surprenante, semblait décousue et désordonnée, mais révélait précisément une certaine logique sur l'objet de ses recherches. Il était en quête de réponses, voulait constater de visu la véracité des détails qui lui avaient été fournis. L'efficacité de la chimie administrée était incontestable puisque rien de son passé ne refaisait surface aux dires de ceux qui le côtoyaient quotidiennement mais, le fait de ne pas trouver les preuves matérielles de ce qui avait été avancé concernant son accident de voiture allait mettre indubitablement un peu plus de confusion dans son esprit et surtout risquait de laisser le doute s'infiltrer. *Erreur de casting !* Il fallait stopper sans attendre cette course aux informations. Une augmentation des doses perfusées et une histoire bien construite ramènerait Carlson dans le droit chemin, celui qui lui avait été tracé. Sans hésiter, José passa son appel au poste des gardes.

Lorsqu'il descendit la rampe menant aux boxes en sous-sol, l'instinct de Philip Carlson l'alerta de présences proches sans qu'il ne pût les soupçonner ni les voir. Il poursuivit sans s'en inquiéter outre mesure, le temps lui était compté d'évidence, il devait faire vite. L'air, plus chaud, était chargé d'odeurs d'hydrocarbures qui s'intensifiaient au fur et à mesure qu'il s'enfonçait sous la surface. La tête lui tournait, équilibre fragilisé par cette cavalcade nocturne et les changements brusques de température dans l'air vicié et nauséabond des viscères du parking. Les médicaments aussi, sans doute. Ce tout formait un mélange corrosif pour un organisme diminué et convalescent.

Dans la vaste aire de stationnement souterrain, une poignée d'ambulances et de voitures était sagement alignée le long des murs austères. Toujours rien qui puisse corroborer la thèse d'un accident. *Pourquoi lui avait-on menti ? Dans quel but ? Quel était l'intérêt final de ces méthodes dévastatrices ?* Une multitude de questions venait à nouveau marteler son crâne sans qu'aucune réponse limpide n'apparaisse. Il avait pourtant un besoin viscéral de savoir pour pouvoir se reconstruire et retrouver le lit de son fleuve. *Voulait-on vraiment qu'il se reconstruise ? Ne cherchait-on pas plutôt à le façonner habilement contre sa propre ré-émergence ? Pourquoi ? Que devait-il absolument oublier ? Que savait-il de si dérangeant ? Qui était-il réellement et qu'avait-il fait ? De quoi se composait son passé, ces décennies sourdes à ses demandes ?...*

C'est à cet instant qu'il ressentit une vive brûlure à la base de sa nuque, comme le dard d'une guêpe ou d'un frelon. Le liquide brûlant irradia instantanément tout son cou, ses épaules pour s'enfoncer dans chaque fibre musculaire de son corps. Sans aucune réaction, il s'effondra sur lui-même et s'affala sur le béton rugueux et froid du sol.

Deux paires de bras musclés le saisirent fermement par les aisselles, le déposèrent sur un fauteuil roulant et l'emportèrent dans le cœur nébuleux des sous-sols du bâtiment.

32

Mésopotamie
Village d'Akurgal le Grand

À l'issue de leur réunion rituelle, les Sept Grands Sages avaient déterminé la date d'extinction de la *Grande Prophétie.* Cependant, un doute flagrant estampillait leurs visages perplexes. Ils convenaient que l'espèce humaine était certainement la plus compliquée à éduquer mais qu'il faille tant de temps pour que lui soient révélés les Grands Mystères semblait irréaliste voire irresponsable. N'allait-on pas laisser errer les hommes dans les vastes brouillards du labyrinthe de l'erreur trop longtemps ? Au risque qu'ils s'y perdent… L'espèce perdurerait-elle assez sans s'entre-tuer ou s'entre-dévorer avant que la grande révélation soit effective ? Ne devait-on pas conduire les hommes à plus de raison, dans de meilleurs délais ? Leurs visions et les moyens à disposition pour fixer cette date peu réaliste leur parurent bien dérisoires face à l'importance de l'enjeu définit par leur réflexion commune. Ils avaient débattu des heures durant, apportant qui son érudition ou sa précision mathématique, qui sa sagesse ou ses intuitions voire ses capacités divinatoires, que tout avait fini par devenir confusément improbable. Il avait pourtant bien été indispensable de finir par s'arrêter définitivement sur un choix, même si peu plausible, puisque induit par les solides fondations séculaires tirées de la *Connaissance*. En effet, d'après leur puissante œuvre commune, la *Grande Prophétie* s'éteindrait par la mise en lumière d'un point d'orgue extraordinaire dont eux-mêmes n'avaient encore réelle idée ; mais, dans plusieurs millénaires !… Une date si lointaine avait bien du mal à convaincre leur conscience, à emporter leur adhésion. À quoi ressembleront l'Homme et le Monde dans ce futur si éloigné ? Y aura-t-il encore seulement des hommes et *quid* de ce Monde ? Cependant, *La Sage Prophétie* de leurs aïeuls, transmise oralement de générations en générations, l'imposait. Ils reprirent alors tous les éléments cités par leurs prédécesseurs, remodelèrent leur théorie d'antan, inclurent ce que les années contemporaines apportaient de novateur par leurs sciences, leurs découvertes et leurs mathématiques ; le résultat restait irrémédiablement le même. 4320 années seraient nécessaires à la gestation de la *Grande Prophétie* pour accoucher de son joyau et se révéler aux hommes. Épuisés par tant de paroles, de calculs et d'efforts de concentration, aucun d'eux ne se rendit compte que le point du jour apparaissait. Ils avaient passé toute une soirée et une nuit entière pour définir et mettre en place les arcanes de la *Grande Prophétie.* Il leur restait tant à faire encore !...

Pour lever la crainte d'une éventuelle erreur latente, Meskian-Gasher l'Érudit proposa de faire vérifier la détermination de cette durée si peu crédible par les savantes opérations qu'effectueraient les Grands Mages, férus d'astronomie, de mathématiques et autres sciences à faire valoir une date précise. Ils firent donc quérir les mages les plus reconnus du pays et leur exposèrent les éléments et inconnues de leur équation absconse. Sans les mettre dans une confidence totale de ce que révélerait cette datation si lointaine, ils leur avouèrent somme toute l'importance capitale que revêtait le résultat obtenu tant pour leur civilisation que l'Humanité entière.

Les Grands Mages s'étaient installés à l'écart de l'agitation de la vie courante, dans une large hutte isolée, avec tout le nécessaire à leur intense réflexion. Des villageois consignés à leur intendance assuraient leurs besoins quotidiens. Des gardes armés avaient été postés autour du lieu pour que personne ne vienne perturber leur extrême raisonnement ou tenter d'en saisir quelque propos.

Les Sept Grands Sages, tous restés dans la cité d'Akurgal, attendirent le fruit de la cogitation des savants.

Les jours s'étiraient, plusieurs furent indispensables à leurs débats. Rien ne filtrait de ces échanges et combien même une âme quelconque aurait assisté à leurs travaux, non initiée aux rudiments de ces sciences expertes, elle n'aurait pu saisir la moindre parcelle cohérente de leurs propos tant leur langage était hermétique et auréolé de la puissance d'un savoir dont la compréhension aurait demandé de longues années d'études pour en décrypter les accents si ce n'était une vie entière.

Sans nouvelle de ce qui se déterminait dans la hutte protégée par huit hommes en armes, les sages finirent par s'impatienter même si leur temps fut largement occupé à orchestrer les détails de la *Grande Prophétie*. N'y tenant plus, Mesilim le Jeune, plus fougueux que ses confrères âgés, se leva d'un bond et quitta précipitamment leur assemblée. Il prit la direction de la retraite des Grands Mages. Chemin faisant, face à lui se découpa à contre-jour une silhouette malingre et hirsute, surmontée de longues épines hostiles. Une créature étrange, un exosquelette hérissé de piques, un animal surnaturel et inquiétant. Il frissonna face à cette bête terrible qui s'avançait inexorablement vers lui. Quand elle ne fut plus qu'à quelques mètres, il vit la bestiole se décomposer et distingua des formes plus rassurantes. Les Grands Mages avaient quitter leur repaire au petit matin et l'un d'eux, entouré des huit fantassins, venait rapporter au nom de tous l'aboutissement de leur fastidieuse réflexion. Sans attendre, Mesilim le conduit auprès de ces congénères.

Là, l'émissaire expliqua comment ils avaient établi la formule la plus judicieuse à calculer la durée recherchée. Il partit dans un long monologue fourni sur les paramètres retenus, exposa les enseignements de leurs ascendants, le détail des interprétations des divers récits ayant ponctués l'avancée de leur civilisation. Tout fut envisagé, mixé, complexifié puis simplifié car rien ne devait sourdre de leur formule énigmatique, rien ne pouvait être traçable par le monde vulgaire des vivants. Seuls les rares érudits de leur corporation auraient faculté à y percer une logique céleste issue de la lointaine tradition orale et de l'observation de l'Univers.

L'homme était un passionné, il était en proie à une transe qui n'échappa pas aux Sept Grands Sages. Cela eut pour effet de les rassurer quant à la magie qu'entourait la fixation de ce qu'eux-mêmes avaient soutiré aux Grands Mystères.

Le savant gesticulait comme halluciné, pour apporter plus de force à ses exégèses, les imager, les rendre plus intelligibles. Il explicita le parcours elliptique constaté des planètes et celui de Nibiru, la Grande Céleste, la particule astronomique onirique indispensable à leurs travaux. Il conta l'histoire des étoiles, les liens les raccordant, la trame visible et éclairée de la nuit mais aussi sa face cachée connue d'eux seuls alors que le Grand Luminaire de la vie voyageait dans les éthers. Il fit part de la base de leur système de numération sexagésimal, osmose complexe entre le quinaire magique et le vaste duodécimal ambigu à l'appui d'un subtil ternaire divin. Les nombres étaient la puissante science des Mages ainsi que l'observation fastidieuse des cieux et ce qu'ils englobaient. L'ésotérisme du tout formait un savoir époustouflant issu de l'*Ancienne Connaissance*. Compte tenu du positionnement des astres, de leurs trajectoires, leurs cycles et révolutions dans la division du ciel, une concordance s'était révélée en regard du matérialisme des hommes. Ils avaient considéré aussi la durée de l'année luni-solaire, les divers calendriers mis en place, les mois ajoutés pour rejoindre l'équilibre du Grand Astre, les double-heures ponctuant les jours et tant d'autres choses encore…

Le scientifique illuminé, pris dans la démence de sa narration, était intarissable sur tous ces sujets occultes. Il aurait pu continuer ainsi des heures et des jours durant sans faire de pause tant la passion l'animait, enfiévré de tout son savoir. Ce fut Atrahasis l'Ancien qui parvint à faire stopper la logorrhée du savant fou, en lui apposant ses deux longues mains décharnées sur les bras puis, rivant son profond regard noir dans les yeux aux éclats fébriles de l'homme, il demanda :

– Toi, Ô Grand Mage, rapporteur des travaux mystérieux réalisés avec tes confrères, dis-nous maintenant ce dont pour quoi nous vous avons chargés de cette mission.

– 4320 et 1, fut la seule réponse plus que succincte de l'homme qui semblait pourtant ne jamais vouloir s'arrêter de parler.

– 4320 et 1, reprirent les sept sages étonnés de ce résultat qui confirmait leurs calculs.

– Oui, répéta sobrement le Grand Mage, 4320 et 1 après 127 !

– Pourquoi 127, demanda Igibar le Voyageur.

– Je ne saurais dire, Grand Sage, l'Unité sans doute, l'essence divine du Tout. Puis-je partir maintenant, rejoindre les miens ?

Akurgal le Grand lui savait, il avait vu dans ce que le *Feu Primitif* avait bien voulu lui transmettre. Il en fut heureux… pour le *Signe*.

Le Grand Mage rapporteur fut reconduit et escorté jusqu'à sa bourgade lointaine, pour palier aux dangers de la route. Après conciliabule, les sept plus grandes puissances spirituelles de la Mésopotamie furent satisfaites de la réussite de leurs astronomes et mathématiciens et purent, dès lors, commencer de réfléchir à la manière dont le contenu de *La Prophétie* serait retranscrit.

Sans hésitation, la novatrice science moderne qui venait de se révéler à leur peuple fut celle retenue pour que ne se perdent les axes et particules extraordinaires de la *Grande Prophétie* dans les vapeurs éthérées du temps.

Tout serait tracé dans l'argile !

Il ne fallait rien négliger, ne rien omettre du fabuleux héritage millénaire qu'ils avaient reçu. Livrer à l'argile les pensées les plus lointaines et les plus profondes de la confrérie des Sept Grands Sages sumériens dont ils étaient la dernière génération. Cette science remarquable de l'Écriture allait enfin pouvoir en laisser une trace inaltérable. Tout allait être scrupuleusement consigné sur les tablettes d'argile puis précieusement conservé.

Le fruit le plus pur de leurs réflexions, quintessence de la puissante pensée des générations antérieures et de la *Connaissance* transmise depuis des temps immémoriaux, prendrait place, sous les graphes cunéiformes du calame expert d'un scribe, également aux matières les plus nobles. Ce nectar resterait enfoui, caché aux yeux du monde profane et de ses agitations sans guide, pour la durée de la *Grande Prophétie* jusqu'à son terme, dans des milliers d'années. À l'échelle de leur vision universelle du temps, cela restait sans valeur tangible, tellement éloigné et si improbable, qu'ils doutèrent qu'un jour l'Homme puisse en décrypter les accents. Pour autant *La Sage Prophétie* des anciens était sans détour, elle avait dicté la durée, confirmée par l'expertise des Grands Mages. Si l'Homme donc parvenait aux Écritures, au moins espéraient-ils que ce soit la plus parfaite des âmes, guidée par la Sagesse et l'Amour, qui découvre ce trésor.

Comme les cieux purs venaient de l'affirmer et les grandes planètes de le conférer, ils furent convaincus du bien fondé de leurs prévisions et de la longue route du Devoir qui désormais accompagnerait leurs pas.

33

Vincennes, Clinique du Parc
Une décennie plus tôt – automne 2008

Dans la pénombre de la salle sacralisée, une femme revêtue de son aube noire rituelle, la petite cinquantaine élégante, accusa avec stupeur la révélation du nom attribué au nouveau Porteur de l'Anneau. Le changement radical de ses traits passa somme toute inaperçu, visage enfoui dans l'obscurité de sa capuche rabaissée. Par chance aussi, elle était placée sur la deuxième rangée de sièges, réservée aux initiés du pénultième degré des « Sumériennes Antiques ». Les six places plus en avant, entourant directement le centre du temple, formant deux arcs parfaits, étaient celles des élus du septième et ultime cercle de la société, grade équivalent à celui de la femme qui officiait derrière l'autel et présidait la cérémonie initiatique du jour. *Les sept puissances dirigeantes, les sept esprits lumineux auréolés de toute la Connaissance*. Instinctivement, la femme embarrassée inclina un peu plus la tête vers le sol pour mieux protéger sa surprise. Bien qu'elle voulût rester impassible, un long tressaillement parcourut pourtant son corps sans qu'elle ne pût le réprimer ; les yeux inquisiteurs de la Très Honorable Grande Maîtresse scrutaient chaque visage semi-masqué avec une lourde insistance pour tenter d'en lire l'expression. Elle espérait que sa contrariété n'ait pu être dévoilée tout comme décelée la réactivité excessive mal maîtrisée de son corps.

Cependant, à côté d'elle, sa voisine immédiate se pencha à son oreille et lui souffla :

– Et bien, Rena, est-ce le souvenir de ta propre initiation qui te rend si nerveuse ?

La dénommée Rena acquiesça discrètement d'un hochement de tête pour ne pas troubler la puissance du rituel qui se déroulait. En fait, bien plus qu'une quelconque réminiscence des épreuves subies en ce même lieu par le passé, c'était ce « Wesley Snarck » lâché très distinctement par la Très Honorable Grande Maîtresse qui l'avait faite frémir. Le nom avait claqué tel un coup de fouet dans l'atmosphère feutrée, s'enroulant durement à son souvenir pour lui arracher ce lambeau de frisson glacé. « Snarck » n'était autre que la dénomination choisie pour le premier trio né dans la bâtisse perchée sur les flancs du Mont Feldberg, en Allemagne, avant qu'elle ne soit anéantie par l'horreur orchestrée avec soins dans l'hiver 90. Les triplés « Snarck » étaient des rares à avoir été conservés puis extradés vers les États-Unis avant le monstrueux incendie. Ils étaient issus du premier succès dans les naissances trigémellaires consécutives aux travaux de son amant, le Docteur Schteub. La première réussite absolue, maîtrisée, après bien des échecs, tant d'hésitations et de tentatives infructueuses. Les frères « Snarck » étaient l'Origine, le trèfle initial parfait des bataillons qui arpentaient depuis le globe au service du seul but pour lequel ils étaient nés.

Quatre autres trios seulement avaient été envoyés avec celui des « Snarck » de l'autre côté de l'Atlantique, sélectionnés pour leurs critères optimaux répondant au drastique examen d'acceptabilité auquel ils avaient été âprement soumis. Quinze superbes garçons robustes et parfaitement constitués qui parcouraient dès lors la planète à la chasse de tout ce qui nourrissait la quête convoitée. Tous les autres n'étaient que des ratages, souffreteux et maladifs, des groupes incomplets, amputés par décès prématuré ou simplement ne correspondant pas aux strictes exigences fixées ; bref, une matière gênante et inutile, des preuves inconvenantes à éliminer, des rebuts aussi disgracieux que des ordures amoncelées jonchant les trottoirs un jour de grève.

Le visage de l'impétrant de ce jour, bien que de profil et d'un âge similaire, ne ressemblait en rien à celui des trois mercenaires formés aux États-Unis. *Pourquoi ce nom alors ? Un impossible hasard ? Quelqu'un de l'organisation avait de sérieux doutes voire percé le secret des expériences génétiques réalisées en outre-Rhin !* Ce constat envisageable lui glaça les sangs. *Y avait-il ici un esprit assez sagace pour relier l'Allemagne et les États-Unis à sa présence en ce lieu, au sein même de l'entité secrète protégeant les secrets des Sept Grands Sages Sumériens ?*

La femme rousse encapuchonnée était en proie à des interrogations intempestives que d'impossibles réponses rendaient particulièrement dolosives. Elle avait mal, elle souffrait pour elle-même de ne pas trouver ce qui avait pu mettre un membre de la corporation sur la voie. D'être si proche également du Graal sans malheureusement pouvoir l'atteindre la rendait folle de rage. Sa place n'était plus ici, ne pouvait plus y être, dans le risque d'être complètement démasquée. Sa vie même en dépendait ainsi que le but si longtemps brigué pour lequel elle avait tant œuvré avec son amant Wolfgang.

La cérémonie initiatique perdurait, étirant ses mystères, ses recommandations et les dangers qui guettaient la fonction que cet homme allait accepter. Rena n'était plus dans le cérémonial, elle échafaudait déjà les solutions acceptables pour sauvegarder sa vie et cependant parvenir à obtenir ce qu'elle était venue chercher dans ce repaire obscure. Elle n'accéderait jamais au septième et ultime cercle, elle n'obtiendrait jamais l'ensemble de la *Connaissance* sur l'archaïque trame des sumériens. Constat amer à accepter !... Il faudrait faire autrement, avec leurs seuls savoirs historiques et ceux glanés au cours de ces folles années passées au cœur de cette structure. Les six premiers degrés apportaient déjà énormément d'informations sur les secrets de leur quête mais il leur manquerait toujours les idéales divulgations secrètes à parfaire leur instruction. *Comment les obtenir ?*

Le récipiendaire venait de prêter serment infaillible avec son sang sur la traditionnelle tablette d'argile.

Quand l'impétrant fut débarrassé du long drap blanc qui le recouvrait, Rena ne prit le temps d'admirer son corps musculeux aux parfaites proportions. Le candidat était sacrément gâté par la nature mais cela ne l'interpellait pas. Un point de détail avait attiré son regard affolé. Sur le haut de la fesse droite, presque apposé sur la hanche, elle avait par contre tout de suite remarqué un tatouage très distinctif qui finit d'accentuer son malaise. L'homme avait la Marque !... celle appliquée sur chacun des enfants nés au cœur de la Forêt Noire, à Schluchsee, quelques mois seulement après leur naissance. Signe caractéristique et personnalisé, attribué à chaque triade, dont eux seuls connaissaient la signification. Les « Snarck » n'avaient pas reçu cette marque qu'ils avaient élaborée un peu plus tard et convenue d'estamper aux réussites suivantes. La *materia prima* se devait de rester pure, intacte, immaculée.

Une terreur sourde anéantissait ostensiblement ses résistances. Plus l'initiation de ce Wesley Snarck avançait et plus d'éléments effrayants s'ajoutaient pour se jeter à sa figure. *L'homme portait la Marque !...* Une sensation inopinée vint cependant libérer ses entrailles, laissant resurgir une onde galopante d'émotivité. Elle se surprit d'une larme éloquente venue jouer un instant à l'ourlet de sa paupière, comme suspendue. Avant que sa main n'ait le temps de venir l'essuyer, la perle argentine s'effaça, laissant libre cours au reflux dévastateur de ses angoisses.

Le nouveau Porteur de l'Anneau était donc issu des expérimentations allemandes ! *Comment était-ce possible ?* Les enfants préservés avaient quitté l'Europe dès leurs toutes premières années de vie et elle les connaissait parfaitement. Aucun d'eux n'était celui nu devant elle et que les assesseurs revêtaient maintenant de sa longue aube noire rituelle. Cette marque avait-elle été imitée pour tenter de confondre une infiltration dans les rangs très fermés de la société ? Un artefact en quelque sorte pour démasquer un traître ? En ce cas, comment un membre de la ligue aurait-il pu en connaître le graphisme, le sens et l'existence. Les appréhensions et pressentiments de Wolfgang se justifiaient-ils ? Se pouvait-il que l'homme venant d'être promu « Porteur » au sixième grade soit l'enfant conjecturalement réchappé de l'incendie. Il manquait un adulte et un enfant dans le comptage qui avait été fait à l'époque. Était-il celui-là ? Et l'adulte rescapé, où se trouvait-il ? Était-il lui aussi adhérent des « Sumériennes Antiques » ? Sa voisine peut-être, bien trop loquace et curieuse, qui s'étonnait de sa nervosité ? Un des sept dirigeants ? Pourquoi pas la Grande Maîtresse !...

Rena n'avait qu'une hâte, que cesse ce calvaire. Elle voulait s'isoler, contacter son amant, réfléchir à tout cela sans avoir à tenter de se soustraire à ces regards qui se révélaient intrusifs et soupçonneux. Chacun de ces visages pouvait être celui qui savait. *Torture !...* Elle devait faire encore bonne figure, tenir bon avant que de pouvoir s'enfuir vers son espace réservé.

Sans s'en être rendue compte, toutes les lumières illuminaient le Temple, désagrégeant d'un coup l'aspect mystique des objets symboliques et ramenant toute l'assemblée dans la dimension profane. La cérémonie était consommée et Wesley Snarck était le nouveau Porteur de l'Anneau mythique. Chacun venait le féliciter pour cette promotion méritée. La clôture rituelle de l'investiture n'avait pas même effleuré sa conscience, elle avait dû ânonner les répliques attendues sans y prêter la moindre attention, en automate, et pratiquer les gestes usuels comme un robot, un programme neutre et froid, dénué de toute empreinte allégorique. Elle était cependant immensément soulagée que tout fût enfin terminé.

– Belle initiation ne trouves-tu pas ?... et puis ce Wesley, plutôt bien bâti ! Quel spectacle !

Sa voisine, encore elle, la questionnait, ses yeux perçants rivés dans les siens. Rena ne put refréner un frisson ni une suée moite venue inonder son front.

– Ça ne va pas ? Tu en fais une tête… on dirait que tu as vu un revenant !

– Oh ! Ce n'est rien, juste un peu de fièvre… je dois couver quelque chose.

Elle planta sur place la pipelette, salua quelques membres stratégiques et alla s'excuser auprès d'Angèle, La Très Honorable Grande Maîtresse, prétextant d'être un peu souffrante. La lame livide de son faciès et sa silhouette frissonnante en attestaient sans avoir à en rajouter. Avant de quitter la salle, elle croisa le nouvel élu, le dévisagea avec assiduité sans y reconnaître la moindre expression connue. Elle le félicita mollement d'un sourire morne.

Derrière le rempart de son espace privé mansardé, au dernier étage de la clinique, Rena observait par la lucarne, songeuse, la cime des grands arbres bousculés par le vent. Dès son isolement, elle avait aspergé son visage d'eau fraîche pour évincer ses peurs et recouvrer ses esprits. Tout en s'épongeant, elle considéra durant un instant sa sphère existentielle, sa prison en fait ! Quelques quatorze mètres carrés sommairement meublés, strict essentiel, sans artifice ni chaleur. Murs blancs, plafond blanc, sol en linoléum gris clair, une fenêtre en chien-assis percée dans la toiture, d'un mètre par soixante centimètres. Unique ouverture, trouée sur la liberté, sur le champ de tous les possibles, sur la réalité… dehors ! Une toile mouvante peinte au gré des saisons et des heures, le kaléidoscope de sa vision libre sur un autre monde à atteindre, mais un tableau prisonnier d'un cadre devenu invisible à force d'être insignifiant et pourtant tellement présent à enserrer ses espoirs envolés ou pris dans les mailles insoupçonnées de ce vitrage.

Ses yeux en berne dérivèrent tristement sur le renfoncement faisant office de coin kitchenette. Affligée, elle ouvrit la porte de la minuscule salle d'eau et y jeta la serviette éponge comme l'eût fait le manager d'un boxeur en perdition. Une cellule monastique sous les toits, ni plus ni moins, voilà son espace de vie mais avec clim et connectique moderne, vingt-et-unième siècle oblige. Elle s'était maintenant retirée du monde des vivants depuis près de vingt ans, annulant toute ambition à une existence normale et paisible, pour cette quête délétère, uniquement cela. Cette poursuite infinie avait brisé tout choix ordinaire jusqu'à celui d'avoir un enfant et le voir grandir auprès de celui qui était cher à son cœur. Car là se trouvait son seul fil d'Ariane, son amour éperdu pour Wolfgang Schteub que cette vie de recluse clandestine n'avait pas encore réussi à éteindre. *La flamme vacillante durerait-elle encore longtemps ?* Ils se voyaient très rarement pour ne pas dire jamais. Lui en Floride, à briller de mille feux, professeur émérite et généticien de renom, paradait dans une existence pleine, passionnante et foisonnante. Elle, coincée entre les murs de cette confrérie obscure, jouait des coudes pour gravir tous les échelons et soutirer l'indispensable savoir. En parallèle, elle donnait le change par quelques cours dispensés à des élèves ingrats et pustuleux dans un collège miteux de seconde zone. Des adolescents attardés, plus intéressés par ce que contenait son corsage que par l'histoire qui avait fait d'eux ce qu'ils étaient devenus, de sombres crétins aux hormones s'entre-choquant, figure couverte d'acné et bêtifiant à la moindre parcelle de peau dévoilée. Des imbéciles qui, lorsqu'elle aborda un jour une leçon sur le Roi Soleil, croyaient que le nom de famille de Louis XIV était « Xiv ». Génération de débiles dégénérés scotchés à leur console de jeux, des incapables indécrottables rivés à l'écran de leur smartphone, de pâles idiots inconsistants abreuvés d'émissions de télé-réalité les transportant dans toute l'ambition de leur vie étriquée et préformatée.

À ces pensées, des larmes acides abordèrent ses paupières, vibrantes et corrosives. Elle refoula à grand peine cet amer poison. Les événements étaient en train de s'amuser de son esprit torturé, de se jouer de son équilibre devenu précaire. Elle rejeta tout d'un bloc, se ressaisit, attrapa son cellulaire et, heureuse par avance, appela le seul être au monde qui comptait dans sa vie, l'éminent Docteur Wolfgang Schteub, cette moitié d'elle-même que leurs existences séparées ne parvenaient pas à ressouder. *Bientôt ?*

Elle savait leur communication sécurisée et cryptée, tout cela avait été mis au point de longue date afin de pouvoir échanger sans crainte, de garder un contact fondamental, fil ténu satellitaire de leurs amours disloquées.

À son oreille les sonneries s'égrenaient lancinantes et cruelles, sans réponse. *Décidément, rien n'allait aujourd'hui !...* Déchirée par toutes ces contradictions, une amertume s'empara de son esprit, résolument mélancolique. Puis sa pensée bifurqua sur le passé à la recherche de quelques notes plus harmonieuses. Apparut ce père aimant, brillant ingénieur, parti bien trop tôt, juste après l'obtention de sa Maîtrise en Histoire Antique. Ce fut cet homme phénoménal qui, par les fabuleux contes distillés de son Irak d'origine, soir après soir, avait ancré son intérêt pour l'Histoire puis sa réelle passion pour l'époque antique rattachée à ses racines lointaines qu'elle ne connaissait que par la merveilleuse narration dispensée. Elle passait des heures à écouter cette voix douce au timbre de miel, l'emporter vers ces contrées magiques inconnues, emplies de personnages extraordinaires évoluant dans des décors sublimes et vivant des épopées épiques aux vifs accents fantasmagoriques. Tendre réminiscence de ces instants privilégiés, blottie dans ces longs bras hâlés affectueux, où se façonnaient son intellect et sa structure mentale. Les traits sévères chassèrent ces doux souvenirs, filigrane du visage maternel. Sa mémoire s'accrocha à celle qui lui avait donnée le jour, une maîtresse femme issue de l'une des plus belles lignées françaises. La filiation « de Vaucaire » avait fait fructifier son patrimoine et sa fortune au fil des siècles, par une rigide éducation et un strict sens des affaires. Sa mère ne faillait pas à cette digne ascendance austère sauf par son union bien malvenue avec ce scientifique des pays d'Orient qui avait su la charmer par sa beauté et la qualité intellectuelle de ses propos.

Cette mésalliance incongrue s'était cependant avérée solide voire inébranlable, une entente tacite où chacun avait poursuivi la voie de sa destinée tracée, indépendamment de l'autre, presque indifférent mais toujours sous le même toit. Était-ce vraiment un ardent amour qui avait tissé des liens durables entre ses deux parents ou était-ce plutôt la convenance, la bienséance des familles de haut rang ? Elle ne possédait pas la réponse avec certitude mais la subodorait par l'amour inconditionnel qu'elle portait à son père disparu et la distance polaire qu'elle destinait à une mère avec laquelle elle refusait tout contact. Cette même distanciation froide qui cristallisait toute proximité entre eux et même vis à vis d'elle. Un grand écart constaté qui s'était installé entre ses parents au fur et à mesure qu'elle grandissait et jusqu'au jour où tout s'effondra, le jour du drame impensable, le jour du décès de son père.

Ainsi avait été l'enfance de Rena Alouslam de Vaucaire, un mixage curieux, le reflet d'un blason aux armoiries d'une grande lignée de France métissée au sang des origines de la civilisation des hommes. Comme la vie aurait pu être facile et aisée si elle ne s'était engouffrée dans cette quête éperdue… la trace de cette osmose atypique était apposée à la plus belle de ses réalisations.

Elle reprit son téléphone…

34

Hôtel Arena, Rome – quartier historique
Chiesa San Pietro in Montorio – Gianicolo

Le lendemain matin, un peu avant huit heures trente, Silvio revint à l'hôtel de Valérie pour partager avec elle un café. Quand il l'eût délaissée dans la nuit, il avait hésité puis s'était finalement résolu à rentrer chez lui à pied. Il habitait à quelques rues de là et une marche rapide dans le froid vif lui remettrait les idées en place sur tout ce qu'ils avaient interprété ensemble et permettrait surtout d'éliminer une partie de cette ivresse inhabituelle.

Ils avaient dîné au restaurant de l'hôtel, parlant abondamment de l'affaire sans même prendre plaisir à ce qu'ils ingurgitaient, comme possédés par cette enquête insoluble. Ils commandèrent un café au bar, dans une ambiance cosy feutrée, assis sur de larges banquettes tendues de cuir grenat. Puis un second, un troisième. Ils trinquèrent ensuite d'un verre d'alcool fort pour sceller leur amitié naissante. Puis deux, puis trois… les vapeurs éthyliques étaient un bienfait. Le flot intense de leurs paroles s'accéléra, les événements trottèrent dans leurs têtes, prêts à partir au grand galop. Les barrières et autres entraves s'étaient levées, leurs chaînes dénouées. Ils ne parvenaient plus à se rassasier des hypothèses envisageables, l'une amenant l'autre qui déjà dessinait la suivante si bien que le barman, très patient jusque-là, quand l'heure de la fermeture fût largement dépassée, finit par leur faire entendre qu'ils devaient quitter le lieu et les invita à poursuivre leurs conversations ailleurs. Surpris par l'heure avancée de la nuit mais ayant encore tant à se dire, Valérie avait conduit Silvio jusqu'à sa chambre, « en tout bien tout honneur » avait-elle précisé, un peu ivre et enjouée. Ils avaient continué ainsi durant d'interminables heures, écumant le mini-bar de la spacieuse chambre de tous les alcools qu'il contenait. Ils s'étaient finalement abandonnés, grisés d'ivresse et saouls de tant de mots échangés, vers quatre heures trente de la nuit, à peine quelques heures plus tôt.

Silvio s'inséra dans la porte pivotante de l'hôtel et se dirigea vers la grande salle illuminée par de vastes lustres à pampilles en cristal. Le temps du matin était maussade, le ciel ressemblait au visage du policier italien, gris et tendu. Au-dessus de la ville, une couverture de lourde cotonnade d'acier s'étalait, cotte de mailles menaçante. Chacun s'attendait à voir s'éventrer ces nuages de tôle sombre dans d'affreux grincements métalliques. De son côté, Santini faillait à l'image qu'il avait donné de lui au premier jour de leur rencontre à l'aéroport. Il ne s'était pas rasé et ses cheveux avaient perdu leur discipline. Il se rapprochait plus des standards habituels du policier entre deux âges, éreinté par son métier et un manque de sommeil latent avec de grands cernes charbonneux sous des yeux éteints, le regard morne autant qu'incertain. A cette vision, installée à un guéridon tendu d'une pesante nappe à la blancheur immaculée, un impressionnant imbroglio de victuailles et de pichets devant elle, Valérie lui offrit un sourire, amusée. Elle était resplendissante, personne n'aurait pu imaginer qu'elle n'avait presque pas dormi. Son teint était frais, ses yeux pétillants, comme à l'accoutumée, sa chevelure lumineuse et soyeuse. Elle possédait cette rare capacité de récupération de tout excès avec très peu de sommeil. Jaloux, Silvio la salua sans éloquence, rapprocha une chaise et vint se placer face à elle, un maigre rictus sur ses lèvres amincies et décolorées de fatigue. Valérie l'attaqua d'emblée :

– Eh bien Silvio, des p'tits soucis de récup' ? Tu as faim peut-être ! Prends un peu d'œufs brouillés ou de la charcuterie... un ou deux croissants si tu préfères...

– C'est bon ! trancha Silvio, taciturne. Juste un café noir, bien serré. Tu ne m'y reprendras pas de sitôt.

L'italien lui traça le programme de leur journée et avala une gorgée de son café brûlant. Ils commenceraient par se rendre en haut de la colline Janicule, à l'église *San Pietro in Montorio*, là où avaient eu lieu les meurtres puis, retourneraient à ses bureaux voir si la piste américaine donnait de plus amples informations. Valérie en profiterait alors pour appeler Paris et avoir les derniers rebondissements de son enquête en France. Son équipe devait interroger les indics et contacts de leur répertoire pour glaner un maximum renseignements sur la victime du 19e afin d'essayer de recomposer le déroulement de son parcours avant son assassinat.

Valérie engloutit un petit-déjeuner gargantuesque pendant que Silvio finissait d'énumérer la liste de leurs activités de la matinée. Il avait l'air quelque peu abasourdi face au féroce appétit que son homologue lui donnait en spectacle, à la limite de la nausée.

Quand elle eût grignoté les derniers vestiges sur la table, ils se levèrent, contournèrent l'accueil en direction de l'ascenseur qui les emmena au deuxième sous-sol. À destination, par réflexe, Silvio fit un tour rapide de son *Alfa*. Tout allait bien, pas de rayures ni de bosses. Il grimpèrent dans le véhicule, sortirent du parking souterrain et prirent l'enchevêtrement de rues pour partir à l'ascension du *Gianicolo*. Sentir vibrer la mécanique jusque dans l'arc du volant sembla reconnecter l'inspecteur italien à plus de réalité. Il avait repris des couleurs et son œil s'était affûté. Les voiles empesés de la bringue de la veille s'élevaient lentement mais sûrement. Il ne put que s'en féliciter tout comme sa passagère, rassurée de le voir plus apte à les conduire en toute sécurité jusqu'à leur destination.

L'atmosphère dans l'église laissait une sensation curieuse, un silence plat, un immobilisme troublant. La française ne s'y sentit pas bien, une impression négative, elle se trouvait comme enserrée par des ondes maléfiques, enlacée de cordes la privant de tout oxygène. Elle avait du mal à respirer, suffoquait presque. Pourquoi son corps réagissait-il ainsi, en ce lieu théoriquement havre de paix, en cette maison où l'on vénère l'amour de son prochain. Elle suivit Silvio de très près. Sa présence, proche à le toucher, la réconfortait, l'apaisait.

Seuls quelques cierges allumés dispensaient une faible lueur, la pénombre était dense. Le mauvais temps du matin n'arrangeait rien, les vitraux ne laissaient filtrer qu'une clarté convalescente, résolument ternes, presque incolores ou plutôt monochromes, dans d'infinies nuances grisâtres. Approchant du maître-autel, Silvio se déroba. Valérie en frémit, glacée. L'instant d'après, des rampes de puissants spots halogènes illuminaient la principale scène de crime. D'abord aveuglée par ces violences lumineuses, Valérie ne remarqua pas tout de suite les larges étendues brunâtres sur les dalles de pierre, ni les serpentins qui en partaient pour venir mourir au pied de l'autel. Quand sa vue se fût habituée à cette nouvelle intensité, elle eut un mouvement de recul pour mieux apprécier la scène dans son ensemble ; à la fois une répugnance fulgurante et un besoin irrépressible de prendre de la hauteur. Sans le corps présent au milieu de l'espace, cette macabre peinture esquissée au sol devenait mystérieuse, presque irréelle et difficilement palpable. Valérie essayait d'y faire figurer les protagonistes, leurs mouvements et leurs agissements pour mieux intégrer la chronologie des faits et le mode opératoire de l'assassin. Les images incongrues qu'elle échauffait l'horrifièrent, son imaginaire créatif dépassait l'entendement et les limites du supportable. Était-elle cependant si loin de la vérité ?

Elle ouvrit enfin pour la première fois la bouche. Face à ce que son imagination avait su créer de l'accomplissement mortifère de l'assassin sur le corps démantelé du malheureux ecclésiastique, elle n'avait pu prononcer un mot. Le flux revenait :

– Et tu me dis que cette exécution correspond à une mise en forme rituelle ! Mais quel barbare, quel malade pourrait inventer un pareil processus pour donner la mort ? De quelle folie souffre le meurtrier pour y trouver une quelconque satisfaction ? Jamais je n'ai vu semblable horreur !

– D'après nos premiers constats, recoupés avec les recherches d'éminents experts notamment américains, il pourrait s'agir, dans le cadre d'une catégorie bien particulière d'exécutions, d'un mode opératoire répondant à un rite ancestral. Il serait prodigué par un groupuscule de déséquilibrés se prétendant les garants d'un secret millénaire dont personne ne soupçonne ni l'existence ni la portée réelle à l'échelle de l'humanité. Leur origine reste floue comme le lieu de leur retranchement. En fait, nous n'avons ici que des suppositions plus ou moins fantaisistes auxquelles il nous faut se rattacher. Des conjectures, rien de plus…

Valérie resta sans voix. Quelle relation pouvait entretenir ce prêtre avec de tels cinglés ? Que savait-il de si important à leurs yeux pour venir le mettre en charpie au sein même de la maison de Dieu ? Pourquoi cet auriculaire tranché ? Cela faisait maintenant quatre cadavres dont ce doigt avait été amputé. Quelle en était la signification ? Bien trop de questions sans la moindre réponse pour se faire une idée précise de la situation. Impossible d'avancer en terrain découvert afin de pouvoir agir, ils fouillaient une fange épaisse et collante, à l'aveugle, comme une taupe fore ses galeries dans un jardin argileux.

Devant le mal-être de la capitaine, Silvio la convia à le suivre jusque dans la cour du *Tempietto*. Ici, les choses reprenaient leur normalité, plus en corrélation avec l'univers classique d'un flic s'occupant d'affaires basiques. Sur le sol avait été tracé à la craie le pourtour du cadavre avec, un peu plus loin, un petit cercle figurant l'emplacement de son mégot de cigarette. À cet endroit, tout était propre, pas de trace de sang, ni de lutte. Les enquêteurs avaient passé les deux scènes de crime au peigne fin et récolté, dans l'église, d'assez nombreux indices. Des empreintes digitales de mains et de pieds, de menus lambeaux de peau et dans le sang coagulé du sol, quelques longs cheveux roux. Dans la cour, juste deux ou trois cheveux de même nature. L'assassin n'avait donc pas même pris la peine d'occulter la possibilité de retracer son identité soit qu'il fût stupide – la mise en scène n'en laissait rien entrevoir – soit qu'il fût assez sûr de lui pour ne pas être retrouvé un jour – et là son erreur lui deviendrait sans aucun doute très prochainement fatale. Cette assurance de supériorité de bien des criminels les conduisait en général tous derrière les barreaux, emprisonnement plus ou moins long voire à perpétuité au mieux, plus rarement à l'échafaud, selon les pays !

Ces indices rassérénèrent Valérie car ils ouvraient une porte sur le tangible. Le laboratoire d'analyses de la police romaine avait rapidement déterminé qu'un seul assassin avait commis les deux meurtres et qu'il était… une femme ! La texture et la couleur de sa chevelure, portée longue, ne supportaient aucune contestation. Les éprouvettes définirent aussi qu'elle devait être âgée d'une trentaine d'années environ. Les empreintes relevées n'apportaient rien pour l'instant sur le plan national mais elles étaient en comparaison avec les fichiers internationaux. Une belle avancée en regard du désert désespérément vide des investigations parisiennes. Les recoupements matériellement possibles avec ces résultats mettraient sans doute les fins limiers de son groupe à Paris sur de nouvelles pistes intéressantes en attendant de parader sur la voie de la résolution.

Valérie dit à Silvio en avoir assez vu et ils sortirent prendre un café dans un bistrot proche. Elle écoutait les points détaillés par son collègue italien, livra sa propre approche des crimes perpétrés dans l'enceinte de l'église et avoua son ignorance de corrélation avec l'enquête de Paris. Le seul point commun résidait dans les deux cadavres identiques à l'auriculaire tranché. Désireuse de profiter pleinement de ce répit et pour se remettre de ses émotions, Valérie quémanda une cigarette au tenancier du bar qui lui offrit de bon cœur, non sans flatter son incroyable beauté… à l'italienne. Valérie ne releva pas et même Silvio resta muet à la dithyrambe.

Elle n'avait pas fumer une cigarette depuis maintenant bientôt un mois. La première goulée aspirée sans grand plaisir la grisa et lui fit tourner dangereusement la tête. Elle n'aurait pu se lever à cet instant sans chuter lourdement au sol. Elle resta assise sans bouger, attendant que son cerveau reprenne ses repères en analysant les substances inspirées. Les bouffées suivantes s'accompagnèrent d'un certain plaisir retrouvé et eurent un effet similaire certes mais s'estompant peu à peu. Quand elle écrasa le mégot dans la coupelle en ferraille servant de cendrier, plus aucune nuisance ne trompait son esprit. Elle savait que cette fichue enquête venait de la rendre à nouveau tributaire de la nicotine et de sa dépendance. Elle s'en voulut mais, avant de quitter le bar, acheta un paquet de blondes et un boîte d'allumettes. Addiction quand tu nous tiens…

Ils regagnèrent la voiture garée sur l'esplanade devant l'église. La policière française lança un bref coup d'œil vers l'édifice et les images réapparurent aussitôt, plus sombres, encore plus précises. Elle s'engouffra dans l'*Alfa* sans attendre pour les rejeter et les laisser se redéposer en lie dans le sanctuaire religieux, vestiges de la mémoire des murs séculaires mais évanescence dans les circonvolutions de ses pensées.

La redescente sur le centre ville les obligeait à emprunter la Via Garibaldi, une rue particulièrement sinueuse, bordée d'un côté par un haut talus herbeux et quelques habitations, de l'autre par un parapet de pierres les protégeant du vide. La conduite de Silvio était sèche, sportive. Il aimait rouler vite. Il entreprit leur retour sans se soucier des limitations de vitesse indiquées sur les panneaux jalonnant la voie de circulation. Toute ligne droite, aussi courte fut-elle, était l'occasion d'une vive accélération intempestive presque aussitôt suivie par un freinage agressif pour appréhender le virage serré qui la prolongeait. Santini se régalait ! Il accélérait encore, poussait les rapports, se cabrait sur les pédales. Valérie, fermement agrippée à la poignée au-dessus de la portière, subissait sans broncher. *Il faut bien que les enfants s'amusent !...* Coup de volant, double embrayage pour rétrograder. Elle comprenait en fait ce besoin instinctif pour décompresser, si dangereux fut-il. Santini, c'était la conduite de son *Alfa* ; pour elle, ses virées nocturnes dans les pires lieux de débauche. Chacun son style !

À ce rythme chaotique et saccadé, six virages en lacet avaient suffi pour que le système de freinage saboté ne répondît plus. À la septième courbe serrée, la voiture explosa le parapet dans un fracas effroyable de tôle et bascula dans le vide. Le puissance de l'impact avait projeté violemment les deux occupants en avant. Ils s'étaient écrasés contre les airbags déployés en quelques millisecondes. Pas de douceur à cette rencontre, l'enveloppe des coussins de sécurité avait eu la dureté d'un bon revers en pleine figure ! Les ceintures heureusement bouclées, coupèrent leur respiration, infligeant des douleurs aiguës. Sans pouvoir réagir, maintenus une fraction de seconde en apesanteur dans l'air, ils vinrent se broyer bruyamment dans les jardins en contrebas. Leurs corps bringuebalés en tous sens, avaient heurté avec brutalité les éléments de l'habitacle, sans complaisance. Quand tout prit fin, depuis le cœur de la mécanique mutilée, de faibles plaintes s'élevèrent. Malgré toute la violence de ce vol plané spectaculaire, ils étaient vivants, sérieusement secoués mais vivants !

Quelques badauds s'étaient déjà attroupés sur le bord de la rue, cinq mètres plus haut, plongeant leurs yeux effarés sur cet amas de ferrailles fumantes, à la recherche de quelque survivant.

Les secours intervinrent très rapidement, les uns découpant la carrosserie pour en extraire les occupants, les autres prodiguant leurs premiers soins à travers la carcasse disloquée, sur un tapis de minuscules morceaux de verre brisé. Médecins ainsi qu'infirmiers s'affairèrent un bon moment autour des restes pulvérisés de ce châssis désarticulé, installant les blessés, dès que les secouristes purent les désincarcérer, sur des civières déposées au milieu des planches maraîchères en jachère. Ils n'étaient pas moins d'une dizaine, urgentistes, ambulanciers, pompiers... L'équipe policière, arrivée peu après, éparpilla les spectateurs transis non sans avoir reçu les premiers témoignages. Les policiers notèrent les éléments de ce qui semblait être, de prime abord, un banal accident dû à une vitesse excessive et la perte de contrôle du véhicule. Pourtant, ce qui les intrigua était l'absence de traces de gomme sur la chaussée que le freinage instinctif de tout conducteur à l'approche d'un tel danger n'aurait pas manqué de faire.

Les fourgons de secours emportèrent, toutes sirènes hurlantes, les deux victimes vers le nouvel hôpital *Regina Margherita* tout à côté. Un camion-grue soutira avec peine la voiture de son piège. Elle fut emmenée au garage des services de police pour déterminer les causes réelles de l'accident aux fins de l'enquête. La police romaine allait bientôt faire un constat surprenant qui aurait pu coûter la vie à l'inspecteur italien et son homologue française. Une ouverture d'enquête avait été immédiatement diligentée par le parquet, pour tentative de meurtre avec préméditation.

35

Vincennes
Clinique du Parc

Quand Philip Carlson reprit ses esprits, sans même ouvrir les yeux, il reconnut immédiatement l'atmosphère aseptisée de sa chambre. Ceux qui l'avaient ramené entre ces murs pensaient sans doute qu'il avait échoué, grave erreur car maintenant… il savait ! Sa sortie fortuite avait été une totale réussite, couronnée de succès. Il avait pu glaner les éléments qu'il cherchait, et surtout mettre en évidence ce qu'il craignait. Tout s'inscrivait en faux. Son accident, probablement inventé de toute pièce sans qu'il ne comprît pourtant d'où provenaient ses blessures. Philip Carlson n'était pas sa réelle identité, il avait été nommé ainsi. Il était intimement persuadé qu'il s'agissait d'un nom d'emprunt tout comme sa profession et son employeur devaient faire partie d'un rôle de composition pour le fourvoyer, l'égarer. Pourquoi ? Pourquoi tous ces efforts à lui faire perdre le fil de son existence ? Qui était-il ? Que savait-il ? Quels étaient le contenu et les limites de ses connaissances ?

Alors que son cerveau brumeux récupérait lentement ses fonctions, il dut se résoudre à une évidence : *je ne suis pas seul !…* Juste à ses côtés, deux voix échangeaient en chuchotant. Immobile, il tendit néanmoins l'oreille. Lucie dialoguait avec un homme dont les inclinaisons de voix étaient celles d'une personne plutôt âgée qu'il ne parvenait encore à identifier. Des brouillards consistants encombraient ses méninges, anéantissaient sa logique et la justesse de son discernement. Sérieusement chamboulé par tous ces afflux subits, son corps bougea, imperceptiblement. Les voix se turent aussitôt. Silence abrupt, dense, presque encombrant. Il se sentit observé, épié même, disséqué comme un cadavre à la morgue sur une table d'autopsie. Ne rien faire, surtout ne pas bouger, régler calmement sa respiration. Inerte. Il concentra toute son énergie à affermir ses sens en éveil tout en se relaxant au maximum pour ne pas alerter ceux postés à son chevet. Longue attente. Après une poignée de minutes, le subterfuge fonctionna. Lucie répondait d'un ton très naturel à Toshiaki Yashido, dont il venait de reconnaître le timbre particulier. Ce dernier s'inquiétait :

– Crois-tu qu'il nous entende ?

– Non… il a toujours l'air sérieusement dans les vapes. Avec ce qui lui a été administré, il en a sûrement encore pour quelques bonnes heures.

Carlson était satisfait, il entendait assez clairement les mots, presque intelligiblement les phrases et parvenait à en décrypter le sens général. Si ses deux visiteurs reprenaient leur discussion en toute quiétude, le pensant inconscient, alors peut-être pourrait-il obtenir des informations capitales et se forger une opinion précise sur ces deux personnages ambigus. Il n'avait, à ce jour, pas encore réussi à les cataloguer. De son côté ou contre lui ? Son espoir était qu'à cet instant leurs conversations quittent les banalités pour se concentrer sur des éléments factuels pouvant lui apporter, à défaut de réponses définitives, au moins des pistes exploitables, des axes précis à suivre. Son souhait fut rapidement exaucé.

– Tout est fini pour lui ici ! Nous ne parviendrons jamais à le ramener sur la Voie s'il continue ainsi, sans entendre raison. Il refuse d'intégrer le peu que nous lui divulguons. Il ne cherche qu'à déjouer la trame délivrée, sa fuite en est la preuve.

– Lucie, tu sais comme moi que seul le temps prodiguera réparation… et notre aide.

L'homme alité se focalisa sur son immobilité. Le dialogue prenait maintenant des accents dignes d'intérêt. Il n'était pas temps de bouger ou d'émettre le moindre son.

– À demi-mots, j'ai tenté de lui donner des détails qui avaient jalonnés sa vie, à les raviver avec douceur et parcimonie, pour qu'il ne puisse pas recomposer tout le puzzle de son existence d'un seul coup, ce qui aurait eu l'effet d'un véritable cataclysme dans sa tête. J'ai agi ainsi pour sa sécurité, pour éviter qu'il ne sombre totalement. Par petites touches, j'ai assemblé les morceaux épars de son passé, je les ai superposés et soudés un peu à la manière d'un patchwork pour en faire une unité logique, associer ce qui semblait ne pas pouvoir l'être.

Une douce chaleur pénétra le crâne de Philip. D'où émanait-elle ? Quelle en était l'origine ?

– L'ordre rejaillira du chaos ! Persévérance et patience sont les deux béquilles de sa renaissance. Il suffit d'un battement d'aile de papillon pour générer la tempête, de l'étincelle entre deux silex pour créer le feu apocalyptique... c'est ce qu'il subit aujourd'hui. Mais tout finit toujours par reprendre sa place, celle édictée par la Grande Loi Universelle. Ce chaos lui est salutaire, forge ce qu'il sera demain alors qu'il reprendra la Voie que le Cosmos lui a tracée. Lucie, tu dois outrepasser l'horloge des hommes même si tout te semble se précipiter. Les engrenages cosmiques n'ont que faire de nos pendules... et ce qui doit être, sera !

L'aura du vieil asiatique flottait dans la pièce, chatoyante et généreuse. Philip en percevait la luminescence bénéfique à travers ses paupières closes. L'impétueuse haute sagesse nimbait son âme, l'embrasement refoulait les glaces de son oubli, veilleuse éternelle dans l'immensité transie des territoires ténébreux de son amnésie.

– Quelles ont été ses dernières réactions ? reprit le vieux sage oriental, source de tant de choses.

– Il m'a rabrouée, à chaque fois, arguant qu'il ne s'agissait là que d'élucubrations farfelues, de délires mythomaniaques. Il est resté très fermé à tout ce que j'aie pu lui affirmer, il a même pris depuis peu ses distances. Peut-être n'ai-je pas été assez convaincante ou trop restrictive ou je ne sais quoi d'autre...

La voix de l'infirmière s'était subitement brisée, profondément blessée sans doute qu'il n'ait adhéré à ses paroles. *Mais face à de telles extravagances, comment l'aurait-il pu ? Que et qui croire ? Le Senseï semblait pourtant leur accorder crédit !*

– Apaise-toi Lucie. Tu n'as pas à te faire reproche de ce que tu as tenté. Philip reste pour l'instant solidement attaché au vacarme rassurant du terrestre, son seul repère, mais bientôt, la mélodieuse harmonie céleste guidera ses pas. Sois-en certaine !

Peut-être disait-elle la vérité après tout !... même si les bribes glissées paraissaient tellement folles et irréelles. Jouait-elle une quelconque comédie ? En ce cas, elle était digne d'en recevoir un

Oscar tant elle était éloquente. Mais pourquoi l'aurait-elle jouée à cet instant puisqu'elle échangeait avec Maître Yashido et qu'ils étaient tous deux assurés qu'il était plongé dans l'inconscience. *Quid* alors de cette trame millénaire, de ces secrets cachés, de cet anneau qu'il aurait porté, de ce coffret magique contenant *« Les Tables de l'Humanité »*, de cette légende des Sept Grands Sages sumériens ? Et tout le reste…

Ses lectures avides de volumes soigneusement choisis à la bibliothèque avaient corroboré partie les dires de Lucie. Devait-il pour autant prendre cela pour argent comptant ? N'avait-elle pas eu un jour ces mêmes lectures pour extrapoler une histoire à dormir debout dont elle s'adjugeait un premier rôle imaginaire ? Une fiction dans laquelle maintenant elle l'incluait. Avait-elle toute sa tête ? Ne serait-elle pas plutôt une patiente qu'une infirmière de cet établissement qui s'apparentait bien plus à une unité psychiatrique spécialisée qu'à une clinique conventionnelle ? Avec des gardes omniprésents, des caméras partout, une surveillance permanente, des protocoles médicaux imposés… tout cela ne correspondait pas vraiment à un milieu hospitalier classique.

Jusque-là, Carlson n'avait toujours pas obtenu quelconque réponse palpable. Il accumulait les questions, c'est tout. La seule chose à tirer des révélations de la jeune femme rousse était qu'elles fussent éventuellement véridiques – comment ferait-il alors pour en avoir l'assurance ? – ou bien qu'elle fût un cas psychiatrique interné ici mais doté d'une certaine liberté de mouvement. Il lui faudrait percer ce mystère, sans attendre. De plus, que mettrait en évidence une enquête sur Toshiaki Yashido ?

Sa priorité n'était cependant pas à ces considérations. Les phrases reprenaient leur cours dans le silence feutré. Il redoubla d'attention, bien motivé à posséder un maximum de lumières pour parvenir à éclairer ses nombreuses zones d'ombre résiduelles.

– Tes intentions étaient bonnes… mais la tâche trop ardue. Lui faire recouvrer la mémoire et le raccrocher à une identité, quelconque fut-elle, était un vœu pieux. Assommé par les drogues, comment pourrait-il avoir un raisonnement sain et normal. Seule la confusion gère ses pensées. Ta tentative était vouée à l'échec, chimérique, et la lutte bien inégale. La puissance de la chimie ne peut être contrée par ta seule bienveillance…

– Sans doute as-tu raison, le coupa-t-elle, mais nous n'avons plus de temps. Il sera bientôt trop tard… peut-être est-il d'ailleurs déjà trop tard !

– Vois l'inaltérable ordonnancement cosmique Lucie, nous sommes placés sur le bord de son chemin, tels des jalons. Laisse-le retrouver la trace perdue… et alors nous serons là, lumignons éclairant sa nuit opaque, bien faiblement certes, mais l'invitant à rejoindre le point du jour.

Puis, baissant la voix, il avait murmuré :

– Depuis peu, je tente d'inverser la tendance, d'inhiber un tant soit peu l'action des poisons. Cela ne suffira pas mais devrait lui permettre d'entrevoir ces lumignons que nous venons d'évoquer et donc de réagir. Pour l'instant, hors de toute réalité, que crois-tu que nous soyons à ses yeux ? Qu'ennemis supplémentaires. Cet état de stress provoqué ne peut lui faire admettre ces choses étranges que tu lui as dites pour vraies ou réelles.

– Est-il vraiment indispensable à la poursuite du processus ? trancha Lucie. Le reflet même de son front sans blessure n'a pas interpellé sa conscience.

Elle était en fait modérément convaincue par les arguments du Senseï tant elle s'épouvantait de l'inexorable folle fuite du temps des hommes s'égrenant, sans s'attarder à se préoccuper de celle docile des choses, immuablement équilibrée.

– Ne pouvons-nous pas envisager un autre terme à cette quête, sans lui, sans son concours, plutôt que d'attendre inlassablement sa résurgence ?

Épuisé par ses efforts de concentration et bercé par ces voix chuchotées, Philip sombrait lentement dans un état second. Il entendait toujours les mots mais la construction des phrases devenait un calvaire, leur sens une illusion. Il avait pourtant été question d'Allemagne, d'un incendie, d'un enfant réchappé, un adulte également, d'un médecin fou, de manipulations génétiques, puis, un peu après, plus confusément encore, de l'être Élu, d'un pouvoir incommensurable, d'une Grande Prophétie… Il avait lutté contre ce phénomène d'engourdissement comme un forcené. Il voulait savoir à tout prix mais avait bien été obligé d'admettre que ses forces s'amenuisaient, que son discernement même s'évaporait, inconsistant. Un insurmontable anéantissement s'emparait de lui, cristallisait toute énergie, une pesante chape de plomb à son corps éreinté brisait toute compréhension, court-circuitait tous les fils ténus de son raisonnement.

Dans son for intérieur, l'homme léthargique rageait, inapte. La lassitude et les lourdeurs médicamenteuses hachaient les propos comme une communication téléphonique par manque de réseau. Il lui faudra combler les absences, emplir les vides, recomposer au plus juste ce qu'il captait. En aura-t-il la force ? Ne risquait-il pas de détourner le sens vrai des paroles morcelées qu'il écoutait ?

Sa situation mentale empira encore aux assauts des mots qui émergeaient, fluides et rapides, de la conversation à son chevet, délitée et absconse.

« L'ultime moyen… à contrecarrer l'effacement… c'est cette femme… ses potions mystérieuses… retirée de tout et de tous… sa mémoire… sinon… n'aurons d'autre choix… nous résoudre… le tuer… dans cet état… de toute façon… plus aucune utilité… je m'en chargerai… pour éviter… mort suspecte… accident… aller là-bas… Faisons ainsi… dès demain… »

Et puis, plus rien, seulement un silence tendu et froid frappant les parois osseuses de son crâne, un écho cruel et cynique résonnant dans la vacuité de cette boîte où toute matière semblait avoir disparue ou s'être échappée.

Unique chose encore perceptible, ce magma bouillonnant de colère, incarcéré, impuissant, prisonnier de l'écorce de son volcan irrémédiablement éteint et puis, ce flash… une lueur circulaire vive et nuancée d'or sur la mer étale de ses ténèbres.

Inconscience…

36

Rome
Ospedale Nuovo Regina Margherita

Valérie et Silvio avaient eu une chance inouïe en regard de l'état pitoyable du véhicule d'où ils avaient été désincarcérés et de l'importance de la chute qu'ils avaient subie. Ils étaient fortement commotionnés mais n'avaient à déplorer de trop graves blessures. Valérie, une luxation sévère au poignet droit, ne souffrait d'aucune fracture ni surtout de lésions internes. Le crâne de Silvio, épaule démise et deux côtes fêlées, était ceint d'un gros bandage couvrant des traumatismes sans grande gravité. Ils furent cependant gardés en observation et demandèrent à partager la même chambre afin de poursuivre leur enquête, unique préoccupation à laquelle d'ailleurs était liée leur spectaculaire plongeon. En effet, les hommes de Silvio étaient venus leur rendre visite et avaient fait un topo sur les circonstances de leur sortie de route fortuite. Sabotage du système de freinage de l'Alfa ! Du travail de pro. Quelqu'un avait donc voulu les supprimer ! Qui ? Pourquoi ? Qu'avaient de si gênant leurs investigations ? Quelle vérité se cachait derrière l'évidence de ces meurtres ? Toujours des interrogations supplémentaires alors qu'aucune réponse concrète n'était encore venue solutionner les premières.

La policière française éprouvait maintes douleurs aiguës mais s'estimait plus que chanceuse de la finalité de ces événements. Sa tête fonctionnait, là se trouvait le principal pour pouvoir prolonger son travail. Les raisonnements de Silvio, un peu troubles au début, redevenaient de plus en plus solides et cohérents. Ensemble, ils s'interrogèrent sur qui pouvait bien être à l'origine de ce sabotage, élément crucial dont ils ne parvenaient encore à définir la nature. Quelqu'un, dans l'ombre, était sur leurs basques, surveillait leurs moindres faits et gestes, voulait les arrêter dans leurs recherches. *Qui ?...* Leur enquête dérangeait vraiment beaucoup, à n'en pas douter, ce qui était pour le moins bon signe et rassurant. Il y avait donc matière à enquêter et certainement obtenir bien plus que de simples motifs rationnels pour expliquer ces homicides.

Cloués sur leurs lits d'hôpital, ils s'avouèrent n'avoir que bien peu progressé. Tout restait malheureusement à découvrir dans ce méli-mélo insoluble. Somme toute, ils avaient établi le lien entre les deux cadavres qu'ils avaient sur les bras avec celui d'outre-Atlantique qui désormais appartenait à leur affaire même de façon indirecte. Ils détenaient leurs identités et quelques traces sur leurs origines allemandes. Le filon restait plus que jamais à explorer pour en extraire une certitude. Que révélerait-il ? Par contre, que dire de ce prêtre assassiné, quel rapport avec ces triplés trucidés, que penser du *modus operandi* infligé au religieux... des interrogations, des questions, toujours plus !

Pour selon, les rares réponses glanées et obtenues catalysaient les troupes. Sur le terrain, les hommes besognaient dur avec le peu qu'ils détenaient, sans compter les heures, tant à Paris qu'à Rome. Indéniablement, des solutions viables allaient paraître, sans tarder. Trop d'énergie était monopolisée pour ne pas soutirer le bon tuyau, décrocher la bonne piste, fonder la juste hypothèse.

Les résultats de ce déploiement de forces ne se firent guère attendre. L'après-midi même, deux joyeux lurons de l'équipe de Santini firent irruption dans la chambre. Des infos en provenance d'Allemagne étaient tombées. Valérie les entendait palabrer avec leur chef depuis le cabinet de toilettes où elle se trouvait. Quand elle revint dans la pièce, blouse hospitalière légère sur les épaules, lien défait et largement ouverte dans le dos, les deux hommes frisèrent la syncope en admirant la policière française quasi-nue, laissant à loisir son corps en spectacle de la nuque aux chevilles. Silvio gueula pour la forme, Valérie s'en amusa une nouvelle fois. Incident clos.

Orphelins dès leur naissance, l'enfance des trois Snarck s'était déroulée dans une Institution où ils avaient reçu éducation et scolarité jusqu'en mars 1990, date de leur départ vers le USA avec la famille les ayant adoptés – en attente de renseignements des services américains sur les parents adoptifs. Sur ce complexe médicalisé, bien peu de choses. Moderne, d'excellente réputation, propriété d'un certain Dr Schteub, l'ensemble se divisait en une petite maternité, quelques lits d'hospitalisation d'urgence et un orphelinat où étaient aussi dispensés des bases scolaires niveau primaire ; le tout, parti accidentellement en fumée en décembre 1990. RAS sur le sinistre, les constats techniques avaient attesté d'un départ de feu dans les sous-sols, avarie électrique. Sur les parents biologiques, rien à exploiter, père inconnu, mère décédée juste après son accouchement des suites d'une hémorragie interne non jugulée, certificat de décès délivré, en bonne et due forme. Incinération aux frais de l'État, cendres épandues au jardin des souvenirs. Voie sans issue, ADN inexploitable. Dossier médical volatilisé dans l'incendie. Antécédents de la mère : existence ordinaire après avoir été récupérée par les services sociaux de la ville. Auparavant junkie faisant des passes pour payer ses doses. Elle avait été ramassée en zone artisanale, à moitié nue, une seringue plantée dans un bras avec une petite cuillère à ses côtés. Désintoxication en milieu hospitalier. Une assistante sociale s'était chargée d'elle, l'avait remise d'aplomb, lui avait rendue une vie respectable. Suivi social et médical pendant de nombreuses années pour éviter toute rechute. Un job au sein d'une petite association d'aide aux personnes lui fut confié et depuis, son existence suivait son cours dans une banalité désarmante, sans le moindre faux pas. Sa vie débauchée avait induit chez elle des problèmes de fertilité et c'est tout naturellement, quand elle eut trouvé un compagnon digne de confiance pour partager son quotidien, qu'elle s'était tournée vers la clinique spécialisée de Schluchsee pour palier à son désir d'enfant. Le traitement médical avait largement dépassé toute espérance puisque, quelques semaines plus tard, elle était enceinte de triplés. C'est ce moment que choisit son compagnon pour prendre la tangente sans jamais plus donner de ses nouvelles. Déboussolée, elle avait été prise en charge par un service d'aide de la clinique jusqu'à son accouchement, donnant naissance à trois garçons en parfaite santé. Celle de la mère déclina rapidement pour les rendre orphelins quelques heures plus tard. Funeste destinée pour une famille que le mauvais sort s'était réservée.

À l'écoute de cette narration tragique, Valérie songea à sa bonne étoile. La misère du monde avait cet effet de la regonfler quand son moral s'étiolait au contact de faits négatifs influençant le cours de son existence. Elle s'estimait finalement heureuse de son destin même si les cruelles résurgences d'une enfance dramatique ternissaient passablement son tableau contemporain. Elle gardait peu de souvenirs, des images assez floues de sa prime enfance, plutôt joyeuse et douce, entre une mère aimante et un père peu présent, accaparé par son travail, mais affectueux et généreux. Originaire d'Europe de l'Est, il avait gardé avec la patrie l'ayant vu naître, un filon commercial l'obligeant à de nombreux déplacements pour faire vivre sa famille. C'est après la naissance de son frère, trois ans plus tard, que les choses prirent tout autre tournure. Ses parents se disputaient souvent, il était question de Benjamin, son frère. Elle ne comprenait pas tout ce qui se disait mais elle constatait que son père rejetait cet enfant aussi brun de chevelure et mat de peau que lui pouvait être blond et blanc de teint, comme son épouse et elle-même d'ailleurs. Devenu taciturne et colérique, le paternel avait, peu à peu, sombré dans l'alcool pour décrocher de sa vie sans relief, floué. Sa violence était apparue peu de temps après, à l'aune de sa propension à boire de plus en plus manifeste. Il battait régulièrement son épouse, sous cette emprise alcoolique débridée et quand, à l'orée de l'inconscience, le corps de celle-ci ne réagissait plus, il retournait sa véhémence sur ses deux enfants. Il frappait fort, cognait dur avec tout ce qui lui passait sous la main, sans réserve ni pitié, l'esprit embrumé de vapeurs éthyliques. Son frère et elle avaient reçu tant de coups que Valérie en oublia les instants de bonheur du début de sa vie. Personne dans l'entourage ne réagit, ni la famille, ni le voisinage, tant est si bien qu'un jour, sévèrement rouée de coups, leur mère succomba à une bastonnade pendant qu'eux étaient à l'école. La Brute maquilla le drame en agression de rôdeur avec vol par effraction. Il ne fut pas inquiété, version accréditée. Valérie avait quinze ans, Benjamin un peu plus de douze. Le jeune veuf inscrit son fils en pensionnat, à plusieurs centaines de kilomètres du domicile familial, pour suivre une scolarité que lui-même ne pouvait plus assumer. Valérie, plus âgée et plus autonome, poursuivrait ses études dans le lycée de la ville de province où ils vivaient. Benjamin ne revenait qu'aux vacances trimestrielles et Valérie perdit ostensiblement la connivence avec ce frère de plus en plus distant, jaloux d'une sœur restée avec leur père. Ce n'est que bien plus tard qu'il comprît, dans la confidence d'une soirée de retrouvailles, le véritable calvaire de Valérie. Alors que lui ruminait son abandon à distance, ce vil père avait pris l'habitude de « s'amuser » avec sa jolie fille, presque une femme. De sous-entendus tordus en paroles salaces, de jeux lubriques en attouchements plus appuyés, un jour, n'y résistant plus, esseulé par la mort « injuste » de sa jeune épouse, le rustre pervers transforma sa fille en remplaçante tant pour le maintien de la maison que pour assouvir ses pulsions sexuelles. Le manège dura quatre longues années, interminables, jusqu'à l'admission de Valérie à l'école de police. L'arrestation de son père fut une déchirure profonde pour elle tout aussi bien qu'un soulagement réel. Elle avait depuis énormément de mal à faire la part des choses, à trouver un peu de bien dans la noirceur du mal. L'enfer l'avait frôlée durant près de six années, quatre ans d'incestes et deux d''instruction et de procès. Elle n'avait pas pu, à la barre, regarder ce père destructeur. Son regard lui aurait été insoutenable. Lui la fixa durant toutes les audiences, cherchant sans doute un peu de compréhension ou de compassion. Il restait figé, sans ciller, implorant silencieusement l'impossible pardon. Les magistrats prirent ce signe pour de la provocation, une ultime humiliation supplémentaire à sa pauvre victime. Ils le condamnèrent à douze années de réclusion, n'ayant pu démontrer sa culpabilité dans le décès de son épouse qui avait été soumis à la cour. Une fois condamné et incarcéré, pour son salut, Valérie avait occulté jusqu'à son existence. Le verdict n'avait pas retiré la douleur de la déchirure de sa plaie mais seulement offert la certitude de ne pas le recroiser avant longtemps. La seule chose aujourd'hui dont elle était pleinement consciente et qui l'effrayait par-dessus tout, était sa libération prochaine. Quelle attitude adopter ? Dialogue ou silence ? Indifférence ? Une balle perdue ? Pourquoi pas !…

Sur le délicat sujet de ce drame incestueux, son psy lui avait beaucoup apporté pour la désenliser du glauque bourbier de son adolescence. Elle continuait encore ces séances bimensuelles, plus par habitude que par sensation réelle d'évolution positive. Elle pensait s'être correctement construite malgré ce pan très lugubre de son départ de vie et s'être forgée un caractère suffisamment fort pour surmonter les ignominies dont elle avait souffert. « Ses rapports avec le sexe opposé, qu'ils soient hiérarchiques ou sentimentaux, étaient inhérents de son passé », lui avait indiqué un jour le thérapeute alors que Valérie lui exposait les grandes lignes très singulières de sa vie, tant professionnelle que sentimentale. Il avait même ajouté que sur ce deuxième plan, il ne serait pas étonnant qu'elle refoule au final une homosexualité introvertie dont elle n'avait pas même conscience mais qui était la résultante de ces effroyables viols. Peut-être cette tendance lui apporterait-elle de plus amples satisfactions car non empreinte du miroir de son passé et de la violence relationnelle qu'elle avait établi avec le sexe dit fort. Valérie lui avoua ne pas tout comprendre de son discours. Ses pratiques sexuelles – pour autant qu'elles fussent particulières – étaient pour elle une débauche salutaire, l'assouvissement d'un besoin corporel naturel, un exutoire compulsif. Elle ne les voyait pas autrement, ni porteuses de sentiments, ni exemptes de rapports de force et encore moins révélatrices de bien-être et de bonheur sur le long terme. Elle trouvait inconvenant d'associer sexe et amour dont elle n'avait qu'une très vague et lointaine définition datant de l'époque de sa mère. Puis elle avait conclu violemment : « votre speech de gouine midinette, vous pouvez vous le carrer dans le cul ! C'est que des conneries de tordus pervers vos trucs. Vous me faites chier ! » et avait claqué les talons pour fuir son cabinet. Elle avait mis des mois avant de revenir frapper timidement à la porte du psychiatre. Elle en avait ressenti un tel besoin irrépressible qu'elle avait ravalé sa fierté et son amour propre pour s'y rendre. Sans son écoute, sa vie avait vite basculé dans une fange telle que tout son être avait hurler de désespoir, allumant tous les signaux de survie instinctive. Le thérapeute l'avait accueillie avec déférence et gentillesse, sans faire la moindre allusion à leur dernière séance plutôt musclée. Depuis, elle gardait son impulsivité enfouie au plus profond d'elle et prenait avec sagesse les remarques prodiguées. Elle avait découvert ses besoins et ses limites. Elle bâtissait sa vie sur ces fondations friables, édifiait tant bien que mal la paroi de son existence avec le ciment hasardeux de son passé.

37

Mésopotamie
Contreforts du Zagros

Le sable virevoltait entre les gros rochers, formant des tourbillons de poussière qui s'élevaient vers le ciel. Trois silhouettes sveltes et juvéniles évoluaient dans une danse aérienne rapide, bras armés de bâtons. La vélocité des mouvements et la précision des gestes les rendaient presque irréelles. Leurs pieds nus effleuraient à peine la silice brûlante que déjà les corps légers rebondissaient et créaient des arabesques dans les airs, comme suspendus au-dessus du sol par quelques filins invisibles. Les sabres oniriques fendaient l'air puis s'entrechoquaient dans des claquements secs couvrant le bruissement du tissu froissé de leurs vêtements amples. Dans la densité de cette masse en mouvement perpétuel, une boule de feu apparaissait par intermittence, l'abondante chevelure flamboyante du *Signe*. Cris et rires joyeux emplissaient tout l'espace. Bittati, exilée depuis près de quinze années dans cette région éloignée et parfaitement domptée, regardait, amusée, ses deux beaux enfants et Néferhétépès jouer en se chamaillant dans des affrontements toujours plus complexes et techniques. Face à ses deux garçons pourtant forts et vifs, cette étrange jeune fille si blanche de peau et aux articulations si frêles leur menait bien rude tâche, remportant le combat à chaque fois.

Bittati s'était éprise de cette enfant comme de l'un des siens même si, quand elle l'avait finalement recueillie pour devenir sa mère nourricière, cette très curieuse créature avait totalement chamboulé le cours écrit de son existence. Aujourd'hui, quiconque l'eût approchée ou menacée, aurait subi sa plus véhémente colère et toute la puissance de sa force concentrée à la défendre. Le *Signe* était devenue *sa* fille et le fluide sacré de ses pensées incroyables l'imprégnait.

Peu de temps après leur installation en ce lieu si loin de tout, son amour partagé avec Lugalzaggesi, souvent présent durant d'assez longues périodes, avait implanté dans son ventre une graine de vie. Elle avait accouché le jour où Néferhétépès fît ses premiers pas chancelants dans la grotte, manifestant silencieusement son étonnement à cette liberté déambulatoire nouvelle. Son nouveau-né, Gudea, était un beau garçon, lourd et robuste, vigoureux, dont les cris puissants envahissaient toute la voûte minérale de leur retraite. Puis, plus tard, vinrent Meskaladung et sa sœur Puabi, nourrissons chétifs issus d'une difficile naissance gémellaire qui avait fragilisée toute chance de survie dans cet environnement plutôt hostile. La mort emporta en premier son garçon dans les semaines qui suivirent, puis, Puabi qui n'eût jamais le temps d'atteindre sa première année. Enfin, depuis plus de dix ans maintenant, Abban taquinait ses aînés et agrémentait le repaire de son joyeux caractère aux rires incessants. Ainsi s'était construite cette nouvelle vie, en aparté d'un monde où les choses allaient déjà beaucoup trop vite. Outre le fait d'assumer l'intendance, à laquelle d'ailleurs participaient activement les enfants, Bittati employait des heures entières en récits légendaires et mythiques que lui avait transmis son époux, en apprentissages aux techniques de combat, en astuces de chasse, à la connaissance de la nature environnante, de ses bienfaits et ses dangers. Bien sûr, quand Lugalzaggesi s'installait ici pendant de longues semaines, l'existence redevenait plus facile, plus agréable et la transmission des connaissances, plus précise mais, si souvent seule, elle avait pour autant excellemment bien préparé le *Signe* et donné à ses fils des enseignements similaires. Elle était fière de ce qu'elle avait réalisé et heureuse de cette destinée à laquelle jamais un instant elle n'aurait songé.

Quand Akurgal les rejoignait tous, l'instant devenait magique, véritable parenthèse dans la matérialité du temps. Il reprenait les rênes du savoir à dispenser et l'émerveillement pouvait se lire dans les yeux des enfants aussi bien que dans ceux de Bittati voire de Lugalzaggesi. Il imprimait à l'espace temporel sa sagesse et sa fabuleuse érudition. Ses yeux vifs accaparaient l'auditoire, les intonations de sa voix grave captivaient les esprits. Ses paroles stagnaient comme en apesanteur dans la densité de l'air puis, venaient s'infiltrer aux âmes attentives de ceux qui l'écoutaient, s'inscrivant durablement dans leur mémoire. Akurgal illuminait littéralement l'espace de sa brillante aura. Partout où il était, les choses devenaient différentes, plus évidentes, il rayonnait de la plus sage des lumières. L'égrégore accompagnait sa présence, sans défaut, parfait.

Parallèlement à ces extraordinaires instants savourés, le *Signe* recevait des enseignements particuliers que seuls les deux grands sages étaient aptes à lui conférer. Ils évoquaient alors les Mystères anciens, la trame complexe de la *Grande Connaissance* qui avait perduré à travers les âges, colportée par des générations d'érudits. Alors Néferhétépès s'abreuvait de ces paroles venues du fond des âges, s'attachait à ce qu'elles devinssent l'essence même de sa matière car un jour prochain, bientôt, elle aurait à les transmettre aux descendantes de la *Lignée Divine* dont elle était la genèse. Ainsi se filigranait le Haut Devoir de la Transmission, ainsi se traçait le parcours sinueux de la Connaissance à travers les âges.

Face à tous ces enseignements, Néferhétépès avait avoué son inquiétude à en perdre partie de la teneur au fil du temps. Elle avait fait comprendre au patriarche qu'elle voulait apprendre la science de l'écriture pour retranscrire les nombreux enseignements reçus mais, Akurgal l'avait regardée, bienveillant, et l'avait rassurée en lui annonçant qu'elle n'avait pas à s'inquiéter de la perte d'une quelconque particule. Elle devait simplement vivre pleinement les événements de son existence aux accents de sa liberté de penser et laisser la Grande Sagesse accrochée à son esprit présider tant ses pensées vraies que ses agissements altruistes ; elle reproduirait alors toute la quintessence même de ce qui lui avait été inculqué, elle rayonnerait de la toute Connaissance.

Derrière une marmite léchée par les flammes, Bittati remuait doucement le liquide épais qui cuisait lentement, veillant à ce que la mixture n'attache pas au fond. Son esprit était ailleurs, rêvassait, bercé par les souvenirs de ces dernières années. Elle n'entendit pas arriver l'homme dans son dos et sursauta en lâchant sa cuillère dans le mélange bouillonnant quand il vint poser ses mains sur ses épaules. Elle n'eut aucun autre geste brusque ; ces mains, elle les connaissait que trop bien. Elle fit volte-face, un sourire radieux illuminant son visage tourné vers celui qu'elle aimait tendrement. Lugalzaggesi était là, de retour, face à elle, poussiéreux et serein d'être au terme d'une longue route. Ils s'embrassèrent avec fougue et affection, se caressant les cheveux, leurs doigts glissant sur les pourtours et les sillons que le temps avait dessinés et déposés sur leurs faciès burinés.

Bien plus haut, dans l'arène d'un lutte féroce qui s'y déroulait, un vieil homme apparut. D'une main ferme, il bloqua trois bâtons à l'instant où ceux-ci se touchaient, stoppant la bataille. Il avait choisi de laisser aux époux retrouvés quelques instants privilégiés de complicité et décidé de rejoindre la troupe volubile des enfants. Néferhétépès fut la plus prompte à se jeter dans l'arceau tendre des bras du Grand Sage, bientôt imitée par les deux garçons si bien que toute la troupe roula au sol dans des cris de joie.

– Je vois qu'à vous trois vous savez parfaitement maîtriser tout agresseur ! Vous voilà donc prêts à affronter la vie…

Akurgal était radieux au cœur de cette bousculade malgré son usure qui souffrait de la vivacité des trois adolescents. Les garçons épanchaient leur ravissement à revoir le patriarche dans des éclats tonitruants puis, quand le vieux sage leur confirma également sa présence, ils s'échappèrent au pas de course à la rencontre de leur père. Dans le calme revenu, Néferhétépès manifesta son bonheur à ces retrouvailles, silencieusement bien-sûr mais perceptiblement. Leurs esprits éclairés fusionnaient déjà, la compréhension entre eux était rétablie, intégrale, inaltérable. L'ancien tint à bout de bras cette ravissante jeune fille que le *Signe* était devenue. À près de quinze ans, elle était presque une femme. Son buste nu, mordoré aux accents solaires, offrait des seins ronds, fièrement dressés, un galbe pur, une courbe parfaite. Ses épaules et ses bras, dessinés admirablement, laissaient saillir une musculature généreuse mais effilée, sans lourdeur. Son visage avait gagné en maturité sans perdre la finesse de ses traits originels. Elle était superbe, la beauté incarnée, la perfection, merveilleusement belle. Akurgal l'enlaça amoureusement contre sa poitrine creuse. Elle était la vie, lui représentait déjà l'autre monde, elle était le début du chemin, lui le crépuscule de la voie, elle avait quinze ans, lui approchait d'un siècle ; pourtant à eux deux, ils formaient l'unité la plus admirable qui puisse être en ces terres d'Entre les Fleuves. Ils composaient le cercle vertueux du miracle de la vie en ce bas-monde, tant d'autres choses encore que le commun ne pouvait entrapercevoir.

Main dans la main, le couple atypique descendit en direction de l'esplanade du campement où le quatuor familial ne tarissait pas de ses effusions. Akurgal et Néferhétépès échangèrent un regard implicite, le plaisir d'un tel bonheur ravissait leurs esprits.

Ils optèrent de s'écarter de cette allégresse afin qu'elle profite encore quelques instants à la famille recomposée. Ils jetèrent un ultime coup d'œil enchanté à ces débordements de tendresse et d'amour puis, sans un mot, dévièrent leurs pas à s'évanouir dans le paysage alentour. L'intimité tranquille de cette contrée désertique était la certitude d'une sublime osmose de leurs esprits, ils avaient bien l'intention de la mettre à profit, loin des autres mortels, à réédifier les milliers d'étoiles divines illuminant la voûte céleste de leur temple invisible.

38

Rome, Hôtel Arena
Aeroporto Leonardo Da Vinci – Fiumicino

L'ordre venait de lui être communiqué. Valérie devait rentrer de toute urgence à Paris. L'enquête faisait roue libre, son supérieur voulait qu'elle traîne auprès de ses indics pour tenter de collecter de quoi la faire rebondir un peu et surtout que son instinct ainsi que son dynamisme insufflent à nouveau toute l'énergie nécessaire à remotiver ses troupes. La filière italienne avait porté ses fruits – bien maigre récolte – mais à Paris, ils n'avaient strictement rien qui puisse ouvrir sur une piste à la poursuite du meurtrier de l'homme retrouvé mort dans leur quartier. C'était extrêmement contrariant et fâcheux, les autorités commençaient à voir d'un assez mauvais œil les colonnes des journaux clamer leur incompétence manifeste. Quand les politiciens commençaient à mettre la pression, il était plus que temps de leur apporter indices et faits avérés, histoire de donner du grain à moudre aux journalistes pour qu'ils fichent une paix royale aux politiques lors de leurs déclarations édulcorées et surtout aux enquêteurs dans leurs agissements.

Valérie passa sa dernière soirée avec Silvio, au restaurant de son hôtel, à récapituler l'ensemble des éléments en leur possession afin de tirer au clair et dans les meilleurs délais ces affaires qui semblaient si étroitement liées. Ils n'avaient pas la moindre idée du rapport qui les réunissait mais c'était là, devant leurs yeux, comme une évidence. Il fallait juste mettre le doigt dessus, peut-être en biffant d'ailleurs leur vision globale par trop classique. Après tout, ces enquêtes possédaient des paramètres bien plus étranges que celles qu'ils avaient coutume de croiser. Sans doute fallait-il les appréhender sous un angle plus novateur, moins terre à terre, en considérant des aspects plus ambigus, peut-être plus mystiques.

La piste du prêtre était incommensurablement vide, à croire qu'il n'avait jamais existé avant sa vocation tardive. Pour autant, on l'avait massacré dans un lieu saint, dans la maison de son Dieu. Fallait-il piocher plus profondément la filière religieuse ? Leurs premières investigations en ce sens s'étaient heurtées au mutisme des grands pontifes. Ils avaient éludé les questions arguant des balivernes dont les policiers n'étaient pas dupes. Que faire face à cet univers embrigadé où les bouches restaient irrémédiablement closes, les langues désespérément immobiles. Une chose demeurait primordiale, trouver le lien rationnel entre l'ecclésiastique et le ou les *Snarck*, si tant est qu'il en existât un. De plus, fouiller méticuleusement le passé de cet homme d'église apporterait assurément une partie de la solution à cette équation curieusement insoluble. Il était impensable qu'ils n'en retrouvent la moindre trace antérieurement à son entrée dans les ordres.

En outre, déterminer la logique de ces amputations digitales revêtait également une perspective impérative. Chaque victime s'était faite trancher un doigt ! Il devait bien y avoir une raison à cela. Que ce soit à Paris comme sur les deux cadavres de Rome ou encore celui des États-Unis ; tous avaient été amputés de leur auriculaire. Que devaient-ils en conclure ? Fétichisme halluciné ou bien signature. Était-ce un brouillage de pistes, une diversion pour masquer autre chose de bien plus important ? En l'état, ils n'en savaient strictement rien et n'avaient que des événements factuels qui rapprochaient leurs enquêtes, des indices similaires, des modes opératoires que les analogies faisaient converger. C'était tout, rien de plus, toujours rien de concret, rien en fait.

Restaient les preuves matérielles, ces empreintes identiques sur les scènes de crime de Rome et Miami, ces longs cheveux roux qui appartenaient à la même personne, une femme d'une trentaine d'années. *Quid* de son identité ? Toutes les recherches s'étaient soldées muettes sur le sujet. Même si à Paris le théâtre du meurtre était plus que pollué maintenant, l'équipe de Valérie devait tout retourner pour trouver un tout petit indice qui déterminerait que là aussi le meurtrier pouvait être la même personne… Mauvaise pioche ! se dit la policière française, les meurtres de Paris et Rome avaient eu lieu à peu près à la même heure, le même soir. Il existait donc au moins deux meurtriers mais avec un mode opératoire similaire. Un plagiaire ? L'idée de cette caste bizarre, de ce groupe de fêlés, était-elle valide ? Les faits en tous cas corroboraient cette version à Rome et Miami. Pour Paris, à voir... quoi qu'il en soit, leurs équipes allaient devoir se pencher sur ce cartel mystérieux, en décortiquer les articulations, en disséquer les membres ; faire une autopsie rigoureuse de ce corps impénétrable.

Quand ils eurent fini de dîner, Silvio prit rapidement congé pour éviter le piège des déboires de leur précédente soirée un peu trop arrosée qui s'était terminée le lendemain au fond d'un ravin. Avant de la quitter, il lui promis de l'emmener à l'aéroport LDV de Fiumicino, à quelques kilomètres de la ville. Le décollage de son avion n'était prévu qu'au matin à 10h40 mais déjà le stress de Valérie reparaissait, doigts répugnants triturant ses viscères. Il ne pouvait l'abandonner dans cet état.

Dans le biréacteur, la policière somnolait lourdement. Silvio, attentif et prévenant, avant qu'elle n'entre en salle d'embarquement, lui avait tendu une plaquette d'anxiolytiques. Après l'avoir salué, Valérie s'était rendue à un distributeur de boissons et avait avalé trois cachets à grandes rasades de soda. *Mieux vaut prévenir que subir !...* Elle ne se doutait pas de la puissance du produit actif et s'était retrouvée semi-consciente dans l'avion, sans savoir qui l'eût faite monter à bord, ni même comment.

Il était près de midi et la descente sur la capitale française la tirait doucement de sa torpeur. Son premier regard fut pour l'extérieur et elle sentit immédiatement le malaise s'insinuer en elle de façon vertigineuse. Elle quitta vite sa vision nauséeuse à travers le hublot pour fixer son attention sur l'intérieur de la carlingue. À quelque distance, face à elle, par delà ses brumes chimiques, un minois apaisant, calme et serein, observait son mal-être en s'en amusant, coudes appuyés sur le dossier du siège. Elle rendit un sourire timide à la propriétaire de cette apparition rassurante puis tourna la tête vers l'avant du fuselage où s'affairaient les hôtesses, tout à leur besogne, avant l'atterrissage de l'avion. Son cerveau mit quelques longues secondes avant de se reconnecter. Au cœur de sa mémoire embrumée d'ouates artificielles, un signal clignotait. La physionomie de cette émergence radieuse ne lui était pas inconnue. Brusquement, elle relança son regard vers celle qui lui avait souri mais la frimousse joviale n'était plus là ! Elle ne vit qu'une masse rousse impressionnante dodelinant frénétiquement au rythme d'une musique distillée par des écouteurs. Valérie était persuadée d'avoir déjà vu ce visage… mais où ? Elle pestait d'avoir ingurgité ces saloperies de drogues qui troublaient la réactivité de son cerveau. Elle se savait excellente physionomiste et ne comprenait pas qu'à cet instant précis, en attente d'une réponse immédiate, son esprit flotte et erre dans des égarements inappropriées. Les minutes qui suivirent la mirent en rage de ne pas placer ce faciès, pourtant singulier, dans un quelconque contexte. Plus elle cherchait et moins évidente devenait la réponse. Sa cervelle grillée vagabondait dans de curieuses altérations, sans aucune relation logique avec l'objet de sa sollicitation. Cet état de fait avait l'art de l'horripiler au plus haut point. Elle se leva d'un bond, sans s'être rendue compte que l'appareil avait touché le sol et s'était avancé jusqu'à l'aérogare. Elle joua des coudes, tenta de rejoindre la jeune femme un peu plus loin dans le couloir central mais n'y parvint, chahutée par la cohue que produit la précipitation des humains à s'extraire d'un avion dès son arrivée. Dépitée, elle vit s'éloigner promptement la svelte silhouette convoitée, gardant espoir de la retrouver dans les galeries ou les salles de l'aéroport. Ce ne fut pas le cas. Quand elle put enfin repérer la jolie inconnue, celle-ci grimpait à l'arrière du taxi en tête de file qui attendait les passagers par delà les portes vitrées. La voiture démarra tranquillement et c'est à ce moment là que la rouquine tourna la tête dans sa direction, tout en s'éloignant dans la circulation dense des abords de l'aéroport. Alors seulement le cerveau de Valérie identifia cette étrangère… elle était la jeune femme du restaurant de Rome *Chez Milo* où elle avait déjeuné avec l'inspecteur Silvio Santini. Celle qui s'était précipitée avec frénésie hors de l'établissement comme piquée par un insecte au dard mortel. Elle l'avait fixée intensément avant de la voir s'enfuir dans la confusion et disparaître dans le dédale des rues piétonnes de la cité romaine.

Curieux hasard, se dit-elle intérieurement, la vie place parfois sur notre chemin tant de bizarreries…

39

Vincennes
Clinique du Parc

Depuis son périple nocturne dans le parc de la clinique, Philip Carlson était taciturne. Il cherchait en permanence à s'isoler, évitait les échanges avec tous, en particulier Lucie et Maître Yashido qui s'étaient révélés bien hostiles à la conclusion de leur conversation espionnée à son chevet. Avait-il bien saisi le sens de leurs propos ? Ne faisait-il pas fausse route à leur encontre ? Ils avaient jusqu'à présent été les seuls à porter un quelconque intérêt à sa personne, à lui transmettre des informations qui ne convergeaient pas avec la trame préfabriquée des autres, les belligérants de cet établissement obscur, ces adversaires s'astreignant à l'emporter où ils en avaient décidé, vers un néant lisse et plat. Dans quel but ? Cela lui restait toujours un mystère à découvrir…

Il se surprit de tels raisonnements au saut du lit. À contrario de ses autres réveils plus que nébuleux, ce matin il se sentait en pleine forme, l'esprit clair. D'où provenait cette clairvoyance, cette restructuration cohérente de son esprit ? Guérison inopinée pour le moins miraculeuse ou n'étaient-ce pas plutôt ces produits instillés la nuit dont il avait cru comprendre, dans son état semi-comateux, que le vieil homme asiatique les remplaçait par une solution de sa fabrication afin qu'il recouvre toute sa tête ? Il garda cette pensée positive dans un recoin de son cerveau mais refusa de baisser la garde vis à vis de ces deux-là. Les derniers jours lui avaient appris la méfiance. Il devait se maintenir vigilant à toute action, fut-elle bienveillante, car ce n'était peut-être qu'un piège supplémentaire tendu pour brouiller toujours un peu plus son discernement.

L'isolement dans lequel il s'enfermait ne fit que conforter son opinion sur les manipulations dont il était l'objet. Maintenant qu'il se refusait à parler avec Lucie, il n'avait plus personne finalement à qui se confier, avec qui partager le malaise qui l'étreignait un peu plus chaque jour. La situation lui devenait insupportable. La seule solution était de fuir cet univers perverti duquel il n'avait réussi à soutirer les éléments pouvant le remettre sur les rails de son passé. Mieux valait quitter ce navire fantôme qui chavirait dangereusement plutôt que de persister à l'écoper inlassablement ou tenter d'en boucher les accrocs fissurant sa coque. Il fallait faire table rase, repartir de zéro malgré l'immensité du pan écroulé de son édifice, se recréer une existence, bon gré mal gré, avec le peu de matière qu'il détenait et… compter sur sa bonne étoile.

La clarté et la qualité de ses jugements l'enjoignirent à placer Lucie et Yashido dans la catégorie des personnes altruistes à son égard. Sa lucidité retrouvée était probablement de leur fait, autant qu'ils en soient bénéficiaires. Outre le canevas de leurs histoires abracadabrantesques lui étant d'évidence farfelues, rien n'attestait qu'ils lui veuillent en définitive du mal, tout au plus souhaitaient-ils l'entraîner ostensiblement dans leur récit démentiel. Il était temps d'en avoir le cœur net ! La poursuite logique de sa réflexion l'entraîna dans les couloirs de la clinique, en chasse de la jeune infirmière. Sa tête remuait un tel flot de considérations éparses voulant s'ordonner qu'il devait en échanger avec elle et éprouver ses réponses. *Uniquement altruiste ou altruiste et folle ?* À sa quête infructueuse, il fut répondu qu'exceptionnellement Lucie était absente jusqu'au lendemain soir. Un détour par le dojo ne lui apporta pas plus de succès, Maître Yashido était parti au petit matin en déplacement pour deux semaines. Était-ce là un signe à comprendre ? À ne pas négliger ? Les deux seules personnes à qui il venait d'accorder une confiance relative s'étaient éclipsées de ce lieu, subitement et concomitamment, alors qu'il les avait côtoyées ici chaque jour sans aucune exception. Une idée se forgea dans son esprit, il la peaufinerait au cours de la promenade qu'il s'était promise de faire, dans le bois de Vincennes, l'après-midi même.

De ses déplacements matinaux, il remarqua le resserrement de l'étau autour de ses moindres agissements. En permanence, partout où le menaient ses pas, une tête passait furtivement l'embrasure d'une porte, il croisait un agent de sécurité ou d'entretien égaré… même le directeur Levallois semblait avoir décidé de visiter les recoins de son hôpital, d'une démarche nonchalante mais l'œil vif et scrutateur, alors que lui s'y trouvait juste ! Bref, à chaque instant et chacun de ses mouvements, un membre de cette étrange clinique était sur son dos, proche à le surveiller, analysant le moindre de ses faits et gestes. Cette attitude ambiguë ne présageait rien de bon quant à son éventuelle liberté d'action ni aux aspirations qui se matérialisaient peu à peu dans son crâne. Que dire de surcroît de sa liberté à penser, cette matinée en attestait, toutes les conversations étaient judicieusement ramenées sur le fin maillage qui lui avait été construit minutieusement, à défaut de pouvoir exposer son propre ressenti et ses convictions profondes. Perversion mentale…

Il choisit une salle de repos pour faire le point sur la situation. À peine fut-il posé sur un transat qu'une aide-soignante, gobelet de café en main, vint s'installer à une table proche avec un magazine. Par intermittence, elle lançait vers lui ses petits yeux inquisiteurs. Il ignora sa présence, son esprit était à la synthèse. Il lui fallait relativiser les propos invraisemblables de Lucie, tenter d'en faire une cohérence d'autant qu'elle les avait intensément martelés pour qu'il les assimile comme bien réels et faisant corps avec sa vie antérieure. Elle avait pesamment insisté sur cet intriguant anneau-clef dont il aurait été le porteur, sans en avoir aucune souvenance, jusqu'à son soit-disant accident tout aussi confus. Preuve en était, les stigmates qui ceignaient son auriculaire droit. Il avait en effet constaté huit cicatrices embrunies entourant son doigt avec une régularité étonnante mais, face à ces élucubrations, son esprit avait préféré y trouver une cause plus pragmatique. Aujourd'hui, palpant sa phalange, il était beaucoup plus partagé. S'il devait admettre le fait d'avoir été le porteur de cet anneau, restait à en comprendre le sens, l'utilité et surtout comment il en avait été défait. Où était-il désormais puisqu'il représentait autant d'importance ? Lucie était alors repartie dans ses divagations les plus folles, affirmant qu'un nouveau porteur allait être investi mais ne serait qu'un leurre, une diversion pour remettre la main sur le coffret volé par un groupe rival non-initié… bref, lui seul était l'ultime porteur de cet anneau et revêtait une importance déterminante dans la révélation de secrets millénaires. L'attendaient, à cela, des fonctions et des événements tout aussi rocambolesques que le début de la fable. Il chassa ce synopsis hallucinatoire ; si quelque véracité se cachait derrière ces paroles équivoques, alors il verrait bien, apocalypse ou pas, secrets ou non.

L'aide-soignante espionne fut bientôt remplacée par un vigile accompagné d'un médecin, très absorbés par une discussion sur la météo. Ils s'installèrent négligemment dans un angle opposé de la pièce. Quelle discrétion !... s'en amusa l'homme épié.

Sans faire cas de ces deux nouveaux arrivants, Philip Carlson poursuivit sa cogitation. Une chose restait ancrée à son esprit, cet autre récit, beaucoup plus sombre et moins délirant, sur l'accident incandescent de ses origines. La piste était assurément plus réelle que la folle chimère prenant sa source aux rivages du Tigre et de l'Euphrate. L'Allemagne n'était qu'à quelques heures... pourquoi pas ! Peut-être verrait-il ressurgir ses souvenirs, y trouverait-il une empreinte de son passé. *C'est par là qu'il commencerait !* Rester entre les murs de cette geôle mentale ne lui apporterait plus rien, surtout en l'absence de Lucie et du vieux Senseï.

Il se leva, imité par la blouse blanche qui semblait subitement empressée de filer par le couloir qu'il venait d'emprunter, appelée à quelque tâche fantôme. Le médecin ânonnait un discours décousu mais rien de sa pseudo conversation ne donnait l'illusion, pas plus que son allure s'adaptant au déplacement volontairement erratique de Carlson. Ce dernier n'était pas dupe, ceux-ci étaient vraiment des amateurs, de piètres comédiens... incontestablement, d'autres seront à affronter, bien plus avisés donc plus dangereux.

De retour dans sa chambre, Philip fit quelques préparatifs sommaires en vue de sa sortie de l'après-midi. Sac à dos léger, le strict indispensable fourré dedans, le reste n'était qu'illusion. Son instinct lui confirma sa sage décision. Cela faisait des décennies que lui étaient dictées et imposées ses plus infimes pensées, ses moindres actions... pour ne pas même s'en souvenir aujourd'hui ! Il était plus que temps de reprendre les rênes de sa vie, de redevenir capitaine de sa destinée. Allongé sur son lit, il s'appliqua à trier et ranger avec méthode les informations reçues et collectées dans sa mémoire, comme l'eut fait un quincaillier d'une multitude de références devant rejoindre leur tiroir spécifique savamment étiqueté afin de les retrouver aisément, sans perte de temps.

40

Vincennes, Clinique du Parc
Automne 2008, peu après l'initiation de W. Snarck

Dans les couloirs des étages de la Clinique du Parc, une ombre furtive à la crinière flamboyante avançait à pas pressés. Sa tête virait de droite et de gauche, se retournait régulièrement afin de s'assurer de n'être vue. Une angoisse poignante lui enserrait les viscères, cruelle, à la limite de la nausée, filandreuse. Elle obliqua sur la droite, laissa les portes coulissantes de l'ascenseur et plongea dans les escaliers. Ses talons plats claquaient sur la maçonnerie des marches. Se voulant la plus discrète possible, elle pesta son choix de chaussures. *Idiote, tu ne pouvais pas mettre des baskets !* Trop tard, pas le temps de faire demi-tour, les dés étaient jetés. Elle savait que si elle rejoignait sa chambre maintenant, elle aurait perdu tout courage, toute force pour aller jusqu'au bout de son projet. Premier étage, rez-de-chaussée, sous-sol. En bridant sa course, la cavalcade s'était faite plus silencieuse. Parvenue au niveau souhaité, elle glissa son visage par l'entrebâillement de la porte. Personne ! La faible lumière, tamisée, créait une dualité fantomatique dans un jeu d'ombres et de pâle clarté. Elle frémit. Que cachait ces alvéoles nébuleuses, ces angles ténébreux ? À pas feutrés, longitudinalement, elle traversa tout le bâtiment. Quelques dizaines de mètres terrifiants, sans fin, où le moindre cliquetis prenait de dantesques proportions, chaque craquement devenait un effroyable vacarme, tout souffle s'avérait monstrueuse tempête. Parcours pétrifiant dans un boyau de pénombre exacerbée. Frayeur viscérale, panique irraisonnée. Arrivée devant une porte blindée terne, elle expira bruyamment la réussite d'être au terme de son expédition. Elle s'épongea le front, tenta de calmer son pouls affolé. Court sursis. *Vite ! On vient...* 3579, code sur le boîtier encastré dans la paroi. Déclic, la clenche électrique venait de libérer le pêne. Elle se précipita par l'ouverture et repoussa l'huis derrière elle. Ténèbres froides et vénéneuses, un poison glacial s'infiltrant par tous les pores de sa peau. Son corps tremblait, pris dans une transe irrépressible. Elle chercha à tempérer, à refouler sa terreur insidieuse mais, les pas martelaient le béton du corridor pour stopper juste devant la porte qu'elle venait de franchir. Elle se saisit d'une barre de fer dénichée en tâtonnant dans la nébulosité. Des chuchotements, un bruit de clefs, des plaisanteries étouffées, le chambardement de chariots, seaux, balais, l'équipe de nettoyage prenait ses quartiers. Son soulagement lui tira des larmes, à bout de nerf, coup de fouet sec dans l'immobilité transie. Les employés à l'entretien s'éloignaient dans leur rumeur matérielle, déjà presque inaudible. La femme fouilla la paroi en quête de l'interrupteur mais finalement y renonça. Le rai lumineux, dans l'interstice sous la porte, pouvait la faire repérer. Elle extirpa alors de sa poche son smartphone et en actionna la fonction torche. Sous ses yeux, tout un foutoir d'objets hétéroclites qu'elle connaissait bien. Elle avait pénétré l'endroit où s'entreposaient tous les artifices symboliques nécessaires au bon déroulement des cérémonies de la société. Préposée à la mise en place de ce matériel, ni le code d'accès ni les accessoires ne lui étaient étrangers. Restait à mettre la main sur ce qu'elle était venue quérir et qui sommeillait dans le coffre scellé au mur de la crypte. D'entre les vieilles pierres, une ouverture ogivale offrait un étroit passage protégé d'une lourde grille altérée de rouille. À droite de cette gardienne austère, dans le joint entre deux blocs de granit, un pavé tactile. Au-delà de la herse, au fond de ces ténèbres épaisses, six diodes dispensaient un faible halo surnaturel. Si l'antre datait du XIIe siècle, sa protection était plus moderne. Du sac à dos dont les bretelles creusaient ses épaules, l'exploratrice sortit le matériel *ad hoc* à outrepasser ce premier obstacle. Le scanner ultra sophistiqué annihila le système d'alarme en une poignée de secondes. La serrure antique, grippée, fut beaucoup plus récalcitrante. Entre ses doigts agiles, la femme faisait danser des tiges courbes en les enfonçant plus ou moins profondément dans l'orifice destiné à la clef. Plusieurs minutes et la ferronnerie abandonna sa résistance livrant le franchissement du goulet. La solide grille grinça sur ses gonds érodés, cri de souffrance dans la stabilité du silence. Trois courtes marches de guingois, glissantes et moussues, sol en terre, légèrement spongieux, elle était à pied d'œuvre. Elle traversa la petite chapelle d'où s'échappaient des galeries. *Les catacombes !* Un relent de moisi s'invita à la voûte de son palais, olfaction âpre puis, un tremblement incontrôlable la saisit. Elle s'ébroua, rejeta ses émotions, avança jusqu'au coffre et posa son sac sur une dalle de ciment supportant une armoire d'archives. Le nœud du problème s'offrait à son regard. Il fallait percer les secrets du complexe verrou digital qui alignait ses diodes au-dessus d'un cadran éteint, sans vie. Rien d'autre n'avait d'importance. Le scanner à connexion magnétique apposé sur le clavier numérique émit immédiatement son bip sonore caractéristique. La puce électronique était identifiée. *Du matériel de pro !* Court instant d'attente pour que l'appareil l'avertisse de la mise à disposition du logiciel expert de déchiffrement. Nouveau bip. Un doigt manucuré à l'ongle parfait appuya la touche « enter ». Cryptage informatique de la liaison matérielle, hameçonnage, envoi de données garantissant le déblocage permanent du système de sûreté de la fermeture à code pendant toute l'opération aléatoire d'investigation. Double bip. Appui long sur la touche « search », oreilles tendues, aux aguets, sens en alerte, appréhension sous-jacente, yeux rivés sur le petit écran rétroéclairé qui affichait : « contrôle de sécurité ». Soupir d'impatience. « analyse en cours ». Intestins noués, sudation excessive. Signal sonore : « protocole lancé », la pression subitement retomba. La femme rousse fit quelques rotations lentes de la tête pour dénouer sa nuque contractée. L'écran indiquait maintenant « processus en cours ». Sur la porte du coffre, l'alignement des six voyants rouges fixes crispait de nouveau l'opératrice dont la nervosité était remontée d'un cran puis, le cadran s'éclaira, pâle, étalant six croix suivies d'un pavé scintillant où bientôt elle visualiserait la combinaison d'ouverture, du moins l'espérait-elle. Une première diode clignota, rouge. Sur le scanner : « XXXXXX-0 – résultat en attente – temps estimé : 14 min ». Instinctivement, ses dents rognèrent l'ongle de son index puis de son majeur. Adieu jolies mains manucurées, beaux ongles aux ogives idéales. Trop de stress, trop d'attente. Un deuxième point rouge émit sa lumière par intermittence presque aussitôt suivit d'un troisième. L'espion informatique progressait, mais avec lenteur… Coup d'œil à sa montre-bracelet, non pour considérer l'heure mais pour fixer, épouvantée, la trotteuse égrener la fuite inexorable du temps, seconde après seconde. Un premier voyant vert vint enfin remplacer l'écarlate angoissant. Cinq autres, rubescents, clignaient avec une constance désarmante, sans pitié. Écran du scanner : « X3XXXX-0 – résultat en attente – temps estimé : 11 min ». La femme laissa son dos trempé de sueur glisser le long du flanc de l'armoire métallique pour tomber, dans un chuintement moite, assise au sol, affreusement bousculée. Là, elle entreprit de saccager l'ongle de son pouce droit puis de l'annulaire pour finir par l'auriculaire. Main droite dévastée, main gauche convoitée, elle n'osait plus scruter l'état d'avancement de la procédure. Pourtant, le vert s'était équilibré au carmin, la puissance du logiciel était étonnante, fiable, moins certes que le programme de destruction massive de ses griffes manucurées mais tout de même. Quand elle se résolut à quitter l'étreinte de ses ravages internes, une quatrième diode venait de tourner au vert. Elle s'intéressa subitement à son besogneux petit appareil : « 73X56X-0 – résultat en attente – temps estimé : 05 min ». Incroyable, elle n'avait rien vu du temps qui s'écoulait et sous-estimé son bijou investigateur. Au loin, dans le couloir froid, des pas approchaient. L'équipe d'entretien devait avoir fini son labeur. « 73X561-0 – résultat en attente – temps estimé : 02 min ». Un rictus de satisfaction décrispa ses traits irrités, doucement son corps se délassa. 2 minutes, plus que deux petites minutes avant la réussite totale… Quatre fragiles notes ouatées vinrent dissoner l'accord parfait qui s'instillait en elle et mirent sa vigilance en éveil. Ce ne fut pourtant que le déclenchement du pêne de la porte qui l'alerta. Quelqu'un entrait dans la salle ! Il en était fini d'elle, de ses projets, de sa quête, des secrets millénaires. Elle recula prestement derrière la volumineuse armoire où elle était adossée en observant avec désolation la faible lueur dissipée par son appareillage. Demain, elle serait morte ! Sûr ! Comment ne pas remarquer cette fragile luminescence dans l'obscurité totale. Avec amertume, elle étira son bras dans une ultime tentative de sauvetage. Son doigt tremblant, meurtri des maltraitances infligées, vint effleurer le clavier du scanner pendant que son regard flou et triste, empli des larmes de la colère, décortiquait les inscriptions : « 73X561-0 – résultat en attente – temps estimé : 16 sec ». Dans un effort extrême, elle s'obligea à enfoncer la touche « off ». À cet instant précis, la lumière crue des néons illumina toute la salle jusque dans la crypte. Elle sanglota en silence, terrée dans son refuge. Elle aurait hurlé si elle avait pu… seize ultimes secondes…

Depuis le couloir, une voix interpellait l'intruse :

– Il n'est pas dans cette pièce, je te dis ! Il a été mis en salle de projection après la dernière initiation…

– Ah oui, c'est vrai, tu as raison…

La noirceur retomba aussi rapidement que la lumière avait violemment investi le lieu. Pénombre intégrale, silence presque irréel, crissement des semelles évaporé. Elle était à nouveau seule, désemparée, à fustiger dans son for intérieure la gourde venue interrompre son décryptage. Hystérique, elle frappa de toutes ses forces le flanc en tôle. Carcasse cabossée, poings endoloris. Elle n'en pouvait plus, avait des envies de meurtre, d'automutilation, de tout abandonner, de jeter l'éponge, les gants, de passer à autre chose, tout était à recommencer ! Tremblante de rage, elle relança la procédure, ciclant dans sa gorge nouée une vive douleur qu'il lui fallait impérativement évacuer. Imperturbable, le scanner relancé indiqua : « contrôle de sécurité », « analyse en cours », puis, signal sonore : « protocole lancé ». La femme s'admonestait d'avoir arrêté la procédure car personne n'aurait finalement rien vu. Elle se sermonnait de ne pas être certaine de l'ordre des chiffres de la combinaison. Si elle les avait entrés manuellement, elle aurait gagner un quart heure d'angoisse. Pourquoi cette foutue machine *high-tech* n'était pas capable de conserver en mémoire ces chiffres décodés – plus attentive, elle-même l'aurait pu ! - et qu'il faille recommencer l'intégralité de cet insupportable processus ?

Technologie à déchiffrement aléatoire…

Elle était folle d'une rage bien difficile à contenir mais finit par se soumettre à la technologie de pointe. À la vue de son état, les nerfs à vif, si prête à l'implosion, et compte-tenu du doute pernicieux qui subsistait sur l'ordonnancement des chiffres, elle préféra rallier l'abominable et dévastatrice attente. Le dos appuyé contre l'armoire, elle se promit patience.

Trois minuscules minutes suffirent à ce qu'elle désintègre la totalité des ongles de sa main gauche contre treize interminables minutes à l'outil électronique pour afficher docilement, après trois courts signaux sonores, la combinaison décodée du coffre-fort tant attendue : « 734561-K ». L'ingénierie de pointe venait d'anéantir la technologie désuète, déjà obsolète. Évolution intergénérationnelle foudroyante, Darwinisme électronique exponentiel !

41

Paris 10e arrondissement, rue de l'Échiquier
Appartement de Beth O'Neill

Dans le petit appartement sous les toits qu'elle avait acquis en secret, Beth O'Neill s'installa sommairement. Situé au cinquième étage sans ascenseur d'un immeuble des plus ordinaires, il était l'endroit idéal pour se fondre dans la masse et devenir invisible à Paris. Il était avant tout son havre paisible accroché aux cieux, lui permettant de se ressourcer, loin des contingences de la rigoureuse faction des « Sumériennes Antiques », des exactions commandées et des missions exigées. Il était sa coquille, sa carapace, son île déserte, il était son *chez elle*. Confortablement équipé et joliment décoré avec simplicité mais goût, l'appartement ne souffrait pas la comparaison d'avec la chambre d'hôtel qu'elle venait de rendre. Ici, les meubles s'accordaient, les coloris s'assortissaient, les tissus rendaient communion et intimité feutrée, sans ostentation.

Heureuse d'être là malgré une réelle contrariété sous-jacente, elle posa son sac de sport dans la chambre sans même prendre le temps d'en ranger les affaires dans l'armoire. Elle se dirigea vers le coin cuisine typiquement parisien – un placard exigu dans lequel traînaient un petit évier sous une lucarne et un réchaud à deux feux gaz posé sur une tablette – et se versa un grand verre d'eau au goût chloré fort prononcé. Elle pénétra ensuite dans le salon jouxtant la kitchenette, s'affala sur le canapé et alluma le téléviseur dans l'attente des inévitables nouvelles instructions. Ni les images ni les informations n'accaparaient son esprit, elle ressassait les détails de la mission à laquelle elle venait d'échouer et songeait à celle qui, immanquablement, l'attendait, inhérente à cet échec surnaturel.

Cette capitaine de police la fascinait – hormis le fait qu'elle fut très belle, ce qui la troublait quelque peu, elle en convint – elle avait su déjouer, par le truchement d'une grâce divine, les pièges qu'elle lui avait tendus. Elle était ressortie indemne de cet accident spectaculaire qu'elle avait pourtant orchestré avec minutie. Elle n'avait pas non plus sombré dans une déprime post-traumatique, bien au contraire, elle avait réagi avec caractère et énergie. Cette policière était une vraie guerrière, comme elle, et n'abandonnerait pas le combat sans avoir terrassé son ennemi. Elle se jetterait dans la bataille à corps perdu, jusqu'au bout voire au détriment de sa propre vie. Cet idéal lui plaisait, cette notion d'absolutisme lui convenait, la conjugaison des deux la magnétisait !

Elle était tout à ces pensées quand son téléphone vibra dans la poche de son pantalon de flanelle grège. Elle l'y retira et prit la communication, les instructions arrivaient. Elle écouta tout d'abord avec attention puis ses yeux s'arrondirent de stupeur aux propos de son interlocutrice. Elle voulut donner son avis, argumenter, arguer le fait que… mais, à l'autre bout du « fil », on lui coupa sèchement la parole et lui intima l'ordre formel de se conformer à ce que l'on attendait d'elle ; elle n'était pas là pour réfléchir mais exécuter ! Une fois la ligne raccrochée, elle resta un long moment troublée par ce qu'elle venait d'entendre, ne comprenant pas ce changement subit dans la manière d'opérer. Quel nécessité de recourir à de tels procédés vue la conclusion qui en résulterait. Ce n'était pas tant l'idée en elle-même qui lui disconvenait mais bien plus l'entremise de sa propre personne, le jeu auquel elle allait devoir s'adonner pour surprendre sa victime jusque dans ses retranchements les plus absolus… avant de la supprimer. Cela sortait complètement des convenances habituelles où il leur était demandé une discrétion totale, une quasi-invisibilité dans l'action, un anonymat parfait.

Beth O'Neill mit un temps certain à reprendre pied puis, décida d'aller déambuler dans les rues de Paris pour mettre au point son macabre stratagème. Elle revêtit une tenue de sport confortable. Quelques heures d'un jogging soutenu dissiperaient ses contrariétés. Une pluie fine et froide dégringolait d'un ciel gris clair, presque bleuté, laissant présager d'une accalmie prochaine, peut-être même d'un timide retour du soleil. Les rares passants, emmitouflés dans leurs manteaux et visages semi-masqués par des écharpes, s'abritaient sous d'immenses parapluies qui écornaient la figure de leurs voisins. Beth se méfia des extrémités de baleines qui se balançaient au gré du pas des piétons et remonta la capuche de son sweat-shirt pour se protéger des embruns. Ce n'est pas un crachin qui allait la faire reculer. Une soudaine fringale lui tortilla l'estomac aussi entra-t-elle dans « son » petit bistrot de quartier et commanda une Killian's pression et une collation.

– Alors la Belle, de retour dans les parages ? fit le propriétaire penché sur le comptoir pour la saluer.

– Oui Tim, pour quelques temps, répondit-elle en embrassant ses joues rosées.

Timothy était un grand irlandais jovial qui poussait parfois l'archet de son violon dans des ballades endiablées propulsant Jane, sa vaillante compagne, sur le parquet de l'estrade dans des pas de danse rapides ponctués de coups de talons bruyants, invitant les clients à la rejoindre. Ce troquet rassemblait en un seul espace l'Art de la fête, du partage et de la convivialité. Tim et Jane étaient son petit coin de la verte Irlande délaissée depuis des années ; *La Pinte Dorée,* son étendue nostalgique où s'entrechoquaient tant de souvenirs mitigés.

Une copieuse assiette fut déposée devant elle et la main douce de Jane caressa sa joue dissipant sa mélancolie naissante. Odorante et colorée, l'assiettée donnait furieusement envie. Jane savait mixer à ravir légumes, céréales, fabacées, dés de fromages et œuf poché. Festival opulent des nuances, feu d'artifice des saveurs. Que des produits frais, bio, en provenance de petits producteurs, un régal à chaque fois, le lieu végétarien incontournable pour quelques rares connaisseurs et amis. Depuis qu'elle avait découvert l'endroit, Beth était devenue adepte à ce régime sans viande ni poisson, en respect au don miraculeux de la vie, assez curieusement eu égard à ses fonctions. Elle avait intégré la philosophie du couple et fait sien leur combat quotidien à lutter contre la souffrance animale et la malnutrition dans le monde. Elle avait pris conscience qu'utiliser plus des trois-quarts des surfaces arables de la planète à produire de l'alimentation destinée au bétail lui-même voué aux abattoirs faussait la logique d'une équation pourtant assez simple. En effet, procurer une unité de protéine d'origine animale à l'humain en en faisant absorber près de dix fois plus à la bête sacrifié donnait à réfléchir ! Sans évoquer le pur gâchis énergétique à transformer, transporter et élaborer ces produits issus de cadavres souvent mutilés ni même la consommation en eau potable nécessaire à ce faire, ressource naturelle aux réserves plus que dangereusement limitées. Cette prise de conscience l'avait amenée à cette façon de s'alimenter, son tribut, sa goutte d'eau bénéfique à l'Humanité dans l'océan de désolation où l'espèce moribonde se débattait avec des rivières de sang dégoulinant des commissures de sa bouche.

Installée dans un angle de la salle, elle se délectait du génie culinaire de Jane, les associations étaient gourmandes, les épices parfaitement dosées, osmose idéale des goûts. Quel talent pour une simple assiette ! Elle attrapa son verre et but une gorgée de sa pinte de bière. Une douce cascade de fraîcheur dégringola dans sa gorge enchantée, instant de pur bonheur dans son existence compliquée. Depuis le bar, Timothy, facétieux, lui fit remarquer qu'elle venait de changer de condition à la vue de l'épaisse moustache de mousse blanche qui ourlait sa lèvre supérieure. Beth jeta un regard dans le miroir fixé au mur et s'amusa du reflet de son image inédite. Elle essuya le postiche malté et plaisanta futilement avec le couple en finissant son breuvage. Enfin, elle tira de sa poche un billet froissé et humide qu'elle étala du plat de la main sur le zinc. Quelques pièces vinrent remplacer le bout de papier fripé, elle ramassa la ferraille, puis embrassa affectueusement ses deux amis et s'éclipsa dans la foule mitée de ce début d'après-midi pluvieux. Le ciel gris n'avait pas consenti à modifier sa palette et s'était résolu à garder ses nuances ternes, gâchant l'espoir des parisiens à voir briller un court rayon de soleil sur la capitale avant le soir.

Ses pas vifs l'emportèrent jusqu'au parc tout à côté où de rares enfants s'égayaient, imperturbables, sous les gouttes de pluie. En véritables acrobates, ils escaladaient de hautes structures de cordes et d'acier dans des cris joyeux. D'autres se balançaient gaiement chevauchant des dragons colorés sous l'œil renfrogné mais attentif de leur mère. Cette vision des joies enfantines renvoya Beth à son passé, quand, dans la banlieue de Dublin, elle jouait des heures, par tous les temps, avec une bande de gamins criards. Ils ne disposaient pas de tous ces artifices sophistiqués des parcs publics équipés d'aujourd'hui ; là-bas, on s'amusait avec rien, un bout de ficelle, un morceau de bois, une boîte de conserve vide, quelques billes issues de roulements et surtout, on se livrait à une guérilla des rues, face à face, avec ses poings et tout ce qui passait à portée de main. Ces rixes avaient toujours été, infinies, depuis l'origine du souvenir pour se terminer sans doute bien après l'extinction des temps. De rudes combats sanglants, guerres fratricides, catholiques contre protestants, parfois même entre belligérants du même camp, sans vraiment en comprendre le sens, sans réellement en connaître les raisons… comme les grands, pour l'exemple. Elle avait laissé beaucoup d'elle-même dans ces bas-fonds malfamés mais y avait aussi tellement acquis en se forgeant un tempérament de feu, une ténacité à toute épreuve et une résistance infaillible à la douleur. Elle était fière de ce qu'elle y était devenue, furieuse capitaine de la Nursery. La faction parasite, le régiment de celles qui se battaient sans distinction contre les uns, contre les autres, ni catholiques, ni protestantes, rien de plus que de futures « sumériennes antiques » en apprentissage dans ces venelles oubliées, pavées d'une violence absolue. Elle menait d'une main de fer ses bataillons de gamines rousses et délurées, allant au contact sans jamais hésiter, frappant durement, tapant sèchement avec en permanence l'assurance de la protection des autres à ne jamais être seule. À user d'un tel génie de l'affrontement, à manifester de tant d'audace dans ses stratégies d'attaque, Beth avait vite été repérée pour rejoindre précocement la Fabrique qui avait su la parfaire et la modeler à ce qu'elle était aujourd'hui, une combattante émérite de l'une des sociétés les plus secrètes de la planète.

Décidée à abandonner ces considérations d'une autre époque, elle plaqua sur ses oreilles des écouteurs qui déjà distillaient les lourdes basses de la rythmique d'un groupe de Métal. Satisfaite, elle prit son train, rapide, longues foulées déliées dans les allées quasi désertes du parc. Caler son rythme, accélérer brusquement, ralentir, fractionner l'effort pour que l'organisme puise, pour que le cœur résiste, pour que le souffle régénère. Les premiers kilomètres l'échauffèrent et transmuèrent progressivement son corps musclé en véritable machine. Sa tête, alors libérée des contingences de la course, entra en douce méditation. Comme à l'accoutumée, lors de ses errances pédestres, la structure de sa mission s'articulait. Les choses se plaçaient, bout à bout, avec une précision instinctive, même s'il lui fallait admettre que le mode opératoire, cette fois-ci, lui paraissait des plus saugrenus. Dans les nuées de vapeur de sa respiration régulière, elle voyait s'infiltrer les images, s'infuser les mots à prononcer puis s'inoculer les actes provisoires avant ceux définitifs de la mise à mort de sa victime.

Elle décida qu'elle entrerait en phase d'observation dès le soir, espérant que sa proie, dont elle avait été informée du moindre détail de ses comportements, soit au rendez-vous. Peut-être même pourrait-elle passer à l'action si l'occasion s'en présentait. Rapidité de mise en œuvre était garante du résultat escompté.

Elle s'accorda de jogger encore une bonne heure, peut-être deux, pour se délasser complètement avant de rentrer chez elle se préparer et opérer la transformation surprenante et indispensable de son personnage. Sa condition physique se devait d'être parfaite pour que son mental puisse exceller.

Sa mission serait un exploit total et virtuose, dès ce soir si les conditions en étaient favorables et réunies. Elle savait maintenant comment la mettre en œuvre, sans zone d'ombre.

42

Plaine de Mésopotamie,
IIIe millénaire avant notre ère.

Les Sept Grands Sages sumériens s'étaient à nouveau réunis sous le grand mudhif, la plus vaste des huttes au centre du village d'Akurgal. Assis en tailleur sur des cannes fendues recouvertes de nattes, sous la voûte formée par de gros roseaux assemblés et liés à leur zénith, ils discouraient ensemble d'un sujet devenu plus que préoccupant : l'Homme... Les racines de ces majestueux roseaux, toujours plongées en terre, restaient les garantes du lien sacré des origines, nourrissant la structure en puisant au sein de la Mère.

Dans les prémices d'organisation de leur civilisation sociale, abondants étaient les constats mitigés et amers, voire alarmants à beaucoup d'égards. Alors que leurs sciences avançaient à pas de géant, un peu plus chaque jour – maîtrisant l'élevage, la culture et l'irrigation, édifiant les premières architectures graduelles solides de l'Humanité dont les structures perdureraient sans doute pendant de nombreux siècles, connaissant les planètes célestes à défaut de toujours les comprendre, sachant arpenter l'espace et surtout le diviser tout comme le temps, s'initiant aux vertus de l'arithmétique et inventant ses règles logiques, aujourd'hui pouvant transmettre aux générations d'après leurs connaissances par l'extraordinaire invention de l'Écriture compréhensible et tant d'autres formidables choses encore – il leur fallait se rendre à l'évidence : l'espèce humaine était vénale, brute, guerrière, grossière et n'avait que faire de son prochain et de son devenir. Pire, l'homme négligeait et profanait le creuset même de sa propre origine, cette Terre sacrée, nourricière, qui le supportait. Seul l'intéressait le pouvoir et ce pouvoir naissait du savoir des autres arraché dans de fratricides affrontements et de l'accumulation de tout ce qui brillait d'un éclat trompeur, pillé sur ces champs de la désolation, aux blessés gisants vilainement achevés ou délaissés voire jusque sur leurs cadavres pourrissants abandonnés aux crocs acérés des bêtes féroces, aux becs et serres aiguisés des grands rapaces. Ce pouvoir pourtant ne revêtait de réel importance qu'à celui prêt à s'abaisser pour le ramasser, loin de la plus infime élévation spirituelle, étranger à la Connaissance révélée. Ainsi l'homme-animal ne respectait-il plus rien, ni l'extraordinaire offrande de cette Terre-Mère, pas plus que la Divine osmose au Céleste ou le Grand Architecte de ce Cosmos dont le Plan risquait un jour de se dérégler au gré de ses exactions, plus rien… pas même lui !

L'émission de règles devenait indispensable pour que survive aux généalogies futures leur civilisation, avant que tous s'entre-anéantissent, menaçant la pérennité du peuple sumérien ainsi que celle des autres communautés rencontrées lors d'expéditions et avec lesquelles inévitablement se construirait l'Humanité au cours des temps.

Retirés depuis plusieurs lunaisons déjà, les Sept Grands Sages choisissaient méticuleusement les termes pour exprimer avec clarté et synthèse ces codes et tables de lois dont le corps commençait à prendre forme. Ils n'avaient pas quitté ce lieu depuis des décades et voulaient maintenant en finir avec cette laborieuse et fondamentale besogne. Tous souhaitaient regagner leur contrée, leur famille, leurs amis. La plus grande des sagesses ne pouvait rien contre ce désir profondément ancré en l'humain. En conséquence, par un début d'après-midi estival et sous la chape de plomb du disque solaire à son apogée, temps était venu d'en laisser trace indélébile, en s'appuyant sur la fondation des connaissances du passé afin de réguler le trouble présent et éduquer descendance et générations d'après aux voyages supposables à venir.

Un scribe, choisi pour son habileté aux écritures et instruit des traditions ancestrales, fut mandé pour ciseler à l'argile fraîche, les tablettes législatives qui régenteraient désormais leurs existences présentes et futures, dans un souci d'équité, de justice et de concorde ainsi qu'apporter solution aux multiples désaccords et conflits naissants.

Calame à l'extrémité triangulaire en main, il fallut des jours entiers pour retranscrire avec précision le sens de la Sage Parole en signes cunéiformes adaptés. L'homme sélectionné à cet ouvrage s'appliquait avec soin, sans empressement aucun, bien conscient de l'importance de sa tâche qui se devait parfaite pour la meilleure des transmissions. Silencieux, assidu à son minutieux travail, l'orfèvre des signes tournait la tête par intermittence pour quémander la suite de la dictée ou levait sa main pour en stopper la narration et combler son retard. Les sages étaient ravis d'une telle recrue, si patiente, vertueuse et sans curiosité.

Quand la fin de l'été arriva, la totalité des lois scellée sur les plaques d'argile, et celles-ci séchées au soleil puis cuites au feu, les Sept Grands Sages, soulagés, firent servir au scribe un festin digne d'un roi, accompagné d'amphores des meilleurs crus. L'homme était plus que méritant à ce présent. Il avait fourni une excellence dans le plus plat des silences. Il reçut le double de la récompense prévue puis fut renvoyer. Les Sept Grands Sages du Monde d'Entre les Fleuves venaient de faire tracer ce que deviendraient sans doute le monde de demain et les relations civilisées entre les hommes. Dès lors, une vie nouvelle allait s'ouvrir avec pour but ultime la protection de l'espèce humaine contre elle-même et face à l'évolution soupçonnée et rapide des civilisations modernes. Leur clerc adroit avait probablement écrit les premières lois de tous les mondes portés par cette Terre.

Tous repartirent en leur province respective pour chérir leurs proches, administrer ce que de droit et méditer le projet qu'Akurgal leur avait soumis en marge des lois. Rendez-vous était pris dans quatre décades.

Bien après que les récoltes fussent remisées dans les caves et les greniers, les Grands Sages se retrouvèrent auprès d'Akurgal. Ils firent convoquer l'admirable homme fidèle en écritures dont ils avaient eu toute satisfaction. À la tombée du jour, le petit homme se présenta, discret, au bout du ponton souple menant au grand mudhif, pour coucher sur l'argile, en parallèle des lois édictées, leurs dernières pensées. Les Grands Sages savaient que leurs Lois ne suffiraient probablement pas à faire évoluer assez rapidement leur civilisation qui se mixerait à d'autres puis bien d'autres encore, régies par leurs propres règles à vouloir les imposer comme vérités et pierres à l'édifice. Il fallait un fil conducteur occulte à tout cela, hors des lois terrestres, au-delà de la simple pensée humaine. Cela requérait Magie ainsi qu'une once d'espoir. Cette idée conductrice et apaisante serait relayée de bouche à oreille par les porteurs de la Tradition Orale à travers toutes les contrées. Il restait néanmoins indispensable qu'un jour la race humaine sache que cette idée à l'origine de tant de choses avait été gravée dans l'argile en preuve palpable et irréfutable de leur puissante réflexion commune pour que s'apprivoisent les Hommes.

Dans la pénombre vespérale de la voûte végétale de la hutte, seules deux vasques emplies de cristaux de lumière dispensaient une faible clarté. Le scribe, concentré sur son ouvrage, traçait les secrets des Sept Grands Sages sur cinq tablettes d'argile qui furent ensuite passées par le feu, durcies à la braise, pour les protéger de l'érosion du temps. Puis, un sceau-cylindre fut gravé et, en dernier lieu, une plaque d'or coulée dans un moule de terre aux reliefs d'écriture inversée et portant les signes des sept pensées suprêmes de leur concertation. Quand l'homme eut terminé les somptueuses agapes offertes en récompense à son travail réalisé, il refusa sa rétribution et demanda qu'elle soit portée au profit des orphelins de son village. Les grands sages comprirent son allusion, respectèrent son choix et le félicitèrent pour sa détermination dans le Chemin de la Vertu. L'esprit et la raison faussés par l'abondance d'alcool, le bon ripailleur récusa l'escorte proposée pour le raccompagner et ce fut seul et béat, qu'il passa la porte des remparts de la cité.

Pour regagner la cahute de son hameau voisin, il emprunta les chemins longés par les hautes herbes frissonnantes débordant des marais. Après s'être éloigné de plusieurs centaines d'enjambées des palissades du village, tournant au coin du parallélépipède parfait d'un champ immergé, hors de vue, il entendit le bruissement des larges feuilles avoisinantes. Il eut une courte pensée radieuse pour l'œuvre exemplaire qu'il venait d'achever puis se sentit fermement propulsé dans le marécage attenant. Visage enfoncé dans la vase et la fange d'eau et limons mêlés, épaules lourdement maintenues, il pria pour son accueil par-delà les sept portes du Monde Inférieur. Alors satisfait, il relâcha le blocage de sa respiration. Quand ses poumons s'emplirent du liquide tiède chargé d'alluvions, ils lui brûlèrent un instant puis, il suffoqua et sa respiration cessa enfin.

L'étreinte se desserra de ses épaules et dans un dernier soubresaut de conscience il sut qu'il quittait à jamais cette terre en emportant avec lui les secrets des Sept Grands Sages sumériens.

Comme le lui avait dicté son abnégation, pour que jamais la tentation et la vénalité ne le détournent de sa juste voie dûment tracée, les trois hommes, qu'il avait payés sous cape de ses deniers quelques jours auparavant, venaient de perpétrer ce que la peur ou la lâcheté l'aurait empêché d'accomplir lui-même. L'importance du devenir de l'Humanité l'avait emporté sur l'insignifiance de son existence malgré tout l'intérêt qu'il y portait, pour protéger les secrets qu'il avait gravés à la matière en mémoire de l'extrême pensée divine des Sept Grands Sages.

Jamais il n'eut cru que partir pour le long voyage de l'au-delà lui aurait procuré une telle satisfaction, un tel soulagement, un tel bonheur.

43

Paris, station de métro Oberkampf
Paris, entre gare du Nord et gare de l'Est

Une vibration éveilla Philip Carlson en sursaut. Il ne s'était pas vraiment assoupi, quelques instants peut-être, tout au plus. Une intense fatigue s'était faite ressentir alors qu'il venait de fausser compagnie à ceux qui voulaient refermer sur lui le pernicieux piège de leur perversion mentale. Le relâchement nerveux d'avoir réussi à leur échapper ajouté au cocktail médicamenteux instillé dans ses veines nuit après nuit, avaient eu raison de son énergie, de sa détermination. Il devait pourtant rester vigilant à tout mouvement dans la foule, à toute personne qu'il croisait. Son but était de passer incognito, de se fondre dans la masse grouillante de la ville pour assurer sa fuite vers la province… ou ailleurs. Il fallait surtout éviter que l'un d'eux ne le repère et ne le suive.

Un peu plus tôt, prétextant une promenade sous les frileux rais du pâle soleil hivernal qui baignait le Bois de Vincennes, il avait perçu leur présence dans son dos, après seulement quelques foulées, senti leurs regards espions suivre le moindre de ses pas, obliquer au plus infime changement de direction. Ils la jouaient pourtant discrets, professionnels, à contrario de ceux du matin mais, leur oreillette en place et le geste caractéristique de ceux qui parlent à un micro greffé à la boutonnière l'avaient alerté. Il en avait quatre à ses trousses à évincer.

Les conversations captées à mi-mots et l'exégèse des constats qu'il avait faites, lui avaient confirmé qu'il n'était plus maître de sa destinée depuis le jour où il avait été recueilli en Allemagne, au cœur de la Forêt Noire alors que l'orphelinat où il résidait avait été volontairement incendié. Un dénommé Schteub était l'instigateur de cela, désireux d'effacer les traces des manipulations génétiques qu'il y tramait et des expériences douteuses qu'il pratiquait. Ce pan de son existence n'avait ramené strictement aucun souvenir, à se demander si de telles péripéties avaient bien existé. Lucie était-elle sincère ou jouait-elle ce jeu maléfique dont il était l'objet depuis si longtemps. Il n'arrivait toujours pas à la placer dans l'une ou l'autre des catégories. Il l'appréciait énormément, puisque suite à son accident, elle avait toujours été là pour tenter de le ramener sur les rails de sa vie. *Était-ce réellement le cas ?* Des liens forts s'étaient tissés entre eux, des liens fraternels peut-être même davantage, il n'aurait trop su dire. *La douceur et la gentillesse de Lucie étaient-elles vraies ou inhérentes de cette machination ?* Tout, à nouveau, se mélangeait dans sa tête sans qu'il puisse en faire une synthèse pragmatique. Trop de trous noirs ; trop de choses lui étaient encore inconnues pour qu'il parvienne à faire une reconstitution valide de sa vie et produire un jugement sain sur les personnes qu'il avait côtoyées ces derniers temps. Le mieux était la fuite, mettre de la distance entre lui et tous ces personnages, bons ou mauvais, pour qu'enfin le jour se fasse dans son esprit.

Tout à l'heure, dans le Bois de Vincennes bordant la clinique, au détour d'un buisson épais le masquant, il avait attendu, telle une bête sauvage aux abois, l'un de ses poursuivants. D'un geste sec et vif, quand l'homme était apparu à l'angle du chemin, il avait écrasé son larynx du tranchant de sa main, le réduisant à une inconscience silencieuse immédiate par étouffement. Il avait appliqué instinctivement les apprentissages revus avec Maître Yashido. L'homme s'était écroulé avec de grands yeux ronds d'étonnement. Il aurait pu le tuer en appuyant un peu plus son kata mais il ne parvenait toujours pas à se résoudre à employer ces méthodes radicales. Il voulait simplement couvrir sa fuite et avait récupéré l'oreillette de l'homme afin de rester informé de tous les ordres qui se scandaient alentour afin de le ramener coûte que coûte à son port d'attache, la clinique. Cela lui permit de leur échapper assez facilement. Il avait couru à couvert de la végétation jusqu'à la station *Château de Vincennes* toute proche. Là, après avoir sauté les barrières, il s'était engouffré dans le premier train en direction de Paris. La rame était bondée, rendant sa fugue assurément garantie. Arrivé à *Nation*, il avait pris une correspondance et atterri là, sur ce banc en plastique coloré d'*Oberkampf*, quelques mètres sous terre. Le va-et-vient des passagers pressés et le tintamarre des rames allant et venant, l'avaient fait sombrer d'épuisement, somnolent, demeurant plus ou moins conscient de ce qui l'entourait mais sans l'énergie suffisante à poursuivre son échappée. Complètement vulnérable, il n'avait d'autre choix que de réagir, vite, de puiser au plus profond de lui la vive essence de l'instinct de survie.

Pour l'heure, son téléphone portable vibrait dans la poche de son blouson. Il l'y retira : numéro inconnu ! Il attendit la fin des sonneries. Quelques secondes plus tard, l'appareil vibra à nouveau et émit un jingle caractéristique : son correspondant venait de lui laisser un message. Il composa alors le numéro de sa messagerie. Lucie avait essayé de le joindre. *Que lui voulait-elle à la fin ? Ne pouvait-elle pas lui laisser le soin de faire seul la part des choses et le tri dans toutes les informations de ces derniers jours ?*

La réponse lui fut livrée, numérisée :

« Philip, c'est Lucie. J'espérais pouvoir te parler en direct mais je comprends que tu ne veuilles pas répondre. Sache que je ne suis pas contre toi. Je suis réellement de ton côté. Tu peux vérifier tout ce que je t'ai dit, c'est la triste vérité et j'ai tant d'autres éléments à t'apporter mais je ne peux le faire par messagerie interposée. Il faut impérativement que l'on se voie, rapidement. Appelle-moi dès que possible pour fixer un lieu de rendez-vous, à ta convenance. Je viendrai seule, sois sans crainte. Si tu n'appelles pas, c'est que tu as des doutes sur moi et je peux le tolérer mais il faudra, quoi qu'il en soit, qu'un jour prochain nous nous rencontrions et parlions, j'ai trop d'informations primordiales qui t'aideraient à te reconstruire et à retracer ton passé véritable. »

Une fois de plus, Philip était dans l'expectative, il ne parvenait à fixer son opinion sur les uns, les autres, sur Lucie en particulier. Elle semblait sincère, résolument accrochée à l'idée de l'aider mais il restait dubitatif à cet élan positif alors qu'il venait de subir, depuis plusieurs décennies, une sournoise manipulation de sa vie. Il s'appelait aujourd'hui « Carlson », comment se nommait-il hier et quel aurait été son nom demain s'il était resté sous le joug de ses manipulateurs ? Tout à sa réflexion dans le dédale des couloirs d'*Oberkampf*, il faillit louper le tunnel menant à sa correspondance pour la gare de l'Est. Il descendit les marches en trottinant et arriva sur les quais bondés. L'attente de la rame fut courte, elle se profilait déjà depuis la bouche béante qui ouvrait sur les entrailles de la terre. Il grimpa dans un wagon, porté par la marée humaine, cohue de l'heure de pointe. Une main agrippée à la barre métallique, debout dans l'espace exigu devant les portes, il était dans les effluves corporels de ses voisins et l'émanation forte et confinée du métro. À cet instant, il s'interrogea sur les motivations conduisant tous ces gens à accepter ce calvaire quotidien ? *Pourquoi ce que nous pensions être un progrès emportait l'espèce humaine vers cette conduite sociétale régressive.* Dans la promiscuité du court trajet, les seins d'une femme pointaient dans son dos, la main d'un jeune homme glissait jusqu'à la sienne le long du seul point de maintien où tous étaient accrochés. Sa cuisse touchait celle de son voisin de droite au rythme des oscillations du wagon. Il ne fallut que quelques minutes pour arriver à destination. Philip se précipita à l'extérieur savourer une grande goulée d'air vicié qui lui semblât être aussi pur que s'il s'était trouvé au sommet d'une montagne. Il n'était vraiment pas fait pour cette vie citadine démente, trépidante et impersonnelle, totalement inadaptée à la constitution humaine. Il arpenta les rues sombres d'entre les deux gares, du Nord et de l'Est, dans les prémices des brumes opaques et froides du déclin du jour. Le quartier n'était pas lumineux, mal aéré. Les rues s'enserraient autour des squelettes tristes et gris des bâtiments ferroviaires, faiblement illuminées par les vitrines mornes qui habillaient le pied d'immeubles sans fard. À cette heure, c'était comme une vie nouvelle qui naissait avec l'arrivée de la nuit, profitant du congé de celle diurne qui lui laissait place. Les portes cochères et impasses glauques s'organisaient en divers trafics, masqués du monde des vivants des grandes artères. Rien n'était réellement visible mais tout le quartier bourdonnait d'essaims nocturnes, suintait les relents d'une activité pestilentielle, un univers où se mêlaient prostitution, ventes illicites et règlements de comptes.

Les voies de triages égrenaient leurs chapelets de camés, étendus sur le ballaste, partis pour un voyage psychédélique dont certains ne reviendraient sans doute jamais.

44

Paris, 3-5 rue Erik Satie
Commissariat du 19ᵉ arrondissement

Dans les locaux du commissariat du 19ᵉ, l'orage grondait, fort, véhément, tumultueux. Les minces cloisons ne parvenaient plus à étouffer ni contenir les vociférations tapageuses du commissaire qui aboyait après sa capitaine. Une belle engueulade secouait le bâtiment, faisant trembler les vitres et les esprits.

– Nouellet ! Vous foutez quoi dans cette affaire ! Je viens de me prendre un putain de savon par le Divisionnaire, lui-même vertement pris à partie par le substitut du procureur.

L'homme, trapu, aux larges épaules, avait le visage ulcéré par la colère. Ses yeux noirs lançaient des éclairs derrière ses grosses lunettes en écailles. Son poing s'abattit lourdement sur le plateau du bureau dans un cliquetis sauvage de stylos. L'averse persistait, serrée, cinglante.

– Vous attendez que les médias nous pondent une de leurs conneries bien sulfureuses pour apporter des éléments concret ? Vous êtes à côté de la plaque, capitaine ! Sans avancée majeure, l'affaire va nous être retirée... ça va faire tache dans votre carrière et je ne vous parle même pas de la mienne !

Valérie ne releva pas l'envolée sarcastique. Elle observait, sans broncher, l'éraflure nette qui défigurait le bout de sa bottine neuve, tête dans les épaules, dos courbé. Ce n'était pas le moment de la ramener. Elle était bien plus contrariée par le court sillon qui balafrait sa chaussure que par les considérations critiques de son supérieur. Elle merdait passablement dans cette affaire, elle prenait une purge, quoi de plus normal. Elle laissa l'homme poursuivre sa diatribe en pensant à la petite échoppe de Gillou, le cordonnier du coin de la rue où elle devait se rendre de toute urgence.

Ouvert sur le bureau, le fin dossier de l'affaire contenait tous les éléments de l'enquête y compris ceux rapatriés d'Italie. Pas grand chose en fait et elle n'avait rien à y ajouter… pour l'instant, du moins l'espérait-elle.

Comme toujours, après l'ouragan, le calme reprend ses droits et parfois même revient le beau temps.

– Je vous laisse quarante-huit heures pour me transmettre quelque chose d'intérêt, conclut le Commissaire, après ça…

La capitaine acquiesça en silence, secouant la tête comme un chien en peluche sur la plage arrière d'une voiture. Aucune parole, ne pas courroucer l'homme qui semblait s'apaiser. Un peu radouci, le Commissaire ajouta :

– Je vous fais pleinement confiance sur ce coup Nouellet, même si pour l'instant rien ne bouge. Je sais que vous n'êtes pas restée les deux pieds dans le même sabot. Avec Santini, vous avez bien progressé quand même…

Retrouvant son calme légendaire, il poursuivit :

– Vous êtes l'un de mes meilleurs éléments, Valérie, prouvez-le moi une nouvelle fois. Vous m'avez habitué à tellement mieux !

Enfin, presque honteux de son attitude excessive, il finit, très paternaliste :

– « Mon petit », ça a été plutôt bousculé ces derniers jours, prenez un peu de repos, profitez d'une soirée tranquille devant la télé et soignez-vous. Un accident pareil, ce n'est pas rien…

Réquisitoire terminé, entrevue soldée, fin de l'orage, retour à l'accalmie avec belles éclaircies en direct et même un soupçon de temps radieux. Les compliments étaient suffisamment rares pour savoir les goûter, surtout en pleine pétaudière.

Lorsque la capitaine prit congé du Commissaire, elle traversa les couloirs et bureaux au pas de charge. Elle avait son visage des mauvais jours : sa bottine était peut-être bien fichue !… Pour être tout à fait honnête avec elle-même, elle admit que cette enquête la faisait passablement tourner en bourrique et que son boss n'avait pas tout à fait tort d'être furax en regard des résultats obtenus. Elle appréciait beaucoup son supérieur en fait, droit, juste, direct ; et lui, visiblement, l'aimait bien aussi. Le couple idéal…

Sur son chemin, tous s'écartaient afin d'éviter que la cascade d'engueulades ne retombe sur eux. Chacun avait conscience que les systèmes hiérarchisés avaient cette particularité étonnante de voir rebondir les coups de gueule de niveau en niveau sans jamais malheureusement baisser en intensité. La distance était le meilleur des remèdes, tous fuyaient donc.

Valérie s'isola dans son bureau pour faire barrage au cours impétueux de cette furie délétère, ses subordonnés n'avaient pas à en souffrir. Elle en profita pour procéder à un pointage rationnel de l'affaire : enquête merdique, avion, accident de voiture, hôpital à Rome, avion de nouveau et maintenant le commissaire sur le dos, ça commençait à faire vraiment beaucoup. À regretter d'avoir été de permanence ce soir-là, elle qui pourtant affectionnait les affaires tordues. Mais là, le vase débordait. Elle était tombé sur un os avec bien peu de chairs à rogner autour. Elle savait aussi que si elle restait une minute de plus entre ces murs, fatalement elle s'en prendrait à ses lieutenants. Ils avaient pourtant fait du bon boulot, le maximum pour tenter de résoudre rapidement ce bourbier, en explorant toutes les pistes – bien peu en fait – et en rapportant tout ce qui aurait pu relancer cette fichue enquête – rien ou presque. Ils avaient souqué ferme mais dans un océan sans densité, un vide inconsistant échappant aux rames de leurs investigations.

Perturbée, elle choisit d'obéir aux ordres : repos, profiter de la soirée et panser ses plaies, merci du conseil M'sieur l'commissaire, mais à sa façon !… par l'entremise de son échappatoire habituelle, sa drogue ; en visitant l'autre pan de sa personnalité, beaucoup plus sombre que celui qu'elle laissait apercevoir au quotidien. Décision radicale prise en dévalant les escaliers. Comme souvent, lorsqu'elle piétinait sur l'une de ses enquêtes, la capitaine partait s'encanailler, pour se changer les idées et curieusement parfois, obtenir le micro-détail insoupçonné qui subitement relançait ses investigations. Elle quitta le commissariat sans un mot. Le crépuscule s'abattait sur Paris comme le brouillard sur la Tamise, pesant, véloce, opaque. Un frisson s'empara d'elle. Fraîcheur du soir ou excitation des heures à venir ?… Elle allait traîner dans les quartiers chauds de la capitale, les vrais – pas ceux des artères clinquantes illuminées et de la chair fraîche à touristes, du french-cancan et de l'attrape-nigaud. Elle allait se fondre dans les cercles anonymes de la grande débauche, non répertoriés sur un plan ou une carte, ceux des rues occultes et de la chair expérimentée, de la danse sybarite et de l'attrape-MST ; sa seconde patrie, sa deuxième maison, la thérapie de son lourd passé, la diabolisation de ses tristes origines. Dans ces quartiers aux ruelles sans nom, elle était connue et reconnue. Ici, tout le monde savait son appartenance à la police mais, depuis bien longtemps, chacun avait pu constater qu'elle perdait, dans ces bas-fonds, toute identité ou apparenté judiciaire. Elle y venait pour éprouver un vil plaisir sans bornes, uniquement cela, et oublier pendant quelques heures ses fonctions ainsi que les tracas de son job, comme tous ceux qui y circulaient, hagards. Ce territoire était pour elle un puits sans fond à explorer, une mine inépuisable à creuser, la solution à une souffrance éternelle ancrée dans sa chair meurtrie. Elle pouvait s'adonner, au-delà d'elle-même et traverser allègrement les frontières de ce qu'elle pensait être ses limites. Elle s'y était souvent stupéfaite, dépassant de très loin ce que son imagination pourtant fertile sur le sujet n'aurait pas même osé envisager. Ce fourmillement bigarré l'émerveillait, la fascinait, fantômes dans la nuit, clandestins. De bars louches en boîtes à strip-tease, de rencontres fortuites en verres engloutis, de drague pesante en coucherie sans lendemain, elle obtenait pourtant aussi de précieux renseignements ou indications diverses, sans jamais les opposer à cette faune souterraine qui y gravitait, sa famille. Ses venues fréquentes avaient fini par assainir la zone de tous types d'individus malsains et il n'était pas rare qu'à la suite d'une de ses virées lubriques, une enquête à l'arrêt dans laquelle elle s'enlisait copieusement, connaisse un rebondissement inespéré. Ce dépotoir lugubre du vice et des trafics sous cape était le terreau nourricier des seules passions de sa vie : ses goûts très particuliers en matière charnelle, la rude singularité de ses relations filandreuses aux autres ainsi qu'une pratique très personnelle de son métier de flic.

Un crochet par son appartement : douche, shampoing, parfum capiteux, déo discret. Rituel ! Une nouvelle peau pour un nouvel univers. Elle ouvrit les deux portes de son dressing. À droite, des vêtements stricts, classiques, sages, bien rangés sur leurs rayons ; l'enveloppe de la flic, osée mais raisonnable. À gauche, ses tenues extravagantes, sexy, provocatrices, cuir, latex ; les panoplies en vrac de ses virées empesées d'alcools forts, de relents aigrelets de transpiration, d'odeur de foutre chaud, de jouissance non contenue. Être en adéquation avec ce bestiaire nocturne halluciné qui, toute considération de classes évincées, partait chercher dans ce tréfonds fangeux une issue éphémère aux maux douloureux de sa morne existence. Se croisaient là, toutes les castes et les professions, du notaire affable au dealer stressé, du flic en perdition à la pute opportuniste ; Monsieur tout le monde, Madame personne. Le bon père de famille y côtoyait la fille délurée du bon père de famille, l'homme d'affaires échangeait avec la femme d'enfer, l'homme de rien donnait à la femme de tout… Il y en avait pour tous les goûts, tous les nez, toutes les veines. Se mélangeaient tous les fantasmes, toutes les désillusions. Rues enténébrées, narines poudrées, artères durcies. Sexe partout, sur les banquettes des bars, dans les étages, les voitures, à même le trottoir, à deux, trois, cinq, dix, un Lupanar torride avec son lot de camés inconscients derrière les poubelles, de corps assouvis le long des murs, partout des regards surexcités et pourtant fiévreux, injectés de sang et larmoyants ; drogue et surtout drogue du sexe. Un paradis infernal…

Nue devant un psyché, Valérie se trouva belle, désirable. Une excitation vint la saisir. Elle eut presque une envie fulgurante de se soulager avant son escapade. Elle se retint, piocha parmi les cintres et étagères de l'armoire. Pantalon blanc semi-transparent, string noir, top violine en soie légère, très échancré, sans soutien-gorge, dos-nu oblige, talons hauts. Coup d'œil au miroir, parfait. Ses fesses étaient joliment moulées dans son pantalon taille basse, string bien visible. Elle se pencha, décolleté impeccable, ni trop, ni surtout trop peu. Vrille sur elle-même, dos superbe, fin, musclé, chute des reins sublime. En remuant un tant soit peu, les pans de son vêtement laissaient entrapercevoir subrepticement le galbe de ses seins. Elle se plaisait, « La nuit promet d'être belle – car voici qu'au fond du ciel – apparaît la lune rousse… », la chanson de Jacques Higelin lui trottait dans la tête ; parti trop tôt le Poète !…

Retour dans la salle de bains, maquillage marqué mais restant assez naturel – chacun son style. Elle ne voulait pas passer non plus pour une professionnelle ! Rouge à lèvres cerise, poudre, eye-liner, mascara. Brosse, laque, gel. Elle s'admira un bon moment, à la recherche d'une éventuelle imperfection mais rien, non rien ne dépareillait, tout était nickel, parfait.

Elle sentit son souffle un peu court, son épiderme moite, en état d'hypersensibilité, son rythme cardiaque s'accéléra ; il était temps de partir. Elle attrapa un manteau épais de laine blanche, portable, clefs, arme discrète au cas où, planquée sous le foutoir de son sac à main. Elle était fin prête. Ascenseur, la rue, le froid, la bruine. Taxi en direction de ces terres sauvages, libératrices. Sur le siège, impatiente, revenue à l'état primitif de prédateur, d'animal instinctif, elle regardait défiler les rues, les immeubles, les visages. Rien ne s'imprimait, tout restait diffus, son cerveau bloqué ne se nourrissait que de l'espoir des heures prochaines.

45

Vincennes, Clinique du Parc
Automne 2008, un peu plus tard...

Impatiente, la quinqua rousse entra le code convoité de ses doigts fébriles et endoloris. La lourde porte frémit mais… résista ! Nouvelle montée culminante d'anxiété. Ce calvaire ne s'arrêterait donc jamais ! Elle fit une pause, concentra sa réflexion sur la saisie du code : 7-3-4-5-6-1 puis 11 pour la lettre K, onzième lettre de l'alphabet. Quelque chose clochait, mais quoi !… Après la série de chiffres, le pavé scintillant était prévu pour contenir la saisie de deux caractères représentant la lettre avait expliqué sans plus de détail l'expert questionné. L'information utile devenait plus que nébuleuse face à son échec pesant. Cogitation intense, surtout ne pas paniquer puis, une fulgurance traversa son esprit, le souvenir d'enfance de ces gros combinés à cadran numérique. Aux chiffres des touches étaient associées des lettres, système d'un archaïsme désuet à l'ère de l'écran tactile mais astucieux. Promptement, elle enserra son portable et fit s'afficher le clavier de composition des numéros d'appel : alphanumérique… Victoire ! Pour valider la lettre K, il fallait donc doubler l'appui de la touche 5. Elle se remit immédiatement à l'œuvre, 7-3-4-5-6-1 puis 55 ; secondes infinies d'inquiétude, encore… Enfin, le signal d'exactitude de l'occurrence entrée se fit entendre, déclenchement du système mécanique de déverrouillage. Les durs goujons en alliage coulissaient dans les gorges d'acier, venaient percuter les butées ; douce symphonie de la machinerie du mécanisme libérateur à ses oreilles.

Elle tira avec effort l'épaisse porte blindée et vit…

Il était là !… prodigieux.

Le coffret séculaire trônait fièrement sur la sole de l'armoire forte, seul, majestueux, invulnérable. Les yeux noisette brillèrent devant l'objet sans éclat de toutes les convoitises. Elle avait réussi l'impossible projet, soustraire la pièce maîtresse d'une trame inimaginable, sans doute la plus occulte que la Terre ait portée, l'écrin dans lequel reposaient des secrets multi-millénaires issus d'une civilisation des plus reculées, le joyau sobre qui avait coûté tant de vies exaltées, la boîte de « Pandore » la mieux gardée et la plus briguée au monde, celle par laquelle le cataclysme apparaîtrait, véritable apocalypse ouvrant sur une ère nouvelle pour l'Humanité. Devant son regard émerveillé, masse grisâtre et discrète, anonyme, le reliquaire sans fard attendait patiemment son heure depuis plus de quatre milliers d'années pour dévoiler ses humeurs.

La femme s'ébroua, il n'était pas temps à se laisser aller. Pour que la victoire soit absolue, le coffret devait échapper à ce lieu sans dommage, s'évaporer à jamais de cette clique de combattantes sauvages dirigées par des esprits rétrogrades et obtus. Pour l'instant la partie n'était pas gagnée. Rapide inspection sur les étagères. Un lourd carton fatigué débordait des très nombreux dossiers des membres de l'organisation. Trop gros, trop lourd, pensa la femme, cependant elle fouilla nerveusement entre les chemises cartonnées jusqu'à trouver la sienne. Elle l'enfouit dans son sac avec une douzaine d'autres prises au hasard. Il était toujours instructif de décortiquer son ennemi, ne pas négliger l'information permettant de mieux le connaître… Divers papiers dignes d'intérêt s'alignaient aussi sur les rayons, lecture oblique, à la hâte. Il aurait fallu tout emporter bien-sûr mais son sac avait ses limites. Elle y enfourna ce qui lui paraissait primordial, indispensable, abandonnant le reste lui semblant plus insignifiant aux étagères. La pendule tournait… plus de temps pour photographier les autres documents… *Arrête ! Ne traîne pas ici…*

Bien consciente de sa vulnérabilité en cet endroit, ses mains retirèrent le coffret de sa forteresse. Elle fut surprise de son poids. Elle n'avait pas envisagé une telle pesanteur, près d'une dizaine de kilos… Elle l'enveloppa d'un tissu trouvé dans un coin, passa le sac sur ses épaules, referma avec soin le coffre-fort qui avait usé sa patience, exacerbé ses angoisses, atrophié jusqu'à sa capacité de résistance au stress. *Dépêche-toi !…*

Elle consacra cependant encore un court instant pour envoyer un SMS, trop heureuse d'avoir enfin pu crocheter ce satané coffre pour s'en approprier son formidable trésor.

« Mission accomplie

« Je l'ai…

« et je file, vite…

« À très bientôt…

Elle chargea le lourd boîtier sous son bras, fermement enserré de sa main puis, se faufila silencieusement dans le couloir. Elle devait traverser le bâtiment dans son entier pour rejoindre l'aire de stationnement des véhicules. Long périple miné de mille dangers, son estomac se révulsa…

Dans son appartement parisien de haut-standing, le Docteur Yves Roche déchiffra avec délectation le court message venant de s'afficher à l'écran de son smartphone. Que la technologie moderne était surprenante, incontournable et infaillible… Il prit le temps de passer un appel à qui de droit pour que tout se passe au mieux puis, se déroba de son cocon ouaté pour regagner l'arène du combat.

Au croisement de deux artères, la fugitive tomba nez à nez sur sa bavarde de voisine lors de la cérémonie.

– Rena, tu vas mieux apparemment ! Que transportes-tu là ? Tu veux un coup de main ?

Rena sentit le sol se dérober sous ses pieds, elle vit les murs basculer dans une valse folle, crut qu'elle allait s'affaisser sur ses jambes en coton, s'étaler piteusement. Elle fit un effort surhumain pour garder son naturel.

– Non, non, je te remercie mais je vais me débrouiller. C'est pour l'anniversaire d'Angèle la semaine prochaine.

Sa voix était singulièrement étranglée, dégradant son timbre harmonieux en accentuant les aigus. Ses poumons opprimés regimbèrent, poitrine creuse, souffle coupé, tétanisés par cet horrible supplice qui n'en finissait pas. Sa condisciple reprit, intriguée :

– Ah oui, qu'est-ce que c'est ?…

– Chut !… surprise… parvint-elle à articuler.

– OK d'accord, on verra alors… mais ne traîne pas trop, ça a l'air de barder là-haut !

Rena coupa court à cet échange, s'éclipsa en allongeant le pas pour dissimuler son affolement. *Une alarme sur la serrure ?...* L'autre avait déjà disparue, poursuivant son chemin.

Porte en fer au bout du couloir, poussée énergique. Dans le vaste parking froid, elle se dirigea sans hésitation jusqu'à sa petite citadine sagement garée près d'un pilier en béton. Déverrouillage, butin dans la malle arrière, sac à dos sur le siège passager, plus que quelques minutes…

Elle s'affala à la place conducteur, prit un moment pour se calmer, tout son corps tremblait convulsivement. *Go ! Maintenant vas-y...* Coup d'œil furtif dans le miroir de courtoisie, son reflet l'épouvanta. Elle s'arrangea au mieux. *Ne perds pas ton temps...* La clef entre ses doigts fébriles lui échappa. *Mais fais donc attention, godiche !* Elle ramassa le sésame sur le tapis de sol, l'introduisit dans le cylindre. Rotation, démarrage. *Ouf !...* Quand elle eut fini la manœuvre pour quitter sa place, vitesse enclenchée et prête à s'enfuir, dans son rétroviseur deux ombres terrifiantes apparurent, deux agents de sécurité congestionnés, l'œil mauvais. Elle accéléra férocement, le véhicule grimpa la rampe en cahotant puis émergea à l'air libre. Rapide trajet jusqu'à la maison du gardien. Ce dernier en sortait justement d'un pas vif, gesticulant, visiblement très perturbé. Arrivée à son niveau, elle fit glisser la vitre de la portière.

– Que se passe-t-il ? demanda-t-elle, totalement liquéfiée sur le siège.

– Une alerte ! Personne n'entre, personne ne sort, ordre d'en haut ! Ça a l'air sérieux.

La fuyarde savait que tout cela ne cesserait jamais ou plutôt que l'issue ne pouvait être qu'inverse à celle escomptée. Elle tenta néanmoins avec un sourire enjôleur :

– José ! Je suis hyper pressée là… et si tu ne m'ouvres pas maintenant, j'en ai pour une heure minimum avant que tout repasse à la normale. Pour quoi d'après toi ? Une fausse alerte sans doute, comme d'habitude…

Le vigile hésitait, infléchi par la sincère preuve d'amitié de cette jolie femme qu'il appréciait tout particulièrement. Sensuelle, la conductrice minauda, bien consciente de sa force de persuasion sur cet homme amouraché :

– S'il te plaît, José…

– Bon d'accord, Rena ! Je vais t'ouvrir mais pas un mot, à personne. Je bidouillerai ton heure de sortie sur le registre, finit-il par s'incliner, empli de l'espoir qu'un jour son interlocutrice cède à ses avances.

Il tourna les talons et se dirigea guilleret vers son blockhaus pour actionner la barrière. À mi-chemin, il porta son talkie-walkie à l'oreille, écouta avec attention l'information transmise puis se décomposa littéralement en faisant volte-face vers l'automobiliste. Son rictus niais de jeune premier avait disparu. Regard courroucé, il s'approcha à nouveau de la voiture d'un pas décidé. Rena le vit, sombre et mauvais, désengager son arme du holster pendu à sa ceinture. Manifestement la nouvelle reçue n'était pas très bonne à son égard. *Fin de l'aventure ? Si près du but !...*

D'un ton sans appel, il lui intima avec virulence :

– Tu sors et tu m'ouvres le coffre de la voiture, maintenant et sans discuter !

José pointait son arme dans sa direction, agressif et concentré. Il n'avait pas l'air de quelqu'un qui tergiverserait au moindre faux pas. Elle allait devoir la jouer fine mais peut-être la partie n'était-elle pas définitivement perdue.

Elle sortit donc du véhicule mais prise d'une soudaine volonté inébranlable. Pendant qu'elle le contournait, des jets d'adrénaline se diffusaient dans toutes les fibres de son corps tendu comme un arc. Il était inconcevable de faillir maintenant, face à cette stupide barrière striée rouge et blanc, devant l'issue vers la liberté. Arrivée à proximité du vigile menaçant, souriante et libidineuse, elle releva sa jupe jusqu'en haut des cuisses sous l'œil médusé du gardien qui s'interrogeait bien sur son souhait final. Avant qu'une quelconque réponse ne vienne frapper son esprit buté, sa mandibule le fut d'un magistral coup de pied à la mâchoire dont la violence fut telle qu'il s'effondra à terre, vilainement tuméfié. Malgré la vive douleur qui l'irradiait, il roula sur le flanc, prêt à se relever. Plus réactive, Rena lui assena alors deux autres méchantes pointes dans l'abdomen, le terrassant irréversiblement au sol dans des râles et borborygmes ensanglantés. L'adversaire était cloué au pilori, vaincu, inopérant. Rena ramassa l'arme que José avait échappée lors de sa chute, lui lança un regard attristé, presque d'excuse, puis reprit prestement sa place derrière le volant.

Sans hésiter, elle enclencha la première, accéléra avec fureur. Le véhicule fit un bond en avant dans les éclats de l'obstacle qui lui barrait la route. En quelques brèves secondes seulement, elle s'était évaporée dans la circulation fluide de Vincennes, emportant avec elle ce que des générations de combattantes rousses avaient protégé parfois jusqu'au péril de leur vie.

Elle avait réussi l'impossible !

46

Paris, quartiers inconnus du grand public
Tréfonds scabreux de la capitale

Valérie n'en revenait toujours pas d'avoir accepté. Quelle folie l'avait saisie dans le fond de la salle glauque de ce troquet sombre et miteux. La musique trop forte qui scandait ses basses régulières à faire vibrer les murs ? L'abus d'alcool sans doute, pour fuir cette réalité foireuse ?...

La nuit était déjà bien avancée, elle avait croisé tout un tas de têtes connues dans un nombre incalculable d'endroits plus ou moins sordides, parlé fort pour se faire entendre dans le brouhaha ambiant, ri à gorge déployée, bu plus que de raison, dansé même, jusqu'à l'épuisement. Puis, ce gars s'était planté devant elle en se tortillant au rythme lancinant de la musique. La première chose qui l'avait impressionnée, fut cette ombre immense, étirée à masquer les projecteurs. Le quidam était une véritable montagne, une masse tout en muscles, un géant taillé comme un roc, anguleux, puissant, inébranlable. Une brosse coiffait le haut de son crâne. Un putain de sourire ravageur éclairait une barbe de trois jours, comme un banc de sable blanc émergeant d'un marigot hérissé de tiges vénéneuses. Deux yeux, d'un noir profond, transperçaient la feuille blanche de son visage, hiéroglyphes qui ne demandaient qu'à être décryptés ; deux boulets de charbon tombés dans une flaque de lait.

Ils s'étaient déhanchés un bon moment pour se sonder mutuellement, cherchant à savoir si leurs particules pourraient s'accorder. Ensuite, la puissante poigne l'avait agrippée par le bras et tirée hors de la piste. Ils s'étaient affalés sur une banquette en cuir, dans un coin ténébreux, un peu à l'écart du tohu-bohu. Serveuse sexy, deux verres de whisky, billet dans le sous-tif. Ensuite, pas un mot, juste ses lèvres écartelées par une langue vigoureuse qui investissait gauchement sa bouche. Goût d'alcool et de tabac froid, perception de puissance ravageuse. Sa tête répugnait mais sa fibre abondait, assoiffée et désireuse. Son corps vibrait, sa peau brûlait, tout son être fourmillait d'un incontrôlable désir. Volonté défaite, abandon total. Une seule chose à cet instant, que cette brute la prenne sans détour, à même la table, féroces coups de butoir rapides dans un cliquetis des glaçons. Elle avait chaud, exsudait, sentait au plus profond d'elle une leste vague l'envahir, délaissée par sa pensée rationnelle qui se délitait. Sa tête capitulait et sa fibre savourait, jouissive, soumise, pressée.

Depuis cinq bonnes minutes, le géant lui pétrissait sans ménagement la poitrine pendant qu'elle s'assurait de l'état de sa virilité, massant son entrejambe avec vigueur. À travers la toile épaisse du jean, un calibre, un colosse, à l'image du mastodonte, rustre et raide. Que du bon !... pensa-t-elle. À consommer... Vite !...

C'est ce moment que choisit la jeune femme pour arriver, toujours cette sublime rouquine qui hantait ses nuits depuis leurs échanges de regards à Rome puis dans l'avion la ramenant à Paris. La fille s'était posée comme une fleur sur le rebord de la table et avait tapoté l'épaule du monstre.

– Hé, Schrek ! Tu fous la paix à ma copine ou j'me fâche...

L'homme avait à peine tourné la tête sur le côté, dévisageant sommairement la frêle brindille venue les importuner. Il avait bien mieux à faire avec cette blondasse torride qui attendait d'avoir son compte que de répondre à l'espèce de crevette épaisse comme un bâton de sucette.

– T'es sourd ou t'es con ?... insista-t-elle pourtant.

– Ta gueule, fais pas chier, la pétasse ! Va jouer ailleurs... tu vois pas que j'chuis occupé là...

La main fine était partie à une vitesse vertigineuse, claquant l'arrière du crâne avec une telle violence que le visage de la bête fit exploser le verre face à lui. En furie, il s'extirpa d'un bond de sa place exiguë. En éclatant, le verre lui avait déchiré la pommette et fendu la lèvre ; de plus, son nez pissait méchamment, constellant vêtements, table et sol de gouttelettes écarlates. Une fois déplié, il toisait la rousse de près d'un demi mètre. Il leva sur elle un battoir énorme en grognant. Avant que la gifle ne retombe, une Louboutin s'était fichée durement dans ses parties doublée d'un direct au foie. L'homme foudroyé émit une expiration si bruyante qu'elle couvrît presque les décibels de la salle. Pendant qu'il s'affaissait, recroquevillé sur sa douleur, le genou gracile de la libellule fit craquer les cartilages de son nez déjà passablement endommagé, ruinant tout espoir de riposte et sonnant la fin de l'incartade. Pour conclure le round, un talon aiguille effilé vint vriller le revers de la grosse paluche du type étendu au sol, entre les pieds de la table.

– Et reste poli avec les dames, s'il te plaît…

Triomphante, la rouquine tendit sa main diaphane, attrapa les doigts surpris de la capitaine subjuguée et emporta son trophée en enjambant l'amas de râles qui se tordait sur la moquette. Les filles s'installèrent trois tables plus loin, pendant que le « champion » se relevait avec difficulté et quittait le bar en boitillant, plié sur son mal et surtout sa honte, le regard torve.

Des cocktails arrivèrent, serveuse toujours sexy mais hilare, « cadeau de la maison » annonça-t-elle dans un rire aigu. Valérie en resta coite, interloquée. Sa compagne lui souriait avec volupté, dardant son regard vert dans l'azur du sien. Elle concéda de se laisser emporter par cette approche saugrenue, vers des territoires inconnus dont elle subodorait les accents délicats. Les deux jeunes femmes échangèrent quelques banalités, plaisantèrent un peu du balèze maîtrisé en seulement trois frappes, dépeignirent un tableau succinct de leurs existences. Puis, la svelte et jolie audacieuse avait contourné la table pour venir se blottir contre la policière. Ces contact et présence avaient une nouvelle fois mis tous ses sens en alerte. Sa tête acceptait bien volontiers alors que son corps tout entier regimbait et refrénait ses ardeurs. Des mots susurrés vinrent se lover à son oreille, une main brûlante se posa sur sa cuisse vibrante pendant que des doigts agiles et aventuriers glissaient par l'échancrure de sa tunique, jouant avec délicatesse de la rigidité de son téton dressé. Pas d'empressement, uniquement de la sensualité et un raffinement lascif. Un souffle court fit voleter quelques mèches légères dans son cou, lui tirant un gémissement. Quand les douces lèvres garance s'y apposèrent, son corps satisfait frémit d'aise. Mais déjà de petites dents blanches acérées mordillaient divinement le lobe tendre et réceptif de son oreille. Les réticences de Valérie s'écroulèrent, ses résistances désertèrent leur bastion fortifié, ses rigides conventions s'estompèrent, effacées par les vaporeuses douceurs du stupre. Sa tête se livrait, intégrale, et sa fibre l'y rejoignait désormais sans entrave. Ce fut elle qui saisit dans ses paumes ce visage ogival aux traits purs et scella ses lèvres à celles humides, tendues et impatientes qu'elles venaient d'emprisonner. Néanmoins, sans brusquerie, sa compagne délicatement l'écarta, explicitant d'un regard tendre le besoin impérieux d'une plus grande intimité pour aller au-delà de ces préliminaires. Cette tentative avortée d'un long baiser langoureux les incitèrent toutes deux à oublier leur troisième cocktail à moitié plein et à prendre le large, en quête d'un lieu bien plus adéquat. Jamais la policière n'aurait crû cela envisageable, s'offrir aux bras d'une inconnue et la suivre à présent, après seulement quelques verres. D'un homme pourquoi pas, elle en avait pris l'habitude, mais d'une si envoûtante créature… dans quel délire novateur son cerveau l'emportait-il ?

Valérie était là, maintenant, derrière ces talons hauts qui martelaient les degrés de l'escalier. *Tac-tac-tac.* Docile et résignée, elle suivait. La courte robe pailletée de Beth – elle s'appelait Beth, un prénom d'emprunt certainement – laissait à ses yeux ravis l'extraordinaire plastique de ses jambes infinies, gansées d'une résille opaque. Les cuisses étaient fuselées et musclées, les fesses merveilleusement rondes et fermes. Valérie ressentait une moiteur tiède l'étreindre, elle transsudait intensément, sous les bras, entre les seins, les cuisses. Elle atteignait son paroxysme émotionnel, sentant poindre jusque dans ses profondeurs les plus intimes, les effluents liquoreux de cet impétueux besoin fruste de jouissance charnelle. *Tac-tac-tac*, la progression continuait. Elle ne pouvait plus détourner son regard de cette croupe superbe, rebondie, se déhanchant à chaque élévation graduelle, comme hypnotisée. *Quel folie suis-je en train de faire ? Dans quel coup tordu me suis-je fourrée ? Renonce ! Fais demi-tour… tout de suite… tant qu'il est encore temps.* Devant elle, le puissant dos marqua un léger temps d'arrêt comme pour l'inviter à combattre sa raison et à poursuivre son ascension. *Tac-tac-tac*, aiguilles ferrées sur le chêne dur du giron des marches. Elle reprit le pas derrière Beth, pour finir à la porte de son appartement. Cinq étages à suivre la plus sublime des créatures, cinq bon dieu d'étages pour faire volte-face et s'enfuir à toutes jambes. Quinze mètres d'une cruelle escalade pour déjouer l'improbable, à refuser l'insondable de son discernement. Quinze mètres de dénivelé pour se retrouver au final, essoufflée, aux côtés de l'instigatrice de cette circonstance, devant la porte qui allait inaugurer des contrées sauvages, primitives et inconnues dont elle ne soupçonnait pas même les contours ni les frontières. Son instinct béotien avait repoussé la logique de son entendement ; l'inné viscéral avait vaincu l'acquis conformiste. Déjà la clef tournoyait dans la serrure puis le battant pivota. Beth semblait parfaitement à son aise, ni moindrement gênée que troublée par cette perspective ambiguë, sans doute coutumière du fait, de ces relations hors de la convenance usuelle inculquée. Cela rassura un peu Valérie pour qui cette soirée était une grande première. Elle se trouvait sur scène, sous le feu des rampes, droite et raide, ovationnée mais mutique, sans avoir appris son texte, sans pouvoir donner la réplique. Mille questions venaient torturer son esprit. Une pucelle face à une femme d'expérience habile à ce genre d'ébats, ne sachant que dire ni faire sans risquer de passer pour une godiche. Les événements l'emportèrent, embrasée par la magie de l'instant. Elle se détestait, foncièrement emprunte, gourde figée, statufiée dans ses talons, les bras ballants, inutiles, le long du corps. Elle émettait continuellement un petit rire cristallin crispant, impossible à étouffer, juguler ni même contrôler, tant euphorique qu'angoissée, excessivement nerveuse en fait. Heureusement, Beth prit les choses en mains avec moult calme, douceur et chaleur. *Elle n'aurait su en réaliser un dixième.* La belle rousse l'avait saisie délicatement par la main, l'invitant à prendre place sur le canapé. Valérie s'y était posée, les fesses à moitié dans le vide. Elle était fiévreuse, brûlante, non glacée !... elle ne savait plus très bien. Elle observait la gestuelle élégante, studieuse à l'apprentissage d'une réelle prouesse. Nouveau cocktail, encore : gin, vermouth, glaçons dans un shaker vigoureusement agité. Liquide translucide dans les verres en cristal, deux olives. Ivresse insidieuse, devenant incontrôlable, comme le corps et l'esprit encartonnés dans les alvéoles des lourdeurs éthyliques. Féline, Beth approcha du divan, encouragea Valérie à s'installer plus confortablement, dans le fond des coussins épais. Elle lui tendit son verre. Les deux récipients tintèrent quand elles trinquèrent, des étoiles dans les yeux de Beth, de la crainte et une once de terreur dans ceux de Valérie. Leurs lèvres s'humectèrent au savoureux mélange avant de s'effleurer. La sensation, tout d'abord, surprit par sa douceur Valérie qui, après un court instant, livra de nouveau ses lèvres à la bouche de Beth. Tout en elle chavirait, ses principes, les fondements de son éducation, ses *a priori*, ses préjugés. Tout fondait comme neige au soleil. Elle n'avait jamais, dans un baiser, ressenti une telle émotion, un tel désir d'aller plus avant sur le terrain mouvant d'ébats qui lui étaient encore étrangers. Leurs langues vinrent à se mêler dans une lente chorégraphie enivrante, chargées des impressions les plus folles. Valérie succombait doucement à cette danse plus pressante, gravait dans sa mémoire ce que chaque seconde lui procurait de plaisir nouveau. Tout son être explosait au bouleversement de ce baiser fougueux, annonciateur d'une suite plus insensée encore qu'il lui tardait de découvrir. Ce fut d'ailleurs sa main qui s'aventura dans un premier temps sur la cuisse de Beth, en signe d'acceptation, de soumission à ce délire bestial qu'elle voulait éprouver de toute sa nature. Ses doigts agrippèrent le nylon des bas, les soutirèrent, un peu empressés alors que les fines mains de Beth la caressaient, s'immisçaient partout, s'invitaient dans son corsage, doigts experts jouant de ses envies durcies tirant la soie légère de son chemisier. Les voilà déjà, habiles, défaisant un à un les boutons de son jean. Mains délicieusement douces sur ses cuisses fébriles. Vibration sourde dans son bas-ventre, magma surchauffé à l'orée torride de l'explosion, prêt à pourfendre son intimité pour dévaler les pentes soyeuses de ses rivages secrets. Valérie était en ébullition, haletait, transpirait, abaissait ses paupières pour confier à son imaginaire les commandes de ses agissements, capitaine fou du navire de ses pulsions. Ses paumes découvraient les délices d'une peau subtile, lisse, voluptueusement duveteuse. Quand se rouvrirent ses yeux émerveillés, elle agrippait énergiquement la foisonnante chevelure rousse étalée sur ses deux cuisses ouvertes. Elle tanguait au divin massage délicat sur les lèvres offertes de son sexe exultant. Son plaisir se déversait à cette bouche pulpeuse, aux assauts de cet animal aventureux et goulu, en ressac indomptable sur l'isthme mouvant des terres. La houle s'apaisait lentement dans un râle puis, reparaissait plus puissante encore, une lame de fond rugissante irradiant jusqu'au plus profond d'elle-même. Elle se prit au jeu, renversant Beth sur les coussins. De petits baisers craintifs et mal assurés sur l'intérieur des jambes de son alliée, bientôt sa bouche s'enhardit et visita la plaine gracieuse de son ventre étonnamment plat puis enserra l'un de ses seins menus et fermes. Sa langue s'enroula autour de l'aréole, ondulante et fiévreuse, érigeant ce petit bout de chair divine, si tendre et dure à la fois. Elle aspira résolument cet apex altier dans l'espoir d'en boire le nectar, d'en soutirer la quintessence. Pour la première fois de son existence, tout son corps délivré arpentait une peau douce, imberbe, délicate, fragile, légèrement parfumée… la peau d'une femme abandonnée à l'étreinte de ses succulences tactiles. Valérie percevait ce corps sublime, tout à elle comme le sien l'était aux abordages licencieux de son amante, à ses extraordinaires invasions, à cette colonisation sensitive si féerique. Court instant de répit pour ces deux nymphes frémissantes d'un plaisir latent. La fresque vivante, évanescente et complaisante, face à elle lui sauta alors aux yeux, étonnante. Dans l'ardeur de leurs joutes charnelles, Valérie n'avait curieusement rien remarqué. Elle vagabondait à présent, sans empressement, langoureuse et apaisée, au pourtour de ces énigmatiques tatouages, lignes graphiques ornant magistralement cette Néréide parfaite ; redessinait, livrée à ses rêveries, chacun des contours tortueux et superbes. Que racontait tout cet occultisme esquissé, quelle en était la signification ? Plus tard… Son doigt suivait le serpent stylisé naissant à la cheville gracile de la jeune femme pour s'enrouler autour de sa jambe. Lorsqu'il atteignît la triangulation tendrement posée sur son pubis admirablement bombé, il s'arrêta longuement, léger mais pressant. Discernant la résurgence d'une fulgurante montée de désir irrépressible qu'elle-même partageait, la pulpe se fit plus impérieuse, plus précise, déjà invasive. De nouveau sa bouche voulut tout happer, ses lèvres tout embrasser, sa langue tout ressentir sous des investigations appuyées. Ses mains et ses doigts voulaient revisiter tous ces atours, se saisir de toutes ces rondeurs, inspecter tous ces creux. Beth l'amena à un peu plus de retenue, atténua sa précipitation, bien consciente du plaisir qui l'envahissait et irradiait tout son for intérieur. Chacune voyageait sur les mystères de l'autre, mains affleurantes, peaux enflammées, doigts vagabonds, baisers brûlants, pressions soutenues, orteils sensuels, langues exploratrices …

N'y tenant plus, elles finirent par enfouir leur visage entre l'impatience paroxysmique de l'autre, s'évertuant avec lascivité et passion, de leur mobilité linguale, à détecter le point de jouissance recherchée ; combat luxuriant d'un bourgeon tumescent contre un bouton turgescent. Râles surpuissants, hurlements étouffés, soupirs profonds, spasmes et crispations des membres raidis jusqu'à la crampe. Éprouvées, elles relevèrent simultanément leurs figures inondés d'exultation et, d'un simple échange de regards, l'œil pétillant de désir commun mais voilé d'une félicité vaporeuse, subite connivence tacite, elles replongèrent vers l'antre jubilatoire inassouvi de l'autre. Leurs jouissances extrêmes alors diffluèrent, abondantes, intarissables, un plaisir synchrone et diluvien, partagé et assumé, prodiguant à chacune l'effet escompté dans la sourde violence de leurs souffles rauques, d'incontrôlables halètements spasmodiques, d'incoercibles gémissements abyssaux et l'unisson de leurs cris sans retenue.

Un temps infini leur fut nécessaire pour recouvrer la réalité. Puis, corps et esprits s'apaisèrent, accrochés aux ultimes notes égoïstes de l'indicible plaisir qui s'estompait. Elles demeurèrent un long moment silencieuses et enfin osèrent s'affronter du regard, un sourire radieux illuminant leurs minois.

Elles ne purent se résoudre à se quitter ce soir là et Beth ménagea une place dans son lit pour y lover Valérie dans le creux de ses bras. Elles refirent l'amour, encore et encore, au cours de la nuit. Enfin repue, rassasiée, son corps demandant grâce, son esprit venant de déceler la vraie lumière de l'Amour, Valérie finit par s'endormir, heureuse, sous l'œil attendri de Beth, restée en éveil.

47

Mésopotamie méridionale, IIIe millénaire avant notre ère.
Grande Cité du roi Ousma Al-Azir

Mesilim le Jeune déambulait dans le lacis des ruelles étroites de la grande Cité, intelligemment conçu pour protéger les résidents des éprouvantes flammes torrides du soleil. Dans ces ombrageux corridors, circulait un courant d'air permanent en provenance des rives aménagées d'un des bras du fleuve, apportant une fraîcheur bienfaitrice à tous ceux qui s'y déplaçaient. L'art des géomètres et le génie des architectes excellaient dans d'ingénieuses conceptions à rendre les cités, s'élargissant continuellement, agréables à vivre pour cette masse populeuse compacte constamment grandissante à s'y établir. La modernisation rurale galopante limitait ses besoins de main-d'œuvre en produisant déjà davantage et tout naturellement la population désœuvrée des campagnes accourait vers les villes pour retrouver une activité apte à faire subsister les siens. Les reconversions étaient simples et faciles, les cités quémandant toujours plus de bras à s'étendre, se construire, s'aménager, d'âmes généreuses et douées à faire commerce ou artisanat et pléthore de petites mains pour nettoyer et assainir des artères encombrées où s'accumulaient souvent détritus et ordures, les traces nauséabondes et inesthétiques de cette grouillante fourmilière humaine, à faire disparaître sans attendre.

Mesilim adorait la grande Cité. Il l'avait faite sienne après s'y être établi lors de sa nomination comme Grand Sage et y avait fondé sa famille. Dans un des quartiers d'en-bas, proche du fleuve, résidaient sa très jeune épouse et leurs deux enfants, dans une jolie maison de briques crues entourée d'un jardinet clos de murs où une luxuriante végétation formait un écran bien utile à contrarier le feu solaire. Ce havre de paix lui était propice à la méditation et à la profonde réflexion indispensables à ses fonctions.

Sur les hauteurs de la localité, resplendissait le fastueux Palais du Haut Dignitaire Ousma Al-Azir – un souverain tyrannique et intransigeant – édifice pompeux et ostentatoire où justement se rendait hâtivement le jeune sage. À côté de ce joyau architectural somptueux, le sol avait été éventré sans pondération pour établir les gigantesques fondations d'une ziggourat monumentale encore jamais imaginée que le régnant avait commandée d'édifier sans délai. Quelques deux mille hommes besognaient sans relâche à ce vaste chantier, sous le claquement sec et douloureux des fouets, les injonctions brutales des contremaîtres. À la fin du jour, exténués, ils partageaient une maigre pitance insipide sous des toiles de lin poussiéreuses, tendues et déchiquetées, qui tentaient de refouler avec difficulté les ardeurs diurnes claquemurées dans cette étuve aux parois d'argile. À la nuit tombée, la cohorte de corps des moins résistants était transportée au-delà des remparts, sur des charrettes tirées par des ânes. Jetés sans aucune déférence dans de vastes fosses creusées succinctement, les cadavres disparaissaient sous un ensevelissement sommaire de terre ocre et sèche, rejoints par les corps désarticulés de graves accidentés encore vivants mais économiquement insoignables, et quelques rares mourants respirant avec peine. Face à l'ampleur de ces travaux, les soins, l'oisiveté et les bouches inutiles étaient autant de luxes qui ne s'offraient pas à ces misérables manants.

Quelquefois, par vent portant venu des déserts infinis, l'odeur pestilentielle de ces horribles charniers s'infiltrait jusque dans les recoins de la ville, empestant l'air au plus profond des maisons.

Par cet ouvrage titanesque, l'insatiable roi Al-Azir entendait démontrer la suprématie de sa toute puissance et rallier à sa cause les cités-États avoisinantes de moindre importance pour constituer un royaume dont la grandeur rayonnerait bien au-delà des fleuves, impressionnerait ses ennemis potentiels et permettrait d'envahir inévitablement avec force facilité d'autres contrées plus lointaines.

L'administration de cette Ville-État était austère, l'ordre sans complaisance et la contestation chimérique. Pour autant, chacun y trouvait son équilibre dans une salubrité si rare en ces terres, de plaisants aménagements de grand agrément et surtout une sécurité irréprochable dans ces contrées où la dangerosité venait lécher les remparts solidement érigés à en protéger les habitants.

Mesilim avait été convoqué par le rigide Souverain afin de lui exposer les projets mis en place par l'Ordre des Sages qui, aux dires d'une âme loyale et soucieuse à la bonne marche des choses, avaient pour but de briser la folle avancée de leur civilisation en réduisant les inégalités entre les différentes castes et la prétention à immiscer de nouvelles règles et lois plus altruistes reléguant partie de celles actuelles en vigueur. Le dénonciateur était un brave hère, fort courageux de surcroît, car sa licencieuse délation à l'encontre des Sept Grands Sages était passible de cinquante coups de fouet en place publique, autant dire une mise à mort certaine en quelque sorte, déguisée sous un artefact de justice.

Arrivé sous le grand porche de l'enceinte immaculée de la demeure royale, Mesilim le Jeune dut plisser les yeux pour filtrer l'éblouissement de la réfraction solaire sur ces hauts murs crayeux d'un blanc virginal. Au gradé du bataillon hérissé de piques qui protégeait l'accès du Palais, il déclina son identité et l'objet de sa visite. Sans un moindre mot, il fut conduit dans une petite pièce sans fenêtre, mis à nu et étroitement fouillé puis ses vêtements lui furent rendus. Ensuite, dirigé dans un dédale complexe de salles impressionnantes et de patios richement décorés, Mesilim redouta la tournure que prenaient les événements. *Comment un homme vivant dans cet écrin de luxe avec kyrielle de domestiques à son service pourrait avoir une vision sage de la misère qui s'étendait au pied de ses murailles ? Comment ce même homme pourrait-il considérer comme son égal le manant tout juste bon à ramasser ses excréments ?* De la pointe acérée de leurs lances, les deux gardes l'escortant l'aiguillonnèrent sans ménagement pour qu'il accélère le pas. On ne faisait pas attendre le Maître Ousma Al-Azir, fusse-t-on bélître ou Grand Sage !...

Devant la double porte trilobée aux battants de bois précieux rehaussé à la feuille d'or, le sage se sentit ridicule et minuscule. Cette porte seule représentait la valeur de sa maison. Si sa voie initiatique l'enjoignait à l'humilité, elle n'effaçait en rien sa pensée face à cet étalage outrancier de richesses, ostentation illusoire certes mais d'une redoutable efficacité à impressionner le visiteur.

Lourdement armés, quatre soldats altiers de la Garde Royale lui firent barrage. Il dut attendre qu'un petit homme insignifiant, parti l'annoncer auprès du roi, revienne pour qu'il soit introduit dans le cabinet d'audience. Dans la vaste salle où matériaux les plus nobles le disputaient à ceux non moins raffinés, une douzaine de fantassins au regard belliqueux s'alignait au bas des murs tendus de glorieuses tapisseries illustrant les victoires des batailles du Maître de céans. Beaucoup plus en avant, au centre d'une estrade, siégeait Al-Azir sur son trône, flanqué de deux mercenaires de sa Garde Royale. Bien conscient qu'à cette distance son visiteur ne pouvait entendre sa voix, le souverain lui fit signe d'approcher. La taille impressionnante de la pièce garderait la confidentialité des propos qui seraient échangés entre le monarque et son sujet, étant entendu, précisa le souverain, que les deux reîtres patibulaires qui le protégeaient, étaient sourds et muets de naissance.

Courbé au pied des marches, les yeux rivés au sol, après la gestuelle révérencieuse de circonstance, ordre lui fut intimé de s'asseoir. Un simple tapis de laine rêche posé au sol invita le jeune sage à y tomber genoux en terre. Quand il fut autorisé à relever la tête, face à l'important dignitaire confortablement installé dans les épais coussins de son trône recouvert d'or et pierres précieuses, dominant de toute sa souveraineté la méprisable intrusion prostrée à ses pieds, les certitudes de Mesilim vacillèrent. Il sentait un piège pernicieux refermer inexorablement ses mâchoires affûtées sur sa fragile enveloppe de mortel. Une voix forte et autoritaire l'extirpa de ses considérations. En réponse à ce questionnement principal, le jeune sage expliqua humblement la teneur de ce qu'il pouvait exprimer des projets réalisés ; ces lois, règles et préceptes aptes à rendre les relations humaines plus pacifiques, à mieux répartir les grandes richesses de ce pays fertile, à faire que chacun – œuvrant pour le bien de tous – puisse manger à sa faim, abriter sa famille sous un toit décent, se soigner au même titre que la frange la plus aisée des sumériens. Al-Azir ponctuait cette tirade de grognements sourds, affirmant sa compréhension totale des propos tenus par l'orateur puis, une fois toute l'évocation terminée, le roi hocha de la tête avant d'indiquer, malgré un sourire dédaigneux sur les lèvres, qu'il était pleinement convaincu par ce plaidoyer, accordait crédit à ces précautionneuses paroles humanistes et adhérait à ce qui avait été fait. Le jeune sage sentit un agréable relâchement dans tout son être s'opérer sans pour autant qu'il puisse le laisser submergé par un sentiment de félicité.

– Va Mesilim, ta parole est sage comme tes actes. À vous sept sans doute parviendrez-vous un jour à rendre notre espèce plus civilisée grâce à vos codes, à apprivoiser l'homme rustre et inculte.

Mesilim quitta alors le tapis éculé avec la lenteur protocolaire appropriée, tout en restant courbé en respect à la grandeur de celui qui l'avait reçu. Il recula ainsi de dix bons pas. Il s'apprêtait à faire demi-tour pour sortir quand son interlocuteur lui assena mielleux une dernière question :

– Dis-moi, Grand Sage, le vil traître délateur m'a aussi parlé d'une enfant… le Signe comme vous la nommez… Qu'en est-il ? Quel est son rôle sur le Chemin des Destinées ?

Embarrassé, Mesilim revint faire face au Souverain, toujours plié en deux. Par en-dessous, entre ses cils baissés, il remarqua l'air condescendant du roi. Il se jouait de lui. Un chat espiègle avec une souris terrorisée ! La peur regagna subitement la moindre fibre de son corps. *Comment Al-Azir pouvait-il connaître tous ces détails ? Qui avait bien pu le renseigner ? Un espion de leurs travaux ? Comment était-ce possible ?…*

D'une voix mal assurée, n'osant le regarder, Mesilim entreprit de répondre au roi, sachant que la teneur de ses propos injurieux ne pourrait convenir à la susceptibilité du Haut Dignitaire.

– Ô Grand Souverain, mon Puissant Roi, de cela je ne puis te parler, malgré l'immense respect que je te dois. Cette enfant fait partie d'une voie occulte à laquelle nous seuls, Grands Sages, avons accès. Le Devoir de l'Ordre m'interdit de t'en dire plus… Puisses-tu pardonner mon outrecuidance, ô Grand Commandeur…

Mesilim avait le front collé au sol pour appuyer ses plus plates excuses. Il n'osait redresser la tête, attendant qu'ordre lui fût transmis de se retirer, signal bienveillant lui indiquant la fin de la consultation. Rien ne se passa, juste son front brûlant et fiévreux sur les dalles lisses et froides du sol.

– Bien, bien… fit le Roi, étonnamment conciliant.

Était-ce le signe salvateur tant désiré ? Allait-il enfin pouvoir fuir ce supplice ? Le regard apeuré du sage croisa un instant celui sombre et pénétrant duquel il ne parvint à déchiffrer l'expression, les sentiments. Courte pause interrogative car depuis le trône, la voix ferme et glacial enchaîna sans détour :

– Peut-être sais-tu cependant où se trouve cette enfant si extraordinaire ?… Je t'écoute…

Se tortillant au pied de l'estrade comme un ver privé de terre fraîche, Mesilim le Jeune aurait voulu faire corps avec la pierre et disparaître entre les joints du sol. Il souffla :

– Je réclame à nouveau ton si bienveillant pardon, Ô Illustre Seigneur. Je ne puis… je ne puis te révéler… puisses-tu absoudre la hardiesse de mon affront, Ô Puissant et Miséricordieux…

Rien ne changea sur le faciès fermé devant lui mais d'entre ses lèvres étrécies, le monarque chuchota :

– Ce n'est pas grave, Mesilim… car j'imagine que tout cela est bon pour notre peuple.

Puis, en avertissement des dangers qui guettaient tout homme irrespectueux de sa personne, il ajouta :

– Sache que j'ai fait fouetter ton délateur pour avoir osé mettre en doute le bien fondé du travail de ta corporation. Après trente-sept coups de fouet, son dos n'était plus qu'un lacis ensanglanté… j'ai un bourreau qui officie avec grand zèle ! À cette heure, son corps est en train de pourrir au pied des remparts de la ville, pour faire exemple de sa lourde faute. Les bestioles sauvages auront raison de sa pitoyable dépouille répugnante avant demain matin. Va, va maintenant !… finit-il agacé, cherchant à se débarrasser de cet inopportun parasite.

Mesilim prit enfin définitivement congé d'Ousma Al-Azir en suivant une fois encore le long protocole dû à son rang. Il traversa, escorté, tout le palais puis, une fois dans l'entrelacs des rues de la ville, soulagé que la contrariété du seigneur ne l'ait pas conduit dans une des geôles du palais, il se hâta vers les bas quartiers de la cité rejoindre les siens.

À l'approche de sa modeste demeure, une cohue inhabituelle agitait la venelle…

48

Paris, 10ᵉ arrondissement
Entre gare du Nord et gare de l'Est

Au hasard des artères, le regard de Philip Carlson accrochait celui, patibulaire, d'une faune peu engageante mixée au trot rapide et angoissé des « honnêtes gens » regagnant leurs foyers. Partout, des groupes se formaient, sur les trottoirs, aux portes cochères, échangeant sous cape billets pliés contre petits sachets aux reflets aluminés. De nombreux guetteurs remplissaient leur office, sifflant brièvement à l'approche de chaque véhicule suspect ou personne louche. Certains invectivaient ces fantômes tremblants, regagnant l'ombre de leur logis après une journée de labeur, prenant à partie ces zombies mornes de la société cannibale. D'autres taquinaient la jolie jeune fille, cuisses largement exposées sous une jupe trop courte, pourtant emmitouflées d'un long manteau que sa démarche saccadée entrouvrait à chaque pas ; gibier apeuré et craintif faisant étinceler la flamme d'un désir malfaisant tous ces yeux hagards de loups affamés, tels des lumignons cruels dans le crépuscule.

Soudain, Philip stoppa nette sa déambulation errante et piqua du nez dans une vitrine d'articles de jeux vidéos. Il venait de repérer Lucie qui descendait la rue sur le trottoir d'en face. Le vitrage reflétait la jeune femme qui marchait de façon nonchalante. À moins de dix mètres, elle traversa et vint continuer dans sa direction. Une vive montée d'adrénaline transforma Philip, prêt à bondir. Ses yeux firent le point sur l'ensemble de la rue, personne d'autre que les groupes statiques des dealers et mouvants des consommateurs. Il ne s'agissait apparemment pas d'un piège qui lui avait été tendu. Lucie approchait encore, dangereusement. Son poing se serra dans le fond de la poche de son blouson, disposé à foudroyer la mâchoire ou l'estomac de celle qui viendrait le refouler vers Vincennes. La jeune rousse entrouvrit la fermeture de son cuir et fouilla la poche intérieure. *Elle était armée !...* Tout irait très vite alors, soit qu'elle le tuât sur place dans la plus plate indifférence de cette faune hostile soit qu'elle l'obligeât à la suivre sans résistance. *Que faire ? S'enfuir ? Se battre ?...* La main fine ressortit munie d'un paquet de cigarettes puis tapota le vêtement. Lucie n'était plus qu'à un mètre. Elle exhalait un parfum inhabituel qui venait flatter son odorat aiguisé. Arrivée à sa hauteur, elle s'arrêta et lui lança avec un sourire généreux :

– Pardon Monsieur, auriez-vous du feu ?

Philip tourna lentement la tête pour constater avec effarement que le visage de la ravissante quémandeuse n'était pas celui de Lucie bien que silhouette et traits l'aient mépris. Soulagé, sans un mot, Philip tendit un briquet à la belle inconnue. Celle-ci s'en saisit, alluma sa cigarette et vint le redéposer dans la poche de Carlson estomaqué, toujours sans réaction.

– Merci beaucoup ! fit-elle, l'œil amusé.

– De… de rien, parvint-il à articuler avec difficulté alors que la jeune femme s'éloignait déjà, dispensant un rire aigu en triolets de croches cristallines sur la suave portée olfactive de son passage éphémère.

Philip resta médusé, dos appuyé contre la vitrine lui ayant servi d'observatoire. Ce fut un homme mal rasé, cheveux bruns bouclés, qui le ramena à la triste réalité du lieu. Malgré le froid de novembre, il n'était vêtu que d'un simple *Marcel* d'où surgissaient une flopée de tatouages agressifs.

Il apostropha Carlson, hargneux et méfiant.

– T'es keuf ou quoi ? Qu'est-ce que tu fous à rester planté là comme une glu ! Tu crois que j'ai pas repéré ton petit manège ? Bouge de là si t'as rien à y faire !

Face au silence craintif de Philip et son regard éberlué, l'autre envisagea les éventuelles hésitations d'un nouveau client potentiel qui ne savait encore comment s'y prendre ni où s'adresser.

– T'es pas là pour les filles, l'autre tu l'as pas suivie. T'es là pour l'appro alors ?

– L'appro ? questionna Carlson, interloqué.

– Ben ouais quoi, eksta, coke, blanche !

– Ah non, rien merci, répliqua Philip, conscient de ce que son attitude avait d'équivoque.

– Alors casse-toi ou je te fais bouger fissa !

En proférant l'injonction, l'homme avait passé la main derrière son dos et pointait maintenant sur lui un gros calibre extrait de la ceinture de son pantalon. Il poussa légèrement Carlson à l'épaule avec le bout du canon de l'arme, le sommant de disparaître sans demander son reste.

– OK, je me casse ! Pas la peine de s'énerver…

Philip prit promptement quelque distance et vira dans une rue perpendiculaire. Il était temps de se rendre à la gare, prendre son billet et quitter cette folie urbaine. Avant d'entrer Gare de l'Est, il se ravisa. Mieux valait brouiller les pistes. Avec ses manipulateurs, l'accès aux bases de données des retraits et paiements par carte ne devait être qu'une formalité au regard de la facilité avec laquelle ils obtenaient les informations et leur savoir-faire à maîtriser les vies. Il prit la direction de la gare du Nord. Une fois sur place, il stoppa devant le distributeur d'une grande enseigne bancaire, y introduisit son sésame plastifié et… carte muette ! *Les salopards ont déjà réussi à désactiver ma carte !* Il fouilla ses poches, cent-vingt euros et quelques pièces. Il n'avait d'autre choix que celui de rester une nuit supplémentaire dans la capitale et attendre le lendemain l'ouverture des agences bancaires pour retirer au guichet. Contrarié dans son plan de fuite, il partit en quête d'un toit pour la nuit.

Dans ses pérégrinations, il remarqua un hôtel sans prétention au milieu d'une rue anonyme, dans un rayon acceptable de la gare. Il s'assit sur la marche palière d'une entrée d'immeuble et observa attentivement les allées et venues de l'établissement. Il n'eut pas longtemps à patienter pour se faire une opinion précise sur le genre du « palace ». En moins de quinze minutes, cinq couples étaient entrés et trois en étaient ressortis ; des hommes un peu gauches et gênés, vérifiant alentour l'absence de têtes connues et des femmes, volubiles, exubérantes et aux tenues plus que suggestives. Un hôtel de passes ! La planque idéale pour une nuit avec, en général, un tenancier très arrangeant. Il poussa la porte vitrée de l'hôtel et se dirigea vers l'accueil situé non loin de l'escalicr menant aux étages. À son approche, un homme gras aux cheveux huileux quitta à peine du regard un téléviseur cathodique sans âge posé à même le comptoir et lança à Carlson, avant la moindre question de celui-ci :

– Une heure, vingt euros ! Pour la nuit, les tarifs sont affichés, cinquante euros plus dix pour les draps. Petit-déj' au bistrot d'en face, huit euros, payable d'avance ici.

Philip était sidéré, les choses avaient au moins le mérite d'être claires. Il annonça sans détour :

– Une nuit avec draps propres et petit-déjeuner.

– Soixante-huit euros alors ! Pièce d'identité, s'il vous plaît, répondit l'homme déjà replongé dans la retransmission d'une série américaine qui semblait l'absorber, main ouverte au-dessus de la tablette du comptoir, en attente de recevoir.

– Sans identité… c'est possible ?

– Ça fera cent euros tout rond, mon Prince. Chambre 104, au premier, fond du couloir à gauche. C'est la plus tranquille !…

En ramassant les deux billets de cinquante que Carlson lui tendait, l'homme lui lâcha bruyamment la clef de la chambre sur le bois écaillé en ajoutant :

– Draps et serviettes dans l'armoire. Douche et WC en face de votre porte. La targette est cassée mais ne vous inquiétez pas, les clientes ont l'habitude de ce genre de spectacle…

Il avait terminé sa phrase dans un rire vulgaire et grasseyant, dévoilant une dentition hasardeuse qui n'avait pas vue de brosse à dents depuis des siècles.

– Merci, fit Philip en gravissant les premières marches.

À mi-chemin, il croisa un couple aperçu un peu plus tôt lors de son observation. Il se dit que le Ténardier devait le maudire de prendre une chambre pour la nuit car l'heure à vingt euros s'avérait être en fait quinze à vingt minutes tout au plus et compte tenu du manège incessant des filles, ça rapportait gros, tout en liquide et rien à déclarer. L'homme semblait gêné de cette rencontre fortuite, nez dans les marches. La prostituée, une petite brunette, coupe au carré, outrageusement maquillée, le sein opulent débordant d'un décolleté bien trop ajusté, mini-jupe en cuir assortie à de longues cuissardes gainant ses jambes, avait un sens inné du commerce. Son regard goguenard toisa Philip. Tirant légèrement l'échancrure de son micro-corsage pourtant déjà prêt à exploser, elle l'invita d'une voix teintée d'un fort accent slave :

– Salut mon mignon… besoin d'un peu de bonne compagnie pour la soirée ?

L'œil était égrillard, le bout de la langue glissait sur des lèvres purpurines. Carlson ignora et passa son chemin, son torse frôlant la poitrine dressée dans l'étroitesse de l'escalier. Il ne prêta aucune attention aux jurons que la prostituée proférait à son encontre, parcourut les quelques mètres qui le séparait de la porte de sa chambre et s'y enferma avec un plaisir certain. Il ne s'attacha pas à détailler la médiocrité de la pièce, l'inverse l'eut étonné. Il ouvrit l'armoire bancale, tira la pile de draps et couvertures et fut surpris de l'agréable fragrance qui s'en dégageait. Au moins les draps sont propres, se dit-il. Pensif, il regarda par la fenêtre qui donnait sur une cour intérieure. Dans l'aile du bâtiment d'en face, à travers les fenêtres éclairées, la clientèle s'évertuait sans retenue sur le corps de pauvres filles qui simulaient pour abréger les ébats. Dépité, Philip tira le double rideau pour préserver son intimité, s'allongea sur le lit et réfléchit à sa situation incongrue. Demain, tout cet univers complètement délirant serait derrière lui ! Rasséréné par cette pensée, il se releva, se déshabilla et ceint ses hanches d'un grand drap de bain déniché dans l'armoire. Il fouilla le tiroir du meuble, y trouva quelques échantillons de savon liquide. Il quitta sa chambre, traversa le couloir et fit irruption dans un cagibi exigu, crasseux, empestant l'humidité. Dans un recoin, des toilettes à la turque, douteuses. Il fit couler l'eau. Le pommeau de douche pris par le calcaire projetait quelques rares jets. D'abord glacée, l'eau finit par tiédir un peu. Philip se jeta sous la pluie éparse. Pendant qu'il se rinçait, il n'entendit pas entrer dans le minuscule espace la brunette croisée un peu plus tôt. Quand il fit volte-face, la main professionnelle enserrait déjà son sexe, intimant un mouvement de va-et-vient caractéristique. Elle le fixa, gouailleuse et licencieuse.

– Alors, toujours aussi bégueule, mon mignon ? Je te fais un prix d'ami, tu me plais bien…

Elle commençait à s'accroupir quand à son grand étonnement, elle décolla du sol pour retomber lourdement le long de la porte. Elle se ramassa tant bien que mal et essaya un coup de pied aux testicules mais Carlson, plus prompt, lui saisit la cheville qu'il tordit sévèrement. La fille s'affala sur le carrelage, la tête à côté des toilettes. Quand elle réussit enfin à se relever, son maquillage outrancier dégoulinait. Elle jura comme un charretier puis ouvrit la porte en heurtant sa tempe au chambranle et disparut, vacillante.

Atterré, Philip descendit, serviette en pagne, jusqu'à l'accueil. Il attrapa l'homme par le revers du col, le souleva de sa chaise et lui relata en furie l'incartade, exigeant le remboursement immédiat des cent euros. Une fois ceci fait, il remonta lestement les marches quatre à quatre, se rhabilla prestement et réemprunta l'escalier pour fuir ce bouge. Débutant sa descente, le protecteur de la fille était en pleine ascension, arme au poing. Il n'eut pas le temps de réagir avant que la semelle de Carlson ne vînt pulvériser sa mâchoire, répandant sur les murs des filets de sang et laissant jaillir de sa bouche déchirée des dents arrachées au violent impact. Dans sa course, Carlson le piétina, bouscula l'hôtelier qui gesticulait et hurlait dans le hall. Sous la poussée, il finit cul par dessus tête dans le bac de plantes artificielles près de la porte. Dans la rue, Philip prit une foulée rapide pour ne la quitter que dix minutes plus tard. Il venait de mettre entre lui et ce taudis suffisamment de distance pour reprendre une marche normale. À cet instant, il s'offrit le luxe d'une cigarette pour s'apaiser. Lorsqu'il voulût l'allumer, il retira de la poche de son blouson, outre son briquet, un morceau de papier plié en quatre. Intrigué, il le déploya délicatement. Il y était inscrit : « Demain soir 20 heures – 22 rue des Récollets, Entrée Principale du Jardin Villemin – Je serai seule. Lucie ».

Ainsi la belle rousse avait déposé un message tout à l'heure… comme par magie, elle avait su détourner son attention.

Philip Carlson défroissa un plan de Paris chiffonné qu'il avait acheté à la sortie du métro. Il chercha la rue dans l'index et fut rapidement informé de la proximité du lieu de rendez-vous avec l'endroit où il se trouvait. Il prit l'option d'aller inspecter les lieux avant de prendre la décision d'honorer ou non ce rendez-vous cocasse. Sans attendre, il s'y rendit.

49

Paris 10e arrondissement, rue de l'Échiquier
Appartement de Beth O'Neill

Beth O'Neill resta un long moment immobile, jouant d'une mèche blonde des cheveux de Valérie. Elle était détendue, sereine, pleinement comblée. Elle et cette surprenante policière avaient fait l'amour intensément durant d'interminables heures, avec fougue et passion, puis tendresse et subtilité, même dévotion la concernant. À sa grande surprise, cela lui avait procuré un extrême plaisir non feint. Maintenant, elle observait, avec un ravissement certain, celle qu'elle avait initiée à ces jeux équivoques et qui, bien que novice, avait su la transporter savoureusement vers les territoires secrets et intimes d'une jouissance vraie, fulgurante, profonde, quasi bestiale. Les premières caresses un peu timorées, les premiers gestes un peu gauches et les premières paroles par trop timides avaient vite laissé place à une divine alliance des peaux, une torride osmose des membres, un fol échange des fluides. Elle s'était alors totalement laissée aller, sans retenue aucune, dans les bras de cette partenaire particulièrement savante et douée à mettre en exergue la quintessence d'exaltation de la moindre fibre de son anatomie librement livrée. Chaque parcelle de son épiderme avait été explorée par de voluptueux baisers, par l'agile extrémité de cette langue douce et humide, vive et si exquisément intrusive, par l'effleurement délicat et luxurieux du bout de ces doigts sensuels, par …

Ces pensées réveillaient en elle des pulsions sybarites qu'elle sut contenir avec difficulté tant elle était désireuse de retrouver les brûlantes sensations de leur union, de replonger dans ce chaos des sens. Attristée, elle refoula cette excitante résurgence.

Patiemment, comme l'eut fait un chat d'une proie cachée, elle guettait chez Valérie l'instant propice, cet instant où la respiration deviendrait stable, calme et régulière, le moment précis précédant la phase paradoxale, celui d'un sommeil si profond que rien des choses extérieures ne viendrait le perturber. En attendant, l'esprit encore désorienté par les rémanences croustillantes de la nuit, elle prolongeait l'admiration ce corps presque nu, à peine recouvert d'un simple bout de drap léger sur la poitrine. Ce corps parfait avec lequel elle venait de s'adonner à des plaisirs charnels hors du commun. Si la policière n'avait jamais, d'évidence, connu ce type de relations, Beth piocha un souvenir lointain de cette première approche, une nuit d'été à Dublin, dans le centre de formation de la société secrète dont elle dépendait. Très jeune alors, à peine quinze ans, elle avait reçu cette initiale expérience intime comme une extraordinaire révélation, un véritable aboutissement. Dès lors, elle n'avait plus consacré ses idylles qu'à les partager avec des femmes à défaut de toute autre aventure. Les très rares et seuls partenaires masculins qu'elle avait fréquentés – souvent dans le cadre de ses missions et on la surnommait alors la « mante » – l'avaient déçue, laissée sur sa faim, affligée par leur manque de finesse, meurtrie par la rudesse de leurs élans et frustrée de leur plaisir précipité par trop égoïste.

Un léger sursaut du corps endormi à ses côtés la ramena à la cruelle réalité de cette soirée et toute sa mise en œuvre élaborée avec soin. Cela faisait plus de quarante minutes que sa compagne d'un soir dormait, maintenant plus que profondément. Il était grand temps d'envisager l'ultime stade de son stratagème avant de faillir.

Reléguant à regret sa contemplation, de façon imperceptible, elle se releva doucement sur un coude, les yeux toujours rivés sur Valérie qui ne bougea pas. Elle fit lentement franchir son corps avec d'infinies précautions par-dessus celui de celle qu'elle venait d'étreindre avec une ferveur passionnée. Le bout de son sein vint frôler délicieusement l'épaule dénudée. Elle s'arrêta un instant à cette charmante caresse et intima une très légère pression pour en savourer toute la perception ce qui fit resurgir une nouvelle fois son désir. Furieuse, elle s'imposa de réagir et commanda à son cerveau de l'extirper définitivement de cette langueur néfaste à l'objectif dont elle avait la charge. D'un ultime et léger mouvement arachnide, elle finit sa contorsion acrobatique. En un instant, une fois l'admirable obstacle contourné, elle redevint ce qu'elle aimait tant être : une exécutrice froide, implacable et infaillible. Elle resta encore quelques secondes assise sur le rebord du lit, détaillant avec assiduité le sommeil de celle qu'inexorablement la mort appelait dans son antre. Rien, pas un moindre tressaillement qui lui permit de déceler un quelconque soupçon d'éveil. Beth alors se leva. La lune à travers la lucarne de la toiture jouait de sa lueur blafarde sur la remarquable plastique de la prédatrice se déplaçant sans bruit, et métamorphosait cette silhouette au derme graffité en une créature énigmatique, presque chimérique. Dans cette pâle luminosité toute particulière, sa lente mouvance recréait une existence propre à tous les graphismes sinueux tatoués, telle une vie indépendante à celle de l'ombre qui déambulait.

Beth connaissait bien le court rituel de mise à mort incombant aux personnes non-initiées ; peu de préparatifs, arme classique, rapidité d'exécution. Elle alla chercher dans l'armoire le nécessaire. À son ouverture, la porte força et emplit la pièce d'un grincement lugubre. La jeune femme fit volte-face vivement, se tapit au sol et attendit une réaction de la dormeuse. Rien n'avait bronché sur le lit, le sommeil profond de Valérie remplissait son rôle à ravir. Elle tira alors du placard ce dont elle avait besoin pour commettre sa basse besogne, écarta son aube noire inutile qu'elle baisa religieusement avant de la poser au sol puis se saisit d'un fin poignard dont la lame étincela sous les rais lunaires. Exécution sommaire, seule une arme blanche, tout le reste ne serait que décorum, fioritures surnuméraires…

Un rictus machiavélique ornait ses lèvres, Beth l'Amoureuse s'était évanouie, évaporée, pour laisser place à Beth la Tueuse, l'impitoyable meurtrière sanguinaire privée d'émotion, rationnelle, efficace. La femme s'était muée en animal. Elle revint à pas de loup au pied du lit sur lequel, loin de se douter du cruel destin qui l'attendait, Valérie sommeillait, nue, allongée sur le dos, offrant l'intégralité de son intimité à son assassin. Beth retira le morceau de drap qui recouvrait son sein gauche. Valérie frissonna un court instant, cherchant à ramener le tissu sur son corps. Sa tête vira sur le côté dans un long soupir et instinctivement, onirique protection, ses jambes se resserrèrent.

Devant celle qu'elle avait passionnément aimée peu d'heures auparavant, abandonnée maintenant à sa totale volonté, Beth hésita encore un tantinet, s'indignant des ordres reçus, doutant de l'utilité de tout cela, malheureuse d'avoir à supprimer un être si tendre et aimant. Refoulant avec violence ces entraves et ces chaînes à son devoir impérieux, elle raidit l'entier de ses muscles, ferma les yeux pour chasser une dernière pensée à celle qu'elle venait d'étreindre, pour garder une ultime image non dépravée de la perfection de ce corps affectionné puis, d'un coup, elle leva son bras armé et tout alla très vite…

Dans la pénombre de la chambre exiguë, durant une fraction de seconde, avant qu'il ne retombe, l'éclat métallique de la lame du poignard brilla dans le faible halo de l'astre lunaire, seul témoin de l'ignominie qui se déroulait.

50

Vincennes, Clinique du Parc
Automne 2008, peu après le vol du coffret.

La cave située sous l'édifice de la Clinique du Parc n'était pas sacralisée. Pierre brute, sans artifice. Pas de tentures, pas de décors ni d'accessoires symboliques, rien. Cellule de crise, rassemblement d'urgence, Temple inutile. Les sept membres de l'ultime cercle de la société secrète s'étaient retrouvés, toute affaire cessante, pour débattre de la catastrophe qui venait de frapper leur organisation. Les visages étaient tendus par la contrariété, les rumeurs enflaient dans un brouhaha feutré mais persistant, leur conciliabule risquait d'être très coloré. Tous avaient le regard inquiet et attendaient des réponses ou pour le moins des explications concrètes car était survenu l'impensable ! L'ancestrale confrérie avait été dépossédée du seul bien autour duquel s'articulait son existence, le fondement même de son obscure utilité, sa nature profonde. Son cœur vital lui avait été arraché sans ménagement, dès lors son corps profané à vif restait sans ressource, pantelant et exsangue, privé du seul organe justifiant sa seule raison d'être.

Sans le Coffret, de quoi sera fait demain ?

Il fallait aussi et surtout définir les responsabilités réelles de chacun dans cette tragédie, écouter les uns et les autres, autopsier les arguties avancées, juger si nécessaire pour enfin sanctionner les fautes et négligences avérées. Des têtes allaient peut-être tomber, sûrement, et la colonne vertébrale de cette créature énigmatique pouvait possiblement se disloquer au risque de voir anéantie à tout jamais son illustre quête, ainsi pulvérisée par défaut de la matière si puissamment gardée depuis des temps immémoriaux.

Angèle Fourot, la Très Honorable Grande Maîtresse, heurta bruyamment de son maillotin le pupitre devant elle pour dissoudre cet insidieux poison bruissant et vénéneux qui s'infiltrait dans les esprits choqués, jubilatoire essence délétère à faire chavirer la sage clairvoyance. L'âme sombre et venimeuse de l'infâme matérialité refoulait l'aura pure et paisible de la généreuse spiritualité. Il fallait renouer avec tout le discernement de chacun, replonger à la source de la haute intelligence, s'envelopper de l'immanence vaporeuse de la Sagesse, inextinguible besoin à retrouver la Voie des Anciens pour parfaire le Grand Œuvre ambitionné. Un salvateur silence transfigura l'endroit en dissipant les émanations du fiel profane. Après une courte pause d'apaisement, Angèle se décida à prendre avec fermeté la parole.

– Comme vous le savez tous, le Coffret contenant les secrets des Sept Grands Sages vient de nous être dérobé…

Coup d'œil circulaire aux esprits martyrisés.

– Rien de pire ne pouvait nous arriver ! La Grande Prophétie doit prendre fin et se révéler au terme de la décennie du Porteur de l'Anneau que nous venons d'initier. Perdre le Coffret maintenant, c'est voir disparaître juste avant son avènement le principe même de notre existence, c'est jeter le monde et les hommes en pâture aux plus vils instincts des âmes maudites des non-initiés, aux crocs des prédateurs féroces de la sphère profane…

Dans l'assistance, tous se taisaient, concentrés sur les propos de leur chef de file dont les fonctions s'éteindraient dans vingt-six mois. Elle reprit et ordonna sèchement :

– Que l'on m'apporte immédiatement le dossier de cette traître de Rena ! Il doit se trouver dans le carton des archives à l'intérieur de la crypte, si elle ne l'a pas emporté…

– Et qu'en feras-tu alors ? lança un éclat subit, coupant sans ambages l'oratrice interloquée par cet affront inconsidéré. Crois-tu qu'une femme qui a réussi à manigancer le pillage du bien le plus précieux et le mieux gardé, ait été assez stupide pour nous livrer des informations capitales sur elle ? Qui a mené l'enquête sur son compte à l'époque de son recrutement ? Marie ! Ta propre mère ! Qu'en penser !… N'y a-t-il pas d'autres brebis galeuses dans nos rangs ?… Voilà les bonnes questions à se poser dans l'immédiat ! Le reste n'est que rhétorique stérile.

La voix forte du directeur de la clinique, François Levallois, était sans appel. Crue, tranchante, efficace, apte à rallier à sa cause les esprits crédules ou velléitaires ; suffisamment ambiguë aussi pour installer durablement doute et confusion sur les personnes en altérant du même coup leur prérogatives et leur ascendant sur la gestion et la gouverne à venir de la faction.

Sa grande ambition à vouloir diriger la société était connue de beaucoup sinon de tous. Il s'en était largement ouvert à maintes reprises déjà. Profitait-il de ce drame pour faire levier et nourrir ses prétentions ? En tout état de cause, les hostilités étaient bien lancées, la guerre déclarée et il appartenait maintenant à chacun de choisir son camp, de rejoindre sa tranchée. Il poursuivit :

– Il nous faut déterminer ceux qui sont à l'origine de cette catastrophe. Rena ne pouvait agir seule sur un coup pareil. Elle a forcément des complicités, à l'intérieur comme à l'extérieur ; une stratégie de repli. Il faut fouiller toute la période où elle a été chez nous, éplucher ses contacts, ses missions, ratisser sa vie hors d'ici, décortiquer ses appels, mails, courriers… il faut tout savoir !

L'homme était rubicond d'une colère mal contenue. Était-elle uniquement consécutive à ce vol dramatique ou plutôt et surtout dirigée contre celle qui détenait les clefs de leurs instances ? Dans l'assemblée sidérée, la plupart semblait connaître la réponse tant le directeur avançait à découvert, sans masquer ses assauts.

À travers la densité compacte du silence retombé, une voix tremblante d'exaspération, blanche d'indignation :

– François ! Si je peux tout à fait comprendre ton courroux de l'instant, respecte au moins les règles les plus élémentaires de la bienséance. L'idée première est que cette réunion soit constructive et non pas l'arène du grand déballage des humeurs de chacun… Notre devoir est aussi de rester au-dessus de la médiocrité du vulgaire pour édifier ce que la Voie initiatique des Anciens nous impose en marge de nos ambitions personnelles !

L'homme, hors d'atteinte, maintenait la tête haute, regard dur et rictus cynique. L'intervention d'Angèle était un coup d'épée dans l'eau, sans efficience aucune. Le mal était fait, le doute instillé, les esprits déstabilisés. Exit la Très Honorable Grande Maîtresse, les dernières heures présentes en sonnaient le glas… il prendrait sa place… très bientôt… aujourd'hui peut-être !

Depuis plus de deux heures, les membres échangeaient, dans un tumulte difficilement gérable, arguments et impressions sur le cauchemar qui touchait leur phalanstère. Les sept esprits du cercle ultime de l'organisation, se devant d'être les plus purs, dérapaient, déraisonnaient, happés par le vil tourbillon profane qui les jetait dans la lie épaisse de la pensée obtuse, dans la fange glauque de l'intelligence tronquée, dans la boue égocentrique du discernement juste soudain évaporé. Chacun rejetait sa propre erreur sur l'autre, s'enorgueillissait de savoir comment procéder, arguait de la bonne démarche à suivre, alléguait de la juste position à tenir, s'opposait, tançait, s'accordait, modifiait son cap au gré des changements de rapport de pouvoir… mais au final, tous s'interrogeaient, désarmés face au funeste événement : Que faire ?…

Du haut de sa chaire, Angèle avait eu bien du mal à maintenir un ersatz de cohésion, un semblant d'unité créatrice à guider leurs propos. Le maillotin claquait régulièrement sur bois de son plateau sans qu'il n'initiât un retour au calme et encore moins un silence d'apaisement. Néanmoins, à force d'interventions rythmées et au terme d'une logorrhée vide d'intérêt, d'une foison de palabres aussi fielleuses qu'inutiles, une fois enfin abandonné le terrible couperet malsain de leur ego, arrachée la langue vipérine de leur fatuité, les sept plus hauts membres convinrent, enfin raisonnables, de trouver comment se réattribuer le Coffret pour que soit pérenne la voie tracée par les générations antérieures, bien au-delà des clivages et de leurs divisions intestines.

Cependant, le directeur Levallois ne put se résoudre à ne pas parachever son travail de sape après cette tourmente si savamment orchestrée à son profit dont il était à l'origine.

Il reprit, sentencieux :

– Je demande céans la démission d'Angèle Fourot, notre Très Honorable Grande Maîtresse, pour responsabilités aggravées dans l'épreuve qui nous afflige, manquement manifeste de lucidité et de discernement dans l'exercice de ses fonctions. Pour ces graves faits avérés, j'exige qu'elle soit dégradée voire définitivement évincée de notre communauté.

– Démission !… cria-t-il en conclusion.

– Oui, démission ! se fit entendre une voix.

– Démission !… renchérit une autre.

Sans se départir de son calme, celle à qui incombaient les plus hautes charges de la confrérie, rétorqua :

– Si c'est ma démission que vous souhaitez, il conviendra de l'exprimer par vote à bulletin secret, conformément aux règles qui régissent notre fonctionnement…

– Que ce soit fait maintenant, sans attendre ! la coupa une fois encore Levallois, excité par la proche conclusion de ses desseins. Élisons par la même occasion celui qui prendra place à cet office pour diriger nos…

– Rien n'est pire que l'ambition quand elle se dérègle pour ne nourrir que des intérêts personnels…

Depuis sa chaire, Angèle avait repris le flambeau du verbe, d'une voix parfaitement sereine. Elle insistait sur quelques strictes vérités afin de réajuster l'heure aux pendules.

– … elle s'assimile alors à un fanatisme exacerbé, obsession paroxystique qui génère la très étroite vision régentée par les œillères de l'ignorance…

Puis finit par mettre quelques points sur les « I ».

– Puisque requête en est faite, nous voterons donc !… mais pas maintenant puisque nos règlements imposent une ouverture régulière, ce qui n'est pas le cas. Je vous propose de nous retrouver ici demain soir pour y procéder. Nous installerons rituellement le Temple à ce faire et ouvrirons régulièrement nos ouvrages. Ainsi je connaîtrai le sort qui m'est réservé et nous pourrons élire non pas *celui…* mais bien celle ou celui qui me succédera pour officier à la tête de notre société.

Après une courte pause afin que chacun s'imprégnât de tout le sens profond de son annonce, elle enchaîna :

– Peut-être vous faudra-t-il aussi envisager de vous prononcer sur l'identité de la personne qui me remplacera en cas d'éviction définitive de notre communauté, pour combler le siège vacant…

Un silence abrupt cristallisa l'atmosphère tendue. Celle qui les conduisait depuis près de cinq ans avait parlé avec grand calme, sans animosité ni mettre en avant ses capacités méritoires, sans nuire non plus à celui qui visiblement s'attachait à instrumentaliser sa perte, sans même chercher à sauver sa peau. Elle restait digne, enveloppée de toute la sagesse de sa fonction.

– La séance est levée, conclut-elle. À demain.

Elle s'éclipsa promptement de la salle, évitant les contacts, alors que commentaires et conversations emplissaient à nouveau tout l'espace. Les uns et les autres polémiquaient sur la décision prise, l'échéance trop immédiate, les candidatures envisageables à cette succession prématurée, les bouleversements que tout cela engendrait dans le bon maintien de leurs obligations, à un moment déjà rendu particulièrement pénible par le vol du coffret et la désorganisation qui en découlait… en fait, un flux continuel et vide de sens précis, guidé par les mêmes parasites glutineux qui avaient perturbés la prise de sages décisions tout au long de cette sombre soirée.

51

Paris 10ᵉ arrondissement, rue de l'Échiquier
Appartement de Beth O'Neill

Valérie Nouellet, Capitaine de Police de son état, gisait au centre d'un grand lit aux draps pourpres de son sang. Elle avait ressenti une piqûre incisive juste sous le galbe de son sein gauche, devenue de plus en plus douloureuse et persistante. Comme une longue aiguille froide et effilée venue trébucher sur ses côtes avant de transpercer son cœur. Et puis, plus rien ! La souffrance s'était effacée, étonnamment, laissant place à bien plus tragique et terrible sensation encore. Elle se vidait, se voyait se liquéfier. Tout d'elle s'épanchait dans d'abondantes rivières d'hémoglobine, corps inerte transformé en coque vide et creuse. Ses énergies vitales fuyaient cette enveloppe raide se moirant de gris. Seule son âme semblait vouloir lutter, mais déjà aérienne, légère, si fugace, l'entraînant au-dessus de cette scène, en spectatrice impuissante du théâtre de son agonie. Elle distinguait d'impétueux torrents vermillon s'écouler, courant tout au long de sa silhouette nue, pour s'étendre en larges circonférences au tissu de la literie, inexorablement, toujours plus vastes, plus étendues. Puis, saturée, l'étoffe finissait par relâcher une lave épaisse et filandreuse qui glissait, pesante, jusqu'au sol, chaude et bouillonnante, cascade lourde, tels des rapides tropicaux indomptables charriant rageusement mais au ralenti toute la moelle substantielle de sa vie. Le constat était terriblement affligeant, sans moyen d'action, sans le moindre geste possible pour stopper cela. Face à cette impuissance dolosive, elle voulut hurler mais aucun son ne s'échappa de sa bouche tordue d'effroi. Sa gorge, largement tranchée, les cordes vocales sectionnées, hoquetait en borborygmes écumeux, bave écarlate. La pièce restait sourde et désespérément muette. Sa hargne demeurait coincée au tréfonds de son larynx déchiré, son désespoir tapi derrière les rideaux effilochés de ses chairs meurtries. Seule la vile rumeur de la Mort grésillait, abjecte et lancinante. Et voilà que sa tête perdait toute substance, ses idées lui échappaient, insaisissables, pensées envolées, évanescentes, l'essence même de sa réflexion s'amenuisait un peu plus à chaque seconde. Ses poumons regimbaient, se révoltaient, tapageurs, du manque d'oxygène, comme le soufflet lacéré d'une forge, méritant mais inefficace à la braise qui lentement noircit. Son cerveau se nécrosait, l'entier de ses muscles se raidissait, tétanisés. Elle ne pouvait plus ni se débattre ni même crier, devait accepter, statufiée et résignée, l'impitoyable sentence qui s'accomplissait, cruelle et injuste. À l'instar d'une plume virevoltante, elle partait en errance, indéniablement, quittait les racines de ce bas-monde si sombre – mais ô combien rassurant – pour le survoler de son regard vide. La dernière image qui parvint à se frayer un chemin jusqu'à son cortex l'épouvanta plus encore, l'estampe de son corps mutilé, vrillé par la souffrance, puis le faible éclat de ses yeux révulsés de terreur, pupille dans laquelle s'imprimait, en filigrane et fantomatique, la photographie des contours du visage de son assassin…

Elle étouffait, suffoquait… déjà morte…

C'est à cet instant que Valérie dégagea le lien de drap qui enserrait son cou et l'étranglait sévèrement. Elle reprit, à grand bruit, une large goulée d'air. Ce sursaut violent finit de l'éveiller, bougonne et râleuse, l'esprit tout engourdi du manque de sommeil d'une nuit bien trop courte et torturé d'un tel réveil en fanfare. Elle rugit tout haut :

– Putain de cauchemar à la con !…

Elle mit un temps certain à pouvoir se reconnecter à la réalité, cherchant autour d'elle, d'un œil hagard, des repères habituels. Rien de ce qui l'entourait ne lui ramenait d'impressions connues. Elle s'ébroua, fit maints efforts pour parvenir à définir le lieu où elle se trouvait. Quand ses yeux prirent enfin la mesure de la situation, une agréable odeur de café grillé flattait délicatement ses narines. Par la porte entrouverte de la chambre, elle voyait le coin cuisine où fumait, disciplinée, la cafetière. Elle se leva d'un bond, s'enroula dans le drap du lit et alla directement dans le salon. Personne ! Elle était seule dans cet appartement quasi-inconnu que de vagues souvenirs commençaient à identifier. Apparurent alors les fils entremêlés de la veille et ceux savoureusement chaotiques de la nuit.

Elle appela timidement

– Beth…

Aucune réponse.

Elle inspecta le minuscule appartement d'un rapide coup d'œil circulaire. Son amie d'un soir était résolument introuvable. Elle restait partagée entre la sérénité de leurs ébats de la veille qui lui revenaient à présent en mémoire et l'empreinte démoniaque du malaise laissée ce matin par son cauchemar. De retour dans le salon, elle avisa la table basse chargée d'un plateau en bambou sur lequel étaient harmonieusement disposés un mug, une assiette débordant de viennoiseries tièdes et odorantes, du beurre sur une soucoupe en porcelaine, des petits pots de confiture et un verre de jus d'orange. Derrière, en support sur un vase empli d'une fragile rose blanche, un mot griffonné à la hâte.

Bonjour Valérie,
Le café est prêt dans la cuisine
Bon appétit à toi
Je n'ai pas le cœur aux adieux
Merci pour cette folle nuit
Je t'embrasse tendrement
Beth
P.S. : laisse la clef dans ma boite à lettres en partant.

Valérie, émue, se précipita machinalement à la petite fenêtre en chien-assis de la pièce, l'ouvrit prestement mais, les toits en mansardes ne lui permirent pas une vision panoramique de la rue en contrebas. Beth était-elle encore là, cinq étages plus bas ?… Le froid mordant de l'hiver sur sa peau fut la seule réponse.

Pour la première fois depuis des années, attendrie, elle pleura à chaudes larmes. Cette attention lui allait droit au cœur, dépassait largement le cadre de la simple affection, revêtait bien plus qu'elle ne l'aurait soupçonnée seulement vingt-quatre heures plus tôt.

Debout près de la fenêtre, les yeux encore humectés, elle but son café, engloutit les viennoiseries et avala le jus d'orange. Elle partit ensuite se jeter sous la douche. L'eau brûlante sur son corps réceptif lui remémorait les caresses de la nuit, à la fois douces et torrides. Elle s'extirpa des jets bienfaisants, se sécha promptement pour se revêtir des vêtements éparpillés de la soirée.

– Merde !... faut que je repasse par mon appart... je ne peux pas aller au boulot dans cette tenue !...

Elle regarda l'heure. 8 h 30, déjà !... C'était bien rare qu'elle eût été surprise en retard au bureau. Elle traça à son tour un petit mot pour Beth, accompagné de son numéro de téléphone. Elle faillit le rayer mais, au dernier moment, se ravisa. Après tout, pourquoi se priver d'instants aussi inoubliables si d'aventure ils pouvaient se reproduire !...

Elle ferma la porte à clef, dévala les cinq étages au pas de course malgré ses hauts talons. Dans le hall tout en longueur, elle chercha la boite aux lettres de Beth mais aucune ne portait son prénom. Elle hésita entre Durand B., Lavallée B. et O'Neill B. sans savoir où déposer la clef. Elle finit par choisir de l'emporter avec elle, s'enchantant par avance d'être obligée de la ramener à sa propriétaire en fin de journée.

Elle tira derrière elle la lourde porte de l'immeuble, arpenta le trottoir sur quelques hectomètres et s'engouffra dans la première bouche de métro qui se présenta à elle.

52

Mésopotamie méridionale, IIIe millénaire avant notre ère
Grande Cité du roi Ousma Al-Azir

Sa rue d'ordinaire si calme et tranquille ressemblait à l'une des artères commerçantes du centre de la cité, populeuse et bruyante. Tous avaient quitté maisons, échoppes, ateliers et parlaient fort, ne s'accordant visiblement pas sur un sujet dont lui n'avait la moindre idée. Seul un mauvais pressentiment s'inscrivait durablement à son esprit inquiet et commençait à hanter ses pensées. *Il était arrivé malheur à l'un des siens !* Plus il s'approchait, plus tous l'évitaient. Sur son passage, chacun faisait profil bas, sans un regard, sans un mot, comme s'il eut été un pestiféré. Parvenu à fendre la foule, à quelques pas de là, encadrant la porte de sa demeure, il aperçut quatre fantassins de la Garde Royale qui en condamnaient l'accès et repoussaient curieux et badauds. Hésitant et angoissé, Mesilim s'avança jusqu'à eux et quémanda une réponse à tout ce charivari. Les quatre soldats restèrent cois et lui firent signe d'entrer.

Dans la salle principale du logis, ses deux enfants, fermement ceinturés par deux hommes d'une taille impressionnante, pleuraient sans comprendre. Mesilim voulut accourir pour les libérer mais un troisième quidam le frappa violemment à la tempe.

Ébaubi, le Grand Sage questionna :

– Mais que faites-vous ?... Lâchez mes enfants, l'aîné n'est âgé que de cinq ans...

Une deuxième frappe du manche de la lance vint le percuter brutalement à l'épaule. Il s'effondra sur les genoux.

– Assieds-toi et patiente. Notre Grand Seigneur – Ô Puissant et Miséricordieux – va bientôt arriver, il t'expliquera !

Par habitude et respect, évoquant son Roi, le corps du soldat s'était courbé, révérencieux.

– Mais j'en viens, intervint Mesilim.

– Tais-toi ou je frappe encore…

L'homme n'avait en fait aucune intention de l'écouter, son rôle se bornait à seulement maîtriser le jeune sage jusqu'à l'arrivée de son souverain.

– Où est mon épouse ? tenta cependant le sage.

Le coup partit, vif et fulgurant, dévastateur, l'arrachant littéralement de la chaise où il s'était finalement résigné à s'asseoir. Sa lèvre était largement déchirée, sa joue gonflait et du sang affluait à la commissure de sa bouche.

– Je t'avais prévenu ! fit sobrement l'autre.

Mesilim le Jeune abdiqua, se tassa sur son siège, silencieux et immobile. Ceux-là étaient des butors, il ne fallait rien en espérer. Le souverain Ousma Al-Azir serait là dans quelques temps et tout rentrerait dans l'ordre. D'un regard apaisant, masquant sa crainte, le père anxieux tenta de rassurer sa progéniture qui s'ébattait dans les bras musclés des mercenaires. Depuis la pièce d'à côté, à travers un tapage couvert d'exclamations et de rires, il perçut son épouse geindre faiblement, sans doute bâillonnée. *Que lui faisaient-ils ? Combien étaient-ils ? La maltraitaient-ils ?…*

Venu du dehors, un grand désordre se fit entendre, cliquetis de l'équipement d'hommes en armes, acclamations de la populace sur le passage de la litière du puissant seigneur, bruit des piques écartant les badauds. Puis, tout ce tintamarre stoppa net devant la petite maison où Mesilim patientait malgré la rage qui lui enlaçait les tripes.

Lorsque la porte s'ouvrit, la courte silhouette empâtée du Haut Dignitaire se profila à contre-jour, suivie d'une demi-douzaine de soldats. Quand le monarque s'approcha du jeune sage, ce dernier se releva avec célérité pour interpeller l'homme avec qui il avait conversé peu auparavant dans son palais. Un bras puissant écrasa son larynx et l'immobilisa. Avec un rictus cynique, Al-Azir avança jusqu'à l'homme ainsi maintenu.

– Mon bon Mesilim, ton allure est vive, te voilà déjà rendu dans ta belle et coquette maison, commença-t-il d'un ton badin, presque complice…

Puis son timbre s'altéra en grincement métallique, tremblant de colère, se brisa si vibrant d'une fureur qu'il ne pouvait contenir plus longtemps. Ses yeux perçants exultèrent alors qu'une cruauté sadique et glaciale tirait ses traits.

– Que l'on fasse flageller ces quatre fainéants de porteurs pour leur paresse à être si lents, qu'ils soient fouettés jusqu'à la mort et me soient remplacés sur le champ.

Il attrapa soudainement la barbiche du jeune sage et tira son visage vigoureusement jusqu'au sien. Son haleine fétide, sure d'une malfaisance débordante, jaillit aux narines du jeune sage qui ne put reculer pour s'en défaire. De la même tonalité acide, sans plus aucune courtoisie, le souverain cracha :

– Tu vas me dire la vérité maintenant, chien de savant ! Dans mon palais, nombreux sont les yeux qui m'espionnent mais ici, personne ne dira jamais rien. De l'or en contrepartie de leur silence ou la mort pour toute désobéissance…

En un instant, Mesilim comprit le guet-apens dans lequel il était tombé. Il s'était fourvoyé sur les bons sentiments du Maître de la cité lors de son entrevue au palais. L'homme était un félon à leur civilisation, seul son intérêt personnel prévalait. Il tenta cependant d'intercéder.

– Que pourrais-je ajouter que je ne t'ai déjà dit, Ô Al-Azir le Prodigieux ? Je ne sais rien de plus…

– Nous allons voir… ricana le roi.

D'un court signe de tête, le souverain ordonna au soldat qui maintenait la fillette de Mesilim de passer à l'action. Ce dernier gifla si puissamment l'enfant qu'elle alla rouler à quelques mètres, heurtant durement le bas d'un meuble. Des hurlements traversèrent l'esprit du sage alors que ses yeux s'emplissaient de larmes. *Ils ne reculeront devant rien...* Le soldat attrapa l'enfant au sol par un bras et la lança à travers la pièce contre le mur opposé. Quand le petit corps retomba, sa jambe droite reposait le long de la paroi dans un angulation impossible. Mesilim hurla :

– Arrêtez, laissez-la ! Elle n'a pas trois ans…

– Elle n'avait... le reprit Al-Azir.

Au même instant, la dague courbe du reître trancha la gorge juvénile dans un jaillissement de sang.

– … pas trois ans ! Parle, vermine !

Les yeux noirs du Haut Dignitaire étincelaient d'une véritable folie. Il se jeta sur le garçonnet, le souleva par une oreille.

– Parle ou je tue aussi ton fils…

Dans le rideau de larmes qui troublait sa vue, Mesilim aperçut son garçon, digne et silencieux, lui arguant force de ne pas parler. Une fraction de seconde de fierté embellit sa pensée pendant que l'enfant retombait lourdement au sol. Le dément le roua de coups de pied, sans complaisance ni pitié.

– Parle ou je l'empale, cancrelat !…

Il avait saisi une lance qu'il tenait au-dessus du corps flasque de l'enfant inconscient. Mesilim le Jeune ne cilla pas quand la pointe traversa la cage thoracique de son fils à plusieurs reprises. Ses yeux croisèrent ceux devenus fixes de la chair de son sang. Il susurra entre ses lèvres étrécies de colère et de douleur, le terrible venin de la pire malédiction sur le roi Al-Azir et sa descendance. Le souverain s'en moqua, ironique et fort de sa suprématie.

– Tu ne peux rien contre moi, cafard ! Ta malédiction flotte dans l'inconsistance de l'air face à mon armure… elle retombera sans effet et se flétrira d'elle-même.

Il avait accompagné ses paroles d'une virevolte de la main, aérienne et légère, puis ferma son poing comme s'il écrasait un insecte imaginaire.

– Al-Azir, tu viens d'anéantir un esprit bien plus brillant que le tien qui n'avait pourtant que cinq ans… cependant, lui déjà avait conscience du terme « loyauté », de la notion de secret, que la violence n'est rien en regard de la puissance de l'Amour qu'il nous faut porter aux autres et en soi. Ma malédiction t'accompagnera pour le peu de temps qu'il te reste à vivre, elle torturera ton vil esprit et chacune de tes pensées viendra buter sur ce rempart de souffrance… fais ce que bon te semble, renégat de ta race, plus rien ne peut m'atteindre désormais.

Sans ménagement, le Grand Sage fut emporté dans la pièce voisine. Dès son entrée, Mesilim saisit l'ampleur du désastre, tout l'horrible supplice qu'avait enduré sa jeune et tendre épouse. Sept soudards se tenaient dans l'espace, leur sexe durci à la main, gouailleurs, pendant qu'un huitième s'enfonçait, haletant, entre les cuisses écartelées de sa belle Our-Nina. Elle n'était pas bâillonnée mais sa bouche était tellement tuméfiée qu'elle ne pouvait plus articuler le moindre son, seules des plaintes rauques s'échappaient de sa gorge, sporadiquement. Sous ses paupières gonflées par les coups, Mesilim croisa des yeux, étrangement vides. Sur ses flancs et son ventre dorés, glissaient les filets opalins de la semence de cette sauvagerie que gardaient aussi prisonniers les doux fils noirs et soyeux de sa toison. L'escorte des six soldats d'Ousma Al-Azir se déculotta à son tour, tous désireux de goûter aussi aux plaisirs de cette chair ferme, même à la partager à tant d'hommes. Le Haut Dignitaire jubilant laissa l'entier de sa troupe épancher ses basses envies puis, estimant que le spectacle avait assez meurtri le mari captif, fit cesser l'orgie, intimant ordre de conduire la catin dans le casernement de son armée où chacun pourrait s'en amuser à loisir.

– Parle, sorcier ! Tu n'as plus rien sur cette terre, j'ai détruit ta vie… alors parle et peut-être te laisserai-je la vie sauve. C'est ta seule issue.

Le Grand Sage regardait sans réagir les mercenaires déclouer les mains fines de sa femme, plantées au bois rugueux de la table où ils l'avait jetée pour en abuser. Ils détachèrent ses chevilles liées aux pieds de la table et la laissèrent s'affaler au sol, inconsciente. Ils la roulèrent dans une large étoffe et la chargèrent sur l'épaule de la plus épaisse des brutes. Elle disparut ainsi vilainement ballottée par l'embrasure de la porte pour être emportée vers le nouvel autel des sacrifices qui l'attendait.

La mort appelait Mesilim en son sein, il ne chercha pas un seul instant à la déjouer puisque plus rien ne le retenait ici-bas. Au moins espérait-il que sa tendre Our-Nina ne survivrait pas aux assauts qu'elle venait de subir afin que son calvaire ne perdure pas. Avant de répondre à Al-Azir, sa pensée erra sous le grand mudhif. Il revit l'instant quand il exigeait presque que lui soit révélé le lieu où avait été conduit le *Signe* ; il reconnut sa bien piètre attitude. En effet, savoir était mettre en danger mais, de toute façon, il n'aurait pas parlé, jamais, il en avait fait le serment indéfectible. Il inspira profondément puis chuchota :

– « Mourir plutôt que Trahir », Al-Azir, tel est un des serments de notre Ordre… Tu peux faire de moi tout ce que tu veux maintenant, chien méprisable, puissent les Grands Seigneurs y trouver une raison acceptable à t'accueillir…

Dans un ultime sursaut d'énergie, supplantant tous les traumatismes infligés, le sage se jeta sur le Haut Dignitaire, extirpa le poignard d'argent qu'Al-Azir gardait toujours à sa ceinture d'étoffe et se le planta dans le cœur.

Aucun des hommes encore présents n'avait eu le temps de réagir tant l'impulsion de Mesilim avait été subite. Il aurait tout aussi bien pu, dans son mouvement, assassiner le régent de la cité. Ce dernier, ulcéré, les fit tous arrêter, ils seraient battus jusqu'à la mort pour avoir négligé la vie de leur Maître.

Depuis un recoin sombre de la pièce où personne ne l'avait jusque-là soupçonnée, une silhouette larvaire rampa. L'individu fielleux était malingre, mal bâti, puant, répugnant, l'air sournois avec deux petits yeux équivoques. Il se traîna encore sur quelques pas jusqu'aux pieds du roi, son front raclant le sol irrégulier puis, agrippa l'ourlet de la robe de son souverain. Trois pointes de lance enfoncées légèrement dans les chairs de son dos se firent soudain plus pesantes. Il supplia le Haut Dignitaire de l'épargner et de se pencher avant de lui souffler à l'oreille :

– Ô toi Al-Azir le Magnifique, ô Grand Maître de la Cité, Régent de ces Terres... je peux te conduire là où réside cette enfant miraculeuse des Sept Grands Sages… je sais où se tient l'endroit secret… prépare une escouade et je t'y emmène sur le champ.

Le souverain considéra la larve abjecte à ses pieds avec un intérêt reconsidéré.

– Aqqi, ignoble vermine putride, puisses-tu dire vrai et je te couvrirai d'or pour masquer ta puanteur fétide de traître. Sinon tu recevras les cinquante coups de fouet promis que j'aurais dû te faire infliger puis je te ferai torturer pour que tu meures d'une lente et très douloureuse agonie… Je fais apprêter un cohorte de trente hommes de combat et leur suite. Le temps que l'intendance prépare cela, tiens-toi prêt à venir à mon palais, ce soir, par la porte des domestiques.

D'un geste évasif dirigé vers deux mercenaires, il compléta :

– Je laisse ces deux-là à ton entier service… pour être bien sûr que tu ne te déroberas point d'ici là !

Puis, le Roi refoula du bout de son pied richement chaussé cette insignifiance pestilentielle.

53

Paris 10e arrondissement, rue de l'Échiquier
Appartement de Beth O'Neill

Sa longue journée de travail enfin terminée, Valérie Nouellet s'empressa de retourner dans le quartier où se situait l'appartement de Beth. Elle s'engouffra chez un fleuriste, acheta un volumineux bouquet de roses blanches aux extrémités irisées, fit entourer les fleurs de gypsophile et y adjoint une petite carte humoristique. Les cinq étages ne lui semblèrent qu'un détail à gravir. Elle les avala au pas de course, sautant les marches deux par deux. Arrivée sur le palier, essoufflée, son cœur battait à tout rompre dans sa poitrine. Elle aurait pu croire que c'était cette ascension effrénée qui lui faisait battre la chamade mais elle savait très bien pourquoi il en était ainsi. Elle éprouvait pour Beth un amour fulgurant, un coup de foudre véritable, une révélation. C'était la première fois qu'un tel sentiment l'envahissait, violent, presque destructeur et pourtant si agréable dans le même temps. Elle avait pensé à Beth toute la journée, son image et son odeur interférant sur sa concentration, sa douceur ainsi que sa générosité perturbant ses raisonnements. Le pragmatisme légendaire de la policière s'était quelque peu effrité, émoussé pour laisser place à cette douce légèreté générée par cet amour naissant. Ses collègues s'étaient étonnés de cette inconséquence très inhabituelle et en avaient même plaisanté lui conférant quelque aventure mirifique. S'ils avaient su…

Elle frappa à la porte, tendit l'oreille et appela à voix basse. À l'intérieur, rien ne bougeait, pas un son, aucun pas. Elle toqua une deuxième fois plus puissamment avant de se résoudre à l'évidence, l'appartement était vide, Beth absente. Plutôt que de patienter dans un bar du quartier, elle décida d'attendre dans les lieux. Elle entra sans hésitation, réitéra son appel qui resta sans réponse. Elle trouva un gros vase en cristal dans le placard de la cuisine, fit couler de l'eau fraîche et arrangea le bouquet qu'elle mit en évidence sur la table basse du salon, juste à côté de sa rose blanche du matin. Le mot griffonné était encore sur la table, Beth n'était donc pas rentrée de la journée. Elle saisit au hasard un magazine qui traînait sur le plateau inférieur de la table du salon, le feuilleta, sans conviction. Elle cherchait simplement un peu de contenance, à éradiquer son impatience et faire passer le temps. Près d'une demie heure plus tard, Beth n'était toujours pas là. Ceci la contraria. *Que faire ?* Attendre encore un peu ou quitter l'appartement en espérant un appel de Beth. Elle opta pour la première solution, se leva et fit le tour de la pièce, regardant par la fenêtre la nuit qui s'était emparée de la ville. Elle consulta la tranche des livres qui trônaient sur une étagère murale, des auteurs connus mêlés à d'illustres inconnus, essentiellement des polars, en français et en anglais. Beth était donc bilingue. La bibliothèque révéla également tout un rayon d'ouvrages ésotériques, cabalistiques, dont l'hermétisme du texte était à l'aune de la compréhension de leurs titres abscons. Elle alluma la téléviseur pour combler le vide et le silence de la pièce, regarda sans intérêt les images défiler. Un grand dadais ânonnait dans un micro une mièvre chanson sur un rythme mollasson, trois bimbos se trémoussant en arrière-plan. Elle éteignit l'appareil.

Bien qu'elle s'en défendît longtemps, sa curiosité l'emporta. Elle se dirigea vers la chambre, tira un peu sur les draps du lit qu'elle n'avait pris soin de faire avant son départ précipité. *Ah ! ce lit, lieu de toutes les débauches et de tous les plaisirs.* Son cerveau égrena à nouveau les formidables événements de la veille dans une chronologie assez confuse. Valérie sentait ses joues s'empourprer, son corps réagir à ces souvenirs exquis si proches. Pour s'extraire de cette sensation curieuse, elle entreprit de border le drap qui dégringolait jusqu'au sol sur le côté du lit et là : stupeur ! Un poignard gisait, la lame effilée et tranchante comme un rasoir, la pointe embrunie de ce qui semblait bien être un peu de sang séché ! L'instinct du flic a cette particularité rare de tout vouloir décortiquer, des scènes de crime les plus morbides en passant par les insignifiantes dérives constatées de la vie quotidienne. Celui de

Valérie ne faillait pas à cette réputation, étant même plus exacerbé encore que chez bon nombre de ses collègues. Par réflexe, elle prit dans la poche intérieure de sa veste, un petit sachet plastique et un grattoir. Elle s'appliqua à y faire tomber de minuscules particules brunes. À cet instant, elle se haïssait mais c'était plus fort qu'elle, la volonté instinctive de la capitaine de police l'emportait sur la raison de cœur de la jouvencelle amourachée. Elle voulait savoir, devait savoir. Son esprit rationnel avait repris le dessus, repoussant d'un revers de main tous les merveilleux souvenirs de la nuit. Elle se rua alors vers l'armoire et se livra à un méticuleux inventaire. Quelques vêtements, rien de plus. *Le jean et le T-shirt rose pâle portés à Rome.* Cette fille l'intriguait de plus en plus. *Que faisait-elle à Rome ?* Dans le fond de l'armoire, son sac de sport, vide ?... non ! Bien trop lourd pour être vide. Valérie le soutira du bas de l'armoire, le posa sur le sol et en retira un paquet assez pesant. Quelque chose de long, métallique, enroulé dans une longue étoffe noire. Elle déplia avec soin le tissu et, consternée, découvrit qu'il s'agissait d'une sorte d'aube sommaire sur laquelle scintillait un intrigant pentagramme doublement circonscrit. Son étonnement redoubla quand ses yeux croisèrent la lame recourbée d'une dague à la poignée incrustée de pierres précieuses. *Une dague ancienne, très ancienne sans conteste et sarrasine à n'en pas douter !* Qu'est-ce que cet d'objet faisait là ? Son idée première fut que l'arme était volée, Beth cambrioleuse d'antiques objets de collection ou plus simplement receleuse et passeuse de butins dérobés. Elle resta un long moment sur cette pensée, la développa puis, comme toujours, la fit évoluer vers d'autres hypothèses plus filandreuses. Était-ce une arme satanique ? Son type même poussait l'imagination à la mise à mort en des temps anciens. Et cette aube étrange… une caste occulte, des soldats de l'ombre ? Et pourquoi pas une dague spécifique pour des exécutions rituelles comme l'avait soumis Silvio ?... Son sang ne fit qu'un tour ! Très vite, elle synthétisa les informations recueillies, les assembla en un tronc cohérent qui lui donna des frissons le long de l'échine. *Se pouvait-il que « sa » Beth soit la meurtrière de Rome ?* Tout son être voulait expulser cette cruelle déduction mais son esprit policier lui intimait l'ordre de la conserver et de l'approfondir. *Cette fille vue à Rome puis dans l'avion et avec laquelle elle s'était offerte sans résistance et avec complaisance dans des ébats fougueux, qui était-elle ?* Elle n'imaginait pas cette frêle et fragile anatomie pouvoir prodiguer une telle barbarie, sa douceur et sa tendresse de femme aimante remplacées par l'implacable détachement d'une exécutrice froide et sauvage. Soudain, au milieu de sa réflexion, elle prit pleinement conscience de l'endroit où elle se trouvait, dans l'appartement de Beth… peut-être dans le repère d'une meurtrière ! Dans l'antre d'une barbare sanguinaire ! Cette pensée lui glaça les sangs. Par gestes rapides et précis, elle replia la dague dans son fourreau vestimentaire et logea le tout dans le sac qu'elle remit à sa place dans l'armoire. Quand la porte grinçante du meuble fut repoussée, celle de l'entrée claqua bruyamment dans la pièce voisine. Une poussée d'adrénaline s'empara alors de tout son corps, violente et dévastatrice. Elle transpirait à nouveau, exsudait comme la veille au soir mais la raison en était toute autre. La peur s'instilla en elle, subrepticement mais agressive, tel un poison redoutable, incurable. Elle palpa sous son aisselle, son calibre était là, logé dans son étui, une présence lourde et rassurante.

– Ah ! tu es là, fit timidement Valérie, d'une voix un peu étranglée. Je finissais le lit que je n'ai pas eu le temps de faire ce matin ! Je te rapportais ta clef et comme tu n'étais pas là, je me suis permise d'entrer pour t'attendre. Ça ne te dérange pas ?

– Bonsoir Valérie, non, non, tu as bien fait, répondit Beth en la détaillant avec application.

– Je n'ai pas trouvée ta boîte aux lettres ce matin, alors j'ai emporté la clef avec moi et me voilà !…

Le timbre de sa voix avait perdu son naturel, ce qui n'échappa nullement à Beth. Ses yeux étaient scrutateurs, ils tentaient de déshabiller l'âme de Valérie, d'en fouiller les pensées. La flic se sentait de plus en plus mal à l'aise. Beth, chasseuse, détendit l'atmosphère en lui proposant un verre.

– Pas le temps, il faut que je file. Ça fait un bon moment que je t'attends ici. Je suis passée vite fait pendant mon boulot pour rapporter ta clef ! Désolée mais là, je n'ai vraiment plus le temps. Dommage !…

Sa dernière phrase avait sonné plus juste, enfin ! Elle en était presque heureuse, rassurée. La réplique rappelait le ton sucré de leurs conversations amoureuses chuchotées. Peut-être que Beth ne s'était rendue compte de rien finalement, du moins l'espérait-elle. Elle jeta un coup d'œil à sa montre-bracelet et ajouta, empressée :

– Je suis vraiment à la bourre, un petit tour aux toilettes et je suis partie !

– OK ! On se voit peut-être plus tard… ou demain ?

Devançant la réponse à cette question, Beth s'était avancée jusqu'à Valérie et avait déposé délicatement un tendre baiser sur ses lèvres.

– Et merci pour les fleurs… elles sont magnifiques !

– Oh ! C'est bien la moindre des choses après tout ce que tu m'as fait découvrir cette nuit…

En finissant sa phrase, Valérie s'était détournée et était entrée dans la symbolique salle d'eau où l'espace se bagarrait entre une cabine de douche, un lavabo et des toilettes. Un fois isolée dans cette étroite retraite, elle poussa un long soupir de soulagement. Assise sur la cuvette des toilettes, elle respira profondément pour se calmer et reprendre le pas sur ses émotions antagonistes. Elle profita de son isolement pour prélever une fine mèche de cheveux enroulée dans la brosse posée sur une tablette au-dessus du lavabo. Elle la glissa dans un petit sachet qu'elle replaça dans sa poche. La femme se maudissait mais l'enquêtrice se félicitait. Elle tira la chasse d'eau, sortit de la pièce et se dirigea plus détendue vers la porte d'entrée où l'attendait sa belle amante. Passant devant Beth, elle lui enserra voluptueusement les épaules et l'embrassa avec passion à pleine bouche. Elle lui sourit largement puis, avec un clin d'œil, lui murmura, sensuelle :

– Pour plus tard, malheureusement non, mais demain, vers 20 heures, pourquoi pas ! Je t'invite dans un petit resto sympa dont tu me diras des nouvelles ?…

Beth prit un air affecté et fit la moue :

– Tant pis pour plus tard mais OK pour demain, avec grand plaisir ! Tu passes me prendre ?

– Sans problème… à demain !

Elles joignirent encore leurs lèvres humides dans un baiser chaleureux d'où jaillissaient les merveilleuses sensations d'abandon de la veille.

À ce moment précis, ni leurs yeux ni leur visage ne trahirent le bouillonnement de leurs questionnements intérieurs, le tumulte de leurs interrogations, le frissonnement de leurs doutes, car que savaient-elles réellement l'une de l'autre au final ? Qu'avaient-elles pu découvrir de leurs vies respectives ? Elles l'ignoraient, pour l'instant, l'une comme l'autre. Elles se jaugeaient, elles se toisaient à travers un jeu pervers qui procurait à chacune toute l'ampleur d'un égoïste plaisir pourtant partagé. Se pourrait-il qu'elles outre-passent leurs devoirs, leurs obligations ? Chacune se forgeait son intime conviction, sa trame et les dérives acceptables ou non de ce défi. Il leur manquait certains éléments encore pour prendre leur décision définitive. Quel que soit l'enjeu ultime, elles ne voulaient pas y soustraire leur cocasse aventure, ne pouvaient plus éradiquer leur fugue amoureuse en devenir dont la force naissante dépassait outrageusement la puissance de leurs raisonnements maintenant fragilisés, fine écorce de cristal d'un pragmatisme bousculé par des dérives émotionnelles irrépressibles d'un fol animal impétueux aux écailles indestructibles.

Après avoir traversé la capitale, Valérie, toute remuée de ces événements controversés, retrouva le cocon sécuritaire de son logement. Elle retira les échantillons prélevés, les posa avec son arme de service sur le chevet près de son lit. Elle observait ces sachets avec tristesse, comme des démons ricanant du piège dans lequel elle s'était enfermée. Elle chassa cette vision démoniaque, persuadée que les analyses infirmeraient son hypothèse.

Cherchant à modifier la trajectoire malsaine prise par son esprit, elle se déshabilla et entra nue dans la salle de bains. Face au miroir qui l'interpellait, instinctivement, elle souleva doucement son lourd sein gauche et vit – ce qui la troubla plus encore – la marque rouge légèrement brunie qu'aurait bien pu faire la pointe de la lame effilée du poignard retrouvé dans la chambre de Beth. Abasourdie et inquiète, elle demeura longuement sous les jets réconfortants de la douche afin de libérer sa tête de ces entraves et pouvoir se détendre enfin.

54

Vincennes, Clinique du Parc
Automne 2008, soirée des élections.

Le lendemain de la réunion chaotique ayant vue s'assembler les têtes dirigeantes de la société secrète, personne ne croisa la Très Honorable Grande Maîtresse ; sans doute était-elle cloîtrée dans son espace personnel réservé, trop profondément blessée par les vives altercations à son encontre et ruminant le désaveu de ses compétences. De son côté, le Directeur François Levallois paradait dans tout l'établissement, enjoué et radieux. Il se pavanait d'avance d'un triomphe inévitable, fort de l'impact de ses interventions très remarquées de la veille et des nombreux sous-entendus captés lors des commentaires qui avaient longuement fusé après l'issue du conseil. Plus aucun obstacle n'obstruait son chemin, la voie était libre désormais, vers son ascension suprême.

Le soir enfin venu, temple rituellement édifié, six membres de l'alliance s'impatientaient de l'impardonnable retard du septième. La Très Honorable Grande Maîtresse était étrangement absente et même introuvable quand sa suppléante, Clémence Silvert, exigea que l'on se rendît à son appartement pour l'avertir que tous l'attendaient avec agacement. Le lieu s'était avéré vide !... Face à cette très exceptionnelle situation, la suppléante escalada l'estrade. Sur le pupitre, une enveloppe était docilement posée, bien en évidence. Hermétiquement close, elle portait le sceau de cire de leur confrérie. La femme leva le pli au-dessus de sa tête, bien haut, pour que chacun atteste qu'il était scellé, en brisa alors le cachet dans un craquement qui résonna dans le silence glacial puis, elle l'ouvrit et le lut à tous d'une voix forte le feuillet qu'il contenait.

1. *Les ouvrages de cette soirée seront dirigés par Clémence Silvert, suppléante directe à mes fonctions.*
2. *Un bulletin de vote scellé (vert) exprimera ma position quant à la démission éventuelle de la Très Honorable Grande Maîtresse en fonction.*
3. *Un bulletin de vote scellé (bleu) exprimera mon choix, si nécessaire, à l'élection du nouvel officiant au poste de Très Honorable Grand Maître.*
4. *Un bulletin de vote scellé (jaune) indiquera ma décision pour l'éventuelle éviction d'A. Fourot pour responsabilité aggravée et manquement à ses fonctions dans le tragique vol du coffret.*

Signé : Angèle Fourot

Les informations avaient le mérite d'être ordonnées si bien qu'aucune contestation ne vînt nourrir un quelconque interminable débat. Approbation générale.

– Puisqu'il en est ainsi, que vous tous accordez crédit au courrier qui vient de vous être révélé, procédons aux votes mis à l'ordre du jour. Tout d'abord, prononçons-nous sur la démission ou le maintien d'Angèle au suprême office.

Chaque bulletin vert était imprimé de deux simples mots : Démission – Maintien. Il suffisait de rayer le terme inutile, de plier le papier en quatre et de le faire sceller par la Très Honorable Grande Maîtresse suppléante. Ainsi fut fait, le dépouillement pouvait avoir lieu.

– Maintien, indiqua clairement la suppléante après avoir décacheté le premier bulletin ; Démission – Démission – Maintien.

Clémence Silvert, partisane de la confirmation d'Angèle à son office, était plutôt satisfaite. Le travail de sape de Levallois n'avait pas eu tout l'effet escompté.

– Démission, pâlit cependant la suppléante au verdict du papier qu'elle venait de défaire. Et… Maintien !

« C'est gagné, se dit-elle en son for intérieur, Angèle restera en poste jusqu'au terme de son mandat ».

Elle reprit avec délice :

– Le scrutin est parfaitement équilibré, c'est le vote d'Angèle qui établira le résultat définitif sur la question.

Alors qu'elle décachetait l'enveloppe verte et retirait l'ultime carré de papier scellé, debout pour que chacun constate du bon déroulement de la procédure, le Directeur de la clinique fulminait. Angèle Fourot l'avait vaincu, une fois encore ! Elle restait aux commandes du navire avec ses principes dépassés et sa morale désuète. La situation actuelle exigeait pourtant une main ferme et des décisions implacables pour mener à bien la quête à son terme, même à faire fi de préceptes s'égarant dans les sinuosités abstraites de temps révolus. Sa réflexion fut tranchée par la voix de Silvert.

– Et, en dernier lieu : …

La suppléante s'effondra sur son siège, blême, ne comprenant pas ce qui se passait.

– Démission ! expira-t-elle dans un souffle.

Angèle avait voté contre elle-même ! Pourquoi ? Dans quel but ? Silvert était consternée, anéantie, tout s'écroulait subitement autour d'elle. Quelle était la stratégie inavouée de son amie ?…

Dans la salle, François Levallois était aux anges. Il pavoisait au résultat de ce scrutin qu'il avait redouté, jusqu'à la fin, en sa défaveur. Angèle démissionnaire relançait tout l'intérêt des votes suivants qui n'auraient eu lieu si son maintien avait été confirmé.

L'ordre du jour réabsorba les assistants. Silvert, d'un timbre tremblant, donna les modalités pour l'élection au suprême office. Étant suppléante de la fonction, elle était automatiquement en lice, face au Directeur de la clinique qui s'était, bien évidemment, déclaré. Les bulletins bleus furent distribués. Levallois jubilait, son heure de gloire était arrivée. Il manifestait son enthousiasme un peu trop bruyamment sur son siège, discutant avec ses voisins. Un bref coup de maillotin vint le faire taire, assurément un peu trop sonore, probablement un peu trop appuyé. La suppléante était en colère, rageant d'incompréhension face à la décision de son amie. Que voulait-elle lui signifier ?…

Les bulletins furent collectés et apportés au pupitre.

– Voici le résultat du vote : Levallois – Levallois – Silvert – Levallois… annonça-t-elle clairement.

« c'en est fini » pensa-t-elle tristement, regardant le directeur s'enorgueillir des voix exprimées. Un vrai coq de basse-cour, fât et pédant. Ça promet…

– Silvert… continua-t-elle cependant.

Le coq perdit un peu de sa superbe ! Deux profondes rides creusaient son front et marquaient le retour de son doute quant à l'issue finale.

– Silvert !

« nous voilà à parfaite égalité... », elle en était sidérée car jamais elle n'avait imaginé être candidate à cet office, ou tout au moins pas avant deux ans, après qu'Angèle eût fini son temps, et encore. Fébrilement, elle se saisit de l'enveloppe bleue, en craqua le cachet et d'une voix sonore et formelle déclara :

– Et en dernier lieu... Silvert ! ponctua-t-elle.

Aussi étonnée que satisfaite, elle formula :

– Je vous remercie pour votre confiance et je ferai tout mon possible pour exercer au mieux ma fonction et conduire notre organisation dans le respect des devoirs ancestraux transmis par nos ascendants. En tant que Très Honorable Grande Maîtresse, je déclare surseoir au scrutin concernant l'éviction d'Angèle Fourot, ce vote ajourné est remis à une prochaine assemblée et nomination sera faite d'un éventuel remplaçant à élire si le siège d'Angèle Fourot devenait vacant.

Puis, empressée d'en finir avec cette mascarade, la nouvelle promue frappa à nouveau le pupitre.

– Plus rien n'étant à l'ordre du jour, la séance est levée ! Procédons rituellement à la clôture de nos ouvrages puis regagnons en toute sagesse nos tâches dans le monde enténébré du profane mais gardons l'étincelle du Feu Primitif dans notre esprit et notre cœur pour en fertiliser l'Univers.

Le Directeur Levallois était furieux. Entouré des deux seuls membres infléchis de longue date à sa cause, il lançait des regards obliques à ceux qui avaient voulu faire parler la raison de la constance. Clémence resterait dans les strictes traces d'Angèle, conduirait la société dans la même logique de démarche, la droite ligne de serments obsolètes, surannés, prêtés depuis des lustres. Sa vision personnelle était beaucoup plus novatrice et radicale ! Fort des enseignements accumulés depuis de nombreuses années, il ne comprenait pas pourquoi l'organisation ne gardait pas la primeur de la révélation des Sept Grands Sages à son profit. Pourquoi partager avec autrui un pouvoir incommensurable annoncé que personne ou presque ne soupçonnait...

Une fois ses quartiers regagnés, Clémence Silvert s'effondra sur son sofa. Son amie des premiers instants avait disparue sans laisser d'indications – son appartement s'était révélé vide aussi de ses effets personnels – en lui abandonnant la barre savonneuse de cette embarcation à mener jusqu'à bon port sur des eaux plus tumultueuses que jamais. Désemparée, elle expira bruyamment. Une vibration la recolla à la réalité. Les messages de félicitations des membres de la société allaient affluer, les degrés inférieurs devaient déjà être au courant de son élection. Sans conviction, elle jeta un œil distrait à l'écran de son téléphone et resta coite. Le SMS était plus que laconique : « Ouvre l'enveloppe jaune, je t'embrasse A. ». Clémence se précipita, saisit avec diligence le pli resté scellé, fit sauter le cachet de cire et tira de l'enveloppe une longue missive qui lui était destinée.

Très Chère Clémence,

tout d'abord, bravo pour ton élection au suprême office. Pour en avoir souvent échangé, tu sais exactement qui je suis et ne dois pas être trop surprise du fait que je n'avais aucun doute sur le résultat final. Oui... le Feu Primitif !

Sois prudente ! De sérieuses dérives sont en train de s'opérer autour de la Grande Prophétie, tant à l'extérieur que dans nos propres rangs et ce, au plus haut niveau. Je pense que tu as pu en constater hier lors de notre réunion et sans doute plus encore ce soir aussi... courage !

Les Grands Devoirs des Anciens sont bafoués par des intérêts personnels qui prévalent sur celui de tous ! Ceux-là refusent à l'Homme son émancipation du joug des dogmes manipulateurs, de l'asservissement savamment calculé et proposent une pseudo-liberté occultant le sens vrai du vocable, galvaudant jusqu'à son idée même. L'Homme n'est plus un libre-penseur mais pense être libre, chevillé dans un carcan formulé par les profits de quelques-uns au détriment de tous les autres...

Les mystères entourant la révélation des secrets des Sept Grands Sages ont créé de tels engouements que les affabulations les plus folles et loufoques voient le jour. D'aucuns relayent et se persuadent d'un pouvoir absolu procuré par ces révélations à ceux qui seraient habiles à les détenir. N'oublions pas cependant l'idée fondatrice de toute cette démarche initiatique millénaire : rendre à l'Humanité son autonomie pour qu'Elle tende à redevenir bonne envers elle-même, sans grever l'extraordinaire capital du creuset qui la supporte, dans tous les sens du terme.

Si je te cède ma place aujourd'hui, c'est bien consciente que la poursuite de la Voie ne peut plus se faire uniquement depuis l'intérieur d'un fruit contaminé et corrompu mais bien conjointement à partir de l'extérieur, en toute liberté d'actions, de pensées et de visions impartiales.

Clémence, tu restes une des rares personnes encore sensées dont l'éclat trompeur du but de notre quête n'a pas fait tourner la tête. Je t'indiquerai prochainement les appuis fiables et intègres au sein de notre groupe et sur lesquels tu pourras (nous pourrons) compter. Nous resterons en contact étroit afin d'avancer sur la Voie et mettre en rythme la Grande Prophétie afin qu'elle soit portée par des mains pures et initiées pour le bien de l'Humanité. De grands bouleversements nous attendent... très bientôt !

Nos rares échanges seront cryptés et codés selon les règles conçues et mises en place ensemble. Le lieu de dépôt de nos messages et de nos entrevues sera celui que tu connais. N'y envoie personne à ta place sauf à te faire remplacer en cas d'absence... malheureusement définitive.

Prends grand soin de ma fille sans rien lui révéler ni de ses origines ni de moi-même. Il est trop tôt ! Donne lui accès de façon insoupçonnable au maximum d'informations cruciales sur notre quête, protège-la des conspirateurs, maintiens-la en dehors des actions trop en vue, garde-la anonyme pour qu'elle puisse entrer en phase finale sans être démasquée.

Elle est celle que nous attendions tous au terme de cette course millénaire, elle représente la Lignée.

Protège aussi l'Élu avec zèle car par lui passera l'ultime Grand Message à l'issue du périple complexe dont il faudra qu'il parvienne à s'extraire et comprendre le sens profond.

Détruis ce courrier dès sa lecture et réduis en cendres tout indice... Gardons espoir, Clémence, demain sera si bientôt là !...

Je t'embrasse bien fraternellement,

Angèle.

55

Paris 10e arrondissement
Jardin Villemin, rue des Récollets

Devant la grille monumentale flanquée de deux murs en arcs de cercle, Philip Carlson évalua ses possibilités de retraite en cas de coup fourré. Ni les hauts murs d'enceinte circulaires pas plus que la grille maintenue verrouillée en soirée ne lui proposaient la moindre solution pour s'enfuir dans le parc et se confondre dans la végétation. La rue, à sens unique de circulation, limitait de moitié l'effet de surprise d'une arrivée inopinée d'assaillants motorisés si ces considérations pouvaient les arrêter. Le Passage des Récollets qui se faufilait face à l'entrée du parc, offrait la seule opportunité réaliste à rejoindre au loin la rue du Faubourg Saint-Martin et ainsi se mêler à une foule dense donc protectrice car ici, le lieu peu fréquenté le soir procurait l'indéniable avantage d'identifier immédiatement toute personne ou tout mouvement suspect mais aussi l'inconvénient d'être sans capacité à se dissimuler dans l'affluence des artères passagères. Lucie comme d'éventuels complices ne se mêleraient donc pas aux passants tout comme lui ne pourrait s'y mélanger, seul un chat malingre rôdait le long du trottoir.

Après avoir pris la mesure du site, Philip se mit en quête d'un point d'observation. Quelques voitures éparses, pas d'arbre ou de mobilier urbain… rien ! Juste les tristes bâtiments municipaux du 10e formant l'angle de la rue et du passage des Récollets ; devant les bâtisses sommeillait une armée impressionnante de bennes à ordures, une ribambelle chamarrée de couvercles colorés sur la grisaille uniforme des bacs et… là-bas, par-delà cette jungle de plastique, un renfoncement, bien dissimulé !

Un bruit subit dans l'amas de cartons derrière la muraille de containers ! Carlson fit volte-face, les sens en alerte. Un chat ?... Non, *Raminagrobis* était toujours immobile de l'autre côté de la rue, en chasse d'une souris providentielle. Philip approcha. Sous l'amoncellement des emballages, un grognement, puis apparut une tête ébouriffée, barbe en bataille, regard équivoque.

– Ben, t'es habillé comme un Prince, mon gars... t'as p't-être une ch'tite piécette pour un pauv' bougre ?

Carlson fouilla instinctivement sa poche, tira une poignée de ferraille qu'il tendit au clochard. Ce dernier le détaillait, perspicace malgré une haleine lourdement chargée d'alcool.

– Qu'est-ce tu fous là ? T'es un chien perdu sans collier ? Tu r'trouves pas l'joli quartier d'pépère et d'mémère... t'as pas d'niche pour pioncer c'te nuit ?

Un sourire un peu édenté mais bienveillant accueillit l'effarement de l'amnésique et l'homme l'invita de bonne grâce dans son fourbi protégeant l'encoignure convoitée.

– Reste pas dans l'froid, la zifle est glacée... c'est pas un cinq étoiles mais ça coupe du vent.

Carlson pénétra l'antre qui empestait ; mélange d'un remugle d'ordures, d'un relent de crasse et d'effluences de pinard frelaté. Une puanteur nauséabonde rebutante mais l'endroit était idéal pour surveiller l'entrée du parc et la rue sans être vu. Celui qui avalait les syllabes lui tendit une bouteille à peine entamée.

– Bois un coup, p'tit père, ça peut pas t'faire d'mal. D'toute façon, y z'en veulent pas d'boutanche au dortoir... pour cause d'bagarres. Faut la finir ! Pour la soupe, faudra attendre encore un peu, l'taxi va pas tarder... d'ici une paire d'plombes...

Ainsi Philip Carlson et *Riton le Bavard* passèrent deux heures en grande conversation, dans des effluves incertains et des gorgées acides de vin aigrelet.

À la première demi-heure, Philip connaissait tous les accents tortueux de l'existence de *Riton* et surtout les détails de sa descente vertigineuse vers des enfers dans lesquels il se débattait encore aujourd'hui. Il prit alors conscience de son propre dénuement et se demanda avec quelle rapidité il sombrerait lui-même dans une marginalité totale. Un tout petit rien pouvait faire basculer la vie de chacun en si peu de temps qu'une fois la folle spirale infernale empruntée, inverser la vapeur devenait pratiquement impossible. Aisance, confort, sécurité, tout n'était qu'illusion… il avait suffit d'un infime grain de sable dans les rouages bien huilés de son hôte pour voir s'effondrer le château des cartes de sa destinée. Belles études, femme aimante, trois jolis enfants, agréable pavillon neuf en zone résidentielle tranquille, comptes d'épargne… puis soudain, licenciement, la banque qui grogne, les huissiers qui surgissent, les saisies qui arrachent, l'amant de Madame qui l'emporte, le divorce qui cloue, l'alcool qui soigne, les enfants qui repoussent… la rue qui attend, ultime exutoire ! La société cannibale saturée régurgite ses âmes brisées tout au long de trottoirs glissants, sans rappel, sans réelle deuxième chance. *Riton* y avait pourtant cru, avait tenté de reprendre pied fort d'un projet qui lui tenait à cœur depuis bien longtemps mais, devenu trop lent autant qu'inadapté à l'envolée exponentielle et dépourvu d'une ambition suffisante, il fut emporté par une tourmente qui ne prenait plus de temps à tendre la main à ceux en errance et les broyait dès qu'ils tombaient du convoi trop véloce à parcourir une vie de plus en plus courte à tant vouloir la remplir de chimères. La rutilante société l'avait recraché, tel un glaire encombrant, un vulgaire crachat, le parasite indigent d'un environnement structuré à réussir et à paraître. L'équilibriste s'était brisé les reins… et l'âme ; funambule sans filet sur le fil onirique d'un système perverti d'où l'Homme avait fini par s'exclure inconsciemment de son propre chef.

Carlson n'avait pas su lui raconter grand-chose d'une vie qu'il ne retrouvait pas lui-même. L'autre écoutait, bercé par ces paroles qui atténuaient son tourment, apposaient un onguent cicatrisant à sa plaie béante. Partager le pire apaise souvent les esprits meurtris, ouvre les yeux sur un univers étranger pas plus reluisant – et même parfois bien pire et plus sordide – que sa petite parcelle personnelle ravagée. *L'herbe est-elle toujours si verte dans le pré d'à côté ?*

Une frimousse avait traversé le rideau des cartons défraîchis. Un joli minois, des lèvres framboise souriantes et de tendres yeux noisette, rieurs et avenants, le tout encadré de frisottis châtains.

– C'est l'heure, Henri ! Pas trop dure cette fichue journée ?

– Ça va, Chloé, merci. J't'présente Philip, un milord paumé mais bien sympa ! On peut l'embarquer ?

– Bien sûr, fit l'agent du Samu social sans réticence, personne ne couche dehors cette nuit avec ce froid !

Irradiant de toute l'empathie de son aura, elle poursuivit :

– Et vous alors, Philip, ça va ? pas de traumas ?

Elle fixait avec insistance la courte cicatrice boursouflée sur le front de Carlson et les ailes de son nez frémissaient comme si les fragrances hospitalières identifiées étaient venues les titiller. Riton finit d'écluser la bouteille à la hâte – pour ne pas gâcher – et ils levèrent le camp. Ils s'entassèrent à l'arrière du fourgon sur de fines banquettes spartiates où somnolaient une huitaine de SDF que l'alcool avait déjà renvoyé à l'intérieur de leur sphère à la peau si friable. À l'avant, Bruno, le conducteur, et Chloé discouraient sur la fin de leur « tournée » puis, la jeune médecin fredonna une comptine égarée d'un lointain pays de son enfance perdue. Une torpeur certaine engourdit l'ensemble des passagers de l'habitacle surchauffé, les uns s'appuyant aux autres, aux accents de cet élan du cœur qui leur était destiné.

La camionnette les déposa sur les bords de Seine, devant une porte discrète ouvrant sur le refuge. Ils furent pris en charge par un bénévole géant à la peau si sombre que ses yeux, qu'il roulait joyeusement, ressemblaient à des boules de billard naviguant sur un tapis d'encre. Avec beaucoup de délicatesse, il les invita à l'intérieur après inscription sur les registres puis à suivre le parcours fléché jusqu'au réfectoire. *Riton* était à son aise, en connaisseur des lieux. Il guida Philip pour ses premiers pas dans les ornières d'un monde inconnu.

Le labyrinthe les emporta dans le ventre du bâtiment, une douce bedaine chaude et accueillante qui ingurgitait tous vos soucis pour en faire une fine poudre à vous endormir pour oublier. *Doux marchand de sable... Reconstruction... Havre de Paix... Écoute...* Tout tentait de vous rendre pour quelques heures, dignité, identité, un semblant de normalité… une existence ! Dédale de couloirs, de pièces, coins et recoins ; case « décrassage » – douche, serviettes, shampooing, savon ; rasage pour Philip – vêtements propres à besoin, une poignée de bouquins et magazines, une salle TV, un point informatique avec connexion Internet et surtout de quoi se sustenter : soupe chaude, crudités, pain, café, thé… un chauffage bienveillant, de la chaleur… humaine !

La soirée fut d'une convivialité extrême et inattendue à ce mixage de tant de destinées brisées, d'âmes maltraitées, d'esprits égarés, d'hommes perdus… mais heureux sur l'instant !

Philip était sidéré, jamais il n'aurait pensé trouver un tel frisson de bien-être aux circonvolutions de ce monde de la rue. La félicité de la soirée lui insuffla une résurgence émotive, une larme hésitante à l'ourlet de sa paupière que tous épiaient dans l'émerveillement de la quiétude du moment, sourires fatigués sur des lèvres gercées, esprits bercés par la béatitude… la pensée qui voyage, libre, sans contrainte. Dans son crâne bercé par cette pause d'une fraternité insoupçonnée, des images furtives mais nettes et précises, à traduire, à interpréter : une grande salle aux murs de pierre, un feu chantonne sa crépitante ronde dans l'âtre, vaste table monastère avec cette écuelle en grès emplie des fabuleuses saveurs d'une soupe chaude, rassasiante… celle-là même qui lui fait face sur le formica criard de la table du refuge… la soupe de Marie !… Mais qui donc est Marie ?… puis, tout s'efface.

Allongés dans leurs boxes contigus, Philip et Riton avaient tiré le rideau… pour se voir, se dire, s'entendre, mais bien vite son voisin avait sombré dans un profond sommeil, lourd et sûrement cauchemardeux, peuplé des monstres de sa vie. Dans son lit aux draps frais, Carlson avait laissé errer encore ses réflexions à l'envi, vers toutes ces contrées à explorer, la belle Lucie, le si sage Yashido et tout le reste... lambeaux de souvenirs, squames du passé, scories de réminiscences... Finalement le lieu était propice à la gamberge, à la recherche d'un quelconque arbitrage.

Une agitation feutrée un peu partout dans les couloirs tira Philip d'un sommeil qu'il n'aurait pas cru possible. L'épuisement et le lâcher prise avaient fait merveille en remplissant leur office à le décrocher de la bourbe fangeuse de ses dernières heures. La nuit avait levé son voile amidonné de songes sur une réalité beaucoup plus crue, celle des si longues heures à venir dans la grisaille et le froid à côtoyer une dense marée humaine indifférente et pressée, parfois adverse. Les âmes vagabondes et reposées se raccrochèrent encore un instant à cette agréable dimension bienfaisante puis s'enroulèrent réchauffées à la fragile dentelle mitée qui s'évapore… crinoline d'un moment furtif de bien-être qui se dissipe.

Un bol de café, quelques tartines, des yeux creux et des mines tristes dont la liesse suspendue lentement se consume pour laisser place à des esprits bousculés, faire renaître des visages dévastés. Dure réalité que ce retour à la rue, si raide, si froide, si hostile.

Un soleil pâlot éclairait la ville, le givre avait profité du vide nocturne pour déposer une légère frange irisée sur les carrosseries, l'asphalte, le squelette tordu des arbres souffreteux. Le bruissement de la cité enveloppa l'essaim qui s'éparpillait sur les quais de Seine, rumeur sourde et prégnante. Une brume pâle et glacée remontait des eaux dormantes du fleuve.

Ce soir, aux côtés de Riton le Bavard, il serait dans l'abri, à attendre Lucie… *et demain ?…*

56

Paris, Commissariat central, 19e arrondissement
Salle conservatoire des scellés

Dans le dédale des couloirs du sous-sol de l'hôtel de police du 19e, Valérie Nouellet avançait d'un pas rapide, l'esprit tourmenté par les hypothèses qu'elle était en train d'échafauder concernant Beth. Elle aurait voulu les repousser, les oublier ou mieux, qu'elles n'aient jamais effleuré le cours de ses pensées. Mais le mal était fait, son instinct policier avait balayé tout le reste aussi agréable fût-il. Elle ruminait, pestait, rageait contre elle-même. Elle avait conscience que poursuivre était de l'automutilation. Ne s'était-elle pas déjà faite assez souffrir jusqu'à présent ? Elle entra vivement le sas de la pièce où étaient gardés les scellés des enquêtes actuelles et archives des dossiers classés. Derrière son grillage protecteur, son collègue s'astreignait à remplir les nombreuses colonnes d'un registre, répertoriant tout un tas d'objets hétéroclites posés sur une table de travail. Il leva à peine la tête à l'arrivée de la capitaine.

– S'lut Valérie, besoin de quelque chose ? bougonna-t-il, courbé en deux sur son ouvrage appliqué.

– Salut Stéph', j'aurais besoin de consulter les indices de ma double affaire avec Rome, fit-elle, distante.

L'homme daigna relever le buste. Il vrilla ses yeux sombres dans ceux de la jeune femme et siffla entre ses lèvres amincies d'acrimonie :

– Je n’aime pas bien vous voir traîner dans mes rayons ! À chaque fois vous foutez un joyeux bordel dans mes classements et je mets des jours à retrouver les bonnes pièces à relier aux affaires concernées.

L'affirmation avait au moins le mérite d'être claire à défaut de transpirer d'une amicale sympathie. Le fonctionnaire ne supportait pas que quiconque vînt farfouiller dans ses rangements savamment répertoriés, mais c'était sans compter sur l'humeur irascible de la policière.

– Fais pas chier, Steph', ouvre-moi cette putain de grille et continue à faire joujou avec ton registre ! lâcha Valérie sur un ton péremptoire qu'elle jugea aussitôt excessif.

Décidément, ses exactions avec la jolie Beth O'Neill la rendait vraiment trop nerveuse. En face, l'autre se radoucit d'un coup et plaisanta même.

– T'énerve pas, ma douce, keep cool !

À contre-cœur, le dénommé Stéphane appuya nerveusement le bouton situé sous son bureau et la porte grillagée se débloqua dans un cliquetis pénitencier. Valérie s'engouffra dans la grande salle de stockage des pièces conservées, impatiente. L'employé tira un registre noir d'une armoire à rideaux, le consulta assidûment et lança de mauvaise grâce, glacial et suffisant :

– Allée C, rack 15, boîte 42 !

Valérie tourna les talons et emprunta l'allée C en trottinant. Elle était déjà à plus de cinq mètres quand elle entendit derrière elle la voix crispée de son collègue :

– Et merci Stéphane, ça t'écorcherait…

Elle ne releva pas la remarque. *Connard !* Elle n'appréciait pas Stéphane, c'était le parfait rond de cuir, l'esprit obtus sur sa tâche de classification et uniquement cela. Ses parents avaient dû le concevoir dans une écurie tant il en avait gardé les œillères. Il se prenait pour Dieu dans son gourbi et essayait d'imposer sa loi au milieu de tout son fatras de sacs, boîtes et étagères. Le roman de l'année pour lui, devait être son registre bien propret dans les colonnes duquel s'alignaient ses pattes de mouche illisibles avec une servitude navrante, sans déborder des cases. Stéph' puait l'étroitesse d'esprit autant que sa triste tanière sentait le renfermé. Mais là se trouvait sa parcelle de pouvoir, la haute satisfaction de son intelligence étriquée, toute la grande ambition de sa vie. C'est tout juste s'il n'exigeait pas que l'on signât un registre d'entrée chaque fois qu'un policier pénétrait dans sa zone ; alors pour en sortir un indice…

Valérie ralentit à l'approche du rack 15. Elle chercha un court instant la boîte 42. Celle-ci trônait crânement sur l'avant-dernière étagère du haut, à près de trois mètres du sol. Demander un coup de main à ce couillon de Steph', impensable, plutôt crever. Un peu plus loin, elle avisa une échelle en métal accrochée à la structure des rangements. Elle la tira sur sa glissière jusqu'à son rack et en gravit les premiers échelons. *Saloperie de boîte à la con ! Faut encore grimper.* Deux échelons supplémentaires ne lui permirent que de gratter de ses ongles l'angle inférieur de la boîte. Faisant fi de son vertige, elle escalada l'ultime barreau nécessaire pour attraper la foutue caisse. Ce fut à cet instant que tout dérapa. Les pieds à un mètre vingt du sol et les bras en l'air, piégée par sa position, cet enfoiré de Stéphane s'était glissé jusqu'à elle à pas de loup et profitait allègrement du ravissant spectacle en reluquant tranquillement sous sa jupe relevée. Elle n'eut pas le temps de l'invectiver que les mains du scribouillard se plaquèrent sur ses cuisses en glissant, audacieuses, jusqu'à ses fesses. Le coup partit par réflexe. Le talon de la chaussure de Valérie vint claquer le maxillaire inférieur du fourbe, déchirant en partie sa langue entre des dents malmenées qui s'entrechoquèrent trop violemment.

– Putain de conne ! explosa Stéphane.

Il avait la bouche en sang et son pull-over en était également maculé. Il se tenait la mâchoire à deux mains en tentant de résister à la montée fulgurante de douleur aiguë. La seconde suivante, Valérie avait sauté de l'échelle et se ruait sur son collègue, lui arrachant cheveux par pleines poignées, déversant un torrent de gifles et de coups. Les frappes s'abattaient en pluie serrée, rapides et nombreuses, guidées par l'impulsion nerveuse incontrôlable de la jeune femme bafouée. Stéphane battit en retraite précipitamment pour se soustraire à la colère et la folie furieuse qui s'étaient emparées de la capitaine. Il savait qu'il allait payer chèrement son geste de harcèlement mais au présent, son unique souci était de regagner le refuge de l'infirmerie dans les meilleurs délais pour arrêter le flot incessant de sang qui dégoulinait de sa bouche endolorie. Les boîtes d'archives poursuivaient sa fuite, volant de partout pour finir leur course en s'écrasant contre le grillage à côté du bureau abandonné. Le sol se jonchait de leur contenu, les très nombreux indices si consciencieusement inventoriés et classés.

Valérie fulminait, hurlait des injures à celui déjà disparu dans les couloirs du bâtiment. Elle était dans une rage indescriptible que ses mains en tremblaient. Vêtements constellés de fines gouttelettes écarlates, elle regardait hébétée entre ses doigts souillés les mèches brunâtres sanguinolentes agglutinées qui accompagnaient les virevoltes de gesticulations qu'elle ne parvenait à faire cesser.

Elle prit sur elle, respira profondément et après s'être un peu calmée, fit le point de la situation. L'opportunité était trop belle à saisir. Elle reprit son ascension sans qu'un moindre malaise ne vînt la perturber. Elle soutira le carton de l'étagère, le posa au sol et en bascula le couvercle. Elle fouilla un court instant, poussant de côté les éléments qui ne l'intéressaient pas et dénicha le petit sachet que son homologue italien lui avait confié à son départ de Rome. Il contenait quelques cheveux trouvés sur les scènes de crime de la cité romaine. Elle l'ouvrit, prit avec précaution un des cheveux et referma le zip du sachet. Le reste ne lui était pas utile… pour le moment. Elle remisa la boîte 42 à sa place et suivit le parcours balisé d'une continuelle traînée purpurine jusqu'à la sortie. Quand elle passa la grille, un policier en tenue venait remplacer l'habituel archiviste transporté aux urgences de l'hôpital proche. L'homme se risqua, mesquin et l'œil goguenard :

– Beau coup, Capitaine ! En plein dans le mille…

Le regard ombrageux que lui adressa Valérie coupa court à tout commentaire additionnel. Il alla prendre son poste docilement, évitant tout échange avec la capitaine, ramassant boîtes et indices éparpillés qu'il lui faudrait recomposer laborieusement d'après les registres. Stéphane Calvan ne serait pas de retour de sitôt…

Valérie Nouellet quitta la pièce sans un mot, les nerfs toujours à vif de cette échauffourée mais soulagée d'avoir finalement pu récupérer ce qu'elle était venue chercher. Elle allait bientôt savoir !

57

Mésopotamie méridionale, IIIème mil. avant J.-C.
Quelques temps plus tard

Au cœur du village d'Akurgal, sous le grand mudhif, les sept plus purs esprits de toute la Mésopotamie étaient assemblés pour un cérémoniel particulier où la solennité se lisait sur leurs visages émaciés et figés.

Au loin, les premiers degrés de la ziggourat de la Grande Cité d'Ousma Al-Azir s'élevaient sur l'horizon – le faîte, disait-on, serait recouvert d'or – le Haut Dignitaire voulait que son État resplendisse de mille feux, s'imposant tel un phare dans l'immensité des terres d'entre les fleuves, voire au-delà.

Un peu à l'écart des habitations, sur un tertre sain à l'abri des inondations, une équipe d'ouvriers s'affairait, pioches et pelles en mains. Par un jeu de poulies arrimées à un astucieux entrelacs de poutraisons, ils excavaient la lourde terre ocre du sous-sol par des seaux ramenés à la surface au moyen de cordes et de crochets puis, maçonnaient des briques au pourtour des fosses ainsi creusées.

Atrahasis l'Ancien, aïeul de l'Ordre des Sept Grands Sages, était accroupi sur un lit de feuilles, en position fœtale, ses mains enlaçant ses chevilles. Revêtu de sa longue robe immaculée des grandes cérémonies, tête levée et yeux grands ouverts sur l'oculus percé dans la voûte végétale, il fixait le chemin menant aux contrées célestes. Il semblait comme assoupi malgré ses paupières retenues soulevées ou dans une puissante transe de méditation. Son teint cireux et hâve contrariait seul la paisible gravure de celui dont les traits étaient profondément empreints de la plus grande bonté et d'une illustre sagesse éclairée.

Tout près de l'ouverture de la vaste hutte, une imposante jarre patientait, le ventre gorgé d'une savante mixture d'huiles et herbes sélectionnées avec rigueur, dont la formule restait tenue secrète.

Éteint depuis plusieurs jours, il était plus que temps que le défunt subisse l'onction du passage. Les six autres sages formaient deux arcs de cercle parfaits de part et d'autre de la dépouille. Sur la rangée du septentrion, à côté de Lugalzaggesi, une torche vive dispensait son odeur âcre de résine brûlée. Elle figurait l'esprit de Mesilim le Jeune, si lâchement tourmenté devant les siens torturés pour lui soutirer les inviolables secrets de l'Ordre. Son cadavre, jeté telle une ordure par-dessus les remparts, n'avait jamais été retrouvé, festin gargantuesque délaissé aux bêtes sauvages maintenant repues de ses restes. Ni sépulture ni accompagnement de passage pour cet Illustre Sage, seul le grand respect de la mémoire pour envelopper son éphémère cheminement ici-bas et l'imaginer arpenter serein la toile infinie du Grand Architecte.

Dans leurs habits d'apparat, les cinq sages survivants savaient que rien n'avait pu être divulgué par leur confrère cadet. Un de leurs préceptes les enjoignait à préférer périr que trahir, chaque existence n'était que détail en regard de la grandeur du Devoir de l'Ordre. Mesilim avait solennellement prêté ce serment infaillible, tout comme eux, sur la puissance du Feu Principiel ; il n'avait donc pu parler, aussi jeune et inexpérimenté fût-il.

Devant son flambeau éternel, trois autres brûlots vacillaient en témoignage à Our-Nina et leurs deux enfants décédés. Depuis sa disparition entre les mains des rustres soudards du vil souverain, personne n'avait jamais revu la tendre épouse de Mesilim et tous l'espéraient morte plutôt que toujours asservie au sort cruel qui lui avait été réservé.

Autour du fœtus d'Atrahasis l'Ancien, les sages psalmodiaient les complaintes immémoriales du rituel d'accompagnement des morts vers les portes de l'éternité. Leurs silhouettes se balançaient d'avant en arrière au rythme scandé par les incantations, imitées par la flamme rayonnante de l'âme de Mesilim le Jeune. Par-delà le feuillage bruissant des parois, ils entendaient encore, à quelques distances, œuvrer les outils des fossoyeurs. Tous les sept pouvaient profiter de cet ultime instant privilégié avant que ne soit désagrégé l'Égrégore afin d'apprêter essence et substance au voyage.

Soudain, dehors, un abrupt silence pesant écrasa l'atmosphère. Les particules aériennes se transmuèrent en une chape dense et compacte, presque irrespirable. Temps était venu d'abandonner l'enveloppe de leur si cher ami entre des mains expertes, avant de pouvoir le mener en terre sacrée. Atrahasis venait de passer la première des sept portes du Monde Inférieur, celle de la Pensée, de l'Air et du Souffle Vif pour une Existence Nouvelle, insaisissable et puissamment spirituelle ; pour faire rencontre avec la première des sphères du Céleste, véloce et indomptable, celle de la Pleine Conscience en recherche, fantasque dans le Plan régulier du Grand Architecte. Les Sages démantelèrent avec célérité tous les artifices symboliques de leur cérémonie puis sortirent quérir les praticiens embaumeurs.

L'Art funéraire était l'apanage de quelques très rares officiants dont la transmission des enseignements occultes se dispensait en aparté, de Maître Accompli à néophyte aspirant. Cet Art faisait référence aux éléments terrestres, prenait appui aux composants oniriques d'un Cosmos incompréhensible et plongeait à la source de tant d'autres mystères encore qu'ainsi la chair mutante était préparée pour la Grande Chevauchée avec d'indéfinissables soins mystiques et sous l'égide d'un univers impénétrable.

Libérée de sa ganse textile, la dépouille anguleuse du vieux sage fut cérémonieusement purifiée par des clystères d'Eau Douce issue de l'Océan Primordial. La précise gestuelle était prévenante et respectueuse de cette matière si fragile à travailler et à laquelle elle se devait de rendre sa beauté originelle. Les thanatopracteurs opérèrent une méticuleuse asepsie de la membrane craquelée du vieil homme, la refaçonnèrent comme si elle fut encore vive, la remodelèrent comme si elle n'avait jamais cessé d'être pulpeuse puis, ils procédèrent au rasage des joues creusées par le départ et enfin à un savant coiffage rituel complexe. Il était impensable qu'un Très Illustre Grand Sage puisse être présenté aux Grands Seigneurs, outrageusement négligé et imparfaitement apprêté. Le Passager devait se conformer aux rites ancestraux pour satisfaire à la longue traversée de cette odyssée périlleuse et escompter en voir l'heureux dénouement.

Préalablement consacrés par les cinq Sages qui supervisaient l'embaumement de leur cher condisciple, de nombreux onguents et de multiples mixtures variées s'appliquaient avec lenteur, selon un usage traditionnel habilement orchestré. Les doigts effleuraient, les mains tapotaient avec légèreté, les souffles expirés réchauffaient les baumes épais ensuite dispersés par d'imperceptibles massages sur la peau parcheminée du défunt. Ainsi le deuxième seuil du Monde Inférieur, celui de la Terre et du Tangible, fut franchi ; et la seconde sphère du Céleste rejointe avec succès, lourde et pesante, dont l'elliptique basse frôlait l'horizon pour venir saisir les âmes en partance vers de nouvelles dimensions.

D'inquiétants instruments spécifiques, aux formes singulières et passés préalablement par la morsure d'un Feu ardent, fouillaient avec déférence les méats de l'anatomie inerte, prélevant certains organes déposés avec délicatesse dans de petites urnes vernissées. Les rares entailles parcimonieuses effectuées étaient suturées avec dextérité puis ointes d'une pommade aux nuances incarnadines, les rendant presque invisibles. Purifier le corps, la matière, pour que rayonne l'âme à libérer l'esprit. Le troisième portail, communément nommé celui de la Reconstruction ou de la Re-Naissance, se refermait sur la fuite d'Atrahasis l'Ancien. L'orbe associée, dont les multiples anneaux giratoires recomposaient ce que le temps avait défait, rendait à la Loi Universelle les particules éparses qu'Elle voudrait bien réunifier si l'âme en était digne. Que d'épreuves encore à subir pour tendre au plus Pur Esprit. Un nouveau chemin se profilait sous les pas éthérés du voyageur délesté dès lors de son encombrante carapace.

Quand enfin tout fut parfaitement exécuté et achevé, le corps enveloppé de fins tissus richement décorés puis délicatement transféré dans la jarre emplie de son mélange huileux, alors les officiants en obturèrent hermétiquement l'orifice, apposant un disque d'argile collé au barbotin. Les débordements du scellement soigneusement ébavurés, il laissèrent au joint de terre grasse le temps de sécher et durcir. La quatrième arche fut dépassée, celle de l'Eau Régénératrice, des Ondes Conciliatrices, la nouvelle strate découverte par l'esprit vagabond du mort avait le parcours astral des chevaux écumeux tirant l'attelage fougueux de la rivière sauvage nourrissant l'Océan Primordial.

Le lendemain à l'aube, mêlant divers pigments, les artistes peintres appliquèrent sur la jarre plusieurs couches de badigeons glutineux aux tonalités vives et bigarrées. Ils retraçaient par petites touches adroites et colorées, le fabuleux périple d'Atrahasis pour le court temps qu'il avait cheminé sur cette terre d'en-bas en regard de la perpétuité vacante qu'il lui resterait désormais à découvrir. Un siècle d'histoire recouvrait l'immense poterie durcie, épopée d'un mortel que les Grands Seigneurs pourraient bientôt décrypter, attestant du choix judicieux d'avoir été représentés par cet apôtre assidu. Une fois la peinture sèche, la jarre fut roulée dans un grand brasier avant d'être remise sur pied et arrosée copieusement. Une vapeur énigmatique s'en échappait, mirage de vapeurs emplies de l'osmose spirituelle de ce monde réel d'en-bas avec la dimension virtuelle et inconnue des contrées infinies. Le Grand Sage allait pouvoir désormais rejoindre sa dernière demeure et abandonner sa gangue à la mère nourricière. Ainsi le cinquième portique du Feu Ardent put transmuer le Cœur de l'éternel itinérant en un Amour Universel. La Brûlante Céleste irradierait un peu plus ses épées magnanimes au cœur des Hommes dans l'espoir qu'un jour celui-ci resplendisse de bonté.

Les terrassiers s'étaient attachés à creuser, dans une couche de glaise argileuse saine, une sépulture digne du Grand Sage. Le vaste trou béait sur une belle profondeur pour un diamètre de près de six pas. Trois chambres funéraires avaient été aménagées sur les côtés. Des briques de terre cuite solidement hourdées tapissaient le fond, les parois et les voûtes de ces chambres périphériques. Le surplus de ces moellons, laissé en tas proche de l'orifice ouvert, attendait l'obturation définitive du tombeau.

La jarre fut descendue précautionneusement au moyen d'un système ingénieux de cordages et de poulies. Deux gardiens armés, sculptés à même la pierre dure, furent déposés dans les chambres contiguës, entourés de brûlots à l'épaisse fumée odorante. Ainsi le vieux sage serait protégé des vils desseins des mauvais esprits errants. La dernière alcôve, plus vaste, reçue les effets personnels du Grand Sage et tous les présents offerts en son honneur. Cet amoncellement d'objets recelait draperies, bijoux d'or et de cuivre, tablettes et cylindres ciselés, éléments de vaisselle, vases, … Cet empilement précaire emplissait tout le volume initialement prévu si bien que l'important reliquat d'offrandes fut placé sur le sol au pourtour de la jarre contenant le disparu, aux côtés des urnes où reposaient ses organes endormis. L'accès de cette Chambre aux Effets fut condamné par un enchevêtrement serré de pavés scellés puis, les terrassiers déversèrent dans la vaste cavité du sépulcre, un sable alluvionnaire tamisé, tiré du Grand Fleuve et laissé des jours aux ardeurs solaires afin que la silice exsude toute son humidité. Lorsque l'excavation tout entière fut enfin remplie, les artisans vinrent rouler une épaisse dalle de pierre pour bloquer l'ouverture. Une couche d'argile fraîche fut étendue sur la roche ainsi placée, support à un dôme surbaissé façonné des briques qui avaient été réservées. Sur les joints lissés puis séchés, deux coudées de terre fertile furent répandues pour tout recouvrir, effaçant la sépulture à l'identique du paysage environnant. Le pénultième franchissement du Monde Inférieur était ainsi muré, celui du Néant Infini et de la Grande Inconnue, arcade qui conduisait l'impétrant hagard vers le Vide Abyssal Absolu. Dès lors, plus aucun espoir de retour n'était envisageable, la sixième dimension était ce trou béant, puits sans fond dans lequel chutait inlassablement l'esprit en quête de Vérité, soit qu'il se perdît à jamais dans les méandres du Labyrinthe de l'Illusion soit qu'il s'accrochât au fil ténu le ramenant à l'arcane de la Voie, rêne fragile de l'Ultime Chevauchée Céleste.

Cinq beaux oliviers plantés aux plus justes proportions d'un pentagramme parfait ainsi que sept dalles minérales oblongues sacrées, profondément fichés des trois-quarts en terre, laisseraient marqué l'emplacement du tombeau du Très Illustre Sage Atrahasis à travers les âges.

Lorsque les derniers hommages furent rendus, tous repartis, les cinq Grands Sages, torche de l'esprit de Mesilim le Jeune en main, se remémorèrent avec ravissement les instants partagés et formèrent un ultime cordage d’union symbolique avec celui parti pour les Contrées Éternelles.

Puis, ils évoquèrent la Tradition lointaine associant le nom d'Atrahasis au Vertueux Sage qui bâtit l'arche gigantesque, la salvatrice embarcation à toutes les espèces vivantes arrachées aux eaux diluviennes du Grand Déluge légendaire qui s'était abattu sur la Terre.

Cela aussi il faudrait bien un jour le tracer, pour que l'homme se souvienne… et réfléchisse.

Le Pur Esprit d'Atrahasis le Sublime errait dans des confins miroitants de nuances étrangères. Il savait devoir détecter seul le signe annonciateur de la dernière issue pour s'extraire du Monde Inférieur et aspirer faire osmose à ce nouvel espace infini qui serait dès lors son ultime demeure. Bientôt, il saisit une onde grêle qui sinuait aux abords d'un gouffre obscur, créant une trouée presque imperceptible. Le septième et suprême accès ressemblait à un pœcile, orné des peintures illustrant son existence éphémère en ce monde d'en-bas. Un péristyle ceignait la gorge froide du puits, colonnades superbement ciselées. Le bruissement ténu qu'il était maintenant devenu s'engouffra par l'orifice, pour le repos de son corps, la paix de son âme et l'illumination de son esprit. Dès qu'il eut franchi le seuil onirique, une violente irradiation le fit fondre et s'agréger à l'orbe rubescente, celle des Grands Seigneurs, la plus brillante, Celle qui naissait chaque matin depuis l'Orient pour finir sa course loin dans le rougeoiement de l'Occident… Celle qui engendrait la Vie Miraculeuse grâce au rayonnement du Cœur des Êtres disparus.

58

Paris, Quartier Montmartre
Impasse Mercure, rue de l'Alchimiste

Des très nombreux informateurs que possédait la capitaine de police Valérie Nouellet, chacun excellait dans un domaine spécifique ou un métier bien particulier. Tous représentaient ainsi un panel excessivement intéressant de diversités de compétences bien utiles à son métier. Elle savait pouvoir les consulter à tout instant tant dans le cadre de ses enquêtes que dans les méandres de ses investigations personnelles en dehors de tout parcours officiel.

Dans l'immeuble sans fard sis à l'angle de la petite rue de l'Alchimiste et de la sombre impasse Mercure, Valérie escaladait les deux étages abruptes d'un minuscule escalier en colimaçon jusqu'à une porte déglinguée. Dessus, une petite étiquette à liseré bleu, identique à celles qui ornaient les couvertures de garde de ses cahiers d'écolière, où était inscrit à l'encre bleue et d'une écriture anguleuse mais soignée : « Olivier Thomas – Docteur ès Chimie – Laboratoire d'analyses ». Le libellé était un peu présomptueux à comparaison du lieu mais Olivier était resté un incorrigible enfant espiègle. Il s'avérait être, pour autant, un excellent laborantin et un scientifique chevronné, équipé d'un matériel de pointe, moderne et sophistiqué, dont la provenance demeurait un mystère. La policière frappa trois coups vifs à la porte et entendit, venant des entrailles de l'appartement, une voix lointaine crier : « Si vous êtes huissier, filez ! Sinon, c'est ouvert. ». Ce trait rendit à Valérie une légèreté repoussant quelque peu son énervement excessif dû à l'altercation qu'elle avait eu quelques heures auparavant avec son collègue des archives dont elle n'avait pas reçu ni demandé de nouvelles.

Elle risqua d'une voix autoritaire et sèche :

– Monsieur Olivier Thomas ? Police, ouvrez !

À l'intérieur du logement, elle perçut l'homme maugréer, des fioles et des éprouvettes tintèrent en s'entrechoquant puis un pas traînant approcha de l'entrée. La porte s'ouvrit sur un jeune gaillard dégingandé, presque aussi haut que le chambranle de l'huisserie. Des cheveux châtains frisés, mal coiffés comme à l'habitude et l'air perpétuellement endormi malgré des yeux luisants d'une surconsommation de psychotropes, il était vêtu d'un jean défraîchi, un pull à col roulé verdâtre trop court pour lui, le tout drapé d'une longue blouse blanche ouverte. Ses pieds étaient enchâssés dans des charentaises éculées qui laissaient dépasser ses gros orteils.

– Rooo ! Valy, t'es con… tu veux qu'j'me chope une attaque ou quoi ? dit-il plié en deux pour embrasser affectueusement la flic sur les joues.

– Monsieur Thomas, perquisition ! Inspection des produits illicites et frauduleux fabriqués ici ! plaisanta-t-elle en retour.

Elle adorait Olivier depuis le temps où elle l'avait tiré d'une descente annoncée dans les abysses de la drogue. Elle l'avait ramassé un jour, hagard, regard fuyant et comateux, dans l'arrière-cour d'un bar miteux, le crâne ouvert et les poches retournées. Il venait de se faire agresser par des junkies et dépouiller de sa dose de came. Ce n'était qu'un enfant, vingt ans à peine, et elle l'avait pris en pitié. Plutôt que d'avertir un fourgon ou une ambulance pour le conduire à l'hôpital, elle avait préféré appeler Guido, un petit dealer de coke qui lui balançait des tuyaux, dont elle savait qu'Anita, sa compagne, serait aux petits soins pour son jeune protégé. De toute façon, étant dans une de ses virées nocturnes, elle n'était ni en état ni vraiment habillée pour passer par la filière classique dans ce genre d'incidents. Le jeune garçon, au fil des semaines, avait repris peu à peu goût à la vie, choyé par une Anita prévenante durant sa désintox cauchemardesque et soutenu par Valérie qui passait le voir régulièrement. Il avait alors déroulé le parchemin de sa courte existence. Bachelier à seize ans, il avait ensuite brillamment poursuivi des études de chimiste. Puis, pas de job, la rue, délinquance, drogue, prostitution. Parcours habituel d'un plongeon vertigineux. Plus tard, Guido lui avait déniché un peu de matériel pour relancer sa vie et Valérie l'avait installé dans l'appartement où elle venait de pénétrer. Depuis plus d'un an, il exerçait avec engouement sa passion, exécutant des commandes plus douteuses qu'honnêtes, réalisant de sulfureuses expériences parfois « explosives ». Depuis lors, Valérie savait qu'elle pouvait lui demander tout et n'importe quoi et qu'il effectuerait sa tâche sans sourciller ni poser la moindre question.

– Quel bon vent t'amène, Valy ? Tu veux une petite ligne, je viens de fabriquer de la super qualité !

– Arrête un peu tes conneries, je ne suis pas là pour ça ! J'ai besoin de tes lumières et tes prouesses pour comparer des cheveux et du sang.

– Oh !... Toi t'es encore en train de faire une enquête chelou, fit-il en tirant sur un joint monumental.

– T'occupe !... Tiens, voilà deux cheveux, je voudrais savoir s'ils appartiennent à la même personne. Tu peux me faire un test comparatif d'ADN ?

Le jeune homme prit les deux sachets que Valérie lui tendait. Il les observa par transparence et lança :

– Madame a ses exigences... pas besoin de sortir la grosse artillerie ! Une simple comparaison un peu poussée au bino devrait te donner la bonne réponse.

– Et bien Go, qu'est-ce que tu attends !

Pendant qu'Olivier installait les plaquettes de verre enserrant les cheveux qu'elle avait apportés, Valérie retraçait son périple récent en tirant goulûment sur le pétard abandonné par Olivier. Un cadavre à Paris, deux à Rome, Beth vue à Rome, puis dans l'avion et avec laquelle elle avait passée une nuit torride. Les indices prélevés dans l'appartement, le poignard trouvé, cette dague si bizarre, l'autre connard de Stéphane et maintenant l'attente d'une confirmation ou pas grâce aux compétences d'Olivier. Elle dut reconnaître que cette affaire l'éprouvait méchamment. Une tête hirsute se releva du microscope, fière d'apporter une réponse aussi rapide à la demande qui lui avait été faite.

– Je te l'avais bien dit, pas besoin de sortir la grosse artillerie ! annonça-t-il crâneur d'ainsi exposer une aptitude si diligente.

Puis d'ajouter mécontent :

– Et donne-moi ça, t'es flic merde !... fit-il en récupérant le gros joint fumant d'entre les doigts de son amie.

Valérie piaffait d'attendre les révélations de son protégé. Elle l'incita à lâcher le morceau, ce qu'il fit de bonne grâce en débitant un résumé très formel de la situation.

– Jeune femme rousse, dans la petite trentaine, sans teinture, belle pigmentation naturelle. Échantillons prélevés à deux endroits différents mais provenant du même individu, c'est certain ! La fille est en excellente condition physique, elle chausse du 38 peut-être 39, a les yeux verts et mesure environ…

– Mais comment sais-tu tout ça Oliv', en regardant de simples cheveux ? le coupa Valérie, médusée.

Amusé, Olivier savourait son succès.

– Pour la pointure et les yeux… j'avoue que c'est un peu au pif mais pour le reste, viens voir !

Valérie se pencha et plaça ses yeux sur le double orifice du microscope. Elle tourna légèrement les molettes de réglage pour adapter la netteté à sa propre vue et contempla les lianes étranges apparaissant dans son champ de vision. Le laborantin lui expliqua au fur et à mesure les détails concordants.

– Tu remarqueras tout de suite la pigmentation strictement identique tout comme le diamètre de chaque brin. Les écailles ont cette même particularité de forme en leur partie supérieure. Les cheveux, bien observés, sont de vraies empreintes en fait, surtout comme ici sur du comparatif. Sur la gauche, les écailles sont très serrées, refermées, dénotant une tension ou un stress extrême alors qu'à droite, ces mêmes écailles sont beaucoup plus relâchées. Ce pourrait être un cheveu du soir, après un effort physique intense certes mais décontractant.

L'échantillon capillaire de droite ne pouvait être que celui de l'appartement. En effet, il y avait bien eu effort physique intense et décontractant mais pour l'heure, Valérie souhaitait évincer toute question gênante du jeune homme. Elle le félicita pour ses talents et sortit le sachet contenant les particules de sang séché.

– Tu pourrais aussi me faire un comparatif de ça ?

Olivier la regarda, hébété.

– Et avec quoi je compare…

– Tu as une aiguille ou un petit scalpel ?

– Évidemment !… farfouilla-t-il dans le foutoir de sa table de travail. Tiens ! Mais pour quoi faire ?

Le jeune chimiste resta bouche bée quand il observa Valérie s'entailler avec précaution le bout du doigt. Une minuscule incision de laquelle s'échappait un petite gouttelette de sang qu'elle déposa sur une plaquette en verre.

– Qu'est-ce que tu fous ? s'alarma le scientifique.

– Je veux que tu compares cet échantillon-là avec mon sang. C'est tout ! Et si possible sans poser de questions.

– Ouais, ouais, pas de problème mais tu m'inquiètes un poil sur ce coup là, si je puis dire, vue ta demande précédente.

Bien que souriant, Valérie voyait bien l'anxiété du laborantin. Il lui lançait un regard angoissé mais profond, cherchant à percer quelque secret que la flic ne désirait pas lui révéler pour l'heure.

– T'affole pas, Oliv', fais ce que je te demande et point barre, d'accord ? On va quand même pas couper les cheveux en quatre, rebondit-elle sur la tendance humoristique de l'instant.

– D'ac, Valy ! Mais faudra que tu m'expliques un de ces jours. Si tu as des soucis…

– Faut que je me sauve, éluda-t-elle. Tu peux me fournir les résultats pour quand ?

– Je m'y mets tout de suite donc rapidement ! grogna-t-il de n'avoir réussi à obtenir quelque aveu de son amie.

Valérie lui tapota généreusement l'épaule, amicalement, pour tenter de le rassurer. Elle savait qu'il allait se faire un sang d'encre tant qu'il n'aurait pas obtenu tous les détails de ce qui visiblement la perturbait. Son seul espoir était qu'il ne prenne idée au jeune laborantin de rameuter toute une escouade de connaissances plus ou moins fiables pour lui assurer une protection clandestine et mener une enquête sur ses déconvenues en la faisant surveiller de près. Elle avait suffisamment de soucis à gérer sans être obliger de faire des pieds et des mains pour étouffer les dérapages et rattraper des dérives qui outrepasseraient forcément les frontières floues de la légalité. Elle ne voulait personne sur son dos et ne désirait surtout pas mettre Olivier dans une quelconque ligne de mire de collègues zélés émanant de divers services policiers ou judiciaires.

– Merci Oliv', je te revaudrai ça.

Elle embrassa tendrement sa joue et fila à travers l'imbroglio d'ustensiles jusqu'à la porte. De là, elle cria à son protégé :

– Tchao ! À plus, tu me téléphones.

Olivier entendit décroître le martèlement des talons dévalant les marches en bois de l'escalier puis, la rythmique disparut quand son amie eût rejoint la ruelle. Il restait tracassé par la dernière demande de Valérie. Comparer le propre sang de sa mécène avec un échantillon prélevé, cela dépassait l'entendement. Sur quel type d'arme avaient été recueillies les écailles d'hémoglobine ? Valérie n'avait-elle pas de sérieux ennuis ? Cette jeune femme rousse dont il avait décortiqué les cheveux, quel était son rapport avec Valy ? Était-elle liée à l'analyse des échantillons sanguins ? Il se jura d'en savoir rapidement plus et si besoin était, en parlerait à Guido qui ne manquerait pas de faire sa petite enquête et le grand ménage autour de Valérie en cas de nécessité, sans prendre de gants. Peut-être enverrait-il d'autres chiens à filer celle qu'il portait haut dans son estime. Elle l'avait sauvé d'une déchéance addictive et des méandres glauques de la rue, il était temps pour lui de pouvoir lui renvoyer l'ascenseur puisque l'opportunité semblait s'en présenter.

Enfin, obéissant à la requête de sa bienfaitrice, il pivota sur son fauteuil à roulettes, ramassa quelques flacons aux liquides transparents et traversa d'un trait son laboratoire en se propulsant des charentaises jusqu'à une table de travail en inox couverte de machines électroniques. Là, concentré, il s'attela à sa besogne, l'esprit préoccupé ; sa main cherchait vainement le gros joint dans le cendrier inexorablement vide. Un rictus amusé se dessina sur ses lèvres, « Sacrée Valy !... »

59

Paris 10ème arrondissement
Jardin Villemin, rue des Récollets

Après sa nuit passée au Centre d'Hébergement d'Urgence et une interminable journée à réfléchir, Philip patientait dans la « suite » de Riton le Bavard. Ce dernier s'était assoupi, son errance diurne agrémentée de moult rasades l'avait entraîné dans sa « sphère de plénitude » comme il aimait nommer cet état second à l'approche du grand sommeil de l'oubli, réparateur. Il était bientôt vingt heures, l'instant crucial se profilait. Dans les cartons, des remous. Henri émergea, un ravissement illuminait sa face ravinée. Une grosse doudoune matelassée sur les épaules – que Philip avait su lui acheter un peu plus tôt – sa main venait de trouver le billet déposé par Carlson dans une des poches.

– T'es vraiment un chic type, Philip…

Il allait répondre quand ses yeux s'arrêtèrent sur une silhouette longeant le mur d'enceinte du Jardin Villemin. Cette silhouette, il l'aurait reconnue entre mille – bien qu'il eût été trompé par cette femme venue lui quémander du feu – c'était bien celle de Lucie, seule, qui tournait la tête de droite et de gauche, espérant le voir débouler d'un côté ou de l'autre de la rue. Philip resta immobile, observant les allées et venues de celle qui arpentait le trottoir face à la grille. Rien ne laissait présager qu'elle fût accompagnée ou qu'à quelque endroit fussent dissimulés des complices sur le qui-vive. Apparemment, elle n'avait ni micro ni oreillette et pas même cherché à passer un coup de fil depuis son arrivée. Après dix bonnes minutes d'une attente infructueuse, elle se résolut à quitter les lieux, dépitée, empruntant le passage et non la rue. Henri émit un sifflement admiratif à son apparition. Philip lui bourra les côtes d'un coup de coude appuyé. La jeune femme fit aussitôt volte-face, scrutant la pénombre pour tenter de reconnaître celui qui la hélait ainsi. Quand Philip Carlson se redressa à vue derrière son rempart improvisé, Lucie le sollicita, avec un grand sourire.

– Tu peux sortir de ta planque, Philip ! Viens ! Je suis seule, je te le promets, dit-elle d'un ton rassurant.

Alors Philip approcha non sans rester sur ses gardes. Lucie eut un élan pour se jeter dans ses bras, heureuse d'avoir réussi à le convaincre de venir. Embarrassé, il la repoussa sans brusquerie et lui demanda d'une voix brusque qu'il regretta instantanément d'être aussi tranchante :

– Qu'as-tu donc à me dire de si important qui ne soit encore un mensonge !

La jeune rousse ne se rembrunit pas, Philip avait toutes les raisons d'être soupçonneux et acerbe. Elle ne pouvait assurément pas l'accabler d'une telle attitude.

– Pardon, Philip !... mais j'obéissais à des ordres. Il ne faut pas m'en vouloir. Surveillée de très près, je n'avais d'autre choix que de faire bonne figure. Par contre, ce que j'ai tenté de te dire à demi-mots était vrai comme ce que j'ai essayé de te montrer dans le miroir...

Du fond de l'encoignure, Riton le Bavard fit un petit signe de sympathie à Philip comme pour lui signifier : « Bon vent l'ami... suis ta route... la rue n'est pour toi...

Lucie, aux aguets, poursuivit :

– Viens, ne restons pas là, les rues ne sont pas sûres. J'ai une amie qui habite tout à côté, allons-y. Sois sans crainte, je ne veux en aucun cas qu'il t'arrive malheur et tu comprendras assez vite pourquoi...

Philip hésitait encore à faire pleinement confiance à Lucie. Il avait été échaudé par tous ceux gravitant autour de lui dans cette clinique bidon. Pourtant, bien conscient de là où ses pas l'avaient conduit la veille au soir, il se décida d'emboîter ceux de la jeune femme qui l'emporta dans l'entrelacs des artères de la capitale.

Chemin faisant, malgré un train rapide qui les essoufflait tous deux, Philip lança cette affirmation pour couper court à tout désir de l'enrôler dans des fantaisies à le maintenir à Paris.

– Demain je serai parti, Lucie ! Je quitte cette ville et cette vie nauséabondes et néfastes. Je pars à la recherche de mon passé, de mon véritable passé. J'arrête de courir après un leurre préfabriqué, une chimère. Mon nom n'est pas Carlson, pas plus que je ne suis représentant de commerce. Tout cela, comme mon accident, ne sont qu'une pitoyable mascarade orchestrée.

– Bien-sûr, Philip… tu ne t'appelles pas Carlson, tu n'as pas de véritable nom d'ailleurs. Tout ce que je sais, c'est le prénom qui t'a été attribué dans cet orphelinat dont je t'ai parlé : Karl, on t'a prénommé Karl à cet époque, pour humaniser ton état civil. Ton nom de naissance, c'est un numéro de code : HN-612Z-2. À quoi correspond-il ?… je n'en sais fichtre rien. C'est la femme qui t'a sauvé du brasier lors de l'incendie de ce laboratoire expérimental qui a relaté ces détails à la société dont je dépends.

Absorbés par leur conversation, filant le long des façades disparates d'immeubles austères, ils n'avaient prêté attention au motocycliste, dans le flux de la circulation, qui les suivait à bonne distance, tous feux éteints. Lorsqu'ils virèrent dans une ruelle sombre, il ne furent pas plus attentifs à la voiture qui déboulait en sens inverse. Quand elle ne fut plus qu'à une vingtaine de mètres, deux terrifiantes déflagrations dans leur dos les ramenèrent à la cruelle réalité de leurs existences. Le pare-brise vola en éclats, le véhicule fit une embardée pour finir sa course encastré dans les voitures en stationnement dans un concert véhément d'alarmes. Philip et Lucie s'étaient jetés au sol, de conserve, pour se protéger. Quand ils relevèrent la tête, le motard était arrêté à leur niveau, parabellum encore fumant dans sa main gantée de cuir. *Allait-il les supprimer ?...* Philip s'apprêtait à bondir quand Lucie le retint.

– Arrête ! Beth est là pour nous protéger, pas nous tuer.

– Beth ? interrogea-t-il.

– Oui, Beth ! L'amie dont je te parlais.

La visière teintée du casque se releva, dévoilant un regard pénétrant d'un vert profond auréolé de fils d'or. Ce ne pouvait être celui d'un homme tant il était harmonieusement dessiné. Il en émanait presque une notion de douceur, assez curieusement, pensa Philip, stupéfait que des yeux d'un tel angélisme puissent être ceux d'une personne dont la violence venait de s'exprimer avec autant de virulence et une froideur inquiétante.

– On est presque arrivés, Beth, tu peux y aller, on te rejoint tout de suite. Dorénavant, tout danger est écarté. Filons en vitesse avant que tout le quartier nous tombe dessus ou pire… la police !

Lucie finissait tout juste sa remarque quand un hululement de sirènes se fit entendre en approchant rapidement. Ils disparurent au pas de course ; Beth sur sa moto était déjà au carrefour.

Une sentinelle patientait sous un abribus, le col de sa vareuse relevé, main dans la poche droite, doigts enserrés autour de la crosse de son *Sig Sauer P226*. Deux autres, identiques au premier, attendaient dans une berline puissante de marque allemande, garée le long du trottoir. Un, place conducteur, gants de cuir fin arrimés au volant, prêt à démarrer ; le second sur les larges assises arrières, un étrange instrument muni d'une petite parabole calé à ses côtés, casque sur les oreilles. Ils avaient reçu l'ordre de suivre la flic chargée de l'enquête sur le meurtre d'un des leurs. Tom Vockler, cet américain acariâtre, avait été clair et ferme, ils n'avaient aucun droit à l'échec, pas même à l'erreur. Quand la policière blonde – un joli brin de fille – poussa la lourde porte et entra, la sentinelle fit signe à ses deux acolytes. Tous trois savaient déjà qu'elle n'habitait pas là. Son logement à l'autre bout de la capitale était étroitement surveillé par une autre équipe, discrètement truffé de micros, sa ligne téléphonique sur écoute, son ordinateur piégé par un logiciel espion. Son téléphone portable sera bientôt à leur merci.

Ils l'avaient filée toute la journée. Trois équipes sur ce coup. Depuis son retour d'Italie, pas un seul de ses faits et gestes n'avait échappé à leur surveillance assidue, pas même ceux très scabreux de l'autre nuit… et où se rendait-elle justement ? Au cinquième. Pour y retrouver qui ?… son amante ! « Putain de gouines à la con… quel gâchis ! ».

Dans l'immeuble de l'autre côté de la rue, la lucarne ancrée aux sous-pentes s'éclaira puis s'entrouvrit et laissait maintenant s'échapper un filet de fumée de cigarette. Pas un bruit, pas une conversation. Les guetteurs conversaient sans prêter attention au grésillement de fond du haut-parleur.

Un vrombissement puissant les sortit de leur torpeur. Une méchante cylindrée remontait la rue à vive allure dans un vacarme rugissant. Elle stoppa dans un dérapage savant devant l'immeuble convoité. Le frêle motard coupa les gaz et sauta à terre avec une grande agilité. Le bolide laissait sa mécanique brûlante émettre des claquements secs d'alliage refroidissant. La fine silhouette casquée entra en trombe sans même refermer la porte. Peu après, les éclats d'un échange très animé tonnèrent. Le capteur omnidirectionnel de sons, sur le cuir pleine fleur des sièges, fonctionnait à merveille. L'utilisateur ajusta son pointage et régla les potentiomètres. Les voix étaient parfaitement claires, les mots admirablement compréhensibles. Une fois les premières salves assénées, sans grand intérêt, l'appareil se mit à distiller du lourd.

– C'est toi qui a tué le père Di Gregorio à Rome, hurlait la policière. J'ai les preuves !

– C'était ma mission… rétorqua, laconique, celle qui venait d'entrer dans l'appartement.

– Pourquoi une telle virulence, une telle furie, toute cette mise en scène morbide ?…

– Exécution rituelle ! Je ne peux pas t'expliquer…

Un blanc dans la conversation, un silence et quelques soupirs sur la portée de cette symphonie dissonante avant la reprise de la mesure suivante, puissante et dysharmonique.

– Putain, mais c'était un prêtre, merde ! Un homme d'église… explosa la capitaine.

– Une belle ordure de traître qui a fourgué à ton Église des secrets qui ne la regardent pas, au risque de foutre en l'air ce que des initiés dans l'ombre ont mis des millénaires à préserver… scanda la rousse.

Les espions amusés imaginaient la blonde, les yeux exorbités par la colère, chercher ses mots.

– Et l'autre homme… ce Nolan Snarck !

Dans la rue, les rictus convenus se figèrent puis se crispèrent douloureusement à l'évocation de ce nom.

– Il s'est trouvé là, c'est tout. Il puait l'after-shave bon marché. Je l'ai déniché et voilà !… Jamais de témoins, principe de base.

Dans la Mercedes, un sentiment de rage fusait. Le passager assis aux places arrières siffla entre ses dents serrées : « Salope, on aura ta peau ! ». Devant, les doigts gantés du pilote tapotaient nerveusement sur l'arc du volant, des flashs meurtriers illuminaient sa conscience guerrière.

La flic relança :

– Le meurtre à Paris, ce n'est pas toi, tu étais en Italie !... Mais tu as une vague idée peut-être ?... Et pourquoi lui ? Encore un Snarck d'ailleurs...

– Des collègues de la faction dont je fais partie, pour sauver un homme en danger immédiat et protéger le bijou qu'il portait. Désolée, Valérie, mais tu ne peux vraiment pas comprendre.

Quinze mètres plus bas, dans leur espace confiné, les pensées prenaient corps, presque palpables. La motocycliste était une des « Sumériennes Antiques », leurs ennemies jurées. Ils allaient bien se régaler en abattant cette chienne de rousse, peut-être en prenant le temps de lui en faire baver un maximum.

– Et Ted Snarck aux States ?... continua celle qui paraissait détenir une liste infinie.

– Moi encore... en fait dix-huit en tout qui sont d'importance majeure, abrégea Beth O'Neill. Plus un paquet d'autres aussi, comme tes « Snarck », d'insignifiantes petites choses parasites, de simples dommages collatéraux que je ne comptabilise plus depuis bien longtemps.

Une lame glaciale trancha cette affirmation, un couperet au fil parfait. Plus un son dans l'appareil. La policière devait faire une drôle de binette et se poser mille questions sur sa position à tenir et les décisions à prendre car la prédatrice reprit, précise :

– Je suis une tueuse, Valérie, une putain de machine à tuer. Bien rodée, bien huilée, sans états d'âme et surtout sans faille. C'est mon métier. J'exécute des missions, c'est ma raison d'être.

Un lourd silence retomba à nouveau sur la tirade de celle devenue subitement loquace.

– Tu te rends quand même compte que tu es une criminelle multi-récidiviste !... et que présentement tu balances ça à une flic qui peut t'embarquer, là, tout de suite, maintenant !... te foutre derrière les barreaux pour le restant de tes jours, éclata la capitaine.

En face, la rousse devait être restée de marbre, froide et calculatrice, jaugeant sans nul doute cette nouvelle adversaire à rudoyer si nécessaire puis, calme et imperturbable, elle lâcha avec une certitude déroutante :

– Mais tu ne le feras pas !...

Quittant une ruelle débouchant dans l'artère, Philip, emporté par sa course folle, perdit l'équilibre et rebondit violemment sur la carrosserie anthracite d'une voiture de luxe. *Foutus orteils !...* pesta-t-il. Ils recommençaient à l'élancer douloureusement depuis leur cavalcade éperdue. Dans le véhicule, deux mines patibulaires l'invectivèrent. Sans en faire cas, Philip reprit sa course folle en boitillant, traversa la rue dans une longue diagonale pour rejoindre Lucie qui l'attendait devant une porte restée entrouverte.

Dans l'habitacle, le chauffeur râla à voix haute :

– Mais qui sont ces deux là ?...

En une fraction de seconde, la lumière se fit dans la tête des observateurs. Cet homme baraqué ressemblait en tous points à celui de la photo transmise à leur escouade. Il était le fameux porteur d'anneau, ce Wesley Snarck usurpateur d'identité, celui qu'ils recherchaient. Quant à la rousse qui l'accompagnait, encore une, mystère, jamais croisée.

Lucie guida Philip vers le fond du vestibule où ils emprun-tèrent les escaliers. Pendant qu'ils gravissaient les derniers degrés, la porte palière du cinquième, restée entrebâillée, laissait filtrer une discussion haute en couleur. Lucie stoppa, Philip sur ses talons. D'évidence Beth n'était pas seule et même en proie à une houleuse explication avec une femme dont elle ne reconnaissait pas la voix.

– Et moi alors... fit l'inconnue.

– Pour toi, c'est différent ! Je n'ai pas pu... je m'y suis tout simplement refusée.

– Mais pourquoi m'avoir épargnée ? questionna, quelque peu émue, la voix étrangère.

Lucie hésita encore une seconde puis finit par se résoudre à pousser la porte d'entrée, s'annonçant. Dans l'instant, les réparties musclées qu'échangeaient Beth avec une belle blonde sculpturale restèrent en suspens.

Dans la rue en contrebas, le haut-parleur soudain devint muet. Là-haut, sous les toits, la dispute avait stoppé. Les trois hommes maintenant regroupés dans l'habitacle de la berline tenaient conciliabule. Devaient-ils intervenir ? Attaquer ce groupe épars ? Non ! Deux « rousses » plus cette policière, ils n'avaient aucune chance, sans compter sur l'homme dont la stature laissait présager ses aptitudes au combat. Mieux valait poursuivre l'écoute et glaner le maximum d'informations utiles à remettre la main sur ce fichu anneau qui avait méchamment décimé leurs rangs.

Maintenant à quatre dans l'espace relatif du salon de Beth, chacun cherchait à évaluer l'autre, interrogatif et inquisiteur, ne sachant comment interpréter la présence de toutes ces personnes dans un rassemblement qui se voulait confidentiel. Ce fut Beth qui rompit le silence et fit les présentations :

– Valérie, une amie passée à l'improviste…

– … Lucie et Philip que j'ai croisés tout à l'heure.

Philip appréciait modérément la situation qu'il considérait déjà comme un vil traquenard. Le moment intimiste annoncé pour des révélations très personnelles s'était envolé. *Ne devait-il pas faire de même ?* Il sentait sa sphère de liberté s'entraver à l'emprise de ce piège filandreux, s'empêtrer à des chaînes similaires de celles qui l'enserraient à Vincennes. *Il devait partir !* Lucie vint poser sa main avec douceur sur son bras pour l'apaiser, ses yeux attestèrent qu'ils trouveraient les instants promis…

Valérie eut un mouvement vif pour fuir cette assemblée improvisée dont elle ne subodorait ni le sens ni le but. Elle était là pour obtenir des explications voire des réponses, pas pour faire causette avec des inconnus. Elle avait une enquête sur le grill, tout le reste n'importait pas !… surtout si à terme elle devait mettre Beth sous les verrous.

Cette dernière lui enlaça les épaules, ajoutant :

– Non Valérie, reste ! Ta présence ici ne pourra nous apporter qu'une vision objective de la situation. Tu obtiendras aussi des éclaircissements qui calmeront ta colère bien compréhensible…

La capitaine se renfrogna et se tassa dans un siège. Après tout, cette « petite discussion inopinée » apporterait peut-être quelque lumière dans l'opaque confusion de ses questionnements.

Dans le haut-parleur, de nouvelles voix se mêlèrent aux deux précédentes. Les ouïes tendues de ceux confortablement calés dans la sellerie haut de gamme, s'aiguisèrent.

60

Tampa, Floride (USA)
Clinique Privée du Golfe

De l'autre côté de l'Atlantique, une réunion de crise avait lieu. Dans son vaste bureau illuminé, au septième étage de la Clinique du Golfe, le généticien W. Schteub conversait avec le sénateur Harris, arrivé quelques heures auparavant à bord de son jet privé. Contre l'une des baies vitrées, Tom Vockler avait, comme à son habitude, un téléphone rivé à l'oreille. Il arborait une mine enjouée qui fit penser aux deux autres qu'enfin les choses avançaient et surtout dans le bon sens. Quand la communication fut interrompue, une satisfaction tangible irradiait la figure au hâle parfait du coordinateur de leurs équipes en Europe.

– Mes amis, les nouvelles sont excellentes…

Il s'assit profondément dans un fauteuil moelleux, reprit son verre posé sur la table basse et ajouta :

– Nos troupes ont fait un remarquable travail. Non seulement elles n'ont pas lâché l'officier de police qui mène les investigations sur la disparition de Wesley mais, de surcroît, elles ont retrouvé le porteur de l'anneau poursuivi puis perdu l'autre nuit.

Il prit le temps d'une large lampée d'alcool pour mesurer la portée positive de ses propos.

– Nos hommes ont pu identifier la meurtrière du prêtre à Rome – l'inclination de sa voix se brisa légèrement – ainsi que de Nolan… et aussi de Ted à Miami. Cette fichue rousse est une vraie guerrière qui ne compte pas moins de dix-huit cadavres à son actif plus ceux qu'elle nomme ses « dommages collatéraux » dont font partie les « Snarck ». Une redoutable combattante, peut-être la plus aguerrie de toutes. Une autre « rousse » accompagnait le Porteur. Sur elle, rien pour l'instant mais de la vermine de la même trempe à n'en pas douter.

Face à lui, les deux hommes exultaient. Les choses n'avaient pas traîné. Après les déboires de l'autre nuit pour récupérer ce satané anneau où tout espoir s'était envolé, voici que de belles victoires s'accumulaient et relançaient leur quête du bijou et par là même, celle de la révélation des secrets des sages sumériens à leur unique profit.

Le quinqua fringant renchérit :

– Autre chose encore… et peut-être la plus importante ! Notre informateur infiltré chez les « Sumériennes Antiques » m'a indiqué le nom du prochain porteur de l'Anneau, un scientifique écologiste spécialisé dans la flore et la faune marines. Son grand credo est la pollution des océans. Sa prise de fonction serait très prochaine…

– Tu vois ! je te l'avais bien dit, le coupa le médecin avec emphase. Quand tu secoues l'arbre, tu ramasses les fruits… mûrs ! Jugule tes troupes, l'heure n'est pas à venger la mort des *Snarck*, pas encore. Il apparaît bien plus important d'obtenir des infos en espionnant l'ennemi plutôt que de l'abattre. Le moment viendra où nos hommes pourront *s'amuser* autant qu'ils le désirent sur les maudits membres de cette organisation nocive voire même faire quelques « dommages collatéraux ».

De son côté, le politicien se rengorgeait, heureux de la tournure que prenaient les événements.

– Mes chers amis, nous voici relancés ! Je n'ai jamais douté que nous parviendrions à nos fins. Nous allons récupérer très vite ce joyau indispensable à l'ouverture du coffret. J'ai ma petite idée sur la personne qu'est ce nouveau « Porteur » et sur les moyens de levier pour obtenir l'anneau. Bientôt, nous pourrons savourer enfin notre triomphe. Nous éradiquerons cette confrérie sanguinaire, cette bête immonde et trancherons toutes les têtes de cet hydre malfaisant, dès le coffret ouvert. Demain, le monde sera à nous !

Pris dans son élan d'enthousiasme, le sénateur ému enveloppa les épaules du généticien puis enroula son bras autour de son cou et scella ses lèvres à celles du médecin qui ne broncha pas, sidéré.

Tom Vockler, effaré, souffla :

– Ben… vous deux… ne me dites pas que…

Il ne put achever sa phrase tant sa répugnance homophobe la rejetait, en refusait l'évidence. Le politicien gêné s'écarta vivement, rouge de confusion.

– Pardonne-moi Wolfgang… je… je ne sais pas ce qui m'a pris… l'émotion… bredouilla-t-il.

– Il n'y a pas de mal, R… Robert… n'en parlons plus… répondit Schteub avec une impression très partagée dans la voix.

Tom Vockler observait maintenant les deux hommes en coin. Un regard nouveau – épouvanté – se posait sur ceux qu'il pensait pourtant bien connaître. Quelque chose lui tenaillait les tripes puis vint s'immiscer, malveillant, à sa réflexion. Soudain, un doute flagrant atténua la si proche réussite de leurs desseins communs. *Robert et Wolfgang, des… impossible ! Et je n'aurais rien vu ?* Il passa outre son dégoût pour relancer la conversation. Ce n'était peut-être que l'émotion de l'instant après tout. Lui-même n'était-il pas sérieusement bousculé par la conjoncture actuelle.

– Comment procédons-nous ? interrogea-t-il. Il faut garder la fliquette en ligne de mire, mettre une équipe permanente sur le dos de ce « Carlson », en prévoir deux autres pour les « rousses ». Je manque cruellement d'effectifs sur place surtout s'il faut envisager une étroite surveillance du nouveau porteur… sans compter les autres missions. J'ai besoin de sept trinômes au minimum et n'en ai que cinq tout au plus d'opérants. Je vous écoute…

Le Docteur Schteub reprit les rênes car le sénateur semblait encore très désemparé de son attitude incongrue.

– Focalisons tous nos effectifs actuels sur ce groupe dissident et le nouveau porteur !

Il se tourna vers le politique qui baissa les yeux.

– Pour le reste, Robert, sur combien d'équipes opérationnelles pouvons-nous compter ?

– À *Grizzli Mountain*, une demi-douzaine en attente, prêtes à toute mission. Je peux en envoyer trois à Paris dès demain en soutien de surveillance plus deux spécialement rompues pour des interventions délicates. Je m'en garde une impérativement sous la main si les actualités se déplaçaient vers les *States*.

Puis, une agressivité palpable s'empara du sénateur, évinçant le passage à vide de son élan irraisonné. Il reprit toute sa superbe, son ton acerbe, intransigeant, sa logique implacable, son instinct visionnaire. Ses yeux retrouvèrent tout leur éclat, reflet vif et effrayant de combativité.

– Tom, retourne à ton QG pour réorganiser nos troupes. Surveillance serrée des quatre entités de ce groupuscule avec intervention si nécessaire. Maintien des écoutes, à élargir si besoin à tous ceux qui gravitent autour du groupe. Mets un trio en faction au train du futur porteur, sans vagues pour l'instant, l'Anneau viendra à nous ! Fais piéger tous ses moyens de communication.

Robert W. Harris ne tenait plus en place. Une grande agitation le secouait. Son cerveau était en ébullition, une fulgurance lui faisait appréhender la suite des péripéties.

Il aboya à Vockler :

– Tu es encore là ! Qu'attends-tu pour exécuter ce que je t'ai ordonné ?

Le sémillant quinquagénaire resta pantois, ne sachant quoi répondre. Il finit par se résigner au silence, tourna les talons et sortit de la pièce, très renfrogné.

– Wolf, demande immédiatement à Susan de nous dégoter les coordonnées de Jacques Prieur à Paris… vite… tout de suite !

– Mais quelle mouche t'a piqué ?

– Ne discute pas !

Dans le même temps, il fouillait la liste des contacts de son téléphone portable. Quand il sembla avoir trouvé ce qu'il y cherchait, il releva la tête énergiquement.

– Susan a trouvé ?…

Le généticien appuya pesamment la touche de l'interphone. Quelques minutes suffirent à la secrétaire pour délivrer ce que quémandait le sénateur.

– Parfait, parfait !… Où puis-je passer un coup de fil sans être dérangé. Je dois contacter une personne sans attendre… seul !

Wolfgang Schteub commençait à être franchement irrité par le comportement singulier de Robert qui suivait sa logique bouillonnante personnelle sans aucune explication. Il se plia cependant aux désirs de son ami.

– Dans le bureau du service comptable, tous sont partis à cette heure. Troisième porte en sortant à droite dans le couloir. Vas-tu m'expliquer ?

– Plus tard, plus tard…

– Mais…

Le politicien avait déjà quitté la pièce, sourd à tous propos. Une fois enfermé dans l'espace du service comptabilité, Harris composa hâtivement un numéro d'appel sur son smartphone.

Au premier étage d'un immeuble de la banlieue parisienne, un homme se hâta vers le combiné qui vrillait ses tympans. *Qui pouvait bien appeler à pareille heure ?*

– Allô, grogna-t-il, la voix pâteuse.

– Monsieur Jacques Prieur ?

Son interlocutrice avait un timbre très sensuel. Il resta un instant interdit. Cette voix caractéristique lui rappelait vaguement quelqu'un puis, la lumière éclata dans sa mémoire. Intimement persuadé, il questionna :

– Rena ?… Est-ce bien toi, Rena ?…

Dans son crâne, les images affluèrent à toute allure. Rena était cette superbe rousse avec qui il avait eu une aventure dans laquelle il avait plongé sans réticence voilà plus de dix ans. Puis, un beau jour, elle s'était envolée de Vincennes… avec le coffret mythique !

Il était tout à la fois émoustillé et très retourné de l'entendre après toutes ces années.

– C'est moi, finit par susurrer l'enjôleuse voix.

Sur une des tables de travail du service comptabilité à Tampa, les doigts du sénateur martelaient nerveusement le placage en bois du plateau, l'esprit visiblement torturé. À quelques pas, dans son vaste bureau, le Docteur Schteub n'était pas moins impatient du retour de son ami pour savoir ce qu'il manigançait derrière ses cachotteries.

– Que me vaut l'honneur de ton appel ? fit le dénommé Prieur tant sous le charme qu'un peu sur la réserve. Après tout ce temps…

– Jacques, le plaisir d'entendre ta voix. J'aimerais tant que nous nous revoyions. Tu n'ignores pas que je suis partie avec le coffret contenant les secrets des Sept Grands Sages…

– En effet, le ravissement passionné s'effondra d'un coup, dans un claquement sec, comme une coquille d'huître se refermant sur sa perle.

– Je l'ai toujours… et j'ai aussi appris que tu allais très bientôt être en possession de la clef pour l'ouvrir, cet anneau mystérieux.

– Qu'est-ce qui te fait dire de telles sornettes ?

L'homme pestait, le ton n'était pas convainquant. Chasseuse aguerrie, Rena ne pouvait pas être dupe et se laisser berner par la supercherie.

– Jacques, voyons… tu es toujours dans les rangs de la société, j'ai mes sources ! Et je sais que tu es le lauréat retenu pour devenir le prochain « Porteur de l'Anneau ». J'ai si souvent pensé à toi que je n'ai pu me résoudre à négliger ce que tu devenais.

– Je constate que tu es très bien renseignée, Rena ! Et que me veux-tu exactement ? argua un Jacques Prieur totalement sur la défensive dès lors et refoulant son infléchissement aux mielleuses considérations énamourées de son habile interlocutrice.

– En alliant nos forces, nous pourrions posséder le monde avec ces secrets… et reprendre notre si belle histoire bêtement interrompue il y a dix ans.

Rena escomptait bien convaincre son ancien amant par le doux souvenir qu'elle avait pu lui laisser, même si cela remontait à une décennie. Ses espoirs s'évanouirent rapidement. Les souvenirs gardés par Jacques Prieur n'étaient visiblement pas ceux souhaités.

– Tu oublies que c'est toi qui m'a rejeté sans vraiment prendre de gants ! lâcha-t-il, impitoyable.

– J'étais très perturbée à l'époque, rebondit piteusement Rena, anxieuse du mauvais virage que prenait la conversation. Notre amour… mes missions… tes conférences… et cette distance qui nous éloignait continuellement…

– Arrête, Rena ! Tu n'es pas du tout crédible. Ta proposition ne m'intéresse pas et si, comme tu le clames, tu es toujours aussi éprise de moi alors rapporte le reliquaire dans son berceau d'origine et là, peut-être que je reconsidérerais la véracité de tes sentiments. As-tu quelque chose à ajouter ? conclut-il.

Rena fulminait. Elle savait la partie perdue. Mais comment pouvait-il en être autrement. Leur aventure passionnée datait d'une dizaine d'années et elle avait vertement éconduit son amant devenu inutile pour se consacrer pleinement au stratagème de son larcin.

Elle risqua cependant, larmoyante, en dernier recours :

– Jacques, je t'en prie, reconsidère…

La communication venait d'être abruptement coupée. Jacques Prieur avait raccroché, lassé de ses mensonges grotesques mais sans doute épaté de sa hardiesse. Dans le fond de la pensée du scientifique, un tenace regret rémanent gangrènerait sa réflexion pour les jours à venir.

Au service comptabilité de la Clinique de Tampa, le sénateur R. W. Harris poussa un hurlement de déception. Dans une pulsion colérique incontrôlable, il balança son smartphone à travers toute la pièce. Son poing s'abattit violemment sur la table face à lui. Il enrageait. *Rena, cette espèce de gourde, n'avait pas su recoller les morceaux. Elle s'était platement vautrée dans sa tentative de rabibochage. Elle avait échoué !*

Il se leva d'un bond faisant valdinguer sa chaise, ramassa les fragments épars de son téléphone endommagé et quitta la pièce, véhément.

Ce fut une véritable tornade qui ébranla le bureau du Docteur Schteub lorsque l'homme politique y fit irruption. Une dolosive contrariété l'animait et se traduisait par une fureur qui encombrait ses yeux assombris. La porte claqua. Le médecin, courroucé par tant d'étrangeté, haussa tout de suite le ton.

– Robert ! M'expliqueras-tu à la fin !…

R. W. Harris chercha à temporiser son emportement, parvint à s'apaiser un peu puis finit par maugréer, bougon, à l'intention de son ami la raison de son irritation.

– Rena a failli ! Elle n'a pas réussi à convaincre le futur porteur de s'allier à elle. Elle n'est plus que l'ombre d'elle-même. Elle a tout perdu de son panache. Je suis cruellement déçu.

Ses épaules s'affaissaient au fur et à mesure qu'il énonçât l'amer constat de celle venant lamentablement d'échouer à flouer Jacques Prieur.

– Elle est devenue une tumeur, un cancer. Un poids d'une inefficacité accablante, inutile !

D'un geste rageur, il fit s'envoler son verre de la table basse, répandant le Bourbon d'exception sur le sol.

– Sa furieuse ambition l'enjoint à faire n'importe quoi et surtout n'importe comment ! Trop de précipitation, trop de colère, manque de réflexion, de sang froid. Plus aucun discernement…

Le généticien épuisé par tant d'agitation tenta d'amadouer la tension qui meurtrissait son ami. Cette dissension entre Robert et Rena ne pouvait conduire qu'à la catastrophe, il le savait et voulait l'éviter à tous prix.

– Mais non, Robert, ne sois pas si tranchant. Rena est toujours aussi efficace et peut être très persuasive quand bien même serait-elle dans une colère noire. Son manque de participation l'amène à un sentiment d'évincement, l'éloigne un peu trop durement de cette réalité difficile et l'emporte vers une précipitation irréfléchie, des décisions unilatérales souvent regrettables. C'est de cette cogitation tronquée et cette impulsivité néfaste qu'il lui faut se détacher…

Robert W. Harris n'écoutait plus, rubicond, il avait déjà quitté son siège. À la porte du bureau, il se retourna vivement vers le médecin, crispé, comme possédé.

– Je suis parti ! Nous avons une autre stratégie possible à mettre en place… on s'appelle…

Avant qu'il ne disparaisse définitivement, le généticien le foudroya d'un regard noir doublé d'un long soupir d'exaspération. Robert savait vraiment être insupportable par moment.

61

Paris 10e arrondissement, rue de l'Échiquier
Appartement de Beth O'Neill

Au cinquième étage de la rue de l'Échiquier, les tourments de chacun légèrement dissipés, tous finirent par s'installer, réticents, sur fauteuils et canapé, autour de la table basse que la maîtresse des lieux avait garnie de verres et d'une bouteille de jus de fruits. Beth les servait sans un mot, laissant à un silence pesant le soin d'envahir l'espace afin d'enrouler ses écharpes d'incertitude et de doute sur les pensées, qu'intérêt et curiosité suscitent le bien fondé à vouloir rester là… pour savoir ! Elle avait juste besoin d'un peu de temps pour gouverner de façon intelligente ce regroupement fortuit. Il fallait établir les bonnes priorités, faire les bons choix ! Ses amours pour Valérie attendraient un moment plus propice et surtout plus intime. La *Quête* reprenait ses pleins droits, absolue, au détriment de tout le reste, *Elle* était le choix prioritaire unique. Devoir incombait maintenant d'éclairer Karl alias Wesley Snarck alias Philip Carlson sur le véritable fondement de son existence, lui révéler ce que l'Humanité pouvait en espérer au nom d'une *Grande Prophétie* bientôt mise en lumière.

Quinze mètres plus bas, six oreilles patientaient, attentives et affûtées, les propos que le quatuor allait distiller ; certaines surtout que les conversations ne manqueraient pas d'apporter de précieuses informations à leurs commanditaires.

Philip se demandait comment il avait fait pour se retrouver là, avec Lucie et cette blonde inconnue, face à la jeune femme rousse qui lui avait demandé du feu et qui, à trois rues d'ici, venait de tuer chauffeur et passager d'une voiture sans la moindre hésitation. Qui avait-elle bien pu occire de la sorte ? Pourquoi s'était-elle trouvée là, à cet instant, armée ? Quel relation entretenait-elle avec Lucie ? Comment expliquer leur troublante ressemblance ? Autant de questions dont il espérait obtenir les réponses au cours de cette réunion équivoque.

Au même instant, Valérie scrutait les visages avec assiduité, tentant de se faire une idée liminaire de chacun, s'interrogeant sur le fait d'être assise avec deux étrangers et cette intrigante créature passionnée qui avait renoncée à la poignarder la veille au soir. La laissant en vie au nom de quoi ? Qui était cette Lucie ressemblant à s'y méprendre à Beth ? Comment s'établissaient leurs liens ? Était-elle une tueuse également ? Qu'allait-elle faire de Beth en regard des crimes qu'elle avait commis ? Cruel dilemme…

Lucie, quant à elle, pestait de cet imbroglio venant perturber les aveux qu'elle s'était décidée à faire à Philip. Fragile, si difficile à convaincre, son seul besoin aspirait à une tranquillité d'écoute des confidences qu'elle avait à lui soumettre et elle craignait que cette situation ambiguë n'altère sa confiance. Ne lui avait-elle pas assuré qu'ils seraient seuls. Il devait se poser mille questions à nouveau. Elle le sentait sur la défensive, prêt à bondir hors de son fauteuil pour fuir une conjoncture absconse et disparaître à jamais, sans plus aucune chance de retour.

C'est dans ce foutoir indescriptible de réflexions que Beth choisit de rompre le silence, jugeant le moment opportun, alors que tous s'interrogeaient tant sur les autres que sur eux-mêmes. Elle commença ainsi, la voix posée et calme :

– Vos esprits se heurtent à la barrière de l'incompréhension… il est plus que temps de jouer carte sur table ! Temps de définir le rôle de chacun et la trame qui nous unit dorénavant.

Elle expliqua que si tous étaient réunis ce soir, en ce même lieu, c'est que le destin en avait décidé ainsi, que les signes étaient à interpréter, non à négliger, les voies balisées d'une multitude de jalons que plus personne ne savait malheureusement interpréter tant l'humain, devenu aveugle et obtus à ces manifestations, ignorait ce que la Grande Loi Universelle plaçait en permanence et de façon pourtant si limpide à son acuité.

Elle poursuivit en évoquant son appartenance ainsi que celle de Lucie, à cette société totalement obscure dont les origines floutées se perdaient aux confins antiques de l'époque sumérienne. Les devoirs distinctifs qu'elles tenaient l'une et l'autre dans le fonctionnement de ce groupuscule et surtout quelle était l'essence même de son avènement et de son utilité aux heures présentes, cette fameuse – *fumeuse ?* – *Grande Prophétie* que d'aucuns imaginaient comme accession suprême à un pouvoir hégémonique, suprématie plénière à tirer le faisceau de fils ténus d'un monde asservi à la poigne des détenteurs du fabuleux trésor.

Elle les fit s'infiltrer à cette légende qui narrait la venue d'un *Signe*, quelques millénaires avant notre ère, au pied de la hutte du plus illustre des Sept Grands Sages, en la naissance d'une enfant frêle et rousse, à la peau laiteuse. L'*Origine*, l'*Étincelle*, la *Genèse* d'une lignée flamboyante perpétuant la Tradition au cadran fissuré et craquelé de l'Horloge de tous les Temps. Instruite de toute l'*Incommensurable Connaissance*, *Elle* a ensuite enfanté des générations d'érudites, *Sa* descendance créant la *Lignée Divine*. Une d'elles aujourd'hui existe de par le monde, foule cette Terre à guider les plus sages aux arcanes de la *Grande Prophétie*, en un lieu sacré que seule l'ouverture du coffret mystérieux indiquera, déverrouillage protégé par un jeu de clefs dispersées à la tutelle de factions séculaires occultes, sous la férule de combattants aguerris et infaillibles, preux adeptes convertis et incorruptibles.

Elle revint à plus de contemporanéité en avouant le vol du coffret à leur communauté dix ans plus tôt, fomenté par une traître à leurs rangs, puis celui plus récent de trois gemmes brutes à la sûreté d'un bijoutier initié de Miami. La seule et ultime protection des secrets inviolés résidait dans l'Anneau convoité par ce cartel de profanes avides, basé aux États-Unis.

– Il leur manque donc la clef principale, l'*Anneau* du Grand Sage, *Anneau* que tu as porté pendant dix ans, Philip, à ton auriculaire droit. Sache qu'*Il* l'a aussi été par le dernier des Grands Sages, il y a plus de quatre mille ans !

L'homme interpellé releva vivement la tête à cette affirmation. Il inspecta une fois encore les infimes cicatrices qui stigmatisaient la base de son auriculaire, huit petites marques embrunies si régulièrement réparties.

À Vincennes, pour appuyer son propos, Lucie avait arraché le sparadrap qui les recouvrait. Il n'avait pas voulu lui porter crédit, ne voyant là que des égratignures consécutives à son accident, non une preuve de véracité au discours décousu. Blanche de rage, elle avait replacé le pansement et était sortie sans un mot. Ce soir, il devait convenir que la chose reprenait forme et cohérence même s'il restait à comprendre par quel mécanisme cet Anneau avait pu provoquer des perforations si régulières. Ce qui s'était avéré exact sous le bandage entourant sa tête l'était visiblement aussi pour ce bout de scotch ceignant son doigt. « *La meilleure des protections est souvent la plus simpliste !* » avait argué Lucie, furieuse.

Attentif au monologue de la jeune rousse malgré la curiosité l'étreignant à obtenir des réponses, il s'astreignit à ne pas couper Beth dans le fil de son récit.

Dans la Mercedes, les trois hommes se régalaient. L'un d'eux avait appuyé avec délice sur la touche de mise en marche de l'enregistreur couplé à l'appareil espion. Vockler et ses acolytes allaient être enchantés…

Beth avisa Philip qu'il avait été le dernier *vrai* Porteur de l'*Anneau*, que désormais sur ses épaules lestées reposaient de bien lourdes charges qu'il lui incombait de mettre en œuvre. Carlson se demanda si la suite serait fiction, mensonge ou vérité. Il doutait de l'état mental de ceux qui l'entouraient. Tout ce qui avait été évoqué ou le serait, revêtait un tel tour surprenant dans le contexte actuel, qu'il était plus que louable de se questionner sur la vérité des faits et la finalité intrinsèque de leurs circonvolutions. Les choses et événements s'entremêlaient avec tellement de complexité que le regard clairvoyant ne distinguait plus ce qui faisait partie du passé, ce qu'était le présent et en quoi tout cela révolutionnerait l'avenir de la planète.

– Tu es l'Élu, Philip, celui par qui la révélation des secrets des Sept Grands Sages sumériens aura lieu. Nous te soutiendrons et te protégerons tout au long de la mise en lumière de ce processus. Lucie et moi bien sûr, ainsi que quelques autres qui apparaîtront sur ton chemin, autres que tu croiseras ou as déjà croisé, comme Maître Yashido, par exemple.

Ainsi le vieil asiatique étrange appartenait à toute cette folie. Quoi d'étonnant, avec un peu de recul. Par ailleurs, les affirmations de Beth pouvaient expliquer ses aptitudes hors normes, tant au combat qu'à comprendre, il en était certain, ces signes cunéiformes et cette langue inconnue aux accents gutturaux ou cette autre aussi, plus insaisissable encore, indéfinissable… tout cela résidait dans le brouillard épais de sa mémoire brisée, comme si les codes de transcription s'étaient volontairement égarés mais en demeurant présents, dans l'attente de l'instant propice.

Fort de ce constat, Philip allégua :

– Même si je désirais adhérer à ce qui est dit, comment serais-je celui par qui tout doit arrivé… je ne sais pas même définir ce terme « tout », je ne comprends rien à cette fable bizarre, ni d'où elle vient pas plus que là où elle est sensée nous mener. De plus, je ne possède plus l'*Anneau* à ouvrir ce coffret mythique.

– En effet, et l'*Anneau* est bien inutile à celui qui ne possède le coffret… cependant, les « Sumériennes Antiques » ont à charge de le récupérer hâtivement car d'ici peu, tout sera réduit à néant. Sans mettre en présence clef et serrure du reliquaire dans le temps dévolu, il est impossible de découvrir et décrypter le grimoire qu'il contient car la transmission orale a toujours été très claire sur ce point : dans l'écrin sommeillent les signes manuscrits des Sept Grands Sages sumériens, un cryptogramme à déchiffrer pour faire vivre la *Grande Prophétie* et dont la lecture ne sera rendue possible que par alliance des sapiences de l'Élu et de la dernière descendante du *Signe*.

Carlson constata le poids de la chape d'épuisement plomber l'énergie et le dynamisme de la jeune femme tout comme ceux de Lucie. Contre cela, Beth développait une telle force de persuasion à nourrir son âme… *Possédée ?* Mais tant d'énigmes lui restaient encore à résoudre. Qui pouvait être la descendante contemporaine du *Signe* ? Où la trouver ? Comment l'approcher et l'aborder ?… autant de questions que lui-même se posaient.

Chacun écoutait attentivement les paroles s'écouler de la bouche de Beth. Philip s'était tassé dans son fauteuil comme si ses épaules eût été chargées d'un joug bien trop lourd à assumer. *Il était l'Élu ! Élu de quoi ? Et dans quel but ? Qu'édicterait cette Grande Prophétie ? Fallait-il qu'elle soit vraiment révélée ou bien devait-on la laisser, inerte et sans danger, dans le creuset de son lit où elle paressait léthargique et inactive depuis plus de quatre mille ans ?* Beth et Lucie semblaient tellement faire corps à cette folle légende… *Ensorcelées, endoctrinées ? Qui derrière le rideau à tirer les fils invisibles de leurs existences ? Maître Yashido ? Qui d'autre ? Devait-il souscrire à ce canevas plus que tortueux ? Ne valait-il pas mieux fuir ce maillage sibyllin et envisager une saine administration de sa vie au mieux de ses résurgences, à l'apaisement de son esprit, tout simplement ?*

Sur le sofa, Valérie cherchait toujours la plus infime relation qu'elle pouvait entretenir avec cette histoire certes captivante, mais dans laquelle elle n'entrevoyait pas le moindre point la concernant. Elle restait concentrée et assidue, patiente de la suite à comprendre ce qu'elle faisait là et pourquoi elle n'avait pas été évincée. *Avec un tel récit, ce n'était pas en prison que Beth finirait, mais en HP, irresponsable de ses actes...* Puis, faisant le bilan de ses propres agissements, elle dut convenir qu'elle s'ingéniait à se fourrer dans des situations inextricables, du grand art ! *Comment expliquer ses entorses au règlement ? Comment sa hiérarchie accueillerait-elle ses digressions et tous ses égarements ? Sa belle carrière tracée était foutue, irrémédiablement, quoi qu'elle pût faire maintenant, même à réintégrer la droite ligne et arrêter la jolie Beth pour ses exactions.*

Lucie, de son côté, captait, silencieuse et attentive, les bribes éparses qui bientôt formeraient un discours fluide et cohérent aux oreilles des novices installés autour de la table. Elle supputa les dispositions de la policière et conçut qu'il fallait la ramener dans le lit du fleuve, hâtivement, car si Beth souhaitait qu'elle fût là, elle devait en posséder de multiples raisons valables.

– Nous présenteras-tu ton amie à la fin ? fit-elle dans un trait d'humeur. Quelques précisions la concernant nous permettraient de la connaître un peu mieux !

En dévoilant plus avant la policière, Beth évoqua naturellement sa profession qui loin d'inquiéter possédait une inflexion bien particulière à l'accomplissement de la prophétie des Sept Grands Sages sumériens. Elle exposa succinctement sa mission à l'éliminer, son choix de n'en rien faire, l'entremise sulfureuse par laquelle elles s'étaient approchées et les liens qui aujourd'hui les cramponnaient l'une à l'autre… prête à défendre bec et ongle un amour singulier. Valérie en discerna mieux le fait d'avoir été épargnée. Beth lui éprouvait de réels sentiments profonds qu'elle n'avait su blackbouler pour l'assassiner. Elle sentit une vague de chaleur la traverser, ses joues s'empourprer et un bonheur moite l'envahir. Un ravissement ouaté, vrai. Son amante vint s'asseoir à ses côtés et enlaça ses épaules. *Et cet auriculaire tranché sur chaque cadavre ? Plus tard !...* se dit la capitaine savourant la caresse du tendre baiser sur sa joue enflammée. Beth n'ajouta pas ce qu'elle avait pressenti de leur relation et du rôle réel de Valérie qui en ressortait.

Lucie, muette depuis le début de la réunion, donnait l'image d'être plutôt *dépossédée* que *possédée* par cette rocambolesque aventure, comme vidée d'une quête qui ne la concernait pas ou plus. *Cette poursuite délétère avait-elle eu raison des cellules de sa vitalité ?* Elle n'avait pas prononcé la moindre parole à son sujet, renfrognée sur le bout du divan qu'elle avait abandonné nerveusement pour laisser place aux deux amoureuses. Elle était visiblement contrariée. Était-ce cet étalage de sentiments auxquels elle n'adhérait pas ? Une pointe de jalousie envers celle qui lui « volait » son amie ? Ne pas avoir su trouver la sérénité à parler à Philip ? Quoi d'autre encore ?… Assurément un savant mélange de ces ressentis, mais surtout :

– J'ai reçu un message de Maître Yashido. Je dois me rendre dans le sud pour le rejoindre. Une mission incontournable dont il ne m'a pas dit plus.

Beth saisit le fond derrière la forme de l'information. La petite fête qu'elles avaient programmée tombait à l'eau, évaporée. Depuis des lustres, elles s'arrangeaient de leurs emplois du temps pour toujours caler une date commune à fêter dignement ensemble leurs anniversaires.

– Je ne peux m'y soustraire, je pars demain ! ajouta tristement Lucie morose.

Son amie de toujours lui fit une mimique « ce n'est que partie remise… », puis la laissa prendre le relais.

Lucie revint sur la société dont elles dépendaient et qui se détournait irréversiblement de la règle originelle. La faction ne souhaitait plus – en tous cas ses dirigeants – être seulement garante des secrets et de leur révélation sans apocalypse ; elle se prenait au jeu pervers et dangereux, à l'approche du terme de la *Grande Prophétie*, de vouloir s'attribuer contenant et contenu enfin révélé. S'arroger et détenir cette énergie concentrée et explosive au sein de cette boîte de Pandore, laisser s'échapper cette puissance à leur profit. Une exaltation au pouvoir contradictoire à ce qu'avaient conçu primitivement les Sept Grands Sages. Elle fit alors état de leur obligation à s'extraire de cette voie empruntée qui déviait de la juste direction tracée. Beth n'avait déjà plus d'autre choix ; elle avait failli ! La concernant, elle resterait infiltrée malgré le risque évident d'une mise à mort certaine si quiconque la décelait, dans un double jeu capital à disposer des dernières articulations et des décisions de l'organisation. Les trois autres désapprouvèrent avec véhémence, l'idée était suicidaire et le risque inconsidéré. Ils étaient déjà si peu nombreux, la perte d'un seul mettrait en péril la pérennité de leur action.

Lucie énonça leurs éruditions, immense savoir légué depuis des temps ancestraux afin que la *Grande Prophétie* se réalise conformément aux convenances des Sept Grands Sages sumériens. Philip devait prendre conscience qu'il détenait en lui toute cette Connaissance et même plus, que sa mémoire « effacée » n'était que protection en attendant d'assembler *Anneau*, coffret volé et Élu a qui alors toutes ses facultés auraient été ré-instillées. Il devait comprendre que son annexion par l'ennemi, en pleine possession de ses moyens, représentait un tel danger qu'aucun souvenir ne devait réémerger dans son cerveau d'où son *effacement*. Elle monologua encore longuement sur cette mystérieuse révélation dont les racines se perdaient dans des âges immémoriaux, que la rumeur de son existence impliquait toutes sortes de prédicateurs à échafauder maintes théories alambiquées qui évoluaient à l'avancée des années. « 1984, le bug de l'an 2000, l'apocalypse en décembre 2012… et j'en passe. ». Nombreux devenaient les pouvoirs qui appréhendaient cette mise en lumière, expliquant certains événements contemporains inhérents de leurs craintes…

Après que Lucie se soit tue, tous quatre engagèrent une conversation lourde des engagements à venir. Si les réponses n'avaient pas, loin s'en fallait, solutionné tous les questionnements, au moins Carlson savait qu'il était temps pour lui de reconstruire sa mémoire et d'agir. Valérie allait repousser un peu ses décisions radicales vis à vis de Beth pour préserver un délai nécessaire à la réalisation de tout ce fatras. *Je lui dois bien ça !*

Les deux rousses constatèrent à plaisir ce que leurs paroles venaient d'impacter l'esprit des deux novices.

La nuit était déjà bien engagée quand Beth voulut emporter Valérie dans la chambre contiguë au salon, avec une étincelle au fond des yeux qui brillait d'un feu étrange. Leurs corps bientôt ne formeraient plus qu'un, il fallait que leurs esprits s'en inspirent et fusionnent. Avec douceur, Valérie refusa l'invitation. Son esprit était trop préoccupé pour se libérer à ces badinages libidineux. Lucie s'octroya d'autorité la banquette clic-clac pour quelques heures de sommeil avant de partir pour le sud rejoindre Toshiaki. Recroquevillé sur son fauteuil, Philip escomptait trouver aussi le repos mais sa tête bouillonnait, s'y entrechoquaient tant de choses, de mots, d'images… peut-être l'Allemagne parviendrait-elle à lui apporter quelques éclaircissements et apaiserait-elle son tumulte.

Dans la berline garée le long du trottoir, de légers ronflements emplissaient tout le volume de l'habitacle. Des trois hommes, un seul était resté en éveil même si tout semblait plié sous les toits au cinquième. Pendant que ces quatre-là se reposaient, tant de stratégies à mettre en place pour demain, pour vaincre ! Il prit son cellulaire, une interminable discussion allait s'engager avec Tom Vockler pour orchestrer les actions en fonction des paroles volées.

62

Mésopotamie, contreforts du Zagros
Temple des Grands Seigneurs

Dès son arrivée, une tenace odeur métallique de sang lui souleva un dégoût répugnant pendant qu'une immense désolation agressait sa triste vision épouvantée. Sur l'esplanade circulaire menant à l'entrée du Temple des Grands Seigneurs, le sol, jonché d'une vingtaine de corps sans vie, donnait en spectacle une bien macabre scène. Partout des chairs mutilées, des membres arrachés, des têtes tranchées, funestes vestiges d'un combat enragé, sinistres jalons d'une barbarie effroyable, sordide. L'herbe, hier encore si tendre et souple, avait laissé place à un tapis rêche hérissé d'épines pourpres d'où émergeait avec peine la source pure et ardente qui ne charriait plus qu'un bouillonnement écarlate empesé et morbide. Akurgal le Grand parcourut à longues enjambées les espaces séparant les dépouilles, les retournant prestement, les inspectant une à une, en détail, cherchant celles qui auraient été siennes. Rien, aucun de ces cadavres n'était celui de l'un des êtres aimés qu'il avait lui-même conduits en cet endroit, en cette terre sacrée désormais profanée, au cœur de cet ignominieux charnier. Cet amer constat n'eut pas pour effet de le rassurer, bien au contraire. *Où donc se terraient-ils ?... Morts ? Vifs ? Blessés ? Emportés par les survivants de cette folle bataille ?* Comme possédé, il rejoignit précipitamment l'orifice de la caverne. Les branches du bel acacia fringant, brisées, pendaient lamentablement, agrippées aux seuls ultimes oripeaux de leur écorce maltraitée. L'Arbre de la Vie souffrait, tristement revêtu du désolant linceul de la Mort, cette perpétuelle triomphatrice.

À l'intérieur, une dense obscurité régnait en maîtresse ainsi qu'une fraîcheur plus accentuée qu'à l'ordinaire. Le vieil homme frissonna malgré lui. Quand ses yeux se furent acclimatés à la pénombre, il avisa d'autres cadavres encore, cinq, peut-être six ou sept, tant il eut été nécessaire de recomposer ces corps éparpillés afin de pouvoir les comptabiliser avec exactitude. Contre l'une des colonnes supportant l'autel sacré, gisait un macchabée aux traits fins, juvéniles mais tordus, grimaçant sous le masque abominable d'un sang vermillon coagulé. *Gudea ? Abban ?* Non, il s'agissait d'un jeune fantassin de la Grande Cité, tout juste un enfant, quatorze ans à peine… Une pensée sinistre traversa son esprit : *Ousma Al-Azir, scélérat ! Cet adolescent savait-il pourquoi son existence s'était achevée là, brutalement, si tôt ? Était-ce vraiment son combat ? Sa guerre ?* Des larmes acides, mélange de tristesse, de honte et de colère, ravinaient les joues creuses du patriarche ; infamie et déshonneur venaient de frapper l'espèce humaine, une fois encore !

Dans la grande salle enténébrée, toujours rien qui put indiquer la présence de l'un de ses chers protégés. La porte de l'elliptique du Monde d'En-Haut vomissait une armure sévèrement démantelée de laquelle ne dépassait aucun visage. Akurgal s'y infiltra, piétinant cette terre sainte devenue gluante, visqueuse, alourdie d'hémoglobine épanchée. Première chambre, deux soudards du souverain traître à sa race, égorgés sans pitié ; dans la suivante, trois autres reîtres, pourfendus, démembrés. Plus loin encore, la litière royale de ce renégat d'Al-Azir, faste rudoyé, sans personne autour ; seules des projections purpurines sur les parois rocheuses et de lugubres flaques brunâtres gorgeant le sol terreux. Quand le Grand Sage parvint à l'orée de la quatrième salle, un bruissement l'alerta. Sur ses gardes, il approcha sans bruit. Dès qu'il eût passé l'ouverture, sa main leste, par réflexe, bloqua le bras armé d'un poignard à la lame sanguinolente. Le poignet était frêle, la peau diaphane… Néferhétépès ! Au moins avait-il retrouvé le *Signe*… vivant ! Le faciès tendu de la jeune femme était méconnaissable, mauvais, crispé, féroce. Cependant il s'adoucit un peu à la vue du patriarche. Sans attendre, elle tira vivement la manche d'Akurgal et l'entraîna fermement dans le boyau obscur. Aidé de son bâton, le vieillard avait bien du mal à suivre la course effrénée de cette fougueuse jouvencelle transformée en véritable guerrière. Il dépassèrent rapidement la cinquième cavité dans laquelle se tassaient les esclaves-porteurs d'Al-Azir ligotés et bâillonnés. Nouveau corridor minéral aveugle puis, enfin, la dernière caverne. L'oculus projetait une pâle clarté surnaturelle sur ceux qui s'y tenaient, prostrés, immobiles. Dès leur entrée, Abban s'était relevé avec défit, pointe de lance en avant, hostile, prête à frapper. Quand il reconnut Néferhétépès accompagnée d'Akurgal, il laissa choir son arme au sol pour rejoindre aussitôt sa mère et son frère. Bittati et Gudea soutenaient la tête ensanglantée du Grand Sage Lugalzaggesi. Un tressaillement convulsif s'empara de la vieille carcasse fatiguée du patriarche. *Son frère, Lugal, au seuil d'une mort certaine !...* Une large déchirure au flanc de son ami laissait s'échapper ses dernières ressources vitales, chairs à vif. Par la plaie béante, l'œil exercé constatait impuissant, à travers muscles déchiquetés et os disjoints, s'amenuiser la volonté du soufflet méritant qui perdait inexorablement en efficacité. L'air circulait laborieusement, mêlé à un gargouillis terrifiant de fluides qui s'insinuaient jusque dans les moindres alvéoles. Le Grand Sage étouffait, pris au piège de son propre corps, son souffle de vie se noyait à ses propres marées. Les visages familiers des enfants et de Bittati, inondés de larmes, regardaient, interrogateurs, Akurgal sans comprendre. Une lourde chape de culpabilité vint durement lester ses épaules. Il les avait finalement conduits à la pire des souffrances et même à la mort.

Lentement, la mine étrécie de douleur, le moribond fit signe d'approcher à celui qui venait de surgir en ce lieu. Traits marqués, Akurgal le Grand s'y soumit et de leurs mains enserrées, les deux sages créèrent une bulle mystérieuse et parallèle dans laquelle ils purent deviser en aparté. Lorsque la contracture du visage de Lugalzaggesi s'estompa à leurs propos échangés, Akurgal lui prodigua les soins ultimes à rendre plus doux son passage. Tenant la nuque du blessé dans sa paume, il l'aida à ingurgiter une mixture apaisante dont il avait le secret. Ainsi, plus aucune interférence du supplice ne vint perturber l'osmose de l'esprit du mourant avec celui à l'unisson des Grands Seigneurs qui l'attendaient.

Akurgal se tourna vers ceux qui aspiraient réponse.

– Douce Bittati, mes chers enfants, Lugalzaggesi souhaite rester en cette terre isolée, en ce lieu sacré. Son esprit s'y attache éperdument. Il veut ses restes imprégnés des ondes enchanteresses y circulant, n'avoir plus qu'à flâner sur le fil onirique pour enfin fusionner à la Suprême et Éternelle Sagesse des Grands Seigneurs. Ainsi entend-il ses dernières volontés, succomber au vulgaire terrestre pour devenir essence avec la puissance spirituelle de la pleine conscience.

Depuis l'encoignure de la salle, le regard creux de l'agonisant sonda celui embué de son épouse tant aimée. Les mots s'avéraient inutiles afin qu'ils se comprennent, seule la synergie du Silence et de l'Amour suffisait. Bittati acquiesça, accepta bien malgré elle de se soumettre à ce qui allait fatalement survenir l'instant suivant. Avec effort, Lugalzaggesi tendit ses bras décharnés dans lesquels se blottirent tour à tour, avec une infinie délicatesse, les enfants éplorés par cet adieu. Puis, Bittati s'allongea auprès de son époux, resta un long moment serrée contre ce corps lui ayant procuré tant de merveilles tout au long de ces années passées ensemble, puis échangea un ultime baiser aux lèvres craquelées de celui que son âme garderait à jamais animé, vivant.

Enfin, les quatre mains des deux grands sages s'étreignirent de nouveau longuement. Akurgal chuchotait au gisant les ancestrales paroles rituelles d'accompagnement aux portes éternelles alors que celui-ci s'éteignait tout en douceur, en paix avec lui-même et ceux chers à son cœur.

Les porteurs du souverain furent déliés de leurs entraves et se saisirent de la litière endommagée qu'ils rafistolèrent. Ils aidèrent à y déposer la dépouille du Grand Sage et le transportèrent avec bienveillance et respect jusqu'à l'autel sacré où, révérencieusement, ils l'allongèrent. Ensuite, liberté leur fut rendue et, sans attendre, ils disparurent, reconnaissants.

Autour du corps de Lugalzaggesi, tous les cinq formèrent une chaîne d'union, front contre front, épaules enlacées. Leurs âmes entrèrent en communion avec l'esprit déjà voyageur de l'être aimé, étendu sur la dalle de pierre. Après un long moment, certains de sa résolution à vouloir demeurer en ce lieu sacré, ils éprouvèrent leur osmose et se séparèrent apaisés.

Gudea et Abban allèrent quérir le souverain déchu Al-Azir et le traître Aqqi, enchaînés. Akurgal soutenait les épaules de Bittati de son bras et la dirigea doucement vers l'esplanade.

Restée seule, Néferhétépès différait la séparation et prolongeait à loisir l'instant alchimique suspendu auprès de l'autel. Ses mains fines effleurèrent l'habit souillé de Lugalzaggesi qui devint cape d'or, caressèrent son visage qui reprit les traits sereins de la plénitude. La haute voûte résonnait de la mélopée de tête plaintive qu'elle fredonnait doucement. Quand, son front appuyé au cœur du défunt, elle finit par l'interroger de sa surpuissante pensée, l'esprit du sage, volatile et en partance, refusa ses pouvoirs à lui redonner vie. Les choses étaient ainsi sur cette terre d'en-bas, elle devait s'y résigner. L'affliction n'était pas une fatalité mais un tremplin pour accéder à des connaissances nouvelles, des strates autres ; et, les êtres aimés restaient à jamais tapis dans le fond du cœur pur des aimants, éternels.

Tous se regroupèrent sur l'aplomb rocheux un peu à l'écart de cet espace qui avait été leur berceau de vie, la douce contrée de leurs existences à se construire au loin de la folle rumeur humaine. La main armée de son bâton, Akurgal se rendit au centre du tertre, là où l'onde initiatrice s'épanchait. Il fixa Bittati et les enfants puis, prononça une litanie énigmatique que seule Néferhétépès comprît, dans ce langage mystérieux des Grands Seigneurs. Finalement, il abattit avec vigueur son bâton devenu étrangement lumineux. Dans l'orifice d'où émergeait la source, il l'enfonça, appuya fortement jusqu'à ce que son sceptre de Lumière restât bloqué dans la cavité puis il rejoignit les autres qui patientaient ébahis, les pieds ancrés à la roche alentour. L'eau vive sembla soudain se tarir mais, un grondement profond et effroyable, issu du ventre de cette féconde terre magnifique, progressait vers la surface. Les Grands Seigneurs ambitionnaient à exprimer leur plus véhémente colère contre l'espèce responsable de la disparition de leur apôtre Lugalzaggesi. Des éboulements sourds firent trembler le sol qui bientôt se craquela, se fissura pour enfin s'ouvrir, à l'exacte image de la blessure au flanc du Grand Sage décédé. Le sceptre de Lumière perdit son vif éclat et dans un vacarme effrayant, toute l'esplanade s'effondra, bascula pour s'évanouir dans les profondeurs souterraines. L'arbre de la Vie, luminescent, disparut dans une faille sombre, emportant avec lui la *Connaissance*, ensuite, ce fut tout le Temple des Grands Seigneurs qui s'ensevelit.

Une fois la poussière redéposée, il ne demeura du magistral Temple mystérieux qu'un cratère d'où s'élevait le léger filet d'une fumée irisée. Ainsi, le *Feu Primitif* resterait garant de l'endroit en sommeil pour le temps nécessaire à sa renaissance, si long serait-il. Au pourtour du cratère de la fondrière, seul vestige de ce qui fût, la frise ciselée à la pierre, énergie dextrogyre, étalait ses trois lignes de signes hermétiques, au ras du sol crénelé. La puissance de son message, un jour prochain, interpellerait une intelligence apte à le traduire, à l'interpréter et le comprendre avant de le divulguer aux âmes nécrosées de l'Humanité en marche pour les guérir.

L'ingénieuse édification sacrée s'était affaissée sur elle-même, recroquevillée autour de son cœur vital généré par l'Ardent Amour du Feu Principiel, l'Eau Douce de l'Océan Primordial, la Terre de la Mère Nourricière et la Brise Soutenue du Souffle de Vie. Le maelström de ces pures essences engendra la Quintessence Divine scellant le tombeau du Grand Sage disparu de façon impénétrable. Ce que les Grands Seigneurs avaient érigé avec la patience de la langueur du temps cosmique, pouvait être anéanti dans l'instant par l'incommensurabilité et l'excellence de leurs pouvoirs dédaléens. La ruine alors érigée devenait ordre dans le chaos apparent et serait tutrice du secret, pour qui en comprendrait peut-être un jour la teneur et l'expression.

Lorsqu'ils descendirent la sinueuse sente muletière, un silence accablant s'infiltrait aux éboulis de pierres qui roulaient sous leurs pas. L'abattement opprimait leur réflexion, la tristesse broyait leurs pensées. La mélancolie s'invitait, filandreuse.

Au rivage du Grand Fleuve atteint, ils bivouaquèrent trois jours durant, Akurgal le Grand avait tant de recommandations à distiller au *Signe* encore. Un peu à l'écart du campement, tous deux passèrent d'interminables heures à échanger dans la fusion de leurs esprits éclairés, les yeux perdus dans la sapience de ceux de l'autre. Quelquefois, la fougueuse Néferhétépès s'agitait, semblait vouloir manifester une quelconque opposition aux idées, aux devoirs et aux obligations de son futur chemin initiatique mais toujours la main décharnée du vieux sage venait s'apposer à son bras laissant l'intelligence accepter et tout s'apaisait.

Au crépuscule de la troisième journée, ils revinrent au camp, arborant une sérénité étonnante, éblouissante. Autour d'eux, une aura flamboyante irradiait de ses extraordinaires lueurs mouvantes, boréales ; rayonnement surnaturel magnifique.

Sans préambule, Akurgal annonça :

– Mes amis, la Vie reparaîtra ici, aussi radieuse que jamais, dans la toute puissance de son symbolisme. Le Temple des Grands Seigneurs se relèvera alors de ses cendres, en ce lieu même où il était édifié, Phénix plongeant ses griffes-racines dans le Cœur Perpétuel du Divin et celui éternel de Lugalzaggesi le Sage. Ses ramifications s'étendront à toute la surface de l'admirable Mère Nourricière que nous foulons. L'arbre de la Connaissance resurgira et reprendra substance aussi, fringant, inondant de sa conscience essentielle les esprits obtus de l'espèce, pénétrant enfin l'âme des animaux vulgaires et ingrats que sont les hommes. Ainsi sera sauvée une Humanité devenue pure et sage, nourrie de l'Amour Fraternel… et ainsi heureux enfin sera le Cosmos apaisé. Et la Loi pourra Être, pleinement, sereine, fuyant l'Avoir.

Néferhétépès l'Unique prit place aux côtés d'Abban, embrassa fraternellement sa joue et baigna son regard à la flamme du feu qui crépitait dans son creuset de pierre. Après un instant de réflexion, elle dirigea un doigt solennel vers Gudea lui faisant face.

– Toi Gudea, Roi de la Grande Cité !

Sa voix était gutturale, grave, presque masculine. Autour du brasier rubescent, chacun la regarda avec consternation manifeste. Néferhétépès parlait… et personne n'avait jamais entendu le son de sa voix jusqu'ici sauf lors de son arrivée au Temple, une vingtaine d'années plus tôt, et encore, était-ce bien elle qui avait parlé ?

– Je parle maintenant, peu… trop de sottises dans les mots qui sortent de la bouche des hommes… la haine, le mensonge…

Sa main stoppa les manifestations d'enthousiasme que cette nouvelle déclenchait.

– Néferhétépès et Abban doivent parcourir le monde sauvage et civilisé des hommes, ensemble, pour découvrir et enseigner. Dans longtemps, ils reviendront ici et ailleurs pour faire renaître la Vraie Lumière. Bittati, que j'aime comme une mère, restera avec Akurgal à s'occuper de lui au village où elle est née. Tu es vieux maintenant Akurgal et dois rester tranquille…

Ils éclatèrent d'un rire joyeux et communicatif. Non seulement Néferhétépès parlait mais elle faisait même de l'humour. La soirée des adieux fut festive et se prolongea tard dans la nuit. L'Étoile de Lugalzaggesi, là-haut, placée avec harmonie dans l'obscurité de la voûte céleste, veillait sur eux.

Aux premières lueurs du jour, ils s'étreignirent avec toute la ferveur d'un Amour infaillible que leurs chemins divergents de demain ne briseraient jamais. En effet, leurs routes allaient se diviser, se séparer pour pointer aux antipodes. Akurgal et Bittati retourneraient vers le village quitté par elle depuis si longtemps. Son aîné, Gudea, rejoindrait la Grande Cité où il se présenterait aux prêtres et dignitaires de la ville pour se voir proclamé Roi en lieu et place du tyran Ousma Al-Azir. Le traître Aqqi réhabilité l'accompagnerait comme témoin de l'immonde offensive menée par l'hégémonique souverain mort qui avait coûté la vie au Grand Sage Lugalzaggesi. Et de leur côté, Néferhétépès et Abban iraient donc vers le si lointain Occident, à la rencontre des peuplades des Grands Déserts, de ces Terres Inconnues… puis ils prolongeraient leur voyage bien au-delà encore.

Juste avant le départ de chacun, Akurgal apposa son pouce sur le front du traître Aqqi et prononça à voix basse des sentences rituelles inintelligibles à la raison pragmatique des hommes mais compréhensibles par le pur esprit inconscient de ceux-ci. Ainsi, le fourbe sentit dans sa tête un bouleversement s'opérer, un tumulte chaotique puis, en un instant tout devint clair, limpide, évident. Il se jeta aux pieds de Gudea, genoux en terre, son front raclant la poussière, et fit serment inaltérable de soumission et de protection à son nouveau souverain. Ce dernier le releva avec la déférence due aux gens de rang similaire et lui glissa qu'il était libre d'aller, qu'un bon roi ne saurait asservir quiconque mais se devait d'unifier tout le peuple au profit de l'ensemble de la population. Il était donc libre et tout aussi important que lui-même dans l'évolution du monde de demain. Aqqi, renfrogné mais fier de la bonté et la sagesse de son monarque, rétorqua que sa place était désormais à ses côtés, à son entier service et que sa vie était sienne, Gudea pouvait en disposer à sa guise ; ceci par devoir, fidélité et loyauté librement choisis par sa conscience accordée.

L'instant d'après, l'être malingre et disgracieux se transmua en un preux disciple fidèle et zélé. Il disparut derrière un rocher pour reparaître presque aussitôt, les bras chargés d'un lourd sac de toile ensanglanté. La tête hideuse du tyran Ousma Al-Azir qu'il venait de trancher voyagerait aussi avec eux, en faire-valoir à qui oserait formuler opposition à l'accession de Gudea au trône de la Grande Cité. La Voie de son Devoir s'était révélée à lui et dorénavant plus rien ne pourrait le détourner de l'utilité de son but ou entraver son cheminement à servir son nouveau Roi ; sauf la mort… peut-être.

63

TGV Paris / Strasbourg
Schluchsee, Forêt Noire, Allemagne

Dans le TGV qui l'emportait vers Strasbourg, Philip Carlson retraçait la soirée de la veille, passée avec Lucie, cette énigmatique Beth et la truculente Valérie, capitaine de police. Les échanges avaient permis de dénouer un peu l'écheveau des fils entortillés de son passé mais surtout de mieux comprendre le complexe maillage qui drapait le présent et ce qui, fatalement, surviendrait bientôt si ces récits extravagants s'attachaient à être exacts.

Il était réconforté que Lucie ait accepté de quitter la société qui l'avait manipulée depuis tant d'années. Elle avait pourtant lourdement insisté pour rester encore un peu au contact dans un jeu ambivalent qui pouvait certes les servir mais, face aux risques inconsidérés et arguments avancés, elle avait fini par s'infléchir à la décision unanime de ses comparses. De son côté, faute de choix pour avoir enfreint la plus élémentaire des règles de sa mission – la réussite – Beth y était contrainte. Reparaître aux circonvolutions de la sanguinaire faction était pour elle un véritable suicide et par conséquent impossible. L'une et l'autre savaient leur appartenance à ce clan obscur révolue. Elles devaient quitter, d'évidence, cette organisation qui déviait de sa fonction originelle – protéger les secrets des Sept Grands Sages et faire que leur révélation le soit entre des mains initiées – pour reprendre le flambeau à leur compte de ce qu'avaient été les devoirs des « Sumériennes Antiques » et parvenir au terme de la *Grande Prophétie* de sorte que son contenu mystérieux soit dévoilé entre des mains initiées bien évidemment mais surtout sages et dénuées d'un quelconque vil intérêt.

Pour sa part, la capitaine Nouellet avait un avantage certain, celui d'être totalement neutre dans cette surprenante aventure hormis peut-être les sentiments qui la liaient à Beth. Elle pouvait également émettre un avis objectif de la situation grâce au recul de son métier mais surtout elle avait avantage à n'être mêlée ni de près ni de loin à ce canevas ancestral hermétique dont elle n'aurait jamais supputé même l'existence si un meurtre n'était apparu dans le quartier où elle exerçait.

Et moi, dans tout ce chaos, qui suis-je ?...

Ensemble, lors de cette soirée très particulière, ils avaient mis au point diverses stratégies pour finaliser cette quête absolue et rester dans le plus pur esprit de ce qu'avaient pu élaborer les générations antérieures. Lui se rendait en Allemagne, au cœur de la Forêt Noire, sur les bords du Lac Schluchsee, pour tenter de découvrir la vérité sur l'incendie de cet orphelinat douteux et tenter de retrouver parallèlement d'éventuelles empreintes de son passé. Lucie, appelée en urgence par Maître Yashido, devait le rejoindre auprès de cette femme apte à formuler des potions permettant de le « dépolluer » et lui redonner raison et mémoire. *N'est-ce pas moi qui aurais dû m'y rendre ?* Valérie quand à elle, replongée dans le cours de son enquête, maintiendrait ses sbires à distance de leurs agissements. Beth, compte tenu du contrat qui planait au-dessus de sa tête, resterait claquemurée dans son appartement à coordonner l'ensemble des opérations.

Sur la tablette déployée devant lui, Philip Carlson réintégra ses recherches sur l'ordinateur portable fourni par Beth. Connecté au réseau Internet, il avait pianoté toutes sortes d'occurrences relatives à cette tragédie et ce qu'en avaient relaté les médias à l'époque. Concentré, il faisait défiler les articles archivés et suivait l'évolution de leurs propos dans la chronologie de l'enquête. Tous relataient le drame avec circonspection, évoquaient la sinistre fatalité pour ces enfants nés dans la souffrance de l'abandon et morts, si peu de temps après, dans toute l'ignominie d'une triste destinée tracée par la plume funeste du Diable en personne. *Avait-il vraiment été un de ceux-là ?...* Certains articles, suspicieux à l'ouverture d'une enquête un peu trop rondement menée, s'étaient vite calqués à la thèse tangible de l'accident. Aucuns n'avaient trop poussé leurs investigations, se conformant à ce que les autorités et les experts leur avaient martelés avec tant d'insistance. Personne n'évoquait cette fumeuse « théorie du complot » que Lucie avait avancée. Rien non plus sur l'existence d'un éventuel laboratoire expérimental clandestin, et encore moins sur des manipulations génétiques hasardeuses fomentées par un médecin sorcier fou. *En ce cas, que penser à valider un incendie qui aurait été volontairement criminel ?*

Cinq rangées de sièges en retrait, un homme discret voyageait non sans observer celui qui s'affairait derrière son ordinateur. Il avait déjà averti son état-major de sa destination, un fourgon avec des acolytes et leur armement était en route, en renfort. Restait juste à gérer la problématique du timing… la route était longue.

Sur l'écran de l'ordinateur, une kyrielle de textes défilait au gré des sollicitations digitales lestes de l'opérateur. De nombreux articles, souvent denses, parfois difficilement compréhensibles, jamais contradictoires. Les journalistes décrivaient le Dr Wolfgang Schteub comme un homme profondément altruiste, ayant investi grande partie de sa fortune personnelle pour venir en aide aux plus malchanceux de la région. *Était-il raisonnable de reprocher à un homme fortuné un tel élan du cœur ? Qu'y avait-il de diabolique dans cette charité de bon aloi, cette bonté généreuse ? Lucie se serait-elle fourvoyée sur ce tragique accident ? Les informations collectées, les soupçons transmis n'avaient-ils pas été déformés au fil du temps ?...* Carlson avait bien du mal au vu de tous ces éditos à trouver matière pour corroborer les allégations de Lucie. La « théorie du complot » devenait plus qu'évanescente… il verrait ce que la réalité sur place lui forgerait comme opinion propre.

Il avait parcouru plus de la moitié de son trajet, quand un titre l'interpella : *« Orphelinat incendié au cœur de la Forêt Noire, la vérité cachée... »* par Léo Meyer. Il cliqua sur le lien. En une fraction de seconde la page web s'afficha, déroulant un article sur la théorie du journaliste. Ce dernier mettait en avant une vision radicalement divergente de celle collégiale de tous ses confrères. Il clamait l'hypothèse criminelle, invoquant l'impossible absence de survivants si l'incendie eût été accidentel. Même si tout s'était passé en pleine nuit alors que tous dormaient, il était inconcevable qu'aucun des résidents ne soit sorti vivant de la terrible fournaise. D'autres éditoriaux connexes du journaliste poussaient plus loin encore les attaques acerbes dans une longue série d'articles titrant : *« Drame de Schluchsee, Mensonge 1 – Vérité 0 »* pour finir sur le score impitoyable de 7-0 en faveur du Mensonge. Ce Léo Meyer décrivait avec soin les incohérences, les impossibilités, à l'appui d'avis d'experts, pompiers et autres spécialistes. Au fur et à mesure des semaines, la plume devenait de plus en plus vipérine voire assassine, s'acharnant nominativement sur le médecin, relatant les origines très douteuses de la famille Schteub, appelant le lecteur à s'interroger sur la constitution de la colossale fortune familiale, relativisant la philanthropie de ce scientifique en retraçant ses folies génétiques et ses théories verticales. L'auteur des papiers ne mâchait pas ses mots et donnait de multiples références et détails justifiant ses écrits et allégations.

Parallèlement, Philip Carlson découvrit une courte biographie qui brossait un portrait sans complaisance du journaliste Meyer : un homme dont la carrière fut brisée suite à ses élucubrations sur cette affaire alors qu'il était promis à une formidable avancée professionnelle après des débuts journalistiques très probants. La bio apportait un éclairage précis sur sa descente aux enfers. Écarté du milieu de l'information, il s'était retrouvé sans plus aucune ressource, toutes portes fermées, avait erré çà et là pendant tout un temps, criant haut et fort que tous avaient été trompés, puis, délaissé, mis définitivement à l'écart et pris pour fou, il avait fini par sombrer dans un alcoolisme le plongeant dans un anonymat total et depuis, avait disparu des radars du monde.

Cette lecture avait chamboulé Philip. Elle allait à l'encontre de tout ce qu'il avait pu lire sur le sujet et les propos cinglants de ce Léo Meyer abondaient dans le sens de ceux tenus par Lucie. Une idée lui vint à l'esprit. Il fit une courte recherche via l'annuaire téléphonique en ligne mais sa tentative fastidieuse fut vaine tant ce patronyme était répandu et trop souvent associé au prénom Léo. Autant chercher une aiguille dans une meule de foin, se dit Philip. Il tenta alors d'appeler Lucie, sans résultat. Il tombait à chaque fois directement sur sa boîte vocale. Il finit par y laisser un long message sur ses découvertes, espérant qu'en retour elle pourrait peut-être éclairer un tant soit peu le chemin nébuleux sur lequel il avançait dans ses recherches.

Depuis sa place, l'espion n'avait pas mis longtemps à pénétrer l'ordinateur de Carlson. Le réseau wifi était d'une vulnérabilité déconcertante. Si les usagers savaient ça… Pour l'heure, le fugitif avait déniché tout un tas d'articles de ce journaliste d'investigations aux lignes édifiantes qui allaient mettre une joyeuse pagaille dans la tête de cet homme déjà passablement déstabilisé. Il ne pouvait qu'en remercier les méthodes des *Sumériennes Antiques*, radicales et efficaces à « effacer » un individu…

Carlson replongea dans les méandres tortueux de la Toile, escomptant lui soutirer un indice, aussi infime soit-il, qui pourrait le mettre sur la piste de ce Meyer. Un maelström d'entrefilets et de points de vue défilait devant ses yeux, sans lui apporter aucune certitude. Il se dit que le pauvre journaliste n'était pas né à la bonne époque. De nos jours, avec ses articles controversés, il aurait fait fortune, qu'ils relatent la vérité ou qu'ils content les extravagances d'une inventivité trop fertile.

Ce fut lorsque le convoi ferroviaire ralentit à son entrée en gare de Strasbourg que Philip, surpris d'être déjà arrivé, trouva une annonce intrigante. À force de taper dans la barre de recherche tous types d'occurrences, il avait fini par tomber sur les petites annonces locales du journal de Schluchsee. L'une d'entre-elles était associée à un certain L. Meyer : « Vends superbe machine à écrire Rheinmetall, modèle de collection, très bon état, région de Schluchsee. Prix à débattre ». L. Meyer, suivi d'un numéro de téléphone portable. Carlson prit le temps de copier l'annonce dans un fichier de son ordinateur, persuadé qu'il détenait une piste sérieuse concernant « son » journaliste puis, il rassembla ses effets et descendit promptement sur les quais.

À peine sorti de la gare, Philip récupéra la voiture de location réservée le matin même depuis Paris et emprunta les artères de la ville en direction de l'Allemagne. Dès qu'il fut sur l'A5, il s'octroya un arrêt-pause café sur une aire et en profita pour tenter de joindre

Lucie à nouveau, toujours sans réussite. Il appela alors Valérie Nouellet. Cette dernière, ravie de son appel, lui expliqua être dans le même état d'esprit que lui, les questions l'assaillaient sans que des réponses n'apparaissent. Ensuite, la policière lui indiqua avoir eu contact avec Lucie au sujet du journaliste Léo Meyer. Elle avait lancé des recherches via les fichiers et logiciels de renseignements mis à la disposition de son métier sans rien obtenir d'intéressant pour l'instant.

– Si je déniche la moindre info concrète, je te la communique illico, lui assura-t-elle.

– Très bien, je t'en remercie car je n'ai que cette fichue piste à exploiter, je verrai quand je serai sur place.

Ce fut le moment que choisit la capitaine pour lui annoncer qu'elle avait prévu ce même déplacement dans la soirée. Les triplés *Snarck* étaient selon toute vraisemblance issus de manipulations génétiques et avaient séjourné dans ce fameux orphelinat incendié. Elle devait explorer cette piste nouvelle qui assez curieusement rejoignait le périple de la quête de son passé. L'enquête au point mort à Paris lui avait permis d'obtenir facilement une autorisation de sa hiérarchie à se rendre en Allemagne pour y exhumer tout élément relatif à son dossier, des investigations dans l'incertitude d'une époque lointaine mais prometteuse, par contre sans droit à l'erreur ou aux remous car sans filet, incognito.

– C'est génial, quand arrives-tu ?

– Je pars ce soir par le train de Mulhouse et j'arrive à 21h28. Tu pourrais me récupérer ?

– Sans problème, j'allais te le proposer.

– Parfait ! J'emmène les informations que je pourrais glaner sur ton journaliste et d'autres éléments aussi, liés à mes recherches et qui devraient t'intéresser.

– OK ! Ça marche, à ce soir alors, à Mulhouse. Tu as réservé une chambre quelque part ?

– Oui, à Schluchsee, l'Hôtel du Lac.

– Bon, je vais essayer de descendre là-bas aussi.

– Laisse tomber, on partagera la même chambre, ça limitera les frais et nous permettra de pouvoir échanger nos points de vue.

Le timbre de la voix de Valérie était sans équivoque, Philip accepta la proposition sans hésiter.

Après une heure à serpenter les petites routes tortueuses qui traversaient la Forêt Noire, les montagnes s'écartèrent pour s'ouvrir sur une vallée encaissée de laquelle remontaient les scintillements des eaux miroitantes du lac. Depuis sa position dominante, Philip s'arrêta un instant pour admirer le spectacle offert. L'idyllique tableau était superbe, un peu sombre, mais magnifique. Il se trouvait sur les gradins d'une arène de monts couverts de forêts résineuses denses dont les aiguilles ténébreuses illustraient avec justesse la dénomination de la région. D'entre les sapins aux teintes lugubres, brillait, au fond du vallon, le miroir placide du lac. L'endroit paraissait si paisible qu'il lui fût bien difficile d'imaginer que, près de trois décennies auparavant, il avait été le théâtre d'un drame aussi effroyable. Puis, les cieux s'assombrirent avec célérité et une pluie fine et froide s'abattit. Philip regagna son véhicule et entama sa descente vers les berges où campait fièrement la charmante bourgade de Schluchsee.

D'architecture caractéristique régionale, le patrimoine local avait su être préservé d'un développement touristique pourtant manifeste. La première chose que fît Carlson, fut de se rendre à l'office de tourisme. Plan de la ville et carte des environs en main, il tenta d'obtenir des renseignements sur son journaliste. La jeune femme, derrière sa banque d'accueil, ouvrit alors de grands yeux éberlués et lui répondit que ce farfelu ne devait plus être dans la région depuis bien longtemps, qu'elle ne le connaissait pas vu son âge mais que la teneur des ragots colportés à son sujet était telle qu'elle pouvait légitimement s'interroger de l'intérêt que Philip semblait lui porter. Carlson n'insista pas, inutile de réalimenter les rumeurs les plus folles dont l'affaire avait déjà été entourée par le passé. Il sortit et regagna son véhicule stationné sur le parking du centre bourg. De là, il composa le numéro de téléphone de la petite annonce collectée sur le Net. Les sonneries s'égrenèrent jusqu'à la mise en relation avec le répondeur de son correspondant. Une voix pâteuse et assez mal assurée débitait une invitation à laisser un message après le signal sonore. Philip hésita puis se résolut à n'en rien faire, il rappellerait plus tard.

Face aux heures d'oisiveté avant d'aller récupérer la policière à Mulhouse, il démarra et partit inspecter les alentours afin de prendre ses premiers repères et d'apprivoiser la région.

L'averse avait cessé, de faibles rayons tentaient de percer d'épaisses volutes de nuages gris qui formaient un plafond bas. La vallée semblait surmontée d'une chevelure d'éthers grisâtre, entre deux âges, qui masquait les montagnes plongeant leurs racines dans les eaux mystérieuses du lac. Philip choisit de repousser ses investigations, il ne souhaitait pas s'égarer sur des routes sans visibilité ni jalon du lac que la masse moutonneuse des nuages s'attachait à cacher dès lors qu'il s'élevait un peu sur les pentes escarpées. Il se rabattit sur une visite des recoins de la ville, cherchant ce qui pourrait l'aider dans ses démarches.

64

Paris – Lyon – Annonay – lieu-dit « Noy »
Commune de Ste Symphorine de Mathun (Ardèche)

Le départ de Philip pour l'Allemagne, sur les traces d'un début d'existence pour le moins chaotique, et même si cela semblait indispensable, contrariait Lucie. Partir en quête de vérités sur son passé et notamment sur l'incendie de l'orphelinat qui avait été sa triste carapace durant les premières années de son enfance, n'était peut-être pas le meilleur moyen de se reconstruire sereinement. Philip était encore trop fragile à son sens et restait détenteur de bien trop peu d'informations le concernant – qu'elle même par ignorance n'aurait d'ailleurs su lui fournir – pour qu'il se réalise enfin pleinement. Trop de vastes territoires d'ombres et de néant refoulaient le ciment de sa cohésion mentale.

Peut-être était-ce plus le fait que Valérie envisageât de le rejoindre sur place qui la dérangeait davantage que l'éloignement temporaire du seul homme qu'elle portait haut dans son estime et pour lequel elle aurait été capable de bien des choses. Cette jolie policière qu'elle connaissait à peine mais qu'une sulfureuse réputation de « mangeuse d'hommes » poursuivait, ne représentait-elle pas tous les dangers pour cette proie facile, en pleine confusion, prise dans la tourmente de la recherche de ses origines ? Lucie fut stupéfaite par cet élan de jalousie venu la titiller, ne comprenant pas toutes les articulations des sentiments qui la liaient à cet individu brisé. Elle se sermonna. Philip n'était que le dernier Porteur de l'Anneau après tout, qui d'autre ? Il faisait partie de cette quête séculaire et avait d'évidence un rôle primordial à jouer pour parvenir à son terme mais quoi de plus ? Au plus profond d'elle-même, sa conscience s'édifiait à l'aune des aspects supplémentaires que revêtait sa complicité, même écornée, avec Philip. Elle avait pour lui plus qu'un simple devoir de protection ou même de résurgence, elle éprouvait une fébrilité nouvelle qui ravissait insidieusement l'écorce de son cœur pour y faire germer une sensation étrangement agréable mais encore indéfinissable.

Dans l'autocar qui la conduisait de Lyon à la ville d'Annonay, front appuyé à la vitre, Lucie contemplait une nature de plus en plus aride laissant la part belle à une roche jaunâtre qui constellait les champs. La végétation prenait allure quasi-méditerranéenne au fur et à mesure de la distance avalée en direction du sud. Bientôt, le long véhicule quitta la vallée du Rhône pour escalader la route sinueuse qui gravissait les contreforts abrupts du Haut-Vivarais. L'ascension tortueuse bouscula l'équilibre de la jeune femme et ce fut très nauséeuse qu'elle descendit à son arrivée dans la sous-préfecture de l'Ardèche. Rapidement, elle repéra celui venu la chercher : de longs cheveux blancs attachés, une barbiche pointue et un habit typiquement asiatique, très cliché. Maître Yashido l'accueillit en manifestant son contentement sans se soucier des regards alentours qui le détaillaient. Alors qu'il la serrait dans ses bras, il lui fit remarquer les deux hommes descendus de l'autocar juste après elle. Deux espions assurément qui devaient la filer depuis son départ de Paris. Le vif malaise de la jeune femme s'en trouva accru. *Elle ne les avait pas même repérés ! Que lui arrivait-il ? Les « autres » n'étaient-ils pas aussi suivis à leur insu ?* En plus d'être dans le collimateur des « Sumériennes Antiques », voilà qu'ils étaient désormais épiés par une autre faction ! *Qui ? Dans quel but ?* La ressemblance troublante des deux guetteurs laissait transparaître partie de réponse quant à leur origine. Des jumeaux, des clones sans doute issus des « conceptions » made in Schteub. Le généticien fou était donc toujours en exercice et dans leurs parages ce qui sous-entendait qu'il était lié de près ou de loin avec la quête qu'eux-mêmes poursuivaient. Cela faisait beaucoup de monde autour de révélations qui se voulaient secrètes.

Le Senseï l'extirpa de ses pensées interrogatives, attrapa le léger bagage de la voyageuse et l'expédia à l'arrière d'une Jeep débâchée. Lucie grimpa sur le siège passager du léger 4X4 et vrilla son regard inquiet dans celui paisible de son Mentor.

– Nous allons bien voir comment ils s'en sortent pour nous suivre, la rassura le vieil asiatique amusé par ce défi.

La réponse ne tarda pas à se révéler. Dans le reflet de son rétroviseur, il vit les deux hommes expulser sans ménagement la conductrice d'une citadine et démarrer en trombe à leurs trousses.

Après vingt kilomètres d'une conduite très raisonnable, Maître Yashido décida que le jeu du chat et de la souris avait assez duré. La petite citadine grise devint la souris, tout naturellement. D'un coup de volant rapide, Toshiaki bifurqua dans un chemin défoncé. Bien qu'adaptée, la Jeep tressautait dans tous les sens et une grande vigilance était nécessaire pour la maintenir correctement dans les deux profondes ornières caillouteuses. Sans augmenter leur train, ils virent leurs poursuivants perdre peu à peu du terrain. Pour garder le contact, ces derniers accélérèrent. Quand les éperons rocheux débordant du sol arrachèrent tout le dessous de leur véhicule, le conducteur eut grand mal à tenir son cap. À la sortie d'une courbe serrée, le 4X4 stoppa, ses deux occupants se retournèrent. Ils entendaient vrombir la petite voiture, au bord de l'asphyxie à rester sur ses roues. À l'entrée du virage, un pied volontaire appuya sèchement sur la pédale des freins. Ceux-ci ne répondirent plus, durites sectionnées par les lames minérales du chemin cabossé. Le véhicule tira tout droit, dévala le ravin abrupt, pour finir sa course contre un puissant tronc de châtaigner. Un gros nuage de vapeur s'échappait du capot plié en accordéon. Le vieil asiatique, rictus espiègle sur les lèvres, reprit tranquillement son périple à travers la montagne.

Une bonne demie heure de varappe à flanc de colline, dans des passages parfois périlleux, et enfin la Jeep posa ses bandages caoutchoutés sur l'asphalte maladif d'une minuscule route qu'ils suivirent sur quelques kilomètres. Puis, le conducteur vira dans une sente embroussaillée, difficilement carrossable, attestant d'un abandon évident. À l'embranchement, la vieille boîte aux lettres rouillée dont la porte béante battait au rythme du vent, en augurait la déshérence. Sans connaître le lieu, personne n'aurait soupçonné l'existence d'une habitation. Le léger 4X4 cahotait durement sur la roche à fleur de terre, rebondissait aux érections racinaires saillant du sol irrégulier. Quelques ressauts plus loin, Lucie put découvrir un bel enchevêtrement complexe de toitures aux tuiles romanes chamarrées, puis apparurent les bâtisses. La large souche de la cheminée distillait un maigre filet de fumée. La maison, flanquée d'une grange attenante, était sise légèrement en surplomb d'une prairie qui rejoignait le cours impétueux d'un vif torrent. À peine séparées de l'habitation, les ruines d'un vieux moulin alimenté par un bief prenant source bien plus haut dans le vallon. L'immense roue à aubes se putréfiait, avariée d'une épaisse couche moussue accumulée par des années d'abandon. Les augets altérés croulaient sous une belle profusion végétale. Cette masse luxuriante avait dû magnifiquement les fleurir durant la belle saison. Un peu à l'écart, une imposante bergerie érigée en pierres et surmontée d'un vaste fenil complétait l'ensemble du bâti, un pan de toiture ancrée dans l'escarpement d'une lande pentue qui semblait se perdre jusqu'au sommet de la colline.

Toshiaki gara le 4X4 dans la cour envahie d'herbes sèches. Ils descendirent sans que personne ne vînt les accueillir ; seuls des aboiements véhéments filtrés par l'épaisseur du bois massif de la porte. Durant un court instant, Lucie ne put décrocher son regard des pierres de taille entourant l'entrée. Elles avaient été sculptées avec grand soin et les siècles passés n'avaient eu raison du travail de l'artisan. Elle imaginait le façonnage de l'époque, la main du Maître Tailleur. Elle parvenait presque à rendre audible le cliquetis régulier du maillet sur le ciseau dont la lame tranchante arrachait laborieusement les copeaux de granit avec une précision parfaite. 1777… la vieille bâtisse datait de près de deux siècles et demi, elle campait là, solidement arrimée à la roche du sous-sol, sans que les affres du temps ne parviennent à en ternir l'éclat ou éroder ses formes. Les jappements redoublaient à l'intérieur. D'agressifs et accompagnés de grognements hostiles, ils devinrent subitement enjoués, entrecoupés de gémissements plaintifs. Les griffes de l'animal écorchaient la dureté du bois. La clenche métallique claqua et le solide battant s'ouvrit, laissant échapper une tornade de poils fauves. Une fougueuse chienne briarde s'égayait dans la cour, sautillant après Maître Yashido, reniflant les jambes de Lucie, sans plus aucune agressivité, comme si elle les eut toujours connus.

– Polka ! Au pied…

D'entre les blocs taillés, la stricte silhouette d'une femme âgée aux traits sévères rappela une nouvelle fois la bourrasque blonde qui tressautait sur ses pattes arrières, battant l'air du long fouet de sa queue fournie.

– Polka ! Suffit.

La chienne portait son nom à ravir. Elle poursuivit sa danse sans obéir à sa maîtresse. Toshiaki Yashido tenta d'apporter un peu de légèreté à la tension palpable en faisant de succinctes présentations entre les deux femmes.

– Lucie, je te présente Marie… Marie, Lucie…

La physionomie ridée ne s'en était pas radoucie. Les yeux délavés scrutaient la nouvelle venue, cherchant dans l'apparence de cette étrangère des détails à raviver sa mémoire fatiguée. La grande femme mince fit alors un pas en avant et soudainement son visage s'illumina. Elle brisa la courte distance les séparant, enlaça tendrement Lucie surprise et l'embrassa avec ferveur.

– Ma petite Lucie, annonça-t-elle d'une voix chevrotante en réprimant des sanglots.

– Bon... bonjour, fit cette dernière en s'écartant avec un peu de brusquerie de la vieille dame.

– Je suis ta grand-mère... souffla l'aïeule.

Ses yeux vert pâle débordèrent de perles lacrymales qu'elle ne pouvait plus contenir. Gênée, elle fit volte-face et disparut dans la maison en reniflant.

Face au trouble perçu en ce lieu et l'impression baroque de son entrevue avec cette octogénaire atypique, Lucie ressentait une bien curieuse sensation l'étreindre. Cela, conjugué aux turpitudes de ces derniers jours, mirent à mal la plénitude qui se dégageait pourtant de la sereine campagne environnante. Très perturbée, elle en échangea avec Maître Yashido qui lui proposa quelques pas dans les sentiers sauvages qui sillonnaient la colline.

– Il te faut lâcher prise, Lucie, tu restes empêtrée à une réalité matérielle biaisée qui te dépasse par manque d'objectivité. C'est cela qui te met mal à l'aise car tu penses en perdre le contrôle. Prends alors de la hauteur et considère tous les éléments dans leur ensemble plutôt que de butter sur des détails qui masquent ta vision globale de la situation. Ne reste pas sur la périphérie du cercle, place-toi au centre ainsi ton acuité consciente s'en trouvera élargie et tu ne t'égareras plus aux scories déviantes du Tout. Reprends la raison de la voie du Milieu, ne cherche pas à évincer tel ou tel pan qui ne te convient pas. Assemble toutes les pièces et instruis-toi de ce que cette union t'inspire et t'enseigne, bien au-dessus des considérations duales primaires de ton conflit intérieur. Sors des seules inclinations humaines de ton point de vue, accorde-les aux transcendances spirituelles qui se dégagent des aptitudes de la haute réflexion de ton esprit. Entre sur un nouveau plan, dans une dimension insoupçonnée…

Le discours bien que fluide charriait dans son lit un torrent de conseils abscons persécutant l'esprit de la jeune femme sans pour autant parvenir à créer un écho de compréhension ni d'apaisement. Lucie, depuis son départ de Paris, pressentait un mal insidieux lié à ce voyage, tout son métabolisme le lui criait : sa raison chavirée, sa force évaporée, sa logique envolée.

Un peu plus loin, l'asiatique riva le clou, bien conscient que ce séjour ne serait pas de tout repos pour la jeune rousse tant l'afflux de révélations allait la bousculer et la mettre face à des évidences douloureuses mais indispensables. Cependant, il fallait qu'elle sache, comprenne, admette… il fallait qu'elle se soumette dans son intégralité à la puissance de sa destinée.

– Tu as vingt-sept ans, Lucie, symboliquement cela marque en toi la fin d'un cycle, un tournant majeur à envisager dans ton existence. L'année à venir verra de grands bouleversements dans ta vie par une multitude d'événements à endurer, de confessions à entendre, qu'il te faudra accueillir avec grande sagesse, décrypter d'un œil résolument renouvelé et analyser avec l'intelligence du Cœur… la seule qui soit.

Il était en effet plus que temps pour Lucie de recevoir les derniers enseignements de sa voie et ce qu'ils ouvriraient de portes et de filons à l'élargissement de sa conscience.

– Regarde là-bas, que vois-tu ?

Plus haut, dans l'esquisse du layon se tenait la vieille femme croisée un peu plus tôt à la porte de la maison. Autour d'elle trottait frénétiquement la chienne Polka qui l'avait curieusement acceptée dans l'instant, sans réticence.

– Je vois Marie, cette femme que nous venons de quitter… mais… comment a-t-elle pu ?…

– Chut ! Ferme tes yeux une seconde… le vieil homme s'était placé devant elle et lui barrait la route. Ouvre-les maintenant !

Sur la sente rocailleuse, plus rien ni personne, le néant ! Seule dans les broussailles batifolait la chienne qui avait dû flairer la piste d'un quelconque animal.

– Mais quel est ce prodige ?

– Ne t'agite pas ainsi, la coupa le vieux sage. Tu effraies une dimension parallèle qui t'est encore invisible. Engage-toi sur la voie du Milieu, jeune fille, unis visible et invisible, observe le manifesté en supputant le caché. En assemblant le créé et l'incréé, construis ta voie médiane, celle du Tout.

Lucie resta sans voix, abasourdie, presque effrayée. Elle ne parvenait pas à comprendre ce qui s'était révélé ou plutôt tu à ses yeux. Il lui fallait donc reconsidérer l'existence dans sa globalité, subodorer des dimensions concomitantes, apprendre à les révéler et reconstruire un Tout bien plus vaste que sa seule vision partiale et étriquée du monde, dépasser ce regard matériel pour voir avec les yeux du Cœur, l'acuité adjuvante du céleste. L'Unité s'avérait en définitive bien plus infinie que la multitude.

Maître Yashido poursuivit :

– Le germe de l'être suprême que nous détenons à l'intérieur de cette éphémère enveloppe terrestre est lui éternel, il possède d'inestimables facultés à savoir engendrer d'immenses créations pérennes par l'esprit éclairé de l'initié.

Ils firent quelques pas encore sur le chemin. Lucie avait une impression étrange, celle de flotter au-dessus du sol, comme si ses pieds prenaient leurs appuis incertains sur l'épais édredon d'une cotonnade de nuages déstructurés et supportés par un vide abyssal. Sa tête divaguait dans un vaste néant céleste, pensées déstabilisées et éthérées ; ses mains tentaient de se raccrocher à l'inconsistance de la vacuité qui l'entourait, ses bras battant l'insignifiance de la bulle béante à ses côtés, à vouloir rétablir un précaire équilibre de son psychisme. Toshiaki manifestait une sérénité entière, posée.

– Nous sommes là et ailleurs tout à la fois ! Comme je te parle en cet instant, crois-tu que je sois vraiment présent ?…

Sans réfléchir, Lucie saisit prestement le bras du vieil homme mais, ses doigts se refermèrent sur du vide. Maître Yashido venait de disparaître comme par enchantement, d'un coup, sans aucune explication rationnelle. Elle frémit et un vertige incommensurable s'empara d'elle. *Où était-elle ? Qui était-elle ? Et Toshiaki ?*

Soudain, du brouillard spongieux dans lequel elle errait, une matérialisation ; le fouet touffu de la queue de la chienne battant sa jambe l'en extirpa et la ramena à la réalité. Son étourdissement s'effaça lentement, elle rouvrit les yeux avec difficulté, crainte en fait plus que tout autre chose. Juste à ses côtés se trouvait son Senseï, un sourire malicieux accroché aux lèvres. Il enferma la main de la jeune femme de ses longues paumes osseuses et la serra avec fermeté pour l'assurer de la certitude de sa présence.

– Et pourtant, je suis bien là !...

Lucie frissonna encore, tiraillée, divisée, entre deux mondes. Son regard se noya de larmes et, toute vacillante, elle prit appui à l'épaule de son mentor.

– Pleure, ma belle, pleure. Lave ta vision éperdument asservie à ce bas-monde illusoire... Travaille, travaille encore et œuvre toujours plus... Persévère dans cette voie et alors s'ouvriront à toi des chemins infinis...

65

Vincennes, Clinique du Parc
De nos jours

De lourds voilages brun foncé avaient été tirés le long des murs en pierre de la grande cave voûtée. Située sous la partie la plus ancienne de la clinique, datant de la fin du XIIe siècle, elle avait été aménagée pour toutes les cérémonies initiatiques. Ornées de signes cabalistiques brodés au fil d'or, les sombres tentures rendaient à l'espace une obscurité très mystérieuse. Quelques rares flambeaux, placés dans de savantes proportions, dispensaient une clarté abstraite. Au centre de l'Orient, un autel minéral ouvragé trouvait son équilibre sur trois basses colonnes, recouvert d'un épais tissu aux reflets dorés dans la lueur vacillante. Au point de croisée des dimensions, un homme debout attendait, bras ballants, un peu fébrile, que débute son parcours initiatique. Face à lui, sur le velours mordoré, d'étranges objets hermétiques, disposés selon le rite ancestral. À l'intersection des diagonales trônait un écrin de cuir pourpre, posé sur un plateau de vif argent. Il était ouvert, couvercle tourné vers l'homme afin qu'il ne puisse en voir le contenu. En bordure, se trouvait une dague à la lame recourbée étincelante, poignée incrustée de pierres précieuses. Chaque angle recevait un objet surprenant, un crâne humain, un assemblage métallique d'ellipses faites de fils de cuivre sur lesquels gravitaient des boules d'acier figurant les planètes du système solaire, une statuette de femme en terre cuite, peinte, multicolore, visiblement dans la douleur d'un enfantement difficile et enfin, un bocal laissant entrapercevoir, dans la trouble transparence d'un liquide aqueux, un doigt humain. Un auriculaire droit dont la base avait été transpercée par huit broches acérées. Derrière cet étal codé s'élevait, dans une pesante aube noire frappée d'un pentagramme doublement circonscrit, capuche rabaissée sur l'intensité de son regard noir, un homme, concentré, les traits tendus par le désir de diriger dans la perfection rituelle la cérémonie à venir. Devant lui, une tablette d'argile gravée de graphismes cunéiformes abscons. De part et d'autre du récipiendaire, se tenaient les six assistants et assesseurs, visages noyés dans les ténèbres de leur capuche, poitrines embellies d'un symbolisme identique à celui du Maître de céans. En arrière-plan, dans la pénombre de la salle, des rangées de sièges occupés par les membres du sixième cercle de la confrérie, en soutien à son accession à ce nouveau grade. L'impétrant patientait, silencieux, nu sous un drap blanc immaculé. La pureté du cœur à assumer la plus noble des fonctions. Le long de ses flancs frémissants dégringolait une sueur émotionnelle incontrôlable. Il était moite, ses mains, ses pieds, tout son corps était moite, moite d'impatience que débutât au plus vite son accessit. Il s'interrogea sur le sens de cette large vasque en cristal, érigée entre lui et l'autel. Peu profonde et très évasée, elle était posée sur une spirale de roseaux aux racines plongées en terre. *Quel en était l'usage ?* Tout comme celui de cette calebasse abandonnée aux dalles du sol dont il ignorait la signification et le liquide qu'elle contenait. Il baissa les paupières pour puiser au plus profond de son être l'énergie nécessaire à ne pas fuir l'endroit et accepter pleinement la mission qui allait lui être confiée.

Depuis un recoin de la pièce, s'éleva une mélopée lente, jouée au violoncelle. Les crissantes sonorités graves l'étreignirent, le poignirent jusque dans la moindre fibre de son corps. *Le rituel avait commencé !* Quand la dernière note resta suspendue dans la densité de l'air, il souleva lentement ses paupières. De chaque côté de l'Officiant, des flambeaux se consumaient dans des vasques d'où s'échappait l'âcreté forte d'une fumée peu volatile. Le Très Honorable Grand Maître brisa le silence.

– Randy Mac Nollaghan, c'est ainsi que nous allons te créer et t'identifier. Nous t'avons initié au cours de la décennie passée à bien des connaissances pour que tu puisses aujourd'hui parfaire la mission qui va t'être confiée et pour laquelle tu vas renaître symboliquement dans la dimension de cette terre.

– Acceptes-tu dès lors d'aller plus avant dans la Voie de la Connaissance, de laisser mourir Jacques Prieur, le vieil homme, pour que vive cette mission ?

– Oui Très Honorable Grand Maître, je l'accepte.

Il fut surpris par le vibrato de sa voix, mal assurée, presque inaudible. Il fit un effort considérable pour se ressaisir et lever le voile d'appréhension qui le submergeait et drapait les prémices de son initiation.

L'Officiant laissa un long et pesant silence s'installer avant de reprendre, d'un timbre adapté à la circonstance.

– Parfait, Impétrant ! Sache qu'en ce lieu, aucun mal ne te sera fait, rien qui puisse nuire à ta santé ni effacer ton existence. Elle sera tout simplement transférée vers ta nouvelle identité. Tu entres désormais dans les voies initiatiques supérieures qui t'invitent à devenir toi-même la Voie, à faire corps, âme et esprit avec Elle. C'est Elle maintenant qui tracera tes chemins de vie pour la décennie à venir. Le Cinquième degré s'efface et s'ouvre la vaste strate occulte du Sixième Cercle. Te voici au seuil des Grands Mystères, au bas des marches de l'escalier infini qui s'enroule au tronc de la Pleine Connaissance.

Les affirmations fortes venaient se coucher sur la conscience volontaire du récipiendaire, puissantes, incontournables.

– À l'instar de la décennie que tu viens de passer, complexe, pleine d'embûches mais sans obstacle insurmontable, la prochaine te sera riche en rebondissements mais représente le miracle de la Transmission, la Haute Tradition repose désormais à tes épaules. Ta charge sera lourde et ta mission plus périlleuse mais, toujours nous serons là pour te protéger, comme il en a été ainsi jusqu'à présent et depuis des millénaires pour tes prédécesseurs.

Le nouvellement nommé Randy Mac Nollaghan se laissa envahir par les énergies palpables qui l'enserraient. Lui avait été inculquées bien des choses étranges au cours de ces dix dernières années, sans que sa vie ordinaire n'ait eu à en souffrir, bien au contraire. N'était-il pas plus serein d'ailleurs maintenant, bien qu'émotivement perturbé, pour subir cette nouvelle exaltation qui allait lui entrouvrir les portes des Grands Mystères ? Il se relâcha, une liesse certaine commençait même à s'insinuer agréablement dans tout son corps détendu, plus réceptif.

Le Grand Maître alluma au bougeoir de l'autel trois bâtonnets d'encens. Aussitôt l'air s'emplit des suaves notes aromatiques épicées qu'ils distillaient.

– Assesseurs, veuillez m'assister dans ma tâche.

Du bout de chaque rangée, la première personne se leva. Synchronicité parfaite. Puis, toutes deux approchèrent de la vasque de cristal. Le Maître contourna l'autel, dague en main et les rejoignit. L'impétrant n'osait plus bouger, paralysé au balbutiement du voyage qui s'annonçait. Deux mains vinrent le saisir fermement et le firent avancer de trois pas, juste devant la coupe où brillaient les reflets des flammes mouvantes des bougies qui se consumaient. Les scintillements vacillants et hypnotiques rendaient son équilibre instable, faussaient sa réflexion. Heureusement, les assesseurs le soutenaient à l'orée de son périple.

– Très cher Randy Mac Nollaghan, nous t'estimons apte à recevoir la purification par les eaux sacrées des deux Grands Fleuves qui feront de toi l'un des nôtres, à part entière. Ainsi deviendras-tu particule au sein des particules que nous sommes à tous créer l'élément unique des Mystères Anciens, fragment des secrets millénaires des Sept Grands Sages dont nous descendons depuis la nuit des temps. Acceptes-tu cette purification ?

– Oui je l'accepte, Très Honorable Grand Maître.

– Acceptes-tu de devenir une part de nous-mêmes et au-delà, atome de la pensée ancestrale des plus sages portés par cette terre ?

– Je l'accepte, Très Honorable Grand Maître ! Oui je l'accepte bien volontiers.

– Alors, nous t'acceptons aussi !

L'Officiant se saisit de la calebasse pendant que les assesseurs penchaient la tête du lauréat au-dessus de la vasque. Il versa un peu d'eau sur sa chevelure.

– Ce premier bain d'eau sacrée pour laver ta mémoire des enseignements de l'ordinaire et du vulgaire.

Il fit couler à nouveau un peu d'eau sur le crâne et les cheveux du récipiendaire.

– Cette onde mystique pour raviver ta mémoire et imprégner ton âme de la Connaissance des Anciens délivrée jusqu'alors.

Il renversa enfin le restant du contenu du récipient sur la tête de Randy Mac Nollaghan.

– Toutes ces Pures Eaux des deux Grands Fleuves réunifiés, jusqu'à la dernière goutte de leurs sources taries, pour que ton esprit maintenant clairvoyant s'adapte aux secrets millénaires qui vont t'être transmis et que le Haut Devoir de ta fonction t'exige de taire jusqu'à ton dernier souffle.

Le Grand Maître reposa la calebasse et attrapa la dague ornée dont la lame étincela un court instant dans la lueur des chandelles. La chevelure de Mac Nollaghan dégoulinait au-dessus du miroir liquide des eaux, formant des cercles concentriques et hypnotiques troublant l'image du présent. La main ferme de l'Officiant enserra une mèche détrempée, la trancha avec précision puis la jeta dans le philtre qui devint rouge sang.

– Tu es nôtre désormais, Randy Mac Nollaghan ! Mais pour parfaire ce rituel et intégrer le cercle restreint des Grands Initiés de notre Confrérie de l'Anneau, tu dois te soumettre aux épreuves fondamentales qui t'éclaireront sur ta mission, sur notre démarche millénaire et te dévoileront nos identités. Alors seulement, tu seras pleinement accompli selon nos rites.

Randy Mac Nollaghan se dit qu'en effet, il ne connaissait pas la moindre identité des dirigeants de la société secrète, ni même celle de ceux, si proches, cachés sous leurs longues aubes noires à capuche, qui lui faisaient réaliser la voie du passage. Durant toutes ces années, il n'avait eu que de rares contacts avec si peu de membres, toujours les mêmes. Il avait pourtant dû croiser bon nombre de ces Initiés sans même s'en douter. Cependant, il n'avait jamais été inquiet, une confiance totale s'était développée en lui dès son adhésion qui n'avait d'ailleurs qu'amélioré son quotidien, facilitant son ascension, brisant tant de chaînes, ouvrant tellement d'inaccessibles portes… son allégeance ne pouvait être qu'aveugle envers l'Ordre qui l'avait conduit sur ce cheminement ancestral mystérieux. Il était plutôt impatient maintenant d'en prolonger l'avancée et d'en reconnaître enfin les visages.

– Veux-tu réellement poursuivre ton accession ? Car il est encore temps pour toi d'y renoncer et de reprendre le cours de ta vie ordinaire… mais sache que bientôt tu ne le pourras plus !

– Oui, Très Honorable Grand Maître, je le veux !

Son timbre avait repris toute son assurance habituelle. Les mots prononcés résonnèrent dans l'atmosphère suspendue, clairs, nets, précis. L'évidence d'un retour en arrière impossible n'avait pas infléchi sa décision. Dès lors, se soustraire était mourir ! Il en avait pleinement conscience.

– Poursuivre ta progression sur la voie initiatique t'apportera plus de contraintes que de libertés. Les secrets qui te seront livrés devront le rester, à tout jamais, et ils te sembleront souvent bien lourds à porter. Ta haute mission, inconnue du monde profane, ne devra être révélée à quiconque, même dans les pires souffrances, les plus odieux sévices, pas plus qu'au seuil de ta propre mort…

… Acceptes-tu malgré tous ces dangers de devenir le nouveau maillon de la chaîne ancestrale ?

– Malgré tous ces dangers et même la mort, je l'accepte, Très Honorable Grand Maître, j'en prêterai serment solennellement ici et devant vous tous.

– Bien ! Alors que ton entrée parmi nous soit.

Le Grand Maître reprit sa place derrière l'autel et entreprit un long monologue dans une langue si ancienne que seuls les grands initiés de cette cérémonie pouvaient l'interpréter. Le message délivré à l'impétrant, par le biais de formules archaïques gravées sur une tablette d'argile, levait le voile sur le long processus de maturation de la *Grande Prophétie* dont les origines se perdaient dans le fond des âges et qu'auraient générée les Grands Seigneurs eux-mêmes. Tous étaient plongés dans un profond recueillement pour laisser cette mélopée agglutinante les imprégner au tréfonds de leur âme. Chacun se remémorait son initiation, les émotions ressenties à ce passage graduel. Mains enserrées, à la fin de la lecture des signes anciens, ils reprirent à l'unisson les évocations du Grand Maître, créant un puissant écho à la voûte minérale.

Les deux assesseurs intimèrent au nouvel adepte de poser sa main droite, doigts écartés, sur la tablette d'argile. Alors le Grand Maître incisa l'extrémité de son auriculaire avec la dague sacrée. Une perle purpurine se dispersa dans les anfractuosités du support poreux. Les assesseurs maintinrent la main ainsi plaquée pendant que les quatre assistants vinrent se joindre à eux, en arc de cercle, face au Grand Maître. Le néophyte fut alors soumis à un ultime questionnement dont réponse était donnée dans le même dialecte que la longue litanie qu'il venait d'entendre. Au terme, Randy Mac Nollaghan formula son serment sans l'ombre d'une hésitation.

– Très Honorable Grand Maître et vous tous présents, je prête ici devant vous le serment solennel et infaillible de ma soumission à l'Ordre, mon adhésion totale et entière à la longue quête de la mise en place de la Grande Prophétie ainsi que sa révélation, la protection irrévocable de tout ce qui m'a été et me sera confié et le maintien d'un secret scrupuleux de tout cela quand bien même la mort s'insinuerait jusqu'à moi…

… Je le jure devant vous, ici et maintenant, sur ma foi et mon honneur d'homme pur !

Le nouveau membre du Sixième Cercle fut soustrait de son drap blanc puis revêtu de la rituelle aube noire. Le Grand Maître saisit sa main et, le prélevant à l'écrin de cuir pourpre, ceignit son auriculaire du Mystérieux Anneau. Une lueur surnaturelle perça la profondeur ténébreuse de la pénombre. Puis, une première rotation partielle infligée inséra huit pointes effilées dans ses chairs sans que la douleur ne trahisse sa félicité d'avoir été celui choisi.

Dans la clarté parcimonieuse, le Très Honorable Grand Maître releva la capuche de son habit, révélant un visage illuminé d'un sourire bienveillant pour celui qui venait d'entrer dans les voies prophétiques de l'immémoriable tradition sumérienne de l'Anneau. Assesseurs et assistants en firent tout autant, observant la réaction de leur nouveau condisciple et cherchant à en traduire le sentiment.

Mac Nollaghan venait d'être promu « Porteur de l'Anneau ». Au fond de lui-même, une grande fierté le submergea. Même s'il n'avait encore tous les tenants et les aboutissants de sa mission, il savait qu'il la remplirait avec zèle et application. Il revint sur l'assistance, pour découvrir qui la composait et surtout qui dirigeait l'organisation pour laquelle il avait consacré tant d'années de son existence. Il avait immédiatement reconnu François Levallois, le directeur de la clinique et Officiant de son initiation, ami de longue date avec lequel il avait discouru des heures entières au sujet de la problématique de la pollution sur la flore et la faune, ainsi que les incidences désastreuses inéluctables pour cette espèce humaine qui l'engendrait sans vraiment s'en soucier. Jamais il n'eut soupçonné avant ce jour qu'il était à la tête de la société secrète qu'il servait lui-même sous cape. Ils avaient tant échangé, comment n'avait-il pu subodorer ce qui maintenant sonnait comme une évidence. Il fit un petit signe au Docteur Yves Roche, assesseur de la cérémonie, l'homme avait réduit une fracture de sa jambe droite suite à une chute à ski. Comme à son habitude, le chirurgien orthopédiste lui lança une plaisanterie de bienvenue, fidèle à son image de pince-sans-rire. Le second assesseur était Clémence Silvert, scientifique émérite, biologiste de talent dont les nombreux ouvrages pointus avaient nourri ses longues années d'études. Il reconnut également le très médiatisé Jon Von Bollum, député européen au parlement de Bruxelles. La superbe femme qui venait de révéler sa soyeuse chevelure auburn n'était autre que la psychiatre Claire Parrat, celle qui lui avait prodigué tous les enseignements rébarbatifs l'ayant conduit là ce soir. Les deux derniers membres du cercle dirigeant, des femmes, il ne les connaissait pas. Il n'avait pas souvenir de les avoir croisées un jour, ni même rencontrées en quelque occasion. La chose dont il était certain, c'est que tous l'accueillaient avec déférence dans le cercle restreint de leur confrérie.

Quand les lumières tamisées furent rallumées, levant le voile de pénombre sur l'ensemble du Temple, il vit un bonne douzaine de paires d'yeux avenants, de sourires sincères à son intégration dans leur sixième cercle. Depuis l'angle le plus sombre de la salle encore sacralisée, délaissant son voluptueux instrument, avança en claudiquant une jeune consœur rousse qu'il connaissait bien. La ravissante et très subtile Amy Doherty avait été désignée comme préposée à sa protection. Leurs routes s'étaient souvent croisées par le passé, elles le feraient donc à n'en pas douter maintes fois encore sur la décennie à venir. Il ne pouvait que s'en féliciter.

François Levallois, Très Honorable Grand Maître, observait le nouveau promu avec un once de compassion. Si Randy savait… Il venait de créer la pièce manquante, celle qui lui permettrait de faire Échec et Mat à coup sûr face à un adversaire qui se montrait bien plus puissant et coriace qu'il ne l'avait soupçonné. Maintenant que Randy entrait dans le jeu, la partie était gagnée !… ambitieuse certitude.

66

Gare de Mulhouse – France
Hôtel du Lac, Schluchsee, Forêt Noire – Allemagne

Quand Philip Carlson stoppa sa voiture sur le parking face à la gare de Mulhouse, Valérie Nouellet battait la semelle derrière les portes vitrées de l'entrée principale. Un froid vif l'avait reléguée à l'intérieur. Il avait pris un retard considérable à courir les routes qui serpentaient la Forêt Noire et la nuit l'avait ralenti davantage encore. Lorsqu'il l'eût rejointe, ses premières paroles adressées à la policière furent des excuses. La capitaine éclata d'un rire fort et moqueur, le trouvant très « vieille France ».

– Offre-moi plutôt un bon expresso pour te faire pardonner, plaisanta-t-elle.

Confortablement installés au chaud dans la salle du bistrot, ils échangèrent sur impressions et stratégies à mettre en œuvre pour parvenir à tirer le maximum de leur court séjour. Ils discutèrent du journaliste à la poursuite duquel ils allaient se lancer. Valérie n'avait pas obtenu d'information intéressante à son sujet, leur seul espoir reposait donc sur l'annonce dénichée par Philip pour qu'elle les conduise à la bonne personne. Bien maigre filon en fait ! Enfin réchauffés et la pendule avalant outrageusement les heures, ils entreprirent de rallier Schluchsee. Tout le voyage fut l'évocation de leurs déductions et primes conclusions sur la rencontre inopinée de la veille. Ils s'exprimèrent librement au sujet de Beth et Lucie, de leurs agissements cocasses et du caractère très singulier de cette légende sumérienne. Tout se tenait plus ou moins mais de là à ce qu'une révolution majeure affecte l'humanité tout entière… Pour l'instant, cette trame était plus tragiquement jalonnée de cadavres que de bienfaits. Ils convinrent d'avoir été emportés bien malgré eux par le tourbillon fascinant de cette quête de secrets antiques, Carlson en tant qu'acteur principal, bien à son insu, Valérie en spectatrice novice et désarmée à ce type d'affaire. Cette troublante magie outrepassait leur pragmatisme et ils n'avaient de cesse à vouloir arpenter plus avant ce chemin tortueux pour en découvrir les imbrications. Valérie se sentait hypnotisée tant par ce curieux voyage initiatique que celui, non moins étrange et inédit, de ses sentiments naissants pour Beth. Elle avait l'insolite impression qu'une nouvelle existence déroulait un tapis incertain sous ses pas et chaque enjambée sur ces sables mouvants l'appelait à découvrir une facette d'elle-même qu'elle ignorait encore. Pour Philip, sans référence à un passé, était-ce vraiment une nouvelle vie ou la continuation de celle oubliée. Il était résolument attaché à vouloir démêler les fils obscurs que tous avaient pris, depuis qu'il était né, un malin plaisir à embrouiller à loisir pour lui en rendre la lecture incompréhensible.

Quand ils déposèrent leurs bagages sur la moquette bouclée de la chambre, Valérie fit voler ses chaussures et s'affala sur le lit, heureuse de se délasser enfin. Philip, assis dans un fauteuil, était en proie à un questionnement plus terre à terre. La chambre était spacieuse, confortable et joliment décorée ; pour autant, elle ne possédait qu'un lit, vaste certes, mais unique. Cela tracassait Philip qui s'en confia à Valérie. Sans se démonter et pleine de bon sens, massant ses pieds endoloris, elle rétorqua, taquine :

– Ben, tu vas dormir sur le fauteuil, non ?

Devant la moue de Philip, elle repartit de son rire calamiteux et le railla, l'œil pétillant et amusé :

– Ne t'inquiètes pas, je te ferais peut-être une petite place si tu ne ronfles pas trop et que tu restes bien sagement sur ton côté, sinon… je t'enferme sur le balcon !

Terminant sa phrase, elle disparut dans la salle d'eau voisine. À travers la cloison, Philip l'entendit jubiler sur l'équipement de la pièce, ses petits gloussements de plaisir bientôt étouffés par des cataractes d’eau chutant dans la baignoire. Il s'affaira à brancher l'ordinateur à une prise coincée sous le bureau et à se connecter au réseau wifi de l'hôtel. Quand il eut établi la connexion, Valérie reparut dans la chambre, moitié nue. Philip, gêné, jetait des coups d'œil furtifs à la plastique parfaite de la policière qui déambulait avec nonchalance et naturel sans quiproquo. Elle retira chemisier, dégrafa soutien-gorge et fit face à un Philip aux joues empourprées de cette vision mirifique.

– Tu nous trouves deux ou trois éléments sur ton journaliste et l'affaire de l'incendie !...

Tout accaparé par l'incroyable spectacle de cette poitrine imposante aux seins parfaitement implantés dont les apex charnus pointaient fièrement vers lui, Philip resta bouche bée. Valérie était superbe, la main très inspirée de l'artiste avait merveilleusement dessiné les courbes harmonieuses de sa silhouette, ajoutant de voluptueuses rondeurs idéalement placées. Peau veloutée au grain exquis, ventre admirable où saillaient des abdominaux délicieusement sculptés. Une taille fine marquant des hanches solides et dans leur prolongement, des cuisses ambrées, musclées sans excès qui ne pouvaient qu'attirer le regard. Des jambes longues, sans fin, élancées, envoûtantes...

– Philip !... Monsieur Carlson, on redescend sur terre...

Amusée autant que flattée, Valérie le fixait de ses yeux d'un bleu profond, satisfaite de l'effet produit par sa nudité quasi totale. Puis, elle l'enjoignit sobrement à saisir, dans sa serviette en cuir, le dossier qu'elle avait pris soin de constituer avant son départ.

– Tu trouveras là-dedans tous les détails de mon enquête. Peut-être y décèleras-tu des points qui t'amèneront sur la piste de ton passé oublié. Laisse de côté la chemise bleue, merci, ce sont mes notes perso...

Philip attrapa le dossier et le plaça à côté de l'ordinateur puis commença à en tourner les premiers feuillets.

– Sur ce, je te souhaite une bonne lecture car moi je file dans mon bain tant qu'il est chaud.

Quand il lança une nouvelle œillade vers la belle blonde, celle-ci s'éclipsait, lui offrant le fascinant tableau de sa sublime chute de reins et du rebondi divin de son postérieur qu'elle venait de soustraire des fines dentelles.

Replongeant dans le dossier, malgré le trouble qui l'affectait, il tenta d'entamer une lecture studieuse, l'esprit partagé entre le devoir de bien faire et l'impulsion de son imaginaire à faire affluer les images émoustillantes de celle qui s'ébattait à quelques mètres.

Il choisit de rompre avec ce processus délétère et s'accorda une pause cigarette sur le balcon. Instantanément, la nicotine apaisa son cerveau qui se concentra sur les brumes opalines de la nuit. Le lac, véritable vaisseau fantôme scintillant des pâles lueurs lunaires, charriait lentement ses eaux sombres vers un exutoire invisible, scandant sa mélopée aquatique à travers des branchages poussés par la brise. Il attendit que le froid l'eût enveloppé complètement pour retourner, plus serein, à l'intérieur. Par la porte entrebâillée, il entendit fredonner doucement. Le miroir embué taisait le reflet de celle qui avait mis le feu à tout son être et dont il lui avait été si difficile de se détacher.

Devant des grosses tasses de café fumantes, Valérie et Philip finissaient péniblement de s'éveiller. La matinée était déjà bien entamée. Dehors, un soleil timide dardait de faibles rayons pâlots se reflétant sur l'onde paisible du lac. De leurs yeux cernés, ils découvraient, éperdus de fatigue, la nature qui s'ébrouait dans le vallon. Ils avaient passé une bonne partie de la nuit à converser des nombreux sujets qui les taraudaient, côte à côte, sagement installés dans les draps frais du lit. Ordinateur sur les genoux, Philip avait traîné au hasard de la Toile à la recherche de tout ce qui pourrait apporter une solution à leurs interrogations mais un vide abyssal nimbait cette affaire, rien de plus que les articles lus dans le TGV. L'actualité avait emporté la plume des journalistes vers d'autres centres d'intérêts. Les codes sécurisés de Valérie avaient permis de fureter dans les archives accessibles du dossier et ainsi trouver des divergences notables. Dans la chronologie des faits, le rapport initial indiquait une propagation du feu en cinq foyers différents, invalidant la thèse de l'accident électrique. Ce rapport, bref et précis, était réfuté par tous les suivants qui attestaient l'option accidentelle du sinistre. Selon Valérie, ce premier constat pouvait être confirmé ou infirmé par les suites approfondies de l'enquête. Il était ici noté qu'il ne s'appuyait sur aucune étude d'experts, ce qui expliquait le brusque revirement quant à la conclusion de l'affaire. Les deux fouineurs n'étaient pas dupes de cette supercherie sans doute fomentée par des ordres venus de très haut. « La chose n'est pas si rare » avait commenté Valérie. Cette mise en lumière était pour eux la découverte d'un nouvel indice potentiel soutenant la véracité envisageable à la thèse d'un crime organisé. La rencontre du journaliste, si le numéro déniché par Philip était bien le sien, leur confirmerait peut-être l'exactitude de cette hypothèse. Ils avalèrent leur petit-déjeuner en silence, tout à leurs réflexions. Il était temps de passer à l'action.

Depuis leur chambre, Philip appela. Deux sonneries, une voix incertaine : « Léo Meyer, j'écoute… ». Philip était satisfait de ce premier indice soutiré. Il entreprit la suite de la conversation dans un allemand parfait à peine teinté d'un accent français.

– Bonjour Monsieur Meyer, je vous appelle au sujet de la Rheinmetall. Est-elle toujours à vendre ?

– Ah oui, la Rheinmetall ! En effet, elle est toujours à vendre. Un superbe objet de collection numéroté qui date de la seconde guerre mondiale.

– Une superbe machine à n'en pas douter, quel prix souhaitez-vous en obtenir ?

– Euh… j'avais pensé la vendre autour de 300 euros, hésita le journaliste.

– Hum… il me faudrait la voir pour en juger. Je suis hébergé dans un hôtel du bourg de Schluchsee et vous habitez la région d'après l'annonce me semble-t-il ?

– Oui, oui… mais je suis en panne de voiture. Par contre je réside tout près du bourg donc si vous avez un moment dans la journée et un véhicule…

– Bien sûr…

Pendant que Léo Meyer décrivait l'itinéraire conduisant à sa résidence, Philip fit un clin d'œil à Valérie, tout se déroulait selon leurs souhaits. Ils allaient enfin pouvoir rencontrer cet homme qui, l'espéraient-ils, était bien celui qu'ils recherchaient. Ils se félicitèrent de ce premier résultat probant.

Quelques heures plus tard, durant l'ascension sinueuse des monts entourant le lac, Valérie et Philip anticipaient, excités car persuadés d'avoir localisé leur homme, les hypothèses qui allaient s'échafauder à l'écoute des propos qu'il ne manquerait pas de leur tenir. À la sortie d'un virage, ils avisèrent une boîte à lettres sur son piquet de bois, à l'orée d'un chemin mal entretenu.

– C'est ici, Philip ! C'est ici qu'il faut tourner.

La description de Léo Meyer avait été suffisamment précise pour qu'ils n'aient pas à quadriller toute la Forêt Noire, l'inscription sur la boîte à lettres le leur confirmait. Philip s'engagea dans le chemin étroit que la végétation se réaffectait inexorablement. De hautes herbes balayaient le dessous du véhicule pendant que de longs branchages en giflaient les flancs. Instinctivement, à chaque rencontre fortuite, les passagers baissaient la tête comme pour éviter d'être cinglés par ces fouets naturels. La progression était lente, la petite citadine souffrait de ce parcours chaotique. Bientôt, ils débouchèrent dans une clairière, face à un chalet en rondins de bois. Juché sur une terrasse soutenue de pilotis, un homme les observait, pipe en bouche, un verre à la main. Lorsqu'ils sortirent de la petite Clio, l'homme ne sourcilla pas. Il épiait leurs moindres mouvements, méfiant, sur la réserve. Il ne vint pas à leur rencontre mais attendit sur ses gardes que les visiteurs gravissent les marches menant à la terrasse. Philip approcha, main tendue vers celui qui portait tous leurs espoirs.

– Bonjour Monsieur Meyer, je suis la personne que vous avez eu au téléphone tout à l'heure.

L'accueil ne fut pas très chaleureux, froid, distant même, sans le moindre soupçon avenant. Un « bonjour » du bout des dents, à peine audible, sans que la main de l'homme ne vienne à celle tendue. Aucune allusion au fait d'avoir trouvé facilement ou non, pas même une banalité d'usage. Cet homme était un ours, coupé du monde des vivants et des codes sociaux de ses contemporains. Il détaillait de la tête aux pieds ces deux invités incongrus qu'il avait transportés jusqu'à lui, à la recherche de leurs velléités profondes, désireux de mettre à jour leurs réels desseins.

– Êtes-vous bien sûrs d'être là pour la Rheinmetall ? lâcha-t-il sèchement, perspicace.

Consternés d'avoir été mis à nu dès les premiers instants de leur rencontre, Philip prit la parole, bien conscient qu'il leur fallait impérativement mettre en confiance leur interlocuteur et surtout tenter d'entrer dans son univers.

– Évidemment Monsieur Meyer, sinon pourquoi ?

– Je ne sais pas trop… j'ai tellement été importuné par des emmerdeurs venus me torturer sur une affaire ancienne que je doute de tout le monde. Et puis, je pensais que vous viendriez seul.

Carlson sentit qu'il était encore bien trop tôt pour révéler à l'homme l'objet véritable de leur venue. Il était à vif, de toute évidence dans un état d'ébriété déjà avancé et le moindre faux pas les éconduirait du lieu. Il biaisa.

– Oh pardon ! Valérie, ma compagne. Elle a…

– Ne me prenez pas pour un couillon, ça saute aux yeux que vous n'êtes pas ensemble ! trancha Meyer puis, se tournant vers Valérie, il ajouta, abrupt :

– Vous ! vous êtes flic. Lui, c'est un homme perdu…

La phrase était tombée comme un couperet sur la nuque rasée d'un condamné à mort et semblait réduire à néant tout espérance d'une quelconque révélation. Valérie saisit l'opportunité offerte par le silence pesant laissé en suspens, imposant sa stature, elle lâcha, d'une voix ferme teintée de brusquerie et dans son français natal :

– Écoutez ! On se fout royalement de votre machine à écrire, c'est vrai ! Nous sommes là pour tout autre chose : la vérité sur cette affaire ancienne que vous venez d'évoquer. Philip, ici présent, est un rescapé du terrible drame de l'époque.

Cette tirade eut pour effet de détourner l'homme de son enfermement. Subitement, la capitaine leur avait permis de reprendre ascendant et pied dans leur démarche. Le visage du journaliste se transforma, son œil devint plus interrogatif, son attitude entière se modifia.

– Vous… vous me dites que vous êtes sorti de l'enfer de cette fournaise ! balbutia-t-il. Il y a donc eu des survivants !… Installez-vous autour de la table.

Le journaliste était comme possédé, halluciné.

– Pardonnez-moi cet accueil glacial mais j'ai, au fil des années, éconduit tellement de « fouille-merde » malsains que j'en suis devenu totalement imperméable. Voulez-vous un verre ?

Le trait de Valérie l'avait transfiguré. De défiant et asocial, il était redevenu le journaliste exalté et fouineur, prêt à collecter des infos inédites qu'allait lui délivrer une source. En une seconde, il avait repris position dans son enquête enfouie depuis trente ans. Il avait à disséquer un scoop époustouflant qui relançait sa vie, lui redonnait du sens. Il allait enfin rebondir bien que replongeant dans la fange de cette affaire qui avait eu raison de son équilibre mental et de sa destinée. Il savait que la descente avait été abrupte puis, sournoise et insidieuse jusqu'à sa déviance mais, depuis cette époque, il n'avait eu que cela en tête, que cette satanée enquête, traquant tout élément, farfouillant dans les mémoires délitées des belligérants, drainant d'infimes indices qui, mis bout à bout, il le savait, le conduiraient à établir la vérité et crier à la face du monde le nom du seul responsable de cet assassinat, le Docteur Wolfgang Schteub, il en était convaincu. Il but une grande lampée de whisky, brûlure salutaire dans sa gorge, imprégnation éthérée du cerveau. Son compagnon l'avait fait tenir, éviter la folie, l'avait maintenu accroché à ce combat d'une vie, pour la vérité. Il l'en remercia une fois encore ! Ses veines et son esprit en avaient fait un besoin quotidien, toujours plus pressant, le réveillant jusque dans son sommeil mais, son addiction l'avait conduit à être là, vivant en cet instant ténu, au cœur de l'immensité de la forêt, avec l'inestimable chance d'avoir à sa table un homme qui, enfant, avait réchappé du mortel brasier. Cette chance inespérée, il la savourait car attendue depuis si longtemps que sa raison l'avait repoussée, persuadée que plus rien n'était désormais à attendre après autant d'années d'efforts et d'investigations non récompensés. Durant la dernière décennie, strictement rien pour relancer sa quête, que l'alcool pour oublier, l'alcool pour espérer, espérer ce jour où une infime trace du passé viendrait colmater la paroi friable de la Grande Vérité. Cette trace était là, devant lui, aimant apte à rassembler les limailles égarées du fruit de son travail acharné. Il allait tout reprendre… de zéro, confronter, comparer… *Il était vivant !* Demain, il serait à nouveau un homme parmi ses semblables, il retrouverait sa véritable identité, respectable et reconnue, une existence passionnante et foisonnante. Demain, il annoncerait au monde qu'il avait été trompé, fourvoyé dans les méandres politico-journalistiques édifiés à faire admettre le faux pour réalité, le mensonge pour vérité. Si l'homme se nourrit et se construit à l'ombre des crimes les plus horribles, il lui faudrait accepter qu'un seul d'entre eux, opposé à tous, ait été capable de suffisamment de sagacité, de ténacité et de pugnacité face à l'adversité pour qu'enfin à leurs yeux s'entrouvre la porte de la vérité sur une affaire misérablement produite par la baguette d'un fou, si puissant soit-il. *Il était vivant !...*

67

Mésopotamie méridionale, IIIe millénaire avant J.-C.
Quelques années plus tard.

Dumuzi ne savait ni lire ni écrire, grand privilège réservé à bien peu d'érudits de l'époque, mais il travaillait l'or et les métaux comme personne dans toutes les contrées de la Mésopotamie. Dans son atelier bas de plafond, au fond d'une venelle en impasse, tout était noir. La gueule des fours surchauffés et l'embrasement permanent de la forge dispensaient une chaleur éprouvante conjuguée à d'épaisses fumées âcres et suffocantes qu'une petite trouée dans la charpente ne parvenait à évacuer efficacement.

L'homme, de taille modeste, ne portait, pour seul habit, qu'un simple pagne ceignant ses reins. Son torse nu, large et puissant, ruisselait du matin au soir devant ces fournaises continues et sa peau cuivrée demeurait l'ultime rempart cloqué et nécrosé à ces assauts rougeoyants et torrides. Curieusement, par habitude sans doute, il semblait ne plus en pâtir. Son crâne, lisse et luisant, aux bulbes capillaires dégénérés par la constante morsure brûlante tout comme ses sourcils devenus inexistants, lui conférait une glabre physionomie lustrée, celle d'une entité étrange venue d'un ailleurs, d'un univers inconnu, peut-être parallèle à ce monde d'en-bas. Cet accoutrement spartiate et les ravages du feu sur son anatomie en faisait une créature aux allures surprenantes et irréelles, effrayante, dont chacun évitait la présence, la proximité, le dévisageant d'une répugnante aversion. Tous s'écartaient sur son passage, redoutant que cet horrible petit animal imberbe et pustuleux, aux écailles craquelées, ne les contamine de maux inconnus. Seul son jeune apprenti, d'apparence encore humaine bien que maintes fois brûlé déjà, semblait pouvoir supporter la vision sulfureuse de son Maître et ne s'en offusquait pas. Il sortait à intervalles très réguliers pour respirer un air un peu plus frais, pourtant chargé de l'insoutenable feu solaire, afin de quérir et rapporter le combustible indispensable à alimenter de sempiternelle façon ces foyers de torture. Il savait être bientôt à l'image de son mentor, une bestiole bizarre au cuir lézardé dont le regard perçant, chargé des flammes infernales, indisposerait ses contemporains qui s'en détourneraient hâtivement. Mais, Dumuzi était un grand Maître, le meilleur homme de l'Art, son savoir-faire de la fusion des métaux le plus expert de tout le pays, cette récompense valait bien quelques menus sacrifices.

Depuis l'artère principale, les cliquetis du martèlement sur l'enclume guidait ceux qui avaient l'audace d'être à la recherche de son génie vulcain. Attenante à cet atelier, une minuscule échoppe livrait tout le savoir-faire de l'artisan maudit. S'y côtoyaient outils agraires, pointes de lance effilées, lames au tranchant étincelant et tout un vaste fourbi d'objets du quotidien forgés ou martelés avec dextérité dans divers alliages savants de métaux fondus.

Quand l'homme apparut dans sa boutique, faisant tinter le grelot suspendu à la porte, Dumuzi avait d'abord tremblé. Un frisson glacial s'était emparé de son corps brûlant, le figeant face à ce soldat armé. *Qu'avait-il fait ? Que pouvait-on lui reprocher ?* Puis, se présentant comme l'émissaire envoyé par l'un des Sept Grands Sages, l'homme lui avait brièvement expliqué la teneur de ce que souhaitait son maître. L'artisan s'était alors quelque peu rasséréné. Il était rare qu'une demande émane des Illustres Grands Sages et rien de ce qui provenait d'eux ne pouvait être mauvais, se tranquillisa-t-il, surtout d'Akurgal le Grand.

Dumuzi appela son commis et lui transmit ses instructions et recommandations sur les ouvrages à terminer en priorité. Il héla ensuite celle qui partageait son existence et lui commanda de garder la boutique en son absence et de faire livrer les commandes. Puis, il fixa l'émissaire et dit :

– Je suis prêt, conduis-moi !

L'autre parut surpris et détailla le forgeron des pieds à la tête, cherchant à lui faire entendre que sa tenue n'était peut-être pas des plus appropriées pour son entrevue avec un Grand Sage.

– Ça ira ! conclut la créature du feu en emboîtant le pas de son guide.

Dans la poussière des chemins et sous le lourd soleil de la pleine journée, Dumuzi marchait d'un pas guilleret. Contrairement à celui qui l'escortait, l'étouffante chaleur ne l'affectait pas. Il aurait pu parcourir plus de la moitié du pays avant d'être insupporté par la canicule ou même la soif. *L'habitude !* Il en plaisanta avec son taciturne compagnon de route qui s'époumonait dans la touffeur ambiante. Ce dernier resta désespérément coi, contrariant la nature plutôt joviale et extravertie de l'artisan. Durant les longues heures de leur voyage pédestre, l'émissaire n'émit aucune parole. Malgré toutes les tentatives du forgeron pour engager la conversation et rendre leur trajet commun moins monotone, l'homme n'avait pas desserré les dents, n'avait répondu à aucune question. Il l'avait guidé à travers déserts, chemins et marécages, c'est tout. Ainsi était sa mission, rien d'autre !

Aux portes de la cité, les gardes observèrent en coin le gnome hideux au cuir boursouflé et gangrené accompagnant l'émissaire envoyé. Décidément, d'étranges choses devaient se passer pour qu'Akurgal le Grand fasse appel à une aussi repoussante créature. À contre-cœur, ils laissèrent passer le soldat flanqué de cette chose immonde car nul ne pouvait interdire et empêcher l'accès de la cité à quiconque demandait à voir un Grand Sage.

L'homme d'escorte abandonna l'artisan devant l'entrée d'un zarifé un peu à l'écart des autres habitats et lui fit signe que là était le lieu, sans un mot. Sur le seuil apparut alors la haute silhouette désarticulée du sage.

– Dumuzi ! Mon ami, te voilà…

Un sourire illuminait la face émaciée du sachem.

– Entre vite à l'abri du soleil et viens te désaltérer.

Dans la hutte d'Akurgal, timbale à la main, Dumuzi savourait le grand honneur d'être ici, avec l'homme savant d'avoir réussi à lui préserver une apparence presque humaine. Depuis des années, lui et ce sorcier philosophe se voyaient régulièrement pour soigner les plaies, brûlures et autres nécroses dues à son rude métier.

– J'ai à te parler Dumuzi, fit le sage d'une voix douce mais solennelle, de choses d'une importance capitale. Écoute et nous verrons tes maux ensuite.

– Je t'écoute, Ô Vénérable Akurgal, ta parole est sage et ta sollicitation ne peut être que juste et bonne aux hommes.

Ainsi, durant plusieurs heures, les deux hommes échangèrent sur la demande spécifique du Grand Sage. Ce dernier ambitionnait de l'expertise du petit homme, la mise en œuvre d'un bijou très particulier que lui seul saurait confectionner par ses compétences et sa minutie hors normes. En effet, Akurgal entendait posséder une bague inaltérable sur la durée de temps dotée d'un mécanisme permettant d'en extraire huit pointes pyramidales à base circulaire. L'artisan inquiet précisa que de telles aiguilles blesseraient immanquablement le doigt du porteur de ce bijou en s'enfonçant dans ses chairs. La réponse du vieux sage le surprit lorsqu'il lui affirma que là se trouvait bien le but recherché. S'accordant à cette remarque étrange, Dumuzi détailla alors l'élaboration du joyau convoité. Un premier annelet inférieur percé de huit trous biaisés s'encastrerait dans le jonc supérieur, plus large et rainuré sur l'intérieur de sa circonférence à les maintenir solidement ensemble. Cette alliance externe comporterait huit bossellements dans lesquels seraient intégrées les minuscules pyramides acérées, librement introduites avant d'enserrer les deux anneaux l'un dans l'autre. Un système de taille en sifflet permettrait la sortie des pointes en faisant tourner les deux cercles à contresens. La rétractation serait envisageable en effectuant une rotation en sens inverse mais seulement une fois les aiguilles entièrement sorties pour déverrouiller le système.

Akurgal écoutait avec émerveillement la passion qui animait les paroles de l'artisan. Rien ne serait élaboré sans qu'un profond sentiment ne guide sa main et son intelligence. Son choix était le bon. L'orfèvre, désireux de connaître ce qu'il était concevable de savoir à son niveau, questionna :

– Pourquoi huit pointes, Akurgal ?

– Sans pouvoir te donner détails sur des choses mystérieuses que seuls certains initiés connaissent, je vais te livrer quelques secrets. Ces pyramides représentent les huit vertueuses voies que tout homme conscient devrait suivre au long de sa vie. La douleur infligée figure l'indispensable rappel à se conformer à ces voies bienfaitrices vis-à-vis de soi, des autres et de tout ce qui nous entoure, connu et inconnu. Le procédé que tu vas réaliser a ce double but de rendre impossible l'enlèvement de l'anneau à qui n'en connaîtrait pas le fonctionnement et de maintenir le porteur corrélé à l'importance de la délicate tâche dont il aura la mission.

Dans son élan de verbiage, Akurgal lui fit part que les huit pyramidions correspondaient aux huit rayons de la roue ancestrale mythique. L'extrémité des pointes après les révolutions nécessaires rejoindraient au-delà de l'écorce de l'os, la substantifique moelle, le tissu vivant, le Cœur de l'Homme… transmué alors en Pyramide d'Émeraude.

L'artisan était fasciné par les mots de son vieil ami desquelles émanait toute la magie de la Connaissance Infinie, s'expliquaient les dédaléennes articulations insondables des mondes visible et invisible, s'éclairaient les multiples dimensions inconnues jusque-là obscures aux non-initiés, tout cela dans la douceur poétique de vocables choisis et l'énergie créatrice de la haute sagesse, puissante génératrice de vie, qui les enveloppaient.

Puis, bien plus tard, le vieux sage allégua :

– Nous seuls connaîtrons les secrets de ce joyau. Tu vas dès lors avoir une charge impérative de Transmission à tes descendants car, une fois parti au-delà des portes éternelles, il faudra que l'un des tiens revienne chercher à mon doigt le bijou pour que vive pleinement le *Chemin des Destinées*, que se réalise la *Grande Prophétie*. N'en parle à personne sauf à qui de droit et explique-lui cette notion de Tradition, de Transmission car ce n'est pas ton fils qui me rendra visite mais ton petit-fils Aleth. Tous te rejettent et pourtant sur toi repose une partie de la *Tradition*, un pavé du *Chemin des Destinées*, un fil de la *Grande Prophétie*. Tu es un des jalons de la *Voie Initiatique* secrète qui renaîtra dans plusieurs millénaires. Ton petit-fils Aleth sera l'initial maillon d'une longue chaîne vertueuse inaltérable. Puis une jeune femme très singulière, aussi repoussante que tu l'es aux yeux des âmes simples de nos contrées, lui expliquera les inclinations de cette trame occulte. Va maintenant et élabore ce que je t'ai mandé au plus vite, le temps presse, je ne suis plus tout jeune…

– Comment sais-tu que j'aie un petit-fils et qu'il se nomme Aleth ? Mon fils a quitté ma maison depuis des années et je n'en ai plus aucune nouvelle. Est-il encore vivant ? Je ne saurais dire…

– Ne t'inquiète pas, ton fils est toujours vivant et tu le reverras très bientôt avec sa belle épouse et ton petit-fils Aleth. Tu seras fier de ce qu'il est devenu… mais ne tarde pas à lui parler pour que lui-même transmette à sa descendance…

De retour dans son petit atelier, bien après que soit parti son apprenti, Dumuzi œuvrait la nuit durant avec frénésie à la demande d'Akurgal. Il était comme fou, possédé, n'en dormait plus. Un feu inconnu le consumait, de l'intérieur. Sa compagne épouvantée s'en inquiéta, il la repoussa sans ménagement. La folie avait investi son regard, de sombres fièvres altéraient son discernement, une étrange énergie surnaturelle le guidait, tel un automate, les outils en mains. Il saisissait la matière, la faisait fondre au feu violent, la façonnait, rejetait l'ébauche imparfaite au creuset qui repartait à la fournaise. Inlassablement, pendant de longues heures infinies, il fit maintes tentatives pour réussir à contenter sa rigueur à l'ouvrage.

Puis un jour, à potron-minet, ne l'ayant croisé depuis près d'une décade, son épouse vint s'enquérir une nouvelle fois de son absence. Elle le trouva inconscient, le front appuyé sur l'épaisse planche de son établi. Dans la dense pénombre de l'atelier, sur un support minéral, luisait un joyau étonnant d'un éclat mystérieux dont elle ne pouvait détacher son regard, comme magnétisée. Subjuguée de ce qu'avait su créer son époux, elle posa doucement la main sur son épaule et le secoua doucement. Le forgeron frémit, tourmenté, puis releva lentement un faciès méconnaissable. Au plus profond de ses orbites tournoyaient les braises d'un démence immortelle, inguérissable.

Le regard absorbé par la sublime irradiation circulaire à ses côtés, d'entre ses lèvres craquelées, l'orfèvre souffla :

– J'ai réussi !...

Puis, insistant sur les infimes détails du joyau, ajouta :

– Une main inconnue m'a guidé dans cet ouvrage... Céleste... Elle a tracé sa marque, laissé son empreinte, entre chaque bossette. Ce n'est pas moi qui ai gravé cela, impossible, je n'en comprends pas même les signes ni leur signification... sans doute est-ce la main d'un démon, ou d'un Génie... un Dieu peut-être !...

L'artisan retomba aussitôt dans l'inconscience. Sa joue claqua mollement l'épaisseur du bois rugueux. Au travers du filtre de ses paupières mi-closes, seules des flammes hystériques gardaient vie, épées enflammées à vouloir éradiquer tout ce qui oserait approcher l'Anneau miraculeusement façonné.

L'épouse esseulée craignait le pire. L'homme qu'elle aimait était corrompu par des forces maléfiques, en proie à un combat illusoire dont il ne sortirait assurément pas vainqueur.

Dans le premier rayon rasant du matin, des ombres s'étirèrent, inquiétantes, sur le sol poussiéreux de l'atelier qui miroitait de ses limailles. La vive Lumière qui auréolait l'Anneau s'estompa dans l'instant, engloutie par ces fuligineuses mouvances. Dumuzi tourna promptement la tête, soutenu par l'arceau des bras de celle aimée. Deux rubis hostiles perforèrent la densité de l'obscurité. Dans le contre-jour, les masses ténébreuses avancèrent encore un peu et prirent lentement forme. Du glauque agglomérat émergèrent trois silhouettes, floues, incertaines. Le couple tremblait, effrayé puis, la pensée d'Akurgal le Grand traversa l'esprit du joaillier. L'artisan alors tendit une main amène et sollicita : « Aleth ! Mon petit Aleth, viens jusqu'à moi… ». Du groupe encore mal défini se détacha l'ombre d'un enfant de quelques années, contours hypothétiques. Le garçonnet s'avança et vint se saisir de la dextre nécrosée de son grand-père, indifférent à cette vision que tant d'autres trouvaient menaçante. Les fluides passaient, s'accordaient en parfaite osmose. À n'en pas douter, là-bas, dans son village, le Grand Sage Akurgal maintenait ouvertes les portes de la compréhension entre les générations. L'enfant embrassa la joue cratérisée et, en une fraction de temps, le brasier du regard possédé de Dumuzi s'apaisa pour réinstaller aux pupilles noires des reflets nuancés d'Amour.

Ils s'étaient tous retrouvés !…

68

Ardèche – lieu-dit « Noy »
Commune de Ste Symphorine de Mathun

Allongée sur les coussins moelleux du canapé de la grande salle principale, Lucie émergeait péniblement. Une langue douce et humide barbouillait allègrement son visage sans retenue. *Polka, Arrête !...* Docile, la chienne prit quelques distances, s'assit au pied de Marie et fixa la jeune femme alitée en remuant de la queue. Les yeux hallucinés de Lucie croisèrent ceux rieurs de l'asiatique. Pour seule réponse au flot incessant de questions qui affluait dans sa tête, ce dernier émit un « Mmm… Mmm… » laconique, accordant une véracité certaine à ce qui venait de se passer. *Comment est-ce possible ?* Elle ne comprenait plus rien aux réalités embrouillées de la vie.

C'est à cet instant qu'une femme fit irruption dans la pièce. Un courant d'air frais traversa l'espace, furtif, Lucie frissonna. *Et cette virulente migraine qui enserrait ses tempes.* Elle leva son regard absent sur ce qu'un miroir aurait su refléter de sa propre personne, à quelques décennies de distance. Approchait une femme dans la cinquantaine, aux cheveux d'un roux flamboyant mêlés à de rares fils d'argent, une corpulence sportive similaire à la sienne, une taille visiblement identique, des yeux verts aux reflets mordorés… Les traits de ce visage, hormis ce que le temps y avait déposé de ridules, étaient les siens. Une singulière impression s'empara d'elle, dérangeante presque dévastatrice.

– Lucie ! Ma chérie, tu ne te sens pas bien ? s'empressa la nouvelle venue.

– Euh… Si, enfin non, un peu patraque. Mais qui êtes-vous ?

La femme fit encore un pas, un véritable ravissement sur ses lèvres admirablement dessinées.

– Est-il vraiment nécessaire que je te réponde ? Je me nomme Angèle.

Instinctivement Lucie se racornit sur elle-même, elle redoutait l'évidence, le pire ? Elle s'était inventée et construite secrètement tant de multiples histoires à imaginer ses origines qu'elle avait fini par admettre n'en avoir jamais le dit mais là, devant elle, se tenait cette personne qui vraisemblablement lui avait donnée naissance. *Qui d'autre ?*

La femme voulut lancer ses bras vers elle avec une tendresse maladroite mais Lucie la congédia avec rudesse. Elle se retrouvait dans l'exacte même situation que Philip, coincée derrière la haute muraille insondable du mensonge et des non-dits. Elle proféra, glaciale, se levant d'un bond.

– Pas d'effusions, merci ! Je file, j'ai besoin de faire le point, seule et maintenant !

Angèle recula, rembrunie. Lucie vacilla, se retint au dossier d'une chaise puis retrouva sa clairvoyance. Toshiaki Yashido tenta d'imposer sa présence à l'accompagner. Elle le rabroua lui aussi, sans finesse.

– Non ! Seule j'ai dit… cria-t-elle presque, d'un ton cinglant ; elle en voulait à la terre entière.

Sur ces mots, elle s'éclipsa prestement et enfila le chemin qui escaladait la colline, la chienne Polka sur les talons. Cette dernière, truffe en l'air, humait tout ce qui se présentait à son surpuissant odorat. Bientôt, l'animal prit une direction précise, d'un trot décidé. La chienne semblait poursuivre une piste bien définie, disparaissait quelques courts instants avant de revenir solliciter Lucie par des aboiements persuasifs. Rapidement, toutes deux se retrouvèrent à gravir une sente encombrée qui se faufilait dans le sous-bois. Au bout de cet escarpement, elles débouchèrent sur un étroit lopin de terre en croissant. Au pied du haut talus arboré, un petit ruisseau gargouillait dans le fond de la combe.

Quand Lucie eut dépassé le dernier écran d'arbres souffreteux, son regard embrassa la parcelle qui s'étendait devant elle. Une langue de terre sablonneuse jonchée de cailloux où végétaient quelques plantes impatientes d'une ondée salvatrice. L'extrémité du champ restait invisible mais résonnait d'outils heurtant férocement la pierre. Elle avança, masquée par des rangs courbes de sorgho sec délaissé en bordure. Polka avait coupé à travers les taillis et s'égayait bruyamment dans la lande derrière un gibier sans doute. Soudain, stupéfaite, Lucie stoppa. À vingt mètres de sa protection végétale, un homme, torse nu, imposant de muscles, ahanait une pioche à la main, enfoncé jusqu'au bassin dans ce qui se trouvait être une tombe sommaire. *« Et Polka qui est partie batifoler dans la lande »* se dit-elle, consciente que l'animal aurait pu lui être d'un certain secours. Forte de l'annonce faite par Toshiaki un peu plus tôt sur l'appartenance de toute la colline à sa mère, elle s'enhardit et se saisit, comme arme illusoire, d'un échalas de châtaignier. Elle se dirigea vers l'homme qui ne l'avait encore entendue ni repérée, absorbé à sa tâche harassante. Quand elle fut assez proche du fossoyeur transpirant, elle leva haut son bâton, fit une enjambée supplémentaire et lança d'une voix menaçante :

– Qui êtes-vous et que faites-vous là ?

Dans le tintement qui cessa, pointe de pioche plantée en terre, l'homme obliqua la tête, l'œil interrogateur.

– Je pourrais vous retourner la question, jeune fille, mais le bras ainsi armé, je préfère ne pas en prendre le risque et capituler, fit-il amusé.

– Donc… insista Lucie, certaine de son avantage sur l'homme statique qui se payait ouvertement sa tête.

– Je suis Antoine et creuse un trou pour faire une réserve d'eau ! Cela vous va-t-il comme raison ?

Lucie, à qui la réponse ne convenait pas vraiment, garda son air sévère et son ton rude.

– Que vous creusiez un trou pour une réserve d'eau soit mais expliquez-moi pourquoi vous le faites sur ces terres…

Les traits de l'homme subitement s'adoucirent et un sourire vint ourler ses lèvres.

– Ah, bien sûr ! Vous êtes Lucie ! Je me disais aussi… vous ressemblez tellement à votre mère.

Il déplia sa puissante stature, posa son outil et poursuivit sur un ton amical.

– Je suis donc Antoine, l'homme à tout faire d'Angie… et son ami aussi, enfin… celui qui partage sa vie !

Lucie en resta sidérée. Cet homme était le compagnon de sa mère. Absolument incroyable ! Les quelques dernières heures avaient déversé leur lot de surprises. Voilà qu'elle était affublée de toute une famille au grand complet. Une grand-mère, une mère, et maintenant le soupirant de celle-ci. Pourquoi pas des frères et des sœurs, des cousins ou autres ? Elle prit alors la mesure de ce que l'existence asservie et confinée à cette trame millénaire exigeait de sacrifices et d'instants perdus, envolés. Tout ce brassage quotidien en valait-il vraiment la peine ? Quel événement était suffisamment important pour réduire à néant des liens filiaux, dissoudre des vies, infléchir des destinées ? Rien !… probablement rien mais chacun avait été emporté par le tourbillon irrépressible de cette histoire si extraordinaire, balayant sans état d'âme jusqu'aux éléments primordiaux de la vie pour repousser et remettre en permanence à plus tard ce que tous pensaient tenir pour éternel. À cet instant, elle prit conscience de la réalité du temps qui filait, vite, inexorablement, rapprochant chacun, jour après jour, de l'inévitable et ultime étape de son chemin. Face à cet homme vigoureux, à la soixantaine héroïque, tout semblait encore si loin, si peu palpable et pourtant… vingt-sept ans déjà !

– Vous êtes… fit-elle dans un souffle à peine audible.

Antoine cherchait le bon angle à pouvoir s'exprimer, il voulait trouver les mots justes, que ses paroles amoindrissent le tourment visible de la jeune femme devenue très blême.

Il finit par bafouiller :

– Oui, je suis… comment dire… Angie n'a pas voulu… elle n'a pas pu… enfin, la situation à votre naissance était complexe… il fallait vous protéger et Angèle était appelée à de hautes fonctions cruciales puis, le temps… vos premiers pas liés aux « Sumériennes Antiques »… elle n'avait alors plus la possibilité sans vous mettre en danger d'avouer quoi que ce soit. La scission au sein de la société, les dérives, les conflits d'intérêts… et ce dont à quoi vous êtes corrélée… le rôle important qui semble vous être dédié dans la révélation de la Grande Prophétie…

Antoine avait bien du mal à être cohérent dans son propos, il s'en rendait compte mais ne savait comment orienter son discours tant Lucie était secouée et avait encore à recevoir de révélations déstabilisantes. Il en souffrait d'avance pour elle.

– Angèle et moi nous connaissons de longue date, reprit-il, je sais beaucoup de choses… mais ce n'est pas à moi de vous éclairer sur tout ça… parlez-en avec votre m… avec Angie…

Le sexagénaire voyait s'étioler devant lui la jeune rouquine, livide. Elle semblait suspendue par quelques filins invisibles qui la maintenaient encore debout, flageolante. Mieux valait conclure car la fille d'Angèle apparemment encaissait plutôt mal le cumul des nouvelles, elle se décomposait à vue d'œil, se liquéfiait littéralement à chaque phrase prononcée.

– Mais ne vous méprenez pas, dit-il en levant sa main droite à l'auriculaire stigmatisé, j'ai moi-même été le Porteur de l'Anneau après Van Kriek, ce bon vieux Rudolf. Je me souviens combien il était terrorisé par la passation de pouvoir, au point d'en quitter la faction, de démissionner. Depuis, plus aucune nouvelle, rien !… il m'était pourtant sympathique et d'une immense culture. J'aurais grand plaisir à le revoir…

Cette pensée lointaine pour celui qu'il avait remplacé dans le processus de protection de l'*Anneau* l'avait emporté vers des territoires d'une nostalgie poignante à abréger son monologue.

Dans le silence cristallisé revenu, sous la crinière léonine, les lèvres joliment dessinées de Lucie avaient lâché leurs scories, presque inaudibles :

– Il… Il est mort ! Assassiné… Rudolf Van Kriek est mort. Il était devenu prêtre à Rome… Assassiné…

À cette tragique évocation, une invalidante faiblesse s'était emparée des jambes de Lucie qui s'était effondrée sur elle-même. Elle gisait affalée sur la terre aride, le regard perdu dans le vide, totalement égarée. Antoine sortit lestement de l'excavation malgré l'information qui le meurtrissait douloureusement. L'effondrement de la jeune femme laissait entrevoir de quel manière cette folie épuisait tant les esprits que les organismes. Chacun était à bout, exténué, par cette quête qui s'avérerait peut-être n'être qu'une légende ou un mythe tellement son origine se perdait dans les méandres du temps. Tout devait s'arrêter, au plus vite, au risque de déplorer la destruction physique et mentale d'individus devenus beaucoup trop impliqués par un algorithme qui dérivait sur des versants bien sombres, aux antipodes de ce qu'il en était perçu initialement et dont l'humain semblait se faire exclure désormais.

L'homme mûr vint s'asseoir aux côtés de Lucie. Il lui enlaça tendrement les épaules et la soutint avec une infime délicatesse comme un père l'aurait fait avec sa propre fille. La jeune rousse sanglotait doucement dans cet arceau tiède et réconfortant des bras forts d'Antoine. Elle déversait le flot dévastateur – flaques de jade dans la pâleur effrayante d'un visage torturé – de cette mécanique implacable et filandreuse où tous avaient depuis longtemps perdu le moindre repère concret.

69

Paris, Appartement de Beth O'Neill
Banlieue Est – 12 km de Paris

Beth O'Neill était satisfaite. Si tous la croyaient terrée dans son appartement, elle avait pris la privauté de sortir pour honorer la mission confiée par Maître Yashido, à savoir : trouver Amy Doherty, une consœur de la société, sur laquelle une loyauté à toute épreuve était à considérer. Elle était une jeune membre de l'organisation, fraîchement sortie de la Fabrique qui l'avait formée ou plutôt formatée. Beth, rompue à des missions d'une complexité et d'une dangerosité légendaires, débusqua la novice en quelques heures. Quand elle l'eut localisée, enfourchant son bolide, elle s'y rendit sans attendre. La fille était en planque dans une banlieue triste de Paris – *y en avait-il de gaies ?* – à décortiquer les faits et gestes du nouveau Porteur de l'Anneau, Randy Mac Nollaghan. En effet, la société devenait très suspicieuse de ce que pouvaient faire ses membres en dehors des murs de ses repaires. Le récent passé avait malencontreusement démontré qu'une confiance aveugle, au prétexte de destins étroitement liés à une cause identique, n'était pas sans de multiples failles.

Sur place, considérant les lieux, Beth effectua un rapide tour d'horizon pour dénicher l'endroit le plus adéquat à épier l'appartement de l'homme surveillé et surtout l'entrée de son immeuble. *Et la sortie du parking qui donnait dans la rue perpendiculaire ?* pensa la prédatrice, jugeant du manque d'expérience de sa cadette. Elle repéra une bâtisse en cours de construction. Ni les panneaux « interdit au public » ni les palissades grillagées n'eurent raison de sa volonté à s'infiltrer sur le chantier.

Sans un bruit, elle avala les marches quatre à quatre. Des premier et second étages, la vue n'était pas assez plongeante pour une observation optimale. Le panoramique était masqué par divers baraquements et engins de chantier qui sommeillaient durant la pause de fin de semaine. Au troisième, la situation s'améliorait mais Beth était certaine que la jeune Amy, en professionnelle éclairée, devait à minima s'être installée au quatrième voire au-delà. Négligeant le niveau insatisfaisant selon elle, Beth poursuivit son ascension vers le degré brigué. Une prompte auscultation du squelette inachevé indiqua la vacuité des lieux, personne et pas la moindre trace d'une présence antérieure. La jeune rousse opta pour le cinquième étage et bientôt déambula à pas de loup dans un enchevêtrement chaotique de matériaux, évitant le crissement des gravats sous ses semelles souples. Elle approcha de la façade et s'appuya au mur brut du bord d'une large baie sans aucune sécurité. Par l'ouverture cruellement béante, un vide vertigineux, abyssal, invitait l'observatrice au plongeon ; en contrebas, à une quinzaine de mètres, un amoncellement hostile de ferrailles acérées comme matelas de réception, une dalle en béton hérissée de pointes aiguës à l'image d'un tapis de fakir.

Elle aurait dû être très exactement là ! se dit Beth. Sur le sol poussiéreux, des empreintes de pas signifiaient qu'elle y avait au moins séjourné. Elle prit le temps d'épier l'immeuble en face. Au-dessus des vitrines avenantes qui emplissaient tout le rez-de-rue, elle entraperçut à travers les fenêtres deux silhouettes en proie à un échange animé. Randy Mac Nollaghan était bien chez lui mais pas en grande sérénité.

C'est bien ici le meilleur endroit pour planquer ! Mais que se passe-t-il exactement en face ?...

Dans son dos, le léger bruissement d'une manche de vêtement l'alerta. *On levait le bras sur elle ! Main armée ?* Instinctivement, en esquivant, Beth fit une rapide rotation et vint faucher les deux jambes de son adversaire. Le corps s'affala et avant même que les épaules ne soient au sol, la lame effilée d'un poignard appuyait dangereusement sur la gorge de l'agresseur.

Une jeune rousse !...

– Amy Doherty ? claqua sèchement celle qui enserrait dans ses doigts le manche de l'arme.

La jeunette maîtrisée cligna des yeux en signe d'approbation. Beth relâcha lentement son étreinte.

– Beth O'Neill. Relève-toi, nous avons à parler.

La fille s'épousseta, vexée d'avoir été mise hors jeu en si peu de temps alors qu'elle avait pour elle l'effet de surprise. *Il est vrai que devant elle se tenait Beth O'Neill, la Grande, la Virtuose Beth O'Neill. La dissidente aussi... Tomber face à une telle combattante n'était pas une honte mais bien plutôt un honneur*, pensa-t-elle très humiliée somme toute mais habile à pouvoir fonder l'espoir de ramener prisonnière celle dont la vigilance se relâcherait si elle la manœuvrait avec bonne intelligence.

– Pourquoi as-tu quitté ton poste de guet ? gronda Beth, avec agressivité. Comment peux-tu négliger à ce point ta mission. Mac Nollaghan aurait largement pu sortir pendant ton absence ! En plus, il n'est pas seul. Qui est avec lui ?...

Penaude, la jouvencelle s'enorgueillit, éludant volontairement la dernière question.

– Je t'ai entendue monter...

– Impossible ! rétorqua violemment O'Neill. Joue franc-jeu avec moi sinon nos relations vont très vite devenir difficiles voire impossibles !

Rouge de confusion, la fille regarda ses pieds.

– Petit besoin naturel...

Beth haussa les épaules avant d'ajouter :

– Quand tu planques, tu pisses sur place ! Tu ne lâches jamais ta proie. B.-A. BA du métier. Il me paraît d'ailleurs étrange que tu sois seule sur ce coup...

La rouquine ne broncha pas. Beth reprit, suspicieuse de ce silence subit.

– C'est Chikanori qui m'envoie...

– Qui ? fit la fille stupéfaite.

En une fraction de seconde, la lame revint se placer sur sa gorge, agrémentée d'une très douloureuse clef de bras. Il était impossible qu'Amy Doherty ignore le code du Senseï, cela faisait partie de la stricte et incontournable reconnaissance pour toute action qu'il missionnait. La lame enfonça légèrement les cartilages du larynx, une perle vermillon s'échappa.

– Où est Amy Doherty ? siffla O'Neill.

– Elle… elle surveille la sortie du… du parking souterrain, fit l'autre d'une voix étranglée. Aile ouest du… du bâtiment, rez-de-chaussée, prête à le suivre s'il venait à pa… partir…

– C'est bon, l'interrompit Beth. La peur te fait parler beaucoup trop à mon goût. Tu n'as pas ta place dans les rangs de la Société. Regarde ce qui se passe en face… et toi tu vas pisser !

Dans l'appartement, Mac Nollaghan subissait une empoignade d'où il avait perdu tout avantage. L'autre homme, surentraîné, avait très largement pris le dessus en l'immobilisant solidement au sol, assis à califourchon sur lui. Une lame apparut…

Dans l'instant, Beth tordit un peu plus méchamment le bras déjà torturé de la fille et la projeta par la baie dans le vide, en lui tranchant la carotide d'un geste vif. Un bruit sourd accompagné de rugueux grincements métalliques confirma l'aboutissement de sa chute, point d'impact mortel.

Au rez-de-chaussée, l'énorme vacarme du corps tombant sur le stockage de tors à béton fit tourner la tête d'Amy. Sa coéquipière venait de faire le saut de l'ange. *Chute accidentelle ou provoquée ?* Le silence précédant l'envolée lui avait déjà donné la réponse. Pas un cri, gorge tranchée, quelqu'un les avait donc débusquées…

Devant l'échoppe de jouets sous l'appartement où se déroulait la rixe, deux paires d'yeux avaient vu avec effroi le corps d'une jeune fille rousse propulsée par Beth O'Neill, depuis le cinquième étage du bâtiment voisin en chantier. *Cette fille est une véritable folle, une furie que rien n'arrête ! Un calvaire pour qui croise sa route ou entrave son chemin. Il fallait raisonnablement la savoir morte plutôt que de l'avoir face à soi en tant qu'ennemie.* Mal à l'aise d'avoir été les témoins de ces acrobaties criminelles, les deux hommes s'inquiétèrent pour leur acolyte qui traînait à l'étage. Avec cette rousse dans les parages, ils devaient s'attendre à tout. *Et que fabriquait Willy là-haut ? Il aurait déjà du redescendre, son forfait accompli. Des complications ?…*

Au cinquième, bien campée sur ses jambes, juste au bord de l'abîme qui avait avalée le corps de la rouquine, Beth dégaina son arme de poing. Elle vissa avec célérité un long tube au bout du canon, mit le crâne de l'agresseur de Mac Nollaghan dans sa ligne de mire et sans la moindre hésitation ouvrit le feu. La déflagration n'émit aucun son. Un minuscule trou dans le vitrage de la fenêtre en face serait le seul indice du tir qui venait de sauver le Porteur de l'Anneau. L'imposante stature du combattant foudroyé lâcha le couteau qui s'apprêtait à tuer, s'avachit sur elle-même puis roula sur le côté, inerte. La mort avait trouvé Willy, l'avait cueilli…

Randy Mac Nollaghan, très secoué, se releva à grand peine. Il aperçut subrepticement une svelte silhouette à chevelure rousse de l'autre côté de la rue qui rengainait son pistolet en lui faisant un petit signe de la main. Ensuite, il se rua sur son téléphone.

Beth O'Neill ramassa son poignard, essuya la lame maculée et le remisa dans l'étui à sa ceinture. Elle redescendit lestement les étages qu'elle avait gravis et prit le dédale de couloirs distribuant le rez-de-chaussée de l'immeuble en construction. Consciente que la dénommée Amy Doherty devait être sur ses gardes après l'élimination de sa collègue, Beth avança avec grande prudence. Quand elle déambula dans l'aile ouest du bâtiment, elle chuchota le mot de code à intervalles réguliers pour avertir de sa présence comme de son arrivée. Après seulement quelques instants, une figure aux traits figés, couronnée d'une chevelure flamboyante, dépassa d'une embrasure de porte. Une réelle stupéfaction marqua le visage de Beth. D'approximativement son âge, la jeune femme était copie presque conforme d'elle-même. Les détails de son faciès auraient pu se superposer aux siens sans relever d'importantes différences. *Où la Fabrique parvenait-elle à dénicher des combattantes aussi semblables ?* Un frisson très désagréable lui parcourut l'échine sur toute sa longueur. Un doute s'immisça aussi dans son esprit quant aux origines naturelles de sa naissance.

Le moment de stupeur passé, Beth lança un « Chikanori » sur un ton clair, sans ambiguïté.

– « Kasuki », répondit l'autre sans une once d'hésitation.

Puis, toutes deux, parfaitement synchrones, reprirent :

– La Loi de la Sagesse fonde l'espoir de Paix.

Certaines de s'être enfin trouvées, elles échangèrent quelques mots et se présentèrent. La pression retomba d'un cran.

– Très honorée de rencontrer la célèbre Beth O'Neill.

Cette dernière, un peu contrariée de ce qui venait de se passer dans les étages et en face, lança renfrognée :

– Toshiaki t'avait présentée comme étant tout juste sortie de la Fabrique… en fait, tu as à peu près mon âge, non ?

– Oui, en effet, j'ai vingt-sept ans, comme toi. Maître Yashido voulait que tu restes vigilante et aussi pimenter un peu une mission bien trop facile pour toi.

– Généreuse idée qui aurait pu me coûter la vie, grinça celle qui venait de sauver sa peau.

– Il n'avait pas l'air vraiment inquiet à ton sujet, sourit Amy Doherty.

Elles escaladèrent à nouveau les étages puis longèrent les corridors pour regagner le point de vue d'où Beth avait expédié son adversaire et tué l'agresseur du Porteur. Elle remarqua une légère claudication dans la démarche de sa doublure. Cette dernière s'en aperçut et lui confia :

– Accident !… Je ne me souviens de rien du tout, c'est arrivé peu après ma naissance…

– J'ai aussi une longue estafilade à la jambe droite, masquée par un tatouage ; aucune souvenance non plus, fit Beth solidaire puis, interrogative :

– Comment se fait-il que je ne t'aie jamais vue à la Fabrique ? Nous aurions dû y être en même temps !

– Je ne suis jamais allée à la Fabrique, rétorqua Doherty, j'en ai souvent entendu parler sans jamais m'y rendre ni la visiter. Placée à la Nursery, j'en ai été extraite très tôt. Toshiaki m'a soignée, élevée, rééduquée et formée à ce que je suis devenue aujourd'hui, une combattante de grande valeur malgré ce handicap sans toutefois égaler l'exception que tu représentes. Par contre, lâcha Amy espiègle, j'excelle dans un domaine de compétences que tu n'as pas.

– Ah oui !… Et lequel s'il te plaît ? fit Beth rembrunie, un peu trop vivement peut-être.

– L'expertise informatique ! rit l'autre.

– Je me débrouille plutôt bien avec un ordi entre les mains, grogna Beth piquée mais rassurée qu'il s'agisse d'une chose aussi insignifiante.

– Je ne te parle pas d'informatique au sens usuel du terme mais de *Hacking*. Je suis *hacker* de haut vol, ajouta-t-elle, sans aucune prétention dans la voix. Toshiaki m'a dit que tu aurais les informations nécessaires à remplir notre mission par l'entremise de mes compétences. Il ne m'a rien dévoilé de plus et veux que toute action soit menée en binôme dorénavant, pour éviter tout dérapage ou problème, si près du terme de la Grande Prophétie.

– Je vois que tu es très bien informée et instruite sur l'objet de notre quête… pesta O'Neill.

– Pour te rabâcher les mots préférés de notre Senseï : Lâche prise Beth ! Nous sommes alliées, pas des ennemies. Nous faisons partie du même camp sans plus aucune attache avec l'organisation que nous avons servie depuis tant d'années même si pour moi, j'y reste encore infiltrée.

Elle croisa le regard courroucé de la combattante, s'en amusa par principe mais ne chercha pas à en jouer mais bien plutôt à temporiser la colère sous-jacente de Beth. Il n'était pas judicieux de vouloir en rajouter, O'Neill était prête à exploser au risque qu'elle envoyât tout valdinguer. Si elle désertait maintenant son rôle et quittait sa place, c'était tout le processus de la pérennité de la quête poursuivie qui serait remis en cause. Impensable ! Beth était trop précieuse pour qu'un quelconque évènement l'évinçât.

Elle reprit de son ton badin :

– Je détiens beaucoup d'éléments que tu ne connais pas car les sachant, tu te serais trop exposée et mise en danger à te sentir obligée de les résoudre absolument. Toshiaki a très bien percé ton caractère, ta volonté inébranlable et ton énergie débordante. Sache qu'il a toujours voulu te protéger, tout comme Lucie ou Philip…

Une lame glaciale filait son tranchant entre les deux femmes.

– En effet, tu as l'air très informée de pas mal de choses… ronchonna encore la valeureuse rousse.

Beth était profondément meurtrie, au plus intime d'elle-même. Cette fille possédait des infos primordiales qu'elle apparemment n'avait pas. Inconcevable ! Elle n'appréciait pas non plus de voir s'ajouter des pièces au sein de leur groupuscule dissident même si Maître Yashido devait savoir ce qu'il faisait et estimait sans doute essentielle l'affiliation de l'informaticienne dans leurs rangs. Autre chose la gênait plus que tout : elle avait pour habitude d'opérer en solo, sans partager ses stratégies radicales, ses moyens d'action, sans discuter des heures sur la meilleure décision à prendre… une équipière représentait une charge à gérer, un danger à prévenir, une surveillance de tous les instants. Elle n'aimait pas le baby-sitting. Elle s'infléchit cependant, pour la quête.

Beth obliqua pour faire front et face à cette Amy Doherty qui l'exaspérait déjà passablement. Sans ciller, d'une voix ferme et sans alternative elle balança ses conditions de coopération.

– Bref, si nous devons bosser ensemble, tu te plies à quelques règles incontournables que je vais te transmettre maintenant. Tu y adhères sans biaiser d'aucune façon sinon on décroche et chacune reprend son chemin de son côté. Par ailleurs, dans notre binôme, si on reste attaché aux strictes compétences de chacune, pour que ça fonctionne, tu es la tête et moi, le corps. Je nous protège pendant que tu bidouilles tes ordinateurs.

– Ça me convient tout à fait, railla encore Doherty. De plus, toutes les infos dont nous aurons besoin nous seront communiquées de façon parcellaire. Ce n'est qu'à toutes les deux que nous détiendrons l'ensemble indispensable à pouvoir mener à bien cette entreprise.

Puis, elle prit un petit air encore un peu plus provocateur et rebelle afin d'ajouter :

– Pour les règles, je t'écoute…

La fille était sympathique, pas bégueule et franche du collier. En outre, elle avait visiblement conscience de l'importance de la quête et ses dangers. Ses capacités hors normes leur permettraient certainement une bonne complémentarité. Sans doute pourraient-elles bien s'entendre finalement… surtout si elle abandonnait cet irritable côté sarcastique.

– Règle n°1…

70

Clinique du Parc, Vincennes (France)
Tampa, Holmès Beach (Fl), Golden Beach (Or)

Depuis l'avènement, ces trois dernières années, du dénommé François Levallois à la présidence du groupe des « Sumériennes Antiques », les actions allaient bon train, sans laisser beaucoup de place au hasard et surtout traces du passé. L'approche du terme de la Grande Prophétie ne ralentissait en rien cette macabre tendance, bien au contraire. Les exécutions étaient devenues légions, même au sein de l'organisation où chacun se posait mille questions sur son positionnement exact ainsi que la réalité de son utilité dans le groupuscule. L'inutilité et les rôles par trop subalternes, hors du but bien ciblé, étaient condamnables... de mort !

Devant l'écran de son ordinateur, le sénateur Robert W. Harris était envoûté. Le site professionnel de Jacques Prieur était devenu en quelques heures l'appartenance d'un certain Professeur Randy Mac Nollaghan dont le pedigree impressionnant s'apparentait à s'y méprendre à celui de son propriétaire originel. Le politicien dut convenir que la faction des « Rousses » s'appuyait sur un réseau aux ramifications d'une efficience redoutable car les publications mêmes de Jacques Prieur avaient été rééditées sous le sobriquet du nouveau Porteur de l'Anneau. Levallois gérait ses troupes d'une admirable main de maître, bien loin des cafouillages d'antan, aux antipodes aussi de l'esprit bienfaisant qui avait toujours animé les décisions du phalanstère. Le guide n'était visiblement plus le jeu de protections ancestrales mais bien celui de l'accaparement pur et simple d'un pouvoir absolu si proche à détenir, aux inclinations contemporaines des méthodes à l'obtenir, sans aucune concession. C'était de ce biais moderne qu'il devait lui-même user pour soustraire les secrets convoités et pouvoir annihiler ainsi toutes les forces opposantes à ses desseins.

En bas de page du site de Mac Nollaghan, le politicien cliqua sur le pavé «Contact». Il dactylographia un court message invitant le destinataire à ouvrir la pièce jointe à l'entête très officielle de son bureau sénatorial. Ce courrier annexe proposait au Professeur la présentation d'une conférence à Miami en Floride, dotée d'une bourse de 100.000 US$ en rémunération de la prestation plus un large bonus de plusieurs centaines de milliers de dollars pour la fondation dont le spécialiste était le président d'honneur. Là où la si maladroite Rena avait échoué avec ses mièvres sentiments de rabibochage manqué, lui était certain de réussir au levier de l'appât du gain, cette fameuse voie très contemporaine dont l'efficacité, à l'aune de la perfidie matérialiste de l'espèce humaine, n'était plus à démontrer.

À Holmes Beach, Tom Vockler était désemparé. Le trinôme ayant pour mission de surveiller et d'intervenir auprès du nouveau Porteur de l'Anneau était encore dans l'avion que déjà le logiciel espion, promptement instillé dans tous les systèmes informatiques de Mac Nollaghan, émettait une alerte. Le scientifique venait de recevoir, via son site, une invitation à présenter prochainement une conférence en Floride, assortie d'un chèque substantiel à la clef. Il dut reconnaître que le sénateur ne reculait devant rien. À peine était-il rentré dans son Oregon occidental qu'une nouvelle stratégie avait pris forme. Le politicien ne tergiversait pas non plus sur les moyens à employer pour arriver à ses fins. Un demi million de dollars !... Wolfgang Schteub lui avait appris la tentative avortée de Rena, ancienne maîtresse du chercheur. Elle avait abouti à un véritable fiasco mettant Harris dans une rage folle. Apparemment, il s'était plutôt bien ressaisi de ce désagrément.

Au fond de lui, le quinquagénaire était satisfait de l'ordre qu'il avait intimé à Willy. Son meilleur atout à Paris devait être, en ce moment même, en train de soutirer le mystérieux anneau du doigt de l'homme missionné. Un court message l'avait averti, un peu plus tôt, que Beth O'Neill avait quitté son appartement pour justement se rendre au pied de l'immeuble de l'homme convoité. La guerrière rousse faisait un sérieux ménage autour d'elle car ses sentinelles lui avaient certifié l'avoir vue balancer une jeune rouquine depuis le cinquième étage du chantier voisin. Trop tard ma belle, se dit-il, Willy devait déjà s'être approprié l'anneau. Cependant, face au périlleux danger que représentait cet électron libre, Tom n'avait pas hésité longtemps et, sans consulter ses complices, avait émis l'exclusive priorité à récupérer l'anneau coûte que coûte, avec ou sans vagues. Au Diable surveillance, écoutes et autres filatures ! Il fallait agir vite et cesser de tourner interminablement autour du pot. La stratégie d'observation attentiste avait fait son temps, il allait donner l'impulsion finale, sans délicatesse, au pilon... Depuis l'avertissement de ses hommes, Vockler n'avait pas reçu d'autres nouvelles de France. Il en espérait très bientôt, et des bonnes !

Dans la pénombre de son salon climatisé, il s'interrogeait face à une insidieuse alternative venue titiller sa conscience dès qu'il avait vu ses deux acolytes dans des effusions plus qu'amorales. Partagerait-il ou non cette annexion de l'Anneau ? Avait-il besoin des deux autres ? Étaient-ils vraiment indispensables ? Comment pourrait-il cependant s'emparer du coffret sans que ses complices n'en soient alarmés ?... Seul, il ne pourrait jamais ! Tant Harris que Schteub le tueraient avant même qu'il ait posé la main sur ce foutu reliquaire mais, avec l'appui de sa jeune maîtresse... Elle avait une position sur l'échiquier qui offrait de nombreuses pistes à pouvoir détenir à eux deux les secrets des grands sages sumériens. Ils pourraient ainsi devenir l'aigle à deux têtes surpuissant régnant sur un monde capitulant à leurs pieds. Voilà la solution ! Elle s'insinuait lumineuse dans le chaos ténébreux de cette quête.

Le Docteur Wolfgang Schteub n'était pas à ce qu'il faisait. En blouse chirurgicale, charlotte froncée et gants latex, il jura derrière son masque. Il était en passe de louper une chirurgie plastique qu'il avait pourtant déjà exécutée des centaines de fois. Il jeta, rageur, ses instruments dans un plateau sur le chariot roulant à proximité et fit appeler un suppléant. Avec tous les parasites de cette fichue chasse en tête, inutile d'insister, il allait faire d'irréversibles erreurs qui entacheraient la réputation irréprochable de sa clinique privée et briseraient à jamais sa brillante image sans impuretés connues.

Ce n'était pas le moment!ù L'équipe médicale autour de lui n'émit aucun mot ni ne broncha à cet élan de nervosité bien inhabituel. Elle s'astreindrait à maintenir les fonctions vitales de la patiente très fortunée dans le vert en attendant l'arrivée du remplaçant de leur patron.

Dans le sas, le chirurgien arracha les artifices de son métier, les roula en boule et les lança au sol. Il sortit avec fougue du petit cube de verre, le visage fortement barré par la contrariété. Sur son passage, personne n'osa moufter. Il restait dans son sillage des reliquats d'électricité suspendus dans l'air aseptisé.

Arrivé à son bureau, il se versa une bonne dose de Bourbon. Seul ce nectar apaiserait ses tourments ! Dans le tréfonds de sa raison, il perçut un signal d'alarme lui indiquant qu'il prenait un peu trop souvent goût à cette addiction thérapeutique. Il refoula le message bienveillant en buvant deux larges gorgées aux tons miel. La brûlure au fond de sa gorge éclaircit ses idées immédiatement. Robert partait en vrille, Rena s'éloignait indéniablement, quant à Vockler… il lui paraissait de plus en plus louche, s'aventurant dans des méandres très personnels, hors de la ligne de conduite qu'ils s'étaient jusqu'alors imposée. Tout semblait vouloir s'éparpiller au moment même où la plus importante des cohésions était indispensable. Fallait-il craindre de cet auxiliaire une dérive égocentrique, quelque « cavalier seul » ? Il resterait vigilant à faire surveiller ce filou en lequel il n'avait qu'une confiance relative. Que resterait-il au final qui ne serait pas dévasté par cette poursuite délétère ?…

Quand le Directeur Levallois fut prévenu qu'un requin avait mordu à l'hameçon, il ne tergiversa pas. Il fallait faire vite, très vite, pour qu'en face, les lignes adverses n'aient aucun temps de réaction ni de réflexion. Le premier coup de semonce, avant même que Randy Mac Nollaghan ne soit initié, avait mis en évidence que leurs opposants, pris de court, avançaient à découvert et qu'ils commettraient fatalement de graves erreurs. Rena qui ressortait du chapeau comme un lapin sort de celui du prestidigitateur ou plutôt sa blanche colombe… après toutes ces d'années. Maintenant cette invitation officielle qui tombait à pic, comme une aubaine. Ce sénateur Harris, à la carrière politique ascensionnelle fulgurante, qui était-il ? Renseignements pris, un illustre inconnu aux États-

Unis avant son entrée en politique. Ses origines ?… Une fortune colossale lui avait ouvert bien des portes pour construire sa carrière et être l'homme qu'il était aujourd'hui. Sa provenance ?… À creuser un peu plus, il s'était avéré être en étroite relation depuis des années avec le Docteur Schteub, l'alchimiste des « triplés ». Parrain aussi d'un orphelinat dans l'Oregon où de nombreux nouveaux-nés semblaient transiter depuis la Floride ! Harris et Schteub ne pouvaient être que les détenteurs du coffret dérobé par Rena qui devait graviter dans l'ombre de leur cercle même si aucune trace d'elle n'avait jamais été retrouvée avant son appel à Jacques Prieur. À l'époque, le message capté par Yves Roche alors qu'elle s'enfuyait de la clinique de Vincennes avec le coffret volé, n'était-il pas justement destiné à ce Wolfgang Schteub !…

Le poisson était ferré ! La nomination du nouveau Porteur avait pleinement rempli ses fonctions. Ils s'étaient démasqués et il n'y avait bien qu'un politicien pour croire qu'un expert de la qualité de Prieur, enfin Mac Nollaghan, pouvait être disponible pour une conférence en quelques jours alors que ses plannings étaient ficelés pour les dix-hit mois à venir. Tant pis, ils allaient arranger cela, déplacer les obligations européennes pour assurer, en Floride, les incontournables priorités américaines. Là résidait peut-être le seul et ultime moyen de récupérer le coffret à temps… avec cinq cent mille dollars de prime en récompense !

Sans hésiter, il traça les lignes qui lui vaudraient la victoire.

« Très cher Sénateur,

Nous vous remercions du grand intérêt porté à l'action que nous menons ...

Fort de ce généreux engouement vis-à-vis de notre cause, le Professeur Randy Mac Nollaghan a exceptionnellement modifié son calendrier et pourra honorer votre invitation à présenter une conférence...

Vous trouverez en pièces jointes nos coordonnées bancaires ainsi que le formulaire de promesse de don à la fondation que vous envisagez...

Nous vous confirmerons l'intervention du Professeur Randy Mac Nollaghan dès la réception et la validation de la rétribution prévue ainsi que le formulaire...

Dans l'attente des pièces sollicitées, nous vous prions de croire, Monsieur le Sénateur, en l'expression...

Le Comité de Protection... »

Le sénateur Robert W. Harris jubilait. Rien ne saurait résister au pouvoir de l'argent. Tout était question de prix, tout était « achetable ». Rena pouvait prendre sa retraite avec ses balivernes « fleur bleue ». Un demi-million de dollars de cash démontrait une efficacité tellement supérieure, incontestable.

L'Anneau serait à lui… dans moins d'une semaine !

71

Région de Schluchsee, Allemagne
Chalet de Léo Meyer

Le journaliste Léo Meyer était un personnage pour le moins atypique. La passion de son métier avait eu raison de sa vie et cette affaire l'avait particulièrement transformé en ce qu'il était devenu aujourd'hui, un être disloqué, un ours agoraphobe imbibé d'alcool à l'excès. Pour autant, il avait su garder une intelligence très vive et précise, ainsi qu'un petit cercle d'intimes, mais rien ni personne ne l'avait soustrait à la dérive éthylique dont il avait emprunté la voie fangeuse voilà trois décennies. *Longue tranche de vie !...* Plongée verticale dans un néant abyssal. *Sans retour ?...*

À l'époque du drame, personne ne l'avait cru, pas un n'avait osé adhérer à sa théorie, à son hypothèse pourtant bien étayée, sur ce que tout le monde appelait « L'horrible tragédie de la forêt ». Son apostolat qu'aucun départ de feu accidentel n'aurait pu réduire en cendres un tel édifice dans un si court laps de temps, résonnait singulièrement dans une vallée sourde et vide, réduisant son puissant leitmotiv en un pâle hurlement aphone, invertébré, dénué d'écho aux parois creuses de la bienséance obligée, volontairement lisses de toute aspérité qui dérange. Sa vision d'un complot à berner la population pour taire une vérité si monstrueuse n'était pas plus relayée et sa trop fertile imagination qualifiée d'excentrique. *Comment un homme, si vil et vénal soit-il, aurait pu perpétrer une telle abomination ? Impossible !...*

Valérie et Philip se taisaient, assis face à cet homme dévasté qui, peu à peu, refaisait surface. Ils écoutaient le long monologue structuré que leur dispensait Léo Meyer. La bouteille de whisky posée sur la table s'était vidée au rythme de ses évocations, bientôt remplacée par une autre, mais seul cet alcool semblait capable de lui permettre de surmonter son effroyable retour dans ce passé douloureux et n'affectait aucunement sa logique de raisonnement et sa précision du détail et des dates.

Léo était, au moment des faits, un fringant journaliste, jeune, plein d'ambition à escompter une belle carrière qui l'emporterait à n'en pas douter sur les chemins fleuris de la reconnaissance, à la tête d'un poste très convoité dans l'un des plus grands journaux nationaux. Cette affaire était celle de sa vie, le fabuleux tremplin vers les hautes sphères d'une réussite journalistique et sociale méritée, la « grande affaire » qui ne passe qu'une fois à portée de main de journaliste, le scoop révélateur d'une vérité qui fait grincer les âmes mais propulse son auteur dans le Panthéon de ceux qui ont changé la face du monde.

Bourré de talent dès l'aube de son métier, sa plume séduisait : simple, claire, nette et précise. Raffolant de son style très direct, la population conquise se précipitait sur tous ses éditos, adulant cette écriture limpide et accessible qui délivrait les éléments chocs de ses investigations ; tout ce que les autres ne se risquaient à citer. *Voyeurisme délétère sous la férule de tournures assassines.* La région sonnait au diapason de ses présomptions et indices qu'il servait sur un plateau doré, beaux fruits d'enquêtes si minutieusement conduites où le hasard n'avait sa place. Les portes s'étaient grand-ouvertes, invitations mondaines, interviews ciselées, repas fastueux, soirées clinquantes… sa voie était tracée ! Il faisait partie du gotha régional – *demain national ?* – cette faune nobiliaire aux armoiries oniriques, toujours reluisantes de l'éclat trompeur des chimériques onguents inlassablement appliqués à en donner illusion. *Esclavagisme d'une société axée sur le « Paraître » !...*

Bien avant cette mode vicieuse, véritable visionnaire de la diffraction sociétale, Léo en avait fait son credo : journaliste d'investigation choc. *Le poids des mots, ...* La masse populeuse s'effraie toujours de l'ignominie de ses contemporains mais s'en pourlèche, s'en délecte, s'en repaît, assoiffée, et en redemande sans cesse, toujours plus, à l'aune du pire. *Décadence des civilisations, paupérisation intellectuelle, dépérissement dans l'œuf du germe de l'humanité, détournement de l'origine !* Cette manne putride et nauséabonde repoussait, avec avantage et impunité, les limites ténues et serviles de la culpabilité de ce que chacun aurait pu perpétrer. L'homme détient cette faculté diabolique de pouvoir agir de façon intempestive, à contre-sens de tous sans raison apparente, de briser ce que lui-même a mis des générations à édifier. Un animal mal apprivoisé qui n'a de cesse de se construire un ego indomptable en piétinant les valeurs fondamentales de sa propre existence et de son espèce. Un nuisible avide du sang du pouvoir, rémanences de sa condition originelle de bête humaine, instinctive et chasseuse ; être sauvage et barbare savourant tout ce qu'il tente secrètement d'enfouir au plus profond de lui au nom d'une morale élastique, à se considérer comme civilisé, si socialement organisé et par conséquent tellement supérieur à la lie animale dont il est malheureusement l'exemplaire le plus toxique au paisible équilibre fragile de l'univers tout entier. L'homme le sait mais s'en défend pour continuer indéfiniment à perpétrer ses exactions « hautement profitables », sans scrupules aucuns, et jouir de ce que cette remarquable Nature a laborieusement mis des millions d'années à engendrer et à constituer. La Terre « appartient » à l'homme ainsi que l'ensemble du monde vivant y compris lui-même, au profit d'une poignée de prédateurs privilégiés, à l'exclusion de tous les autres qui pensent n'en être que locataires.

Ce n'est qu'après « L'horrible tragédie de la forêt » que Léo ne fut plus encensé. Pléthore de « journalistes », affluant de tous horizons, à la solde des fameux prédateurs privilégiés, opposait à chacun de ses éléments une position contradictoire marquée, si élégamment fourbie par moult rapports sirupeux, souvent ambigus et rédigés de la main d'experts notoirement… inconnus ! De cela, l'histoire avait fait l'impasse. *Ces journaleux ne pouvaient refuser leur part du gâteau !… la vénalité l'emportant si souvent sur la vérité.* Mais Léo Meyer avait continué à hurler haut et fort la malversation de cette horde de vautours malfaisants dont l'avancement perfide prévalait largement sur la légitimité de l'information. Son rédacteur en chef fut aimablement convié à prendre quelques distances, désapprouver son *poulain*, se détourner de la théorie de son *joyau brut* pour adhérer à celle, beaucoup plus en adéquation avec l'attente du grand public manipulé et donc lucrative – *il fallait vendre du papier, bon sang ! et cette formidable affaire sordide tombait à pic* – formulée par cette kyrielle d'habiles profanateurs du tombeau d'une vérité morte avant de naître. Ces nécrophages sévissaient en martelant énergiquement une version anastatique des faits, dictée depuis l'ombre et corrélée à ce qu'attendaient les autorités, ce qu'exigeaient les prédateurs privilégiés, ce qu'imposait le très honorable et influent Docteur Schteub, généticien de renom. L'affaire de « L'horrible tragédie de la forêt » fut ainsi pliée pour se reformuler en celle du « Fou de la forêt », celle de ce journaliste mythomaniaque qui ne voyait que mal s'insinuer partout, derrière chaque personnage, entre les lignes de tout compte-rendu. Ainsi, la toute belle renommée naissante de l'homme fut réduite à un désert professionnel, à des portes refermées, à un isolement poussant à l'addiction, au placard. En quelques semaines, il avait tout perdu ! Les gens se défendaient de lui, le repoussaient de leur chemin. Il était devenu paria, pestiféré, le fou aux élucubrations douteuses et contestées, l'homme qu'il ne fallait surtout pas croiser ou posséder dans son cercle d'amis, celui qui, trop près de vous, aurait ruiné votre carrière par l'ombre de sa simple présence. Tous le fuyaient, s'en détournaient. Il fut très rapidement remercié par le directeur du journal local, – *« C'est avec un profond regret que nous nous voyons contraints de nous séparer de votre fructueuse collaboration mais, en regard de la délicate conjoncture actuelle et face aux difficultés financières qui affectent la presse régionale, nous avons obligation, par suite de restrictions budgétaires drastiques, de remercier certains collaborateurs aussi talentueux fussent-ils, ... »* – un discours bien huilé à faire admettre qu'il avait outrepassé les bornes et que sa seule présence au journal représentait une nuisance telle, en terme de ventes, qu'il n'était plus le bienvenu et ne pouvait y rester même comme simple pigiste. Meyer ramassa ses affaires, sans éclats, disparut dans la montagne d'où il continua à clamer ses vérités qui finirent par faire sourire tout le monde. Il était devenu une loque humaine, l'animal de foire de la Forêt Noire. D'aucuns en parlaient en terme peu élogieux, répondant aux visiteurs intrigués que le « Dingue de la forêt » résidait dans une cabane au milieu des bois et tirait au fusil sur quiconque s'en approchait. La vase putride de ce sabordage orchestré avait mis longtemps à retomber, temps nécessaire au journaliste déchu pour sombrer dans une solitude destructrice et perverse, une vaste décadence irrévocable, lui faisant perdre jusqu'à sa propre estime. Il avait songé maintes fois à en finir, définitivement, dans des moments d'égarements extrêmes, – *ne le faisait-il pas finalement à petit feu ?* – envisagé aussi de fuir la région bien-sûr, mais l'attrait hypnotique de ce puissant serpent venimeux qu'était cette affaire l'avait maintenu ici. Rares instants de lucidité, loin de ses violentes crises éthyliques, pendant lesquels il s'interrogeait sur ce désir de fuite. La réponse, sobre, toujours identique : fuir pour juguler, faire taire cette voix maléfique l'encourageant à s'autodétruire tant par l'alcool que par cette enquête sans fin. À chaque fois, *in extremis*, son subconscient l'avait fait réagir, en lui chuchotant que l'heure présente n'était pas celle de sa mort et qu'arriverait un temps où il démontrerait le bien fondé de ses propos. Cette heure était arrivée, là, devant lui, et faisait resurgir tout son passé, remettait à jour tout ce qu'il avait mis des années à enfouir, par dépit et impuissance. Cet homme, sauvé des flammes, et la femme qui l'accompagnait allaient entendre tout ce qu'il avait à dire sur le sujet, le grand déballage salvateur du passé, dans les moindres détails, les plus infimes précisions ... ceci lui apporterait certainement les éléments nécessaires à rouvrir les pages inconsciemment figées et collées de sa mémoire.

Après d'interminables heures, le journaliste proposa d'aller sur les lieux du sinistre. Le soleil déclinant derrière la cime des sapins noyait déjà le versant de la montagne des prémices du soir et incendiait les sommets crénelés. Il ne fallait pas tarder. Léo Meyer souhaitait améliorer la compréhension des mots par imprégnation des images exhalées par la peau calcinée du lugubre champ de ruines. Il espérait aussi cette vision apocalyptique porteuse de quelques souvenirs à la mémoire de l'homme perdu. Il lui devait bien cela ! Ce dernier consulta Valérie d'un regard en coin, accepta et proposa, vu l'état du journaliste, de les y conduire. Léo Meyer haussa les épaules et lança :

– Avec votre pétrolette à roulettes, vous n'iriez pas bien loin ! Je vais sortir le 4X4 !

– Mais vous m'aviez dit que..., rebondit Philip stupéfait.

– Je sais, mais il m'est beaucoup plus facile d'éconduire les curieux indésirables sur mon territoire que dans les salons chics d'un hôtel. Attendez-moi là !

Meyer entra dans son chalet, ferma soigneusement la baie vitrée à clef et ressortit par l'arrière. Un rugissement emplit la clairière, puis apparut un imposant *Land Rover* d'un autre âge, verdâtre et bosselé. Léo entrouvrit la glace de côté et les héla, souriant pour la première fois.

– Montez avant que cette vieille guimbarde ne cale.

Il était comme un enfant au guidon de son vélo, au sommet d'un terrain vague, sachant qu'il allait braver tous les dangers d'une course folle. Philip, perplexe, proposa :

– Vous ne voulez vraiment pas que je…

– Ne vous inquiétez pas ! Je connais cette montagne comme ma poche et je ne suis pas sûr que mon carrosse accepte une autre main que la mienne. C'est un engin formidable mais capricieux.

Valérie et Philip s'installèrent sur la banquette aux côtés du conducteur. *Parviendraient-ils à bon port sans finir leur course dans un fossé ou contre un arbre ?* À peine assis, le 4X4 fila à vive allure et dévala le champ en direction de la forêt, claquant la portière restée entrouverte sur la cuisse de Valérie. L'aventure s'annonçait hautement périlleuse. Quand le puissant *Land* arriva en lisière des premiers sapins, les passagers se demandèrent où il allait bien pouvoir se frayer un passage dans cet enchevêtrement de feuillages. Sans ralentir, Léo poussa même un peu les gaz, le véhicule tressauta violemment sur un talus masqué d'arbustes. Alors que les roues reprenaient contact au sol, Valérie et Philip se surprirent de constater qu'un chemin, certes mal dessiné et pris de végétation, semblait traverser le massif résineux. Ils s'accrochèrent comme ils purent, persuadés que le trajet recèlerait bien d'autres surprises… chaotiques. Léo, malgré son ivresse, conduisait avec dextérité, réflexes affûtés. Il évitait au mieux roches affleurantes, branches brisées et autres obstacles du sentier. Il virait au gré de dangers et pièges que lui seul connaissait, poussant les rapports, rétrogradant dans un bruit infernal de pignons grinçants. Soudain, sans avertissement aucun, il pila. Un tronc monumental barrait toute progression. Sans se départir de son exaltation d'enfant, il descendit, fouilla l'arrière du véhicule. De l'imbroglio, il soutira une tronçonneuse, découpa l'arbre en tronçons et le treuil fit le reste. Leur périple reprit aussitôt dans le fouillis végétal. Ils mirent plus d'une vingtaine de minutes pour atteindre le site carbonisé de l'orphelinat, évitant toutes les embûches et se jouant de ce que la nature avait su reconstruire avec patience pour leur en rendre l'accès impossible. Dès qu'ils surplombèrent la clairière froide, à plusieurs dizaines de mètres du monticule effrayant de ce qu'avait été l'immense bâtisse, Léo stoppa, laissant tourner le moteur au ralenti. Les passagers prirent alors pleinement conscience de toute l'ampleur du drame qui s'y était déroulé. Cette vision élargie de l'ensemble du désastre semblait irréelle, plus le moindre pan de mur ne tenait debout, le sol était jonché d'un méli-mélo enchevêtré dans lequel la végétation tentait de reprendre ses droits. Il était raisonnable de se demander comment, en effet, un enfant avait pu survivre à un tel cataclysme.

Philip resta muet, les yeux bordés de larmes, son corps entier ressentait l'insupportable brûlure du brasier. Il se surprit à caresser son avant-bras gauche couvert d'une peau si différente et qui, maintenant il savait pourquoi, avait mis si longtemps à guérir. La reconstruction des autres zones moindrement touchées s'était faite naturellement. Son bras avait nécessité une greffe de peau et en était resté presque insensible, des chairs quasi mortes en-dessous d'une membrane devenue étrangère. *Réminiscences.*

Alors les images et sensations se mirent à sourdre par afflux intermittents, d'abord drapées des voiles opalescents de la pudeur puis beaucoup plus nettes, ciselées, crues, dramatiquement vraies, douloureusement vivantes, dans une clarté nue. Sa mémoire subitement reprit pied, se reconnecta à ce passé lointain et déroula la longue pellicule reconditionnée de ce qu'il avait enduré près de trente ans auparavant. Au début « film muet », soudain la bande son dispensa sa rugueuse portée inharmonique, accords dissonants, sons discordants, pire encore que les images. Dans son crâne, le tumulte des explosions, le vacarme de l'expansion du brasier puis les hurlements d'enfants pris dans l'enfer des flammes, les cris, les plaintes, le grésillement de sa propre peau sous l'effet de la chaleur ambiante et cette fournaise grondante qui ne s'apaisait pas. Lui revinrent aussi les bruits du choc lourd et sourd des corps tombant sur la terrasse de pierre, chute de près de huit mètres, l'éclatement des os et des crânes fracassés, la voix de cette douleur envahissant toute la vallée et ramenant son écho morbide en boomerang. Alors s'ajouta l'ignoble réalité olfactive, l'exhalaison sure des corps se consumant, des chairs fondant sous l'action de la brûlante gueule rougeoyante crachant ses viles torches gazeuses et enflammées d'une agonie irrémédiable. Des larmes acides roulèrent sur ses joues quand apparut subrepticement l'ombre d'une femme rousse, l'arrachant au calvaire de l'incendie, puis courant l'emporter le long d'une haie jusque dans les sous-bois. La mémoire parfois nécessite un choc pour raviver des souvenirs effacés, enfouis si loin que le conscient n'envisage pas un seul instant qu'ils aient pu être réels. Une défense instinctive occulte pour apaiser l'âme et reconstruire l'existence sur d'autres événements, plus légers qu'un vaste tapis de cendres, plus corrélés avec une certaine logique fondamentale. Philip venait de passer toute sa vie sans l'idée de ce qui s'étalait sous son regard, sans que son cerveau, à aucun moment, n'y fît référence ou allusion. Pour la première fois depuis longtemps, un jalon de son existence s'était planté douloureusement au tréfonds de sa chair et de son esprit, une bribe de sa prime jeunesse prenait forme. Ses premiers souvenirs réels abondaient dans sa tête, lui infligeant d'insupportables rémanences qu'il se devait de percevoir et d'ingurgiter. Il se tourna vers Valérie, impassible et blême, puis vers Léo qui, une fois de plus, recevait ce charnier incendiaire en plein cœur, et dit dans un souffle :

– Descendons avant que mon instinct ne m'oblige à fuir !

Le 4X4 descendit vers les décombres incendiés d'où n'émanait qu'une impression palpable de mort. Ils en firent un tour rapide sans que cela ne leur apporte beaucoup plus que ce qu'avait généré leur première impression depuis l'orée de la forêt. Philip Carlson faisait de grands efforts pour tenter de rester en ce lieu qui avait transformé sa vie puis, n'y tenant plus, d'un ton péremptoire qui n'appelait guère l'alternative, il intima à Valérie et Léo de mettre rapidement de la distance entre lui et cet endroit où régnait encore à sa poursuite le satanique oiseau de sa mort.

72

IIIe millénaire avant JC – du Pays d'Entre les Fleuves à celui des Bâtisseurs de Pyramides

Depuis des lunes, Néferhétépès et Abban arpentaient les voies poussiéreuses conduisant à travers les déserts jusqu'au pays des « Bâtisseurs de Pyramides ».

À chaque halte pour se reposer, le *Signe* établissait le campement pendant que le jeune homme partait en chasse de quoi les sustenter. Elle profitait de ce moment privilégié pour décrypter les instructions émanant du Feu Primitif qu'elle mettait en œuvre jour après jour. Akurgal lui avait laissée les poudres indispensables à en faciliter la lecture, la rendre plus compréhensible. Ainsi, durant ces quelques instants fugaces, elle interrogeait la fumée prémonitoire, entrait à besoin en relation avec le Grand Sage voire les Grands Seigneurs quand trop de doutes s'immisçaient dans les visions révélées. Elle appréciait ce contact préservé avec celui dont elle avait tiré l'essence de toutes ses connaissances. Elle le savait aussi assidûment accroché à ce que le Feu pouvait lui enseigner de leurs investigations en ces si lointaines terres étrangères. Sa présence évanescente enlaçant leurs pérégrinations la rassurait, la confortait dans ses choix et ses options.

Un soir, Abban, revenant au bivouac gibecière garnie, trouva sa compagne de route très perturbée, les yeux saturés de larmes. Point de marmite sur le feu, les brandons en avaient été dispersés avec fureur. *Que se passait-il ?* Les nuits glaciales en ces terres torrides le jour n'offraient guère loisir à se dispenser de la flamme réconfortante à réchauffer les organismes épuisés et repousser au loin les bêtes sauvages. *Que s'était-il donc passé en son absence ?*

Qui avait croisé leur route pour mettre ainsi leur camp à sac ?... Une fois calmée par sa présence, elle lui expliqua alors dans son langage encore très limité qu'elle avait vu Igibar le Voyageur, le Grand Sage Itinérant, la supplier de lui venir en aide et le rejoindre au plus vite. Il semblait blessé, adossé au tronc d'un arbre mort, une silhouette noire dans l'incendie du soir, trois dunes irisées en arrière-plan.

– Comment veux-tu que nous le retrouvions dans l'immensité de ces déserts inconnus ? avait questionné alors Abban.

Néferhétépès fit comprendre par ses signes qu'ils trouveraient, qu'elle savait où chercher, que « l'Étoile » d'Igibar les orienterait. *Était-il possible de refuser face à une telle insistance ?*

Ils marchèrent six jours pleins, sans s'arrêter ou presque. La jeune femme paraissait envoûtée, possédée par un guide onirique qui la faisait prendre à droite, bifurquer à gauche, contourner telle dune... Point de nuit, point de repos. Les seules courtes pauses qu'ils s'autorisèrent l'étaient à mastiquer quelques fruits secs puisés au fond de leurs besaces, boire de petites gorgées d'une eau tiède et croupie puis s'écrouler fourbus l'un contre l'autre pour d'infimes escales ensommeillées. Bientôt, ils repartaient tels des automates, leurs pieds traînant dans la poussière, creusant de vagues sillons que le vent farouche rebouchait aussitôt, effaçant toutes traces de leur passage. Aucun retour en arrière n'était envisageable...

À l'aube du septième jour, la jeune femme s'écroula, épuisée jusqu'à la trame d'une anatomie bien trop fragile à cette folie. Abban la prit dans ses bras et la chargea sur ses larges épaules. La tête pantelante ânonnait faiblement l'indication des voies à suivre pour tendre au terme de leur périlleux voyage puis, plus rien, le silence se fit, intrusif, arrachant des lambeaux de peur à la raison du valeureux guerrier. Abban se mit à courir dans l'étuve infinie qui l'entourait. Faisant fi de la chaleur, de la fatigue, la faim, la soif, il avançait coûte que coûte afin de pouvoir déposer celle que son cœur chérissait en secret à la lisière d'une vie qui la quittait inexorablement. L'ascension cruelle d'une imposante dune emporta ses dernières ressources. Il trébuchait, tombait à genoux, faillit même lâcher le frêle fardeau qui pesait à sa carrure comme un bloc de pierre mais tint bon, une rage de vivre infiltrait ses veines d'une potion de vitalité insoupçonnable. Une vigueur étonnante mouvait son corps brisé, une force miraculeuse emportait un pied devant l'autre, toujours plus loin, toujours plus haut. Arrivé au faîte de la montagne de silice brûlante, sa vue brouillée de sable, écorchée de soleil, tyrannisée d'épuisement, aperçut une caravane.

Bien en contrebas, au pied de ce gigantesque monticule, une sente séculaire connue des seuls peuples des déserts. Entre le sable et la roche, déambulait un équipage, dix dromadaires lourdement chargés. *Vision hallucinatoire ou bien réalité salvatrice ?* De part et d'autre de la désinvolte déambulation, une douzaine de nomades enfouis sous de longs vêtements céruléens. Le jeune sumérien puisa dans ses dernières forces et se lança sur la pente abrupte de la dune. Ses pieds s'enfonçaient profondément dans un sable fin engloutissant chacun de ses bonds. Il voulut crier, hurler même mais sa gorge desséchée n'émit qu'un râle rauque, sans puissance. Le lent convoi poursuivait inéluctablement son chemin ondoyant, sans précipitation, inaltérable. La peur et l'angoisse refoulèrent tout espoir. La serre d'un rocher accrocha la pointe de son pied et le précipita dans une chute vertigineuse. Il roulait, la peau meurtrie aux vifs grains surchauffés ; griffé, ballotté au versant de cette pyramide naturelle qui allait l'avaler… les avaler, car rien jamais ne le fit lâcher le poids mort qui lestait l'arrière de sa nuque. Lorsque leurs deux corps emmêlés s'aplatirent sur le sol damé de la sente, l'arrière-train du dernier camélidé n'était déjà plus qu'une illusion floutée par l'air tremblotant et vaporeux qui remontait du sable embrasé. Harassé, Abban s'effondra, abandonna, bien au-delà des limites endurables de son corps éreinté. Sa pensée partit, volatile, rejoindre celles des êtres aimés et délaissés là-bas, dans les contrées éloignées du croissant fertile, si loin de lui, si loin d'eux, sa Mésopotamie natale.

Haut dans le ciel pur tournoyaient des rapaces, patients mais affamés, dessinant du battement saccadé de leurs ailes sombres de larges cercles concentriques et hypnotiques. Telle fut sa dernière vision consciente. Dans la ouate de son âme anéantie, leurs cris perçants vrillaient ses tympans de moribond. Il partait retrouver celle qui n'était sans doute déjà plus, Néferhétépès étendue à ses côtés, celle qu'il aimait profondément, d'un Amour si puissant, sincère et véritable, sans jamais lui avoir avoué.

Oserait-il le faire dans l'Au-delà ?

Shu-Sin le Brave gravissait à grand peine le rude escarpement qui menait aux cimes enneigées des vastes montagnes d'Orient. Sa vision avait été claire, c'était en ces neiges éternelles que s'achevait sa route… il lui fallait faire encore un effort sur ces pics glacés pour atteindre son but final. Le *Signe* approchait sa vingt-septième année, il était plus que temps ! Depuis son départ des rives des Grands Fleuves, tant d'enseignements transmis à l'âme de cette civilisation orientale, tant de savoirs partagés aussi, tant d'années passées, pourtant, tout cela semblait hier… Son pied ripa sur une plaque verglacée, il se rattrapa, reprit son équilibre. Sa respiration était courte, difficile, comme si l'air, si haut, si proche des Grands Seigneurs, devenait rare, se méritait à leur imminence. Dépassant le surplomb du glacier, sur un devers faiblement incliné, l'aiguille triangulaire d'un rocher émergeait étrangement de cette mer de glace. Le terme de sa Voie se manifestait, fin de son apprentissage sur cette terre d'en-bas.

Satisfait, il s'assit sur le doux replat tout à côté de l'émergence rocheuse et admira la formidable perspective offerte à sa vision. Les Grands Seigneurs étaient de talentueux artistes que le regard profane des humains ne savait plus apprécier. Leurs œuvres étaient si grandes, si belles, si parfaites ! La vaste chaîne acérée paraissait vouloir gagner les cieux – peut-être existait-il une passerelle tout là-haut ? – et étalait son immensité jusqu'aux confins du visible. Shu-Sin eut une brève pensée pour ses confrères, vivants et morts, à leur transmettre ce que tout son être assimilait en cet instant. Il sourit au clin d'œil que venait de lui envoyer Akurgal le Grand depuis leurs contrées natales. Une grande félicité imprégnait sa substance pendant qu'un engourdissement envahissait peu à peu son enveloppe charnelle.

Shu-Sin se releva avec difficulté, les muscles tétanisés, – ses poumons regimbaient au manque d'oxygène – et sortit de son sac le nécessaire à son grand départ. Quelques brindilles et morceaux de bois. De l'acacia des plaines de Mésopotamie… Dans un écrin de terre – argile ocre de son village – sommeillaient les braises du *Divin Feu Principiel*. Dans une encoignure, entre glace et roche, il élabora Dur-An-Ki, le lien entre la Terre et le Ciel. Au creux d'un nid d'herbes sèches, il déposa les braises sacrées, les recouvrit de fines brindilles puis de branches aux sections de plus en plus fortes. Sa poitrine usée par l'altitude, creuse et vide, n'aurait su parvenir à embraser l'amoncellement de branchages aussi, une rafale de vent vint se substituer à sa carence. Le souffle des Grands Seigneurs… *Qui d'autre ?*… E-Ur-Temen-An-Ki s'établissait avec langueur, attisée cependant par la vive brise soutenue. Lorsque la « Maison du Fondement du Ciel et de la Terre » acheva son architecture, Shu-Sin se saisit d'une fiole maintenue à la ceinture de son habit et en déversa le contenu sur la flamme, quelques gouttes d'Eau Douce de l'Océan Primordial, l'essence d'Âpsu. La fumée épaissie escalada l'air à la conquête de la Sphère Céleste, s'agrippant aux particules invisibles divinement placées. Le Grand Sage sema le brasier de poudres ancestrales, semences magiques à la renaissance du germe divin pour qu'existât E-Ur-Imin-An-Ki, la « Maison des Sept Guides du Ciel et de la Terre ». La moire des volutes irisées, épée étincelante, avait trouvé son passage entre les lourdes nues humides qui enchaperonnaient les cimes ; alors les hautes langues des flammes torrides les déchirèrent pour accéder au Zénith Infini. Face à cette véhémence ascensionnelle, Shu-Sin le Brave se demanda si depuis son village son ami Akurgal le Grand pouvait voir son fulgurant message. Il n'en douta pas.

Sous la fournaise du brasier, les glaces millénaires fondaient, s'écoulaient sur elles-mêmes dans un bouillonnement inquiétant, cherchant à rallier le cœur de feu de cette Terre. La silhouette du Grand Sage se disloqua sous ces assauts furieux, éparpillant les escarbilles de sa sagesse à retomber aux âmes des vivants pour les fertiliser. L'axe rubescent avait dû maintenant traverser toutes les écorces de la Vieille Dame pour poursuivre sa quête dans les abyssales contrées d'En-Bas afin de relier pour l'éternité le Nadir Abscons au Zénith Infini, créant la Voie de Communication utile aux sphères concomitantes, aux strates occurrentes, Fil d'Ariane de toutes les dimensions universelles.

Au point de fusion totale de toutes les particules matérielles de son existence, le Pur Esprit de Shu-Sin le Brave s'échappa de l'incandescence ardente. Il hésita un court instant puis pourfendit tous les cieux des contrées de la Terre, vira en appui sur l'épaisseur mystérieuse d'une touffeur insupportable et vint se déposer sur l'âme fragile d'une mourante pour investir son esprit profondément dérouté.

À ce même instant, dans les territoires très hostiles du Grand Occident, un vieil homme avait établi son Feu Primitif au creux des vagues d'une mer en furie. Depuis peu, il était arrivé au bout des terres, à une sorte d'éperon rocheux où s'affrontaient dans un tumulte terrifiant deux vastes masses d'eau en perpétuel conflit. De cette guerre titanesque s'esquivaient de monstrueuses déferlantes infernales tentant de déchiqueter les abrupts minéraux vertigineux défendant les terres. Les lames s'y écrasaient à mourir à leurs pieds pour mieux renaître ensuite dans un abordage rageur toujours plus féroce. Meskian-Gasher l'Érudit avait choisi un frêle esquif pour défier les démons aquatiques. L'idée même de ce duel antagoniste lui avait plu à parfaire l'aboutissement de son chemin. La Terre l'avait supporté, il était temps pour lui d'apprivoiser les flux et reflux des Grandes Larmes, si puissantes.

Sur le bois gorgé de son radeau, attaché aux troncs en formant la coque, il sortit de son sac le nécessaire à son ultime voyage.

La colonne jaillissante produite par son *Feu Primitif* fut une virulente trombe liquide qui franchit les éthers à la rencontre du Zénith Infini, sans que rien ne pût la détourner.

Sous les braises purpurines, un abîme sans fond se créa, perçant les surfaces troubles et les profondeurs ténébreuses avides à éteindre le cœur vital de cette Terre. Certain que sa colonne avait perforé toutes les écorces de la Vieille Dame pour retrouver le Nadir Abscons, le Grand Sage plongea dans les tourbillons marins. Le passage entre les dimensions était ouvert.

Quand les dernières écailles de sa vie terrestre se diluèrent dans l'essence tourmentée des océans, à être bues par les âmes errantes des vivants pour les désaltérer de leurs maux, son Pur Esprit émergea des crêtes écumeuses. Il les survola vélocement puis s'éleva au-dessus de la dentelle, vira en appui sur l'épaisseur mystérieuse d'une touffeur insupportable et vint se déposer sur l'âme fragile d'une mourante pour investir son esprit profondément dérouté.

Sous des toiles de lin tendues entre des piquets de bois, l'ombre était suffocante, sans le moindre souffle d'air. Blotti dans un ersatz de tombeau creusé à même le sable pour en soutirer un peu de fraîcheur bienfaitrice, Abban remua faiblement. Une vieille femme à ses côtés inséra entre ses lèvres craquelées une écuelle remplie d'une eau étonnamment fraîche. Le sumérien déglutit avec peine mais le liquide froid régénérait ses instincts, ravivait ses idées. *Le Peuple du Désert !* Ainsi avaient-ils été recueillis par les nomades de la caravane. Tout lui revint. Néferhétépès mourante, lourde à ses épaules, la course dans la dune, la chute brutale, sempiternelle, puis leurs corps éteints sur la sente des chameliers. Ensuite, plus rien, le néant, seule l'ardeur d'un soleil cruel dans la vacuité du désert.

Il interrogea :

– Néferhétépès ? La jolie femme rousse…

Face à son langage agglutinant, l'étrangère haussa ses épaules d'incompréhension en faisant une mimique perplexe puis elle sortit en marmonnant des syllabes gutturales. Abban tenta de se relever sans y parvenir. Lorsqu'il réussit enfin à s'asseoir dans son alcôve siliceuse, un homme décharné apparut sous la tente. Il ressemblait un peu à Akurgal le Grand, aussi vieux, le regard aussi concentré. *Qui était-il ? Un sorcier ? Un mage... ou bien un guérisseur ?* Le sachem approcha et dans des bribes du langage d'Abban lui fit comprendre que Néferhétépès était encore vivante, très affaiblie mais vivante. Lui-même ne savait comment la guérir, il fallait seulement espérer que des forces célestes viennent à son secours.

– Je veux la voir tout de suite, fit le jeune homme regagné par une soudaine vitalité.

Le vieillard squelettique tendit une main osseuse vers un trou ménagé dans un angle des tentures, au frais.

– Elle est ici… et résiste à l'appel de la mort !

Depuis l'extérieur, de forts cris fusèrent, paniqués. Une grande agitation semblait s'être emparée du campement.

– Tempête de sable !... Tempête de sable...

Dans les tourbillons de silice cinglant leur peau, des enfants hurlaient, pleuraient, égarés dans la tourmente descendue entre les tentes. Les mères angoissées couraient en tous sens, appelaient, cherchaient. Un peu à l'écart, les animaux tiraient violemment sur leurs attaches pendant que les hommes s'échenillaient à maintenir toiles et barda en place. Une poussière fine s'infiltrait partout, par le moindre interstice, dans le plus petit espace, envahissait le plus infime orifice. Une mer de sable, véhémente, tsunami des déserts, emplissait alvéoles pulmonaires, orbites irrités, gorges asséchées, ensevelissait implacablement guitounes et chapiteaux.

Dans l'angle de la tente du jeune sumérien, l'excavation s'était emplie, le corps du *Signe* avait disparu, enfoui. Laborieusement il rampa alors et creusa avec frénésie, à s'arracher les ongles mais ses mains meurtries ne rencontrèrent...

... que le vide !

Recroquevillée à la périphérie du campement, une silhouette diaphane s'éleva. Vêtue d'un simple tissu autour des reins, son corps nu irradiait dans l'asphyxiante ténèbre. Elle bomba le torse, poitrine altière dressée à l'invasive agression et aspira avec force les particules sauvages. Les nuées s'éclaircirent, une accalmie s'installa. Puis, dans un violent cri, sa bouche recracha les millions de cristaux de roche. La nuit fondit sur le bivouac puis, le soleil reparut, disque orangé enflammant tout l'occident.

La colonne de « Terre » du *Feu Primitif* d'Igibar le Voyageur s'était égarée dans le dédale des dunes mais avait fini par retrouver son chemin, sa destination. Régénérée par le Feu de Shu-Sin, l'Eau de Meskian-Gasher, la Terre d'Igibar, Néferhétépès illuminait à nouveau l'immensité des déserts. Une virulente rafale dissipa les scories déposées et purifia sol et ciel. Lorsque le sorcier nomade s'aventura dehors, il fit un sourire au *Signe*. Ses traits étaient ceux d'Akurgal le Grand dont la colonne de l'Air venait de refermer le cycle des éléments dans l'esprit pur de la jeune femme hallucinée. Puis, le vieillard s'évapora...

Abban se précipita vers celle aimée, l'enlaça tendrement et lui chuchota ses sentiments à l'oreille…

D'entre les dunes immuables, s'estompèrent bivouac, nomades et dromadaires… à disparaître. Le jeune couple se tenait seul dans l'infinité aride, fragile germe de vie au cœur de la vaste désolation. Les deux âmes enfin réunies s'étreignirent avec passion, fières d'avoir su se retrouvées.

Au pied de trois dunes irisées, aux côtés d'un vieil arbre mort qui dressait ses vestiges obscurs dans l'incendie du couchant, ils s'aimaient, heureux et vivants, féconds. Adossé au tronc creux de l'arbre, s'alanguissaient les ossements blanchis d'un squelette… ravi !

73

Ardèche – lieu-dit « Noy »
Commune de Ste Symphorine de Mathun

Après sa rencontre fortuite et son court échange avec Antoine, l'homme qui partageait la vie de sa mère, Lucie avait perdu toute force. Ses jambes se dérobaient à chaque pas, son cerveau semblait ne plus commander rationnellement son corps. Le sexagénaire la soutint pour redescendre vers la maison. Dans la tête de la jeune femme, une foule d'interrogations encombrait son esprit noyé d'un sentiment de folle rage bien difficile à contenir. Elle n'avait qu'une envie, fuir, déguerpir au plus vite de cet endroit où Toshiaki l'avait contrainte à venir. Elle en voulait beaucoup à son Senseï. Les actualités étaient déjà assez perturbantes pour n'avoir à en recevoir et supporter de nouvelles surtout concernant ses origines.

Sa venue ici n'aurait-elle pas pu attendre ou être reportée ? Quelle importance à toutes ces simagrées, des mensonges, encore et toujours, comme à Vincennes !

Maître Yashido avait cependant très lourdement insisté pour qu'elle vienne, sans retard. *Pourquoi ?* Elle aurait préféré rester à Paris pour fêter dignement ses vingt-sept ans avec son amie Beth comme cela était programmé de longue date. Depuis des années, elles avaient convenu de célébrer cet instant ensemble, créant un espace-temps parallèle, une bulle étrangère au canevas complexe et si souvent dangereux qui jalonnait leurs existences. L'une comme l'autre ne s'étaient jamais soustraites à ce rituel festif. Ce foutu voyage en ce lieu venait de rompre cette agréable habitude et Lucie s'en désolait, d'autant plus que depuis ce trou perdu, aucun moyen d'appeler Beth. Elle se trouvait au cœur d'une zone dite blanche, sans le moindre réseau donc sans aucune communication possible, seule et isolée au milieu de nulle part. Retour difficile à l'archaïsme d'un temps révolu

Lorsqu'ils arrivèrent à la maison, les visages étaient tendus. Marie avait les yeux rougis, Angèle semblait chercher à calmer un tourment qui lui tenaillait les tripes. Fidèle à lui-même, seul Maître Yashido relevait d'un flegme imperturbable et rayonnait de l'aura de sa grande sagesse. Cette attitude finit d'agacer Lucie qui ne parvenait à recouvrer elle-même son calme.

– Je vois que tu as fait la connaissance d'Antoine, fit le vieil asiatique. Cette marche solitaire t'a-t-elle été salutaire ?

Lucie, pâle et chancelante, éluda la question mais son regard sombre fusillant l'homme attestait de sa réponse envisagée.

– Nous devons te soumettre à une épreuve, renchérit celui que rien ne semblait pouvoir infléchir.

– Pas question ! cria-t-elle. Je voudrais qu'on me fiche la paix et partir d'ici sans attendre !

L'asiatique fit une moue accompagnée d'un bref son de gorge caractéristique. Il allait lui imposer à nouveau une vision qui, si elle lui échappait encore, était impérative dans la folle quête qu'ils poursuivaient. La jeune femme céda par respect pour son Mentor et la Voie initiatique tracée. Elle écouta la suite du propos.

– Lucie, tu sais faire partie d'un processus ancestral, comme nous tous. Il t'est impossible de t'y dérober par simple contrariété. Outrepasse tes sentiments actuels, remplis ton devoir, après quoi tu seras libre de partir ou de rester pour obtenir les explications sur ce qui t'a été caché depuis tant d'années.

Certain d'avoir captivé l'attention de Lucie, il poursuivit :

– Tu es la cent-soixantième génération depuis la naissance de ce processus à devoir subir cette épreuve… et la dernière aussi !

Épuisée par l'annonce, Lucie s'effondra dans un fauteuil. La lutte était inégale. Une fois encore, elle devait s'incliner face à la logique imparable de son Maître et s'adonnerait au rituel issu de la nuit des temps. *Comment faire autrement ? Surtout maintenant !...*

Toujours très contrariée par l'accumulation des événements qui n'en finissait pas de peser à ses épaules, Lucie suivit Toshiaki Yashido et cette femme qu'il lui fallait bien admettre pour mère. Plus en avant, l'octogénaire Marie – sa grand-mère – se faufilait entre les genêts géants, disparaissant par intermittence derrière un rideau végétal de plus en plus dense. En quelques acrobatiques enjambées, ils s'étaient tous retrouvés serrés sur un petit surplomb rocailleux, le dos au vide et face à une vertigineuse muraille de roche. Tout en haut, à près d'une trentaine de mètres, courait la lande à l'assaut de la colline traversée par le chemin vicinal menant au hameau de Veyre. Très en contrebas, la végétation inextricable qu'ils venaient de franchir. Percée dans la paroi, une faille étroite, biaise mais suffisamment haute, permettait le passage d'un corps, de profil. Ils se tenaient devant l'entrée insoupçonnable d'une grotte naturelle. Marie se faufila avec précaution dans l'interstice, imitée par Angèle. Maître Yashido invita Lucie à entrer à son tour et ferma la marche. Entre les deux immenses blocs de granit, leurs pas résonnaient de façon étrange dans la noirceur du boyau. En quelques contorsions, ils débouchèrent dans une cavité sombre que l'écho de leurs murmures annonçait comme gigantesque. Le frottement de l'allumette sur son grattoir se répercuta dans l'espace, troublant. La faible lueur vacilla avant d'enflammer un brandon de résine. Torche en main, Angèle fit le tour de la salle pour en allumer d'autres accrochées à la roche par un anneau de fer. Le lieu prit peu à peu son apparence, sous le regard ébahi de Lucie. Les douze flambeaux équitablement répartis au pourtour de l'enceinte circulaire dispensaient maintenant assez de clarté pour pouvoir décrypter l'endroit. D'un diamètre important, la caverne était très singulièrement agencée. Aucun doute possible, il s'agissait là de l'ordonnancement d'un Temple, assez similaire d'ailleurs à celui créé dans la cave voûtée de la clinique à Vincennes. Son regard porta vers l'Orient figuratif. Sur trois pierres cylindriques sculptées était posée, en équilibre, une gigantesque dalle à la tranche ciselée de nombreux signes hermétiques. Juste devant, protégée par une grosse grille rouillée, une gueule noire béait, plongeant dans les profondeurs de la terre ; tout au fond gargouillait un filet d'eau, à peine perceptible. Au-dessus de ce puits, dégringolant du faîte de la voûte perdu dans la pénombre, une imposante orbe minérale polie, maintenue par un triple filin. Au centre juste et parfait de l'espace, une vasque de granit entourée de cinq galets triangulaires formant une étoile. Sur l'abrupt rocheux derrière l'autel, trois orifices enténébrés laissaient présager du départ de souterrains.

Maître Yashido se pencha à l'angle non soutenu de la dalle de l'autel et souffla énergiquement dans l'anfractuosité. Bientôt des braises vives apparurent. Quand elles furent suffisamment attisées, il en transféra quelques unes dans une écuelle puis les déposa dans la vasque de granit. Deux poignées de poudres étincelantes furent harmonieusement semées sur les braises du foyer. Des volutes aux nuances mystérieuses s'élevèrent lentement vers la voûte invisible. Une coupelle d'eau prise sur la margelle du puits fut déversée et la fumée s'épaissit dans l'instant.

Pour la première fois de sa vie, Lucie assistait à la création du *Feu Primitif* dont elle avait tant entendu parler sans jamais avoir eu l'occasion de l'approcher. Elle était subjuguée par le cérémoniel engendrant la naissance de cet intermédiaire incandescent entre l'homme initié et la sphère divine.

Le vieil asiatique s'installa en position de yogi face à l'épais nuage irisé. Il sembla même à Lucie qu'il flottait, en lévitation, à quelque dizaine de centimètres du sol. Entre ses lèvres serrées, il psalmodiait les locutions métaphoriques antiques d'ouverture des passages entre les dimensions. Soudain, il pencha vivement le buste en avant et son visage disparut dans la nuée opaque. Les yeux grands ouverts, il détailla ce que le *Feu* lui indiquait. Il ne fut pas surpris par ces visions éthérées qui n'allaient pourtant pas dans le sens que tous les autres espéraient. Bien que contrariantes, elles n'étaient pour lui que la confirmation à celles nombreuses qu'il avait déjà eues antérieurement. Une singulière erreur avait été commise, de longue date, il restait à trouver moyen de la réparer et d'y apporter des solutions.

Sans un mot et aucunement affecté par l'épreuve qu'il venait de subir, Toshiaki Yashido se redressa. Il enjoignit Lucie à prendre sa place. La jeune femme s'exécuta, assise en tailleur, pieds nus sur l'intérieur des cuisses glacées. Dans son dos, Toshiaki déclama les formules cabalistiques puis, après un instant, appuya fermement aux épaules frêles de la récipiendaire dont le visage disparut dans l'émanation suffocante. Sans relâcher sa prise, il lui intima ordre d'ouvrir les yeux. Les rares images éphémères qui lui apparurent l'effrayèrent à point tel qu'elle ne put prolonger plus longtemps l'expérience. Elle voulut s'écarter vivement, l'esprit auréolé de figurations redoutables et menaçantes, mais les mains tinrent bon.

Elle gisait sur un sol de poussière, morte !... Son amie Beth emportait son propre enfant aux côtés d'une jeune fille superbe, filigranée, qu'elle ne connaissait pas. Le lieu lui était également inconnu, désertique, aride. Une chaleur écrasante et irrespirable, nimbait les reliefs d'une ruine, un amas de roches mystérieuses surmonté d'un cratère minéral énigmatique...

C'est à cet instant que Toshiaki suspendît la pression au dos de Lucie, elle rompit promptement avec la fournaise infernale, expectorant des escarbilles à s'arracher les poumons, crachant les fumerolles parasites, ses yeux débordant d'intarissables larmes. Dans sa tête, bousculée et contrariée une fois encore, une pensée lapidaire : *Quel intérêt à une telle épreuve ?*

Après avoir reprit à grand peine ses esprits, elle évoqua les bribes éparses de son hallucination altérée. Elle ne comprenait rien à cette expérience pénible ni ce qu'elle était sensée révéler. Son symbolisme même lui échappait totalement. *Quelle signification à ces quelques maudits clichés fugaces ?...* Visiblement, ce qu'elle avait péniblement décrypté dans l'épaisse fumée n'était pas ce qu'en présumaient Marie et Angèle qui affichaient une expression tourmentée. *Qu'espéraient-elles de cette épreuve ? Qu'escompter comme révélation ou vérité de cette expérience rébarbative ?*

Quant à la pensée de Maître Yashido, comment savoir…

Retirée le long de la paroi raide, Marie semblait confuse. Elle répétait sans cesse : « ce n'est pas possible, qu'ai-je fait, ce n'est pas possible… » d'une voix si brisée, entrecoupée de sanglots. En elle, une vague dolosive de culpabilité la transperça après que sa fille lui eût lancé un regard acerbe. Cette dernière avait appris, un peu plus tôt, avant le retour de Lucie et d'Antoine à la maison, la cruelle malversation fomentée par Marie à son accouchement. Impensable !… Depuis vingt-sept ans, Marie gardait en elle le plus intolérable secret qu'une mère puisse opposer à sa fille. La Voie valait-elle la peine de tels sacrifices ?… Maintenant, elle allait devoir vivre avec l'abominable sentiment fautif de s'être trompée, d'avoir commis la plus méprisable des erreurs de jugement dont les séquelles anéantissaient outrageusement tous les espoirs actuels. Sa vision prémonitoire avait été corrompue par la précipitation, le résultat fatidique, cinglant, s'étalait au grand jour. La quête n'était plus, elle venait de s'évaporer dans la fumée du *Feu Primitif.*

Sans attendre, Angèle avait fui par l'un des trois orifices qui perçaient la muraille de l'aven à l'Orient. Marie prolongeait son monologue douloureux, sa vieille carcasse secouée de soubresauts plaintifs inhérents à la conséquence irrévocable de sa faute. Lucie, pantoise et déboussolée, entendit le pas maternel décroître dans le boyau, martèlement régulier accompagné d'un long cri de rage qui bientôt s'amenuisa lui aussi. Il n'en restait que le terrifiant écho d'une douleur tellement profonde et pourtant bien réelle.

Maître Yashido, calme et serein, posa une main paternelle sur l'épaule de la jeune femme.

– Viens Lucie, rentrons…

74

Banlieue Est – 12 km de Paris
Paris, Appartement de Amy Doherty

Les deux jeunes femmes rousses abandonnèrent leur poste de surveillance lorsqu'elles virent Randy Mac Nollaghan grimper sain et sauf dans le gros S.U.V. avec chauffeur du directeur Levallois. Un court message s'ensuivit et confirma à Amy Doherty l'abandon de sa mission. Elle serait libre jusqu'à nouvel ordre, dès que le quartier retrouverait son état originel.

Un fourgon noir, en effet, venait de stationner juste devant l'immeuble et trois personnes en descendre pour faire le « grand ménage » tant dans l'appartement du professeur que sur l'aire du chantier. Amy discuta un bon moment avec les membres de l'équipe de nettoyage puis, lorsqu'ils emportèrent discrètement les corps, elle fit signe à Beth que la voie était désormais libre et sans danger pour elle.

Installés dans la Mercedes 63 AMG, deux hommes pestaient, enrageaient. Willy s'était fait avoir, il était mort, tué… au lieu de ramener l'anneau. Ils auraient mieux fait de monter tous ensemble pour arracher le joyau au doigt du porteur, sans finesse, quitte à lui trancher le doigt, ou la main. Au moins, l'auraient-ils !… ce fichu anneau ; car à ce rythme, qu'allait-il rester de leurs effectifs ? Vockler allait encore gueuler… à juste titre cette fois.

Beth s'extirpa des grilles de protection du chantier. Quand elle eut rejoint Amy, celle-ci dit sans détour :

– On va chez moi, j'ai tout le matériel nécessaire à satisfaire la demande de Maître Yashido. Tu me diras sur place ce que nous recherchons et ce qu'il attend exactement de nous.

Puis, elle ajouta, tournée vers la vitrine de jouets :

– Au fait, nous allons devoir semer les gars qui te collent aux basques, dans la Mercedes, devant le magasin… je n'ai pas envie qu'ils sachent où se trouve mon repaire.

– J'ai vu… jusqu'à maintenant ils n'étaient pas du tout ma priorité mais pourquoi ne pas nous amuser un peu si tu veux. Tu es motorisée ?

– Comme toi, fit Doherty en saisissant un casque intégral dissimulé derrière une palette.

– On va bien s'amuser alors… tu as quoi comme bécane ?

– Ducat' 959 Panigale.

– Belle machine quoique fragile et capricieuse. Moi, j'ai une Kawa ZZR 1400… On se retrouve devant la boutique ?

Les deux sauterelles chevauchant leurs bolides se rejoignirent à l'endroit indiqué. Elles avancèrent au pas jusqu'à la berline, stoppèrent au niveau du chauffeur et le saluèrent d'un petit signe de la main. Ce dernier, cellulaire à l'oreille, subissait le sermon de son interlocuteur situé aux États-Unis, sévèrement tancé. Avant que les visières fumées ne soient rabaissées, il vit dans les yeux de Beth O'Neill, défi et provocation. Le temps que le mastodonte démarre, les motos étaient déjà à plus de cent mètres, toujours sur la roue arrière, en wheeling depuis le premier coup d'accélérateur. Quand la voiture déboîta enfin de sa file de stationnement, les deux filles patientaient, faisant rugir leurs mécaniques. La calandre chromée approchait prestement, elles reprirent leur train, se calant sur les possibilités restreintes de leurs poursuivants. Il fallait sortir de l'agglomération pour pousser un tantinet les facultés de chacun. Rues, avenues puis enfin, bretelle du périphérique. Sur la voie d'accélération, les deux roues fonçaient à près de cent cinquante kilomètres par heure. La Mercedes suivait sans trop de peine. Dès qu'elles furent sur les voies multiples de l'anneau circulaire, les motardes tournèrent la poignée en coin ; 160, 180, 210 et bientôt 220 km/h, en slalomant acrobatiquement entre les véhicules qui encombraient leur passage. Derrière elles, les 585cv commençaient à s'essouffler près des limites de leurs capacités bridées. Sous leurs casques, les deux filles se voulaient joueuses, 240, 260 km/h. Dans la berline, piqué au vif, le chauffeur accéléra encore un peu puis, un grand cri emplit l'habitacle… le moteur rugissait de toute sa magnifique conception mais, le pilote, un peu trop présomptueux, venait de percuter légèrement l'aile d'une camionnette qui déboîtait pour se rabattre sur la file de droite. À 235km/h, le moindre choc ou un simple petit coup de volant était fatal. Ce fut le cas pour les poursuivants qui firent une embardée douteuse et d'interminables tonneaux qui démantelaient, à chaque nouvelle rotation, un peu plus la carrosserie qui se disloquait en lambeaux. Loin devant, les filles coupèrent les gaz pour retrouver une allure plus adaptée à la circulation dense du périphérique. Depuis leurs rétroviseurs, elles admiraient la chorégraphie osée de ce ballet moderne, aérien et mécanique, luxueux carrosse survolant l'asphalte, rebondissant en réalisant des saltos et autres figures toujours plus complexes.

Elles sortirent du périph' deux portes plus loin et s'engagèrent dans le maillage serré des rues de Paris. La capitale risquait d'être congestionnée pendant quelques heures, souffrante et ballonnée, le temps de digérer les débris de chair et métal disséminés le long de son boyau principal.

L'appartement d'Amy Doherty était coquet, spacieux et clair, agencé avec raffinement. Elles traversèrent un bel espace jour pour se diriger vers un petit dégagement qui distribuait quatre pièces dont un bureau aux dimensions considérables où elles entrèrent. Beth était scotchée. Elle pensait à son microscopique deux-pièces un peu vieillot sous les toits, parcimonieusement éclairé des seules minuscules lucarnes qui trouaient le comble.

Face à cet étonnement cruel, Amy n'en rajouta pas, disparut quelques instants pour revenir les mains chargées d'un plateau où cliquetaient les glaçons de rafraîchissements. Verres posés sur un vaste bureau, elles s'installèrent devant un véritable mur d'écrans. Certains, sous tension, déroulaient des images en continu. Sur l'un d'entre eux, Beth constata qu'il renvoyait les images de caméras savamment camouflées dans la rue, l'entrée de l'immeuble, la cage d'escalier, le palier d'entrée et chacune des pièces principales du logement. Amy sourit.

– Je n'aime pas trop me faire surprendre.

– En effet, pas beaucoup de risque que ça t'arrive.

Doherty, les traits redevenus sérieux et concentrés, se tourna vers Beth épatée.

– Bon, explique-moi de quoi il retourne…

– Voilà !… Toshiaki veut que nous retrouvions une jeune femme disparue il y a une trentaine d'années. Elle a été enlevée et faisait partie d'une naissance trigémellaire…

– Ah oui !… les fameuses « triplettes », la coupa l'informaticienne, j'en ai entendu parlé. Ton amie Lucie est l'une d'entre-elles je crois…

– En effet, fit O'Neill terriblement pincée, je l'ai appris tout récemment, quand Maître Yashido m'a confiée cette mission. La deuxième est connue de lui seul et il n'a rien voulu me dire à son sujet, il tient à la maintenir dans l'ombre.

Prononçant sa phrase, Beth épiait les réactions de sa voisine. *N'était-elle pas la fameuse deuxième ?* Le profil de la rousse assise à ses côtés n'avait pas sourcillé soit qu'elle contrôlât parfaitement ses émotions – possible – soit qu'elle n'ait rien à voir avec cette naissance multiple – possible encore.

– Quant à la troisième… énigme ! C'est celle que nous devons trouver. L'enlèvement serait le fait des hommes de main du Dr Schteub à Tampa, en Floride. L'idée est de pénétrer les systèmes informatiques du médecin pour tenter de retrouver sa trace.

– Mouais ! Toshiaki pense que Schteub serait resté proche de cette fille donc toujours en contact ou, pour le moins, qu'un octet d'elle puisse encore traîner dans la mémoire labyrinthique de son réseau informatique.

– C'est à peu près ça, conclut Beth.

– Bon, OK ! Je vais inoculer un *spyware* via sa messagerie et dès son activation, nous aurons une vue d'ensemble de ses mails. L'idéal serait d'entrer directement dans son espace personnel mais j'imagine que nous n'avons rien dessus. Je vais infiltrer son espace pro par le biais de sa clinique en Floride et avec un peu de chance, j'aurais très rapidement une connexion entre les deux boîtes.

Amy était déjà en train de pianoter fébrilement sur son clavier afin d'élaborer un courriel contenant, dans les pièces jointes, les renseignements indispensables pour établir un dossier d'admission à la clinique de Tampa ; son fameux logiciel espion. Elle se faisait passer pour une malheureuse femme dont la stérilité empêchait d'assouvir son besoin impérieux de materner, spécialité du bon Docteur Wolfgang Schteub. Le vil programme, instillé dans la zone d'accroche des documents à ouvrir, était indétectable sauf peut-être par un érudit et encore…

– Tout ça me paraît un peu simple, dit Beth d'un ton ironique, j'ai l'habitude d'élaborer des stratagèmes bien plus complexes et sophistiqués.

De fait, elle était bien plus terrorisée par les manipulations de sa coéquipière mettant toute vie privée à nue qu'étonnée par la simplicité de l'opération. Elle s'en confia à l'informaticienne qui, non sans un malin plaisir, lui répondit : « T'inquiète ! ça devrait suffire… » puis, elle argua que la surveillance via les appareils électroniques était devenue un jeu d'enfant. Ordinateur, tablette, GPS, téléphone, montre, carte bancaire, voiture même… tout objet connecté était la source incroyable d'informations, un transmetteur inouï du grand déballage de l'intime de chacun et qu'aucune protection – si perfectionnée fut-elle – n'était à même aujourd'hui de garantir la préservation totale des données. Cela faisait froid dans le dos.

– Tu perds ta carte bancaire… en deux temps trois mouvements, je craque ton code secret et vide ton compte. C'est d'une facilité enfantine contrairement à ce qu'allèguent les banques. Il en est de même pour tout autre matériel qui ingère ou transmet des infos en passant par les réseaux. Prends le CPL, le courant porteur, ton ordi est branché à une simple prise de courant et moi, je récupère tes datas en me connectant au bon endroit.

– Tu déconnes… fit Beth, blême.

– Absolument pas ! Tu veux que je rende une petite visite aux entrailles de ton PC ? la taquina Amy.

– Non, non, c'est bon ! Je te crois sur parole mais tu me fous méchamment les foies !

Amy, satisfaite d'avoir réussi à fendiller la rude carapace de sa coéquipière dont la haute réputation de glace n'était plus à faire, continua ses bidouillages informatiques en sirotant tranquillement son verre. Beth observait, interloquée.

– Voilà, c'est fait ! Il n'y a plus qu'à attendre qu'ils ouvrent le message, chargent les pièces jointes et les fassent transiter dans la boîte du toubib…

Amy était aussi enjouée que Beth était crispée. Elle tapait dans ses mains en riant aux éclats.

– C'est quoi la suite des festivités ? fit l'indocile. On se fait un petit resto ? J'ai une de ces faims…

Sur un ton glacial, la rabat-joie trancha :

– On reste ici, on attend et on observe ! Si tu as faim, tu te commandes des pizzas !…

L'autre repartit d'un rire crispant qui n'emporta pas Beth dans la félicité. Beth pesa lourdement sur le dossier de son fauteuil, les yeux rivés aux écrans, en bougonnant.

– Bon, je te laisse à ta bonne humeur, fit l'écervelée.

Elle sautillait sur place…

– Moi, je file sous la douche puis après je nous commande des pizzas. Ça te va ? rebondit l'enthousiaste.

Face au silence de la grincheuse, elle ajouta, espiègle, avant de quitter la pièce :

– Au fait, t'as une paire de charentaises bien chaudes dans le fond du placard, mamie… et un p'tit jeu de Solitaire sur la bécane de gauche si tu veux…

Une fusée traversa la pièce, dépassant le mur du son. Amy eut juste le temps d'esquiver la souris sans fil qui volait et explosa contre la porte qu'elle venait de refermer. Depuis le couloir, le rire aigrelet de Doherty égrenait ses notes aiguës qui s'éloignaient dans son insouciance totale.

Sympa mais crispante, se dit la guerrière rousse, boudeuse devant les moniteurs à surveiller.

75

Tampa & Holmès Beach, États-Unis (Floride)
Résidence secondaire du sénateur Harris,Oregon

Willy était mort ! Et ses deux frères ne valaient guère mieux. La sublime conception de l'AMG leur avait évités de perdre la vie mais peut-être aurait-il mieux valu. Ils étaient réduits en bouillie, une charpie insondable, un amas d'organes plus ou moins en place, membres dévastés, corps disloqués… « formes informes » étalées sur les lits du service réa d'un hôpital parisien. *Ces foutues rousses allaient payer... et le prix fort !* Tom Vockler tournait et retournait son cellulaire entre ses mains, il devait contacter Wolfgang dans un premier temps puis… Robert. Dire qu'à cette heure, il aurait dû être en possession de l'Anneau et démontrer ainsi sa supériorité tactique indéniable au lieu de quoi, les cadavres s'accumulaient toujours un peu plus sur les tables d'autopsie. Leurs rangs s'éclair-cissaient à une vitesse vertigineuse sans qu'en face il en fût de même. Et ce fichu Anneau n'avait toujours pas changer de camp ! Le nœud du problème n'était plus finalement les « rousses » mais « La Rousse », cette Beth O'Neill qui décimait allègrement leurs troupes à un rythme effrayant. *À raison de plusieurs têtes par jour, combien resterait-il d'hommes valides à parfaire leur mission ?* En quelques jours, depuis le ratage de l'autre nuit à récupérer le joyau, tant de soldats aguerris avaient péri sous les coups de cette furie rousse. Il fallait l'abattre sans plus attendre, sans prendre de gants ni précaution. La tirer comme un pigeon au stand de la fête foraine et décrocher le gros lot : sa mort ! Tant que cette folle traînerait dans leurs pattes, les choses partiraient à vau-l'eau. Tom Vockler en était intimement convaincu. Le souci était maintenant de la localiser. Elle n'allait certainement pas reparaître de sitôt avec cette ribambelle de macchabées dans son sillage, par contre la suivre à la trace en comptabilisant les cadavres…

Wolfgang serra les poings si fort que ses ongles laissèrent leurs stigmates dans ses paumes. Une seule combattante était en train d'anéantir les très longues années d'un travail méticuleux et difficile. Une seule fille pour mettre à mal trente-huit années de recherches et d'expérimentations. La vie ne tenait vraiment qu'à un fil bigrement ténu face au colossal travail laborieux pour la créer ! *Comme je te comprends Ô Tout Puissant ! Être Dieu n'est pas si facile.* Au téléphone, il avait sérieusement admonesté Tom pour ses derniers déboires. La réaction de Robert allait être explosive ! Quant à celle de Rena…

Dans la solitude pesante de son bureau où flottaient les fantômes de ses créations envolées, il prit la décision qu'il était plus que temps de changer de stratégie, arrêter l'hémorragie et mettre en action la plus puissante de leurs armes, la pire engeance destructive qu'ils possédaient. Ils n'étaient que deux à savoir… trois ! Lui, Robert et… Rena. Wolfgang pivota son fauteuil, fit face au PC qui sommeillait sur le plateau annexe de son bureau et ferma le courriel de cette nouvelle cliente qui voulait enfanter malgré une stérilité manifeste, encore une ! Ses doigts se mirent à courir sur le clavier avec frénésie. Pas le temps de passer à son domicile pour envoyer ce mail depuis son ordinateur encrypté. Tant pis, il l'effacerait dès sa réception confirmée.

« Ma chérie, nous avons cruellement besoin de tes services et compétences pour finaliser ce que tu sais. Ici, les choses ne se passent pas comme prévu, nos forces tombent les unes après les autres. Viens au plus vite. Je t'aime. »

Son index appuya la touche « Send » puis sa pensée erra.

La stridente sonnerie de l'interphone sectionna sa réflexion. Il éluda l'incongruité. Quand le buzzer insista et vrilla un nouvelle fois ses tympans, il répondit sèchement à l'appel de la réception.

– Quoi !… rugit-il.

– Excusez-moi de vous déranger, Monsieur le Directeur, mais j'ai en bas à l'accueil une jeune femme qui désire vous voir de toute urgence.

– Envoyez-la bouler ! grogna-t-il. Je ne suis disponible pour personne ! J'ai à faire.

– C'est qu'elle insiste cruellement Docteur, avoua la réceptionniste durement maltraitée.

– Eh bien, envoyez-la paître quand même. Je ne suis là pour personne, j'ai dit !

Une voix plus lointaine fusa dans le haut-parleur.

– Pas même pour moi…

– Albizya ? Est-ce bien toi ?… Mais que fais-tu là ? Monte vite me rejoindre.

La clef de bras relâcha son étreinte. L'hôtesse d'accueil put recouvrer douloureusement toute sa mobilité et invita la visiteuse à grimper les étages.

– Il faut parfois savoir insister un peu, railla la tortionnaire.

L'employée ne goûta pas vraiment l'humour noir de cette péronnelle hystérique. Elle lui tendit cependant sa carte d'accès pour le septième étage.

– Ascenseur jusqu'au cinquième puis…

– C'est bon, je connais, la coupa la créature en lui arrachant la carte magnétique des doigts.

La superbe silhouette s'éclipsa avec souplesse dans le dédale des couloirs. Au cinquième, les gardes éberlués virent déambuler jusqu'à eux la sublime plastique. Un désir irrépressible bouscula leur « esprit », violent. *Qui était cette bombasse qui rendait visite au Big Boss ?* La jouvencelle les snoba et passa son chemin en arborant son sésame. Elle pénétra le vestibule puis actionna l'ascenseur privé au moyen de la carte fournie. Quand les portes glissèrent deux niveaux plus haut, Susan sursauta sur sa chaise de bureau. Personne, à part le Docteur Schteub, n'arrivait par ces portes sans être annoncé. *Qui était cette étrange demoiselle au regard si effrayant ?* Elle voulut se lever mais la main de l'intruse la recolla à son siège.

– Bon… bonjour, vous désirez ?

– Docteur Wolfgang Schteub, fit l'inconnue sans relâcher sa main plaquée sur l'épaule de la secrétaire.

– Bien ! Qui dois-je annoncer ? tenta l'assistante. Je vais vous y conduire…

– Inutile ! Je connais le chemin.

La serviable Susan n'eut pas le temps d'appuyer sur le bouton d'appel de l'interphone, la fille avait déjà disparu dans le large corridor. Elle se leva d'un bond en trottinant à la poursuite de cette « sans gêne ». Quand elle fut prête à la rejoindre, celle-ci passait la porte du bureau de son patron. Elle s'attendait à de vifs éclats de voix mais rien, seul le timbre enjoué du médecin si rare à entendre. Elle risqua sa tête par le battant entrouvert. Le généticien tenait tendrement enlacée dans ses bras la charmante étrangère et l'embrassait avec une gourmandise toute déplacée. Mille questions tournoyaient. *Qui était cette « poule » ombrageuse ?* Le médecin détourna vers elle un visage tout amouraché et détendu qu'elle ne lui connaissait pas. « Tout va bien Susan… merci. Vous pouvez retourner à votre tâche », la congédia-t-il puis, revenant à son admirable invitée, il susurra mielleux.

– Albizya, ma chérie… mais quand donc es-tu arrivée ? Je viens juste de t'envoyer un mail à l'instant.

Embarrassée et blessée, la secrétaire éconduite fit demi-tour en refermant l'huis qui claqua, sans doute un peu trop fort.

– J'ai vu ! Je l'ai reçu alors que je demandais gentiment à ta réceptionniste de m'annoncer. Tu ne croyais tout de même pas que j'allais fêter mes vingt-sept ans dans ce trou à rats de Pueblo Casàl ! L'hacienda de Grand'Pa Sam' est superbement confortable mais je me sens un peu seule là-bas maintenant qu'il est parti.

– Je sais ma chérie, fit le médecin avec du trémolo dans la voix au souvenir de son père disparu. Tu as eu une excellente idée de venir…

Moins d'une heure plus tard, le couple dépareillé dépassa la banque d'accueil de Susan. Le médecin la prévint de son absence.

– Je sors déjeuner avec ma fille.

– Ne serait-ce pas plutôt votre jeune « nièce » comme on dit habituellement, Docteur ? fit une Susan pincée et acrimonieuse, le coquelicot monté aux joues de sa hardiesse incongrue.

Le souvenir lointain qu'elle avait de la fille de son employeur remontait à une dizaine d'années. Déambulait alors dans la clinique une angélique adolescente à la crinière léonine flamboyante et ondulante, souriante bien que possédant un regard de glace d'un vert pénétrant, sans aucun rapport avec cette effrayante fille aux cheveux noirs plaqués et lisses, aux muscles saillants, … seuls les yeux peut-être, l'expression saisissante de son regard polaire.

Le généticien fusilla sa subordonnée du regard. Comment a-t-elle osé ! Devant Albizya ! Qu'allait penser cette dernière de son père ? Le « Grand Docteur Wolfgang Schteub » s'encanaillait avec des jeunes femmes de l'âge de sa propre fille…

– Nous réglerons ça plus tard Susan, fit-il dans un trait de fiel.

Celle qui escortait à plaisir les soirées esseulées de son patron regretta son élan subit de jalousie. Elle allait sans doute payer cher son manque de respect mais quelle idée aussi d'emmener cette « perdrix » au bureau.

– Ai-je oublié de vous présenter ma fille Albizya, qui arrive tout juste du Chili, poursuivit le généticien.

– Kira, Papa, Kira Yamiko, pas Albizya…

– Ah oui ! Excuse-moi Kira chérie.

Derrière son plateau, la secrétaire bafouée trouvait la comédie plutôt mal jouée et avait encore une once de rancœur à déverser. Elle se tourna vers la « fille de Monsieur » et déballa un ultime verset ironique.

– Jolis prénoms, fit-elle d'un ton persifleur, peut-être avez-vous lu un peu trop de mangas étant petite, non ? Quelle en est l'origine exacte ? Cela signifie peut-être quelque chose ?…

Kira attrapa la secrétaire par le col de son chemisier, faisant sauter toute la série de boutons. Elle attira la blême figure effrayée de l'employée dépoitraillée et, à quelques centimètres du silex de son visage excédé, lui cracha :

– Tes mangas, tu peux te les carrer dans l'oignon, pétasse de petite bourgeoise de mes deux ! Kira Yamiko c'est du japonnais, trancha-t-elle. Quant à la signification de mes « jolis prénoms », sache que Kira signifie *Tueuse*, Yamiko : *Enfant des Ténèbres* et pour information, je suis bien la fille de ton boss et non une de ses grues. Estime-toi heureuse qu'un jour il ait daigné poser un œil empli d'un quelconque intérêt sur ton insignifiance…

Les flammes que lancèrent les pupilles d'un vert volcanique disloquèrent littéralement la secrétaire sur son siège, à la façon d'un jet de napalm.

– … et si tu veux goûter à mes savoirs-faire, dis-toi qu'ils sont très étroitement corrélés avec l'idée de mes « jolis » prénoms !

Susan plongea ses yeux au sol, penaude et muette. Elle venait de commettre la plus belle gaffe de sa vie. Elle rabattit maladroitement les pans de son chemisier déchiré devant sa poitrine pendant que le médecin émettait un petit rire nerveux d'où transpirait une satisfaction blessante.

– Viens Kira chérie, ça suffit !

La sauvageonne s'était déjà relancée sur sa proie, frêle gazelle sans défense entre les griffes affûtées d'une lionne particulièrement joueuse et vicieuse.

– Kira, arrête ! tempêta le toubib.

La jeune brune continuait à molester allègrement la secrétaire avec un sadisme jubilatoire. Elle avait attrapé les mèches légères qui voletaient dans son cou, échappées de son stricte chignon, et soulevait la malheureuse qui hurlait.

– Kira, j'ai dit STOP ! finit-il par crier.

Dans la seconde, la bête sanguinaire lâcha prise, à la manière d'un molosse bien dressé qui relâche la pression de ses crocs dans la chair déjà tuméfiée à l'ordre de son maître. Ils disparurent par l'ascenseur au grand soulagement de l'infortunée employée.

Lorsque le sénateur Robert Harris apprit la mort du dénommé Willy et l'état végétatif de ses deux frères, le silence fut tel dans le combiné que Tom Vockler crût la communication téléphonique coupée. Il entendit néanmoins des sons feutrés s'apparentant à des reniflements mal masqués. *Qu'avait donc Robert ? En quoi cette annonce, certes tragique, pouvait-elle le bouleverser à ce point ? Bizarre !* Le politicien se moucha bruyamment et questionna d'une voix étranglée.

– Comment est-ce possible ? Les ordres étaient catégoriques, personne n'avait à intervenir avant l'arrivée des renforts.

– Willy a pris par devers lui de ravir l'Anneau semble-t-il, mentit gaillardement Vockler, il a agi seul, initiative personnelle, malencontreuse…

– Impossible ! fit vivement le politicien puis d'ajouter, la voix brisée : j'ai bien du mal à te croire… pas Willy…

Sa phrase se finit dans un reniflement sonore.

– Satané rhume ! ajouta le sénateur secoué. Bon, je te rappelle plus tard…

Robert W. Harris se moucha à nouveau. Sa grande émotivité lui jouait encore des tours. Seul dans la pièce, il put épancher son affliction. Willy était de tous vraisemblablement son préféré ; surtout depuis la mort des trois *Snarck.* Tous ces jeunes gens qu'il avait fait grandir sous son aile, qu'il avait vu évoluer, s'instruire, se former. À qui il avait lui-même consacré de longues heures à leur exposer les détails de cette trame millénaire qui formait le but de leur existence… Vockler allait payer pour ses fautes… de sa vie !

Rena n'avait qu'une seule envie, être avec son amant, l'homme qu'elle aimait, l'unique être pour lequel son cœur chavirait encore. La distance et les événements balafraient leur histoire, discontinue. Cependant, ils restaient soudés, plus que jamais, et se voyaient autant que possible avec parfois l'intimité suffisante à des ébats qui, s'ils n'avaient plus la fougue de leurs jeunes années, n'en demeuraient pas moins empreints d'une réelle tendresse et de sentiments profonds, indestructibles.

Ils avaient tant fait ensemble…

Depuis qu'elle avait été avertie du décès de Willy, elle tentait en vain de joindre Wolfgang mais seule sa messagerie l'invitait à déposer quelques mots en vue d'un rappel éventuel. Elle finit par contacter la clinique. Susan, d'une voix blanche, lui indiqua que le Docteur Schteub était parti déjeuner avec « sa fille », une certaine Kira. Maintenant, le pire était à craindre. Wolfgang avait fait appel à Albizya, cette enfant « adultère » qu'il avait eu, par l'entremise de ses manipulations génétiques, avec cette rousse venue espionner l'orphelinat de Schluchsee. La meurtrissure de la mort de Willy ne suffisait donc pas qu'il faille y ajouter la pire douleur qui soit, celle de la traîtrise, de la tromperie, celle qui n'aurait jamais dû voir le jour ni même avoir lieu.

Profondément meurtrie, Rena ramassa un flacon de pilules dans l'armoire à pharmacie, se versa un grand verre d'eau et avala la cinquantaine de comprimés. Devant son dressing, elle hésita puis se décida pour un tailleur-jupe gris clair, chemisier fuchsia et talons assortis. Elle se coiffa avec grand soin, se maquilla sans exagération puis s'allongea sur le lit.

Entre ses doigts, son cellulaire. Elle finit par envoyer un message laconique : « Adieu… Je t'aimais. Rena ».

Demain, beaucoup allaient être surpris. La Une des journaux locaux et nationaux était assurée pour les quelques jours à venir : *« Une femme découverte morte dans la résidence secondaire du sénateur Robert W. Harris ! Suicide ? Meurtre ?... »*.

Un pâle sourire vengeur glissa sur ses lèvres rubis. Elle avait toujours exécré la trahison…

76

Région de Schluchsee, Allemagne
Chalet de Léo Meyer

Après leur fuite précipitée du champ de désolation qu'était l'incendie, tous trois s'enfoncèrent dans l'épaisse forêt les séparant du chalet du journaliste Léo. Quand ils parvinrent enfin en terrain dégagé, un comité d'accueil les attendait. À peine le dernier rideau de baliveaux dépassé, Valérie les avait repérés. Ils étaient six ! Une paire de trois clones, deux trios armés et prêts à faire feu dès qu'ils seraient assez proches. *On les avait donc espionnés et suivis !* Elle cria à Léo de faire demi-tour et retourner sous couvert des arbres. Le journaliste ne tergiversa pas. Dès l'ordre reçu, il donna un coup de volant tel que le *Land* faillit s'en renverser. Il reprit rudement contact au sol, entrechoquant les passagers, projetant tout dans l'habitacle. Les cibles des assaillants fuyaient alors les détonations crépitèrent, des balles fusèrent de partout. Une vint se loger dans la carrosserie, une autre fit voler en éclat une des vitres latérales. Léo virevoltait à la lisière touffue, en quête d'une ouverture qu'il savait toute proche. Le vacarme assourdissant des tirs s'atténuait quand Meyer poussa une cri d'orfraie, se tordant de douleur. Un projectile venait de lui fracasser l'omoplate. Le 4X4 fit une embardée périlleuse et manqua finir sa course contre un gros tronc. Entre l'ivresse et maintenant son épaule brisée, la conduite devenait hasardeuse, toute trajectoire correcte tenait de la gageure. Après quelques minutes, alors qu'ils dévalaient un chemin à peine visible, Léo stoppa. La souffrance était trop aiguë pour continuer ce rodéo. Il passa les commandes à Philip et s'engouffra dans le bric-à-brac à l'arrière du *Land*. Valérie sortit son arme, en vérifia le chargeur et fit monter une balle dans la chambre. Elle guettait toute apparition hostile dans son champ de vision, prête à faire feu. Carlson tentait de dompter au mieux la machine quand subitement, au milieu du chemin, un mercenaire leur barra le passage, fusil mitrailleur en mains. Philip hésita une milliseconde, jugea qu'il n'aurait pas le temps de percuter l'homme avant qu'il ne tire et pila. Le baroudeur approcha lentement, son canon toujours braqué sur eux. Non loin, ils entendaient craquer les branchages piétinés par la course rapide des autres soudards. Valérie et Philip ressentirent une peur cruelle, l'angoisse viscérale d'une mort inévitable et proche. Le tireur avait juste à appuyer sur la détente et leurs corps seraient criblés de balles, les tuant net. Valérie ne pouvait, dans sa posture, prendre le risque de ne pas faire mouche à coup sûr mais, si elle bougeait un tant soit peu, l'autre viderait tout son chargeur avant qu'elle n'ait esquissé son tir, les déchiquetant sous une pluie serrée de projectiles. Elle ferma les paupières, expira longuement pour recouvrer un peu de calme et prendre la mesure de la situation. Elle n'en eut pas le temps et fut assourdie par une déflagration concomitante à l'éclatement du pare-brise. Feu d'artifice en mille étoiles étincelantes invitant la mort. Ses oreilles souffraient horriblement mais ses yeux virent, ébahis, à travers cette myriade de cristaux, s'écrouler celui qui les tenait en joue l'instant d'avant. La mort, sollicitée, avait changé d'avis, de destinataire. La policière tourna péniblement la tête, un canon rouillé fumait, dépassant le dessus de la banquette où elle était assise avec Philip. Léo venait d'occire leur agresseur du seul coup d'une vieille pétoire qu'ils auraient pu croire hors d'usage. Pris d'un fou-rire incontrôlable, Léo expliqua qu'il maintenait toujours son tromblon à l'arrière du 4X4, pour la chasse et au cas où, plaisanta-t-il à juste titre, dans une réaction nerveuse à la dangerosité qu'ils venaient de traverser. Philip n'avait pas attendu ses explications pour faire bondir de nouveau le *Land Rover* en avant, écrasant le corps du mercenaire. Ils se ruèrent prestement dans une végétation compacte où plus aucune sente ne se dessinait. Les tirs nourris dans leur dos bientôt se turent, distancés. Léo Meyer criait des ordres directionnels dans le chambard du véhicule. Quand ils eurent enfin rejoint une route étroite au goudron mité, Philip coupa les phares, seule la lueur de la lune pour guider leur progression. Quelques kilomètres de cette folle équipée aveugle et Léo le fit tourner dans un escarpement qui escaladait la colline. Il décrivit sommairement le fonctionnement du coupleur et des vitesses courtes. L'ascension était lente, mais malgré une pente abrupte, le *Land* s'en sortait admirablement. Léo lança alors que son « tacot » était capable de grimper aux arbres, ce dont les deux autres, dans le cas présent, ne doutèrent pas. Ils traversèrent un torrent furieux, glissèrent en crabe sur la rive opposée détrempée, continuèrent leur chemin à travers un fouillis inextricable, bondissant aux arêtes de roche, cahotant aux éboulis pierreux. Il fallut encore un bon quart d'heure de ce combat du fer contre l'alliance végétale-minérale pour qu'ils débouchent sur un plateau de faible dimension au centre duquel s'élevait une grange. Philip sortit en ouvrir la large double porte puis y cacha le 4X4. Léo leur assura qu'ici, ils seraient en sécurité pour la nuit et auraient tout le temps de réfléchir au plan d'action à mettre en œuvre pour retourner à leurs vies respectives.

Murs de pierre, toiture en lauzes épaisses, la grange était le refuge inespéré au milieu de cette immensité noire. Elle les protégerait efficacement de toute intrusion durant la nuit. Quelques fenestrons permettaient de surveiller les abords, prairie exempte de tout obstacle au regard. Philip recula le lourd véhicule contre la porte, ainsi personne ne pourrait tenter une entrée intempestive et les surprendre. Le lieu était sécurisé. Léo connaissait l'endroit, la bâtisse appartenait à un ami berger qui l'utilisait l'été pendant la transhumance. *Qui d'autre aurait pu en supputer l'existence ?* Ils pouvaient être rassurés. Puis, Léo fit sortir à Valérie et Philip une multitude d'objets du caisson arrière du *Land,* le parfait nécessaire de survie pour aventurier modèle. De quoi manger, boire, se laver, dormir et surtout de quoi se soigner. Ils allumèrent deux lampes qui diffusèrent une clarté toute relative. La trousse à pharmacie contenait l'indispensable à parer aux premiers soins. Valérie se chargea de désinfecter et panser l'épaule du journaliste après y avoir extrait la balle restée coincée dans l'os. À grand renfort de rasades de whisky, Léo faisait preuve d'un courage insoupçonné, semblant insensible à une douleur qui pourtant devait être vive. Philip jeta sur le réchaud à gaz une gamelle en alu emplie d'une conserve issue de la malle miraculeuse. La policière rassemblait compresses ensanglantées et autres vestiges infirmiers. Dehors, un lourd silence de givre cristallisait la campagne, seulement troublé par de rares rafales d'un vent d'Est. Le camp de base s'organisait. Des bottes de paille pour sièges, ils s'installèrent et se préparèrent à échanger des péripéties de la journée, des liens existants entre leurs recherches respectives. Le journaliste proposa un gobelet de son nectar écossais que chacun acceptât de bonne grâce, tout avait été si mouvementé ! Puis, il attaqua :

– Maintenant que nous sommes en sûreté, j'aimerais bien quelques explications. J'accepte qu'on me tire dessus à condition de savoir pourquoi. Qui êtes-vous au juste ?…

Tour à tour, ils évoquèrent les bribes parcellaires de leurs connaissances nimbant le passé, brouillant le présent, escomptant lever la nappe de brouillard sur demain. Bonne volonté à apporter quelques lumières aux autres.

Philip allégua tout ce qu'il savait – rien ou presque – ou avait pu capter de ces derniers jours, depuis que son cerveau enregistrait à nouveau des données – bien peu en fait. Il fut question de la Mésopotamie, des sumériens, de cette quête des secrets jusqu'à son « accident » et son amnésie ; pour partir des profondeurs obscures du temps passé à rejoindre les heures actuelles supposées plus lumineuses. Le journaliste n'entendait toujours pas la relation de cela avec le champ de ruines qu'ils avaient quitté et mentionna qu'à défaut d'être un expert en civilisations antiques, il en possédait quelques notions qui n'éclairaient en rien les événements présents.

– Que vient faire l'évocation d'une des civilisations les plus avancées de son époque avec l'incendie d'un orphelinat au cœur de la Forêt Noire ?

Tant Philip que Valérie reprirent les éléments et accents de la conversation qui s'était tenue dans l'appartement de Beth O'Neill. Il fut question de la poignée d'américains à la poursuite des secrets sumériens, de leur possession du coffret et de partie des « clefs », de leurs forces stratégiques en action, ces trinômes surentraînés, identiques – *clonage ?…*

– Schteub ! coupa Meyer, Wolfgang Schteub, cette pourriture de généticien et ses expérimentations… celui-là même qui détenait « mon » orphelinat…

– … forces stratégiques dont nous venons d'essuyer une rude offensive. Deux trinômes parfaits… continuaient les deux autres.

– En effet, sur le coup je n'y ai pas prêté attention, trancha-t-il à nouveau, blanc comme un linge. Ce nuisible ensorcelle ma vie depuis trente ans pour vouloir ma mort aujourd'hui !

Il s'empara de la parole et évoqua ses soupçons très appuyés sur les expériences génétiques inquiétantes dont le médecin était l'artisan. Il avait cherché à les dénoncer avant d'être sévèrement éconduit, puis avait reçu de graves menaces et même subi quelques désagréments sur lesquels il préférait ne pas s'étendre malgré tout le temps écoulé. Son acharnement à découvrir un responsable à l'ignominie de cet incendie était alors passé pour du harcèlement.

Valérie prit le relais sur sa vision propre de tout ce foutoir. Elle voulait surtout extraire Léo du ressassement perpétuel de cet épisode tragique au risque qu'il leur pète un plomb en direct. Elle s'aventura sur l'axe de son métier, sur son enquête, le fait d'avoir croisé les cadavres d'au moins un trinôme en les personnes des « Snarck », à Paris, Rome et indirectement Miami. Elle négligea certains profils un peu trop personnels de ces derniers jours, mais relata le détail de l'auriculaire tranché à chaque cadavre, espérant que le journaliste pût avoir son idée sur ce point. Il ne broncha pas ! Elle prolongea sur la focalisation de son affaire aux abords de la société très fermée des « rousses » en restant plus qu'évasive sur les ultimes articulations qui l'avait vue aboutir au fond du lit de la principale suspecte. Elle se désengagea de ce fil empêtré de nœuds qui la liaient d'un peu trop près à Beth la meurtrière et se tourna désespérément vers Philip pour qu'il lui vînt en soutien. Ils contèrent alors l'histoire du *Signe*, l'antique *Lignée Divine* encore valide aujourd'hui, revinrent inévitablement de façon assez généraliste sur l'engagement sacerdotal de la faction des *Sumériennes Antiques* dont l'une d'elles avait sauvé Philip de l'incendie. Ils embrayèrent sur les huit stigmates attestant que Philip avait été porteur de cet *Anneau* sacré sans qu'aucun souvenir pour l'instant ne le confirme, de l'imbroglio qu'avait été sa vie, de ses changements intempestifs d'identité, de missions réalisées dont il n'avait pas même une vague idée, des manipulateurs désireux d'annihiler sa mémoire pour soit-disant le protéger et rendre l'intégralité de son passé hermétique à ceux qui pourraient le kidnapper pour lui soutirer les immenses savoirs qu'il possédait indéniablement dans son fouillis neuronal sans pour autant les connaître, se les rappeler…

– Et quand je pense qu'on a dit de moi que j'étais cinglé, fit Léo Meyer anéanti, vous me décarrez !

Carlson poursuivit sur sa priorité à renouer avec ce passé sévèrement mité, à recomposer la toile complexe de son existence dont il ne restait que cette trame surprenante et résolument éparse. Reconstruire un tissu dense dont il ne soupçonnait que le canevas d'une structure effilochée. Il savait faire totalement corps maintenant avec ce maillage inextricable ; en découvrir chaque aspect permettrait peu à peu d'en comprendre le sens profond. Sa mise en présence ou en confrontation avec quelconque événement de sa vie antérieure, comme le flash devant les cendres de sa petite enfance, ranimerait ses résurgences alanguies, établirait d'impérieuses certitudes, générerait quantité de vérités qui aboutées restructureraient sa mémoire évaporée.

– J'ai trouvé encore plus déjanté que moi ! trancha encore le journaliste effaré par ce récit foncièrement loufoque aux origines perdues dans des confins anachroniques. Heureusement l'époque s'y prête beaucoup mieux, et certains font d'ailleurs fortune avec des élucubrations aussi abracadabrantesques que celles que vous venez de me débiter…

L'histoire, si fantasque fut-elle, lui plaisait bien. Il avait envie de s'y associer, croire qu'un avènement majeur puisse transfigurer cette bonne vieille planète pervertie et suffocante ; admettre la chance aux plus miséreux d'une main tendue à leur salut ; imaginer le mea-culpa de tous les puissants mafieux face aux accusateurs hier exploités et traînés dans la boue. Tout ceci lui aurait tant plu mais il n'y voyait qu'utopie, illusion, espoir altruiste inaccessible. Une voie bien trop sinueuse et alambiquée à pouvoir accepter un lien au monde du réel, celui de l'inclination des hommes.

L'alcool fort grisait leurs raisonnements, le froid très vif engourdissait leur discernement, fatigue et relâchement floutaient leur clairvoyance. Ils étaient saouls de trop de mots et ces derniers dérivèrent inexorablement sur les grandes généralités humaines constatées, sur les vastes espérances inavouables de chacun au bien-être d'une Humanité en souffrance. La logorrhée intarissable débordait largement du lit de leur propre fleuve dont les remous les avaient engloutis. Alors tous trois refirent le monde comme seuls les esprits enivrés savent si bien le faire, calés dans la torpeur des ballots piquants de paille, engoncés dans la faible chaleur de leurs vêtements glacés. La Grande Humanité s'était édifiée, depuis des millénaires, sur les seuls rapports d'une force donnée par les armes et la fortune accumulée. L'immense puissance de si peu desservant la fragilité de tant d'autres dans des tours d'illusionnistes à faire croire le contraire. L'hypothétique aide apportée aux plus démunis, individus ou nations, comme ultime argument à conserver un bel ascendant, à masquer l'opprobre et juguler la rébellion. Laisser à la voix d'en bas, essoufflée d'effort, une portée si restreinte à ne pas effleurer le système aux rouages rutilants, mais lui permettre cette chimère d'un réel droit à s'exprimer ; tout débordement outrancier vite contenu par une intervention musclée à museler les révoltés, les exubérants. L'Homme est un animal qui a peur de lui-même, de se retrouver seul, c'est pourquoi il s'établit en meute, accepte la hiérarchie quelles qu'en soient les conditions, même les pires. Il s'est dompté en ce sens, apprivoisé en se créant des démocraties illusoires qui diffèrent tellement peu des dictatures ou au mieux des oligarchies mais laissent cette impression biaisée à pouvoir donner un avis et que cet avis compte, qu'il exprime un choix au demeurant possible. Il n'est pire chose que de se mentir à soi-même, de refuser l'évidence. S'il est vrai que nos démocraties polichinelles ne tuent ou n'enferment plus au grand jour, force est de constater l'asservissement mental des peuples dans la voie finement ciselée et tracée par les puissances gouvernantes. Les pouvoirs sont à la botte des financiers qui tirent les ficelles de la marionnette fantoche qu'est la réalité du monde d'aujourd'hui. L'exemplarité de la crise financière et économique – sanitaire - en est l'éloquence, de décennie en décennie. Des milliards réinjectés diligemment par les politiques pour assurer la continuité discutable des agissements confondants et si peu scrupuleux des acteurs financiers ! Quelle provenance à cette manne ? Celle d'états dont la dette est telle qu'aucune vie humaine ne sera suffisante pour la voir s'amenuiser de significative façon. Le monde vit sur un artifice, ses richesses n'ont pas d'existence réelle, argent virtuel. Politiques et financiers ont trouvé le juste compromis à la prolongation de leur système inique – que beaucoup sinon tous reconnaissent comme perverti par son mode de conception même – en ayant attribué valorisation à ce qui n'existe pas, à une fiction. La compréhension devient limpide alors à cet élan d'espoir de la masse qui pousse à un changement radical, à la mise en place d'un nouveau système fondamentalement différent où les valeurs de l'humain seraient prises en compte, où le seul profit ne serait plus l'unique finalité, où la conscience collective prendrait enfin soin du magnifique et généreux creuset qui nous supporte. Exit l'emprise sur les masses, fini l'avilissement matraqué au joug de dogmes dénués du moindre humanisme.

Les mots dépassaient les pensées, l'ivresse avait pris le pas sur la raison mais, au milieu de ce fatras de paroles, un fond de vérité résidait, le fondement d'une véracité perspicace malgré tout, ils en étaient tous les trois convaincus. Une étincelle animait le cœur de chacun, il suffisait de vouloir en prendre conscience.

Une forte odeur de brûlé les tira soudain de leurs réflexions. Leur repas venait d'être réduit à un amalgame carbonisé. Les échanges soutenus avaient eu raison de la surveillance et du temps qui passait inexorablement. Léo Meyer alla chercher une nouvelle conserve, une autre casserole. Cet intermède leur fit grand bien, à se dégourdir les jambes et éventer les vapeurs de whisky qui leur montaient à la tête ; il leur permit une synthèse succincte de leurs conversations.

Léo fut vite emporté par un trop plein d'alcool, il somnolait sur sa botte de paille. Lorsqu'il piqua du nez, il s'éveilla en sursaut, se leva et partit rejoindre un coin isolé pour quelques heures d'un sommeil réparateur.

Les deux autres instaurèrent des tours de garde pour surveiller les abords de leur position. Valérie resta un long moment aux côtés de Philip qui assurait le premier quart, lui distillant ses impressions sur leur aventure commune.

77

Mésopotamie, IIIe millénaire avant J.-C.
Village d'Akurgal le Grand

Lorsque les gardes pointèrent leurs lances effilées en direction du ventre exagérément rebondi de la créature, le jeune homme dont elle était flanquée, dans un ample geste circulaire, trancha les extrémités hostiles d'un seul coup de sabre précis. Avant que les trois pointes acérées n'eurent touché le sol, il s'était interposé entre eux et cette chose étrange à la peau claire et coiffée d'une épaisse chevelure orangée, si loin des standards du peuple de cette terre.

– Je peux faire la même chose avec vos trois têtes, argua le protecteur combatif.

Le trio frissonnait de tous ses membres face à cette masse imposante de muscles qui les toisait de toute sa haute stature et dont le regard était si noir d'une assurance qu'ils venaient eux-mêmes de perdre. La lame du sabre étincelait de mille feux dans la pureté diurne.

– Je suis Abban, fils de Lugalzaggesi le Sage et de Bittati la Douce, et le frère du souverain Gudea, Roi de la Grande Cité... Écartez-vous, nous venons voir le sage Akurgal le Grand, fit le combattant d'une voix déterminée qu'il n'avait pas à forcer.

Sans un mot, les soldats libérèrent le passage à ce duo effrayant. Le nom du Grand Sage était le meilleur des sésames pour éviter de longs discours.

Assis en tailleur sur une natte, Akurgal dévia son regard opalescent vers le scribe courbé sur son ouvrage et lui fit signe de surseoir à sa transcription. L'orfèvre du trait leva son calame, suspendu, comme s'il devait s'imprégner des forces qui émanaient du vieillard et s'inspirer de son éternelle sagesse légendaire. Le vieil ébouriffé sourit, une aura magnifique vint nimber sa longue silhouette voûtée et l'enveloppa d'une vaporeuse nuance radieuse.

– Les voilà ! Aide-moi donc à me relever.

Abban et Néferhétépès venaient juste de dépasser la haute porte des remparts que déjà Akurgal savait. Appuyé à l'épaule du scribe, le vieux sage traîna sa carcasse usée jusqu'à l'entrée de son zarifé. Un si profond sentiment de bonheur bousculait son cœur, indicible, et embellissait la frange de son âme ravie. Il avait à maintes reprises craint de sombrer avant de les revoir même si le *Feu Primitif* lui avait cependant confirmé ces retrouvailles.

Pouvait-il encore faire confiance à la fatigue et l'usure pour interpréter ses visions ?

À travers le brouillard épais de sa vision amblyope, une luminescence grandissait, s'épanouissait. Elle devint incandescence au moment où Néferhétépès se jeta dans l'arceau tendre de ses bras décharnés, tout contre la cage osseuse où battait encore faiblement son cœur infatigable et résolu. Une onde fantasmagorique enlaça les deux êtres qui s'étreignaient, les emplit d'une incommensurable joie, d'un amour vrai. Ils s'étaient retrouvés, enfin !... Les mains parcheminées caressaient doucement l'exubérance de ce ventre tendu, saturé d'une vie qui ne demandait qu'à éclore. Sous les paumes fragiles, l'enfant manifestait son enchantement, lové dans son écrin de bienveillance.

– Viens là, Abban, approche aussi. Que je suis heureux de pouvoir vous serrer dans mes bras…

D'étincelantes larmes cheminaient les profondes rides striant le faciès buriné du vieil homme puis elles se mêlèrent à celles, vagabondes, roulant aux joues pulpeuses et rebondies du couple ; flot intarissable d'émerveillement.

– Te voilà donc devenu aveugle, fit sobrement Abban face aux yeux lactescents d'Akurgal.

– Point nécessaires sont les yeux pour qui voit avec le Cœur, répondirent de concert le sachem et Néferhétépès qui maintenant parlait à la perfection.

Un rire intempestif emporta le groupe. Les rengaines du vieux sage avaient tracé leur route et s'étaient inscrites durablement, ancrées au plus profond des esprits de ceux qui les avaient reçues.

Akurgal congédia avec grande obligeance le rapporteur de ses narrations en le convoquant pour le surlendemain.

– Va Iblul, l'âme en paix et l'esprit tranquille, rentre retrouver ceux que tu portes en ton cœur. Verse une pensée respectueuse au détour du chemin, là où ton père a choisi d'abréger son existence plutôt que de risquer trahir. C'était un grand scribe, le meilleur sans doute, et un ami très cher… tu marches dans ses pas. Va…

Après le départ du scribe, tous trois se racontèrent ces années d'éloignement. Les itinérances du jeune couple, leurs rencontres, les enseignements reçus, donnés, puis, le rouge leur montant aux joues, l'amour découvert et partagé qui s'était savoureusement immiscé dans l'espace réduit de leurs existences si étroitement liées. Le vieux sage souriait, béat de toutes ces aventures qu'il aurait pu raconter dans d'infimes détails tant le Feu avait été précis de tous leurs déplacements mais, quel ravissement de les entendre, quel éblouissement de les savoir à ses côtés, quelle félicité de les avoir si près de lui, à les toucher, les respirer, les vivre.

Le patriarche leur conta alors le retour au village, le couronnement de Gudea après qu'il eut déposé aux pieds des dignitaires la tête tranchée d'Ousma Al-Azir. La Grande Cité n'avait eu qu'à se féliciter de cet accessit. Une très équitable répartition des richesses rétribuait le difficile labeur de chacun à sa juste valeur, avait aplani tensions et désordres pour de paisibles périodes rendant la Grande Cité plus florissante que jamais. La justice rendue était impartiale et concertée, elle tranchait les litiges sans favoritisme, en fonction des seuls faits eu égard aux notions d'une Morale qui s'installait et accompagnait, souffle pur au poumon vital de la cité, l'existence de tous. Puis, le vieux sachem obliqua ses iris opalins vers Abban et soulagea son impatience : Bittati, sa mère, était toujours de ce monde. Il la trouverait dans la hutte familiale. Le jeune homme partit sans attendre retrouver celle qui lui avait insufflé la vie.

Seuls sous la voûte de roseaux, Néferhétépès se blottit tout contre l'incarnation de sa pensée. Sans un mot, ils échangèrent tout ce que leurs esprits fusionnés avaient devoir d'échanger. Après ce long moment de silence riche d'un partage instructif, le *Signe* se redressa, les yeux plissés de malice.

– Qu'as-tu besoin des services d'un scribe ? railla la jeune femme. Tu fais écrire tes mémoires ?…

– Presque, répondit Akurgal, il trace *La Mémoire Collective*, *Celle* de notre peuple, de toute notre civilisation. Ses origines dans ce qu'elles nous ont été transmises par les générations antérieures, ses mythes et légendes, ses croyances… et toute l'évolution plus contemporaine. Peut-être cela intéressera-t-il quelqu'un un jour… et puis, le Devoir de Transmission l'impose !

La jeune femme restait fascinée par la fabuleuse énergie qui sourdait du vieillard. Rien jamais n'aurait raison de cette vitalité ! Était-il mortel ?…

Akurgal poursuivit, indiquant dicter également les circonvolutions de son existence et par-delà, celle de cette extraordinaire entité née au pied de sa hutte. Le *Feu Primitif* avait révélé que tous ces récits seraient un jour repris, transformés – à peine parfois – et annoncés comme une parole divine, la miraculeuse transmission encodée des Grands Seigneurs au besoin viscéral de recherche infinie de l'Humanité dans sa quête inaccessible de la Vérité. Des Livres naîtraient aussi, sous la plume de conteurs visionnaires, qui seraient autant de jalons à la laborieuse instruction de l'Homme, ce perpétuel insatisfait qui en décortiquerait inlassablement les signes pour tenter d'en extraire une exégèse mouvante, une interprétation changeante aux flux des scories déposées par la fuite du temps aux abords de sa voie. Ainsi contés, l'exil du *Signe,* ces quarante jours de déambulation aux déserts arides… Cette *Créature* apparentée au divin – ne l'était-Elle pas d'ailleurs ? – La traversée du Grand Fleuve aux eaux déviantes à leur libérer passage… La légende d'Atrahasis, ce Vertueux Sage sauvant toute vie du phénoménal déluge… Son arche miraculeuse… L'édification de la magistrale ziggourat de la Grande Cité, qui s'élevait jusqu'aux cieux les plus purs et mystérieux… Temple érigé, demain détruit, puis encore reconstruit par un symbolisme étonnant, volontaire, visionnaire… Et tant d'autres choses encore, incroyables et magnifiques, que le concours de l'imagination poétique d'Akurgal le Grand conjuguée à l'expertise cunéiforme d'Iblul ne pouvaient qu'en traduire les formes les plus sublimes des récits de l'Humanité.

Quand Abban revint, sa main tenant celle tremblante d'une vieille femme larmoyante de ses émotions, Néferhétépès était aux efforts de la plus merveilleuse notion portée en ce bas-monde, le miracle de la mise en Lumière d'une Vie.

De l'intimité de son fabuleux écrin roux émergeait un crâne laiteux paré de rares fils nuancés de feu. Bientôt, l'enfant gisait sur le sol recouvert d'étoffes déployées, gesticulait vigoureusement dans le plus profond des silences. Cette fois-ci, Bittati ne fut pas effrayée par cette minuscule chose étrange qui se tortillait entre les cuisses de « sa » fille. Elle approcha ses lèvres velours à l'oreille de Néferhétépès libérée de son doux fruit gorgé de vie et lui glissa avec une tendresse toute maternelle :

– Néferhétépès chérie, ta fille est un joyau superbe. Comment veux-tu nommer cette admirable enfant ?

– Bittati… souffla faiblement la jeune mère.

– Oui, je suis là ! Repose-toi mon ange, tout est fini. Ta fille est magnifique, une véritable perle lumineuse, merveilleuse. Quel nom souhaites-tu qu'elle porte ?

– Bittati… elle se nomme Bittati, fit dans un sourire radieux le *Signe*, arrachant une onde aux lagons de la grand-mère ravie.

Un violent élancement déchira soudain tout le bas-ventre de la parturiente. Soucieux, Akurgal les fit tous s'écarter du râle plaintif. Il plongea ses fines mains dans les voies naturelles dilatées puis les referma avec précaution, l'une après l'autre, anéantissant le combat furieux et délétère qui s'y déroulait, duel dévastateur entre les deux grands antagonismes de la vision binaire des hommes.

Néferhétépès en fut soulagée dans l'instant. Seule, à ses pieds ensanglantés, demeurait la Voie de la Sagesse. Le germe divin de la semence en devenir, le maillon fragile d'une chaîne millénaire à suivre ; seule demeurait celle élue formant la Lignée Divine.

Akurgal se saisit alors de l'enfant qui pleurait sans bruit, leva le petit corps dans le contre-jour, se laissa submerger par l'aura qui subitement irradia la hutte et prononça :

– Le Vice n'est que l'ombre portée à la paupière clairvoyante de la Vertu… un fard trompeur et illusoire. L'Œil éclairé et sage seul contemple, avec la compassion et l'empathie nécessaires, sans jamais juger, il constate avec discernement.

Tournant sur lui-même, il présenta l'enfant à ceux présents dans sa hutte, comme un trophée.

– Bienvenue Bittati la Sereine, fille d'Abban le Valeureux et de Néferhétépès l'Unique, bienvenue à toi.

Ensuite, il embrassa tendrement le front du nourrisson dont les yeux s'ouvrirent brusquement. La même profondeur, la même intensité que celles découvertes dans le regard vert aux contours mordorés du *Signe*, près de trois décennies plus tôt. La fusion pénétra l'âme du patriarche qui déposa l'enfant au ventre de sa mère, les lèvres à la lisière de l'apex d'un sein rond et gonflé du nectar de la vie.

78

Ardèche – lieu-dit « Noy »
Commune de Ste Symphorine de Mathun

De retour dans la salle principale où Antoine était attelé à confectionner une collation, Lucie et Maître Yashido choisirent de s'isoler. Le vieil homme l'entraîna dans une pièce contiguë emplie d'un imbroglio impressionnant de tentures diverses, écheveaux de laines colorées, tissus variés, et dont un métier à tisser investissait tout le centre de l'espace.

– Ta mère… enfin Angèle a une passion pour le tissage, c'est son atelier de création, allégua-t-il, ne voulant heurter la sensibilité de Lucie.

La jeune rousse ne rebondit pas à l'allusion. Elle était toujours cruellement tiraillée entre l'envie de partir au plus tôt – pour avoir su tant lui mentir avec autant d'aplomb – et ce besoin irrépressible d'obtenir – un peu comme Philip – des réponses claires et précises au brouillard interrogatif qui stagnait maintenant dans sa tête. Perdue dans ses pensées absconses, elle n'entendit pas Toshiaki l'inviter à s'asseoir auprès de lui, sur les banquettes qui jouxtaient l'âtre où crépitait une joyeuse flambée.

– Lucie, viens là. Nous avons à parler tous les deux, répéta-t-il avec douceur.

La jeune femme approcha et fit face à son Senseï.

– Tout d'abord, comment te sens-tu après avoir subi cette étrange expérience du Feu ?

– Bousculée, avoua-t-elle, mais je ne sais pas si c'est vraiment l'épreuve elle-même qui me perturbe à ce point ou bien l'accumulation des contrariétés assénées depuis mon arrivée ici !

L'asiatique prit tendrement sa main dans la sienne.

– Pour ta naissance, ton passé, tes origines, je ne peux te livrer les réponses que tu cherches. Pas moi ! Par contre, sache que je serais toujours présent à t'apporter tout le réconfort pouvant t'être nécessaire à ce sujet quand tu les auras obtenues.

Lucie pu lire dans les yeux de son interlocuteur une sincérité non feinte, un appui infaillible.

– Ce dont je dois t'instruire concerne en fait la voie jalonnée par nos ancêtres…

– Faut-il que je reste asservie à cette maudite quête ? trancha abruptement la jeune femme désireuse que tout cela cesse. Elle détruit tout autour d'elle ! Réduit la vérité en nœud de mensonges vipérins, transforme le plus pur en vulgaire, anéantie le meilleur en malsain.

Ses yeux lançaient des éclairs, des fulgurances acrimonieuses, une profonde rancœur sourde avait envahi sa pensée pour toutes ces années perdues, volées, ces destins tronqués, ces vies spoliées.

– As-tu réellement d'autre choix ? asséna son mentor.

– Oui, j'avais le choix de faire la fête avec Beth, fit-elle sur le même ton cinglant, de me vider enfin la tête de tous ces méandres sordides et filandreux durant quelques heures au lieu de quoi, je me retrouve ici à me faire matraquer de révélations sous-entendues qui chamboulent totalement ma vie ! Voilà donc un autre choix qui s'offrait à moi… celui paisible de la Vie Bonne !

Excédée, son visage tortillé était ravagé de pleurs silencieux qui inondaient ses joues. Elle était à bout de nerfs, de ce qui lui était raisonnablement admissible et supportable.

– Je comprends… murmura le sage.

Il tourna son visage à la flamme, laissa la puissance du silence s'infiltrer entre eux pour que Lucie s'apaise et redevienne réceptive à la suite à venir. Après un long moment contemplatif, il réengagea la conversation.

– Tu avais, il est vrai, programmé de fêter tes vingt-sept ans avec Beth. Sans doute est-il regrettable que tu n'aies pu partager cet agréable moment avec ton amie, mais sache que c'est au cours de leur vingt-huitième année que celles appartenant à la Lignée Divine subissent l'incontournable épreuve du Feu. Ta mère avant toi, Marie avant elle.

– Ce qui sous-entendrait que…

Elle ne put finir sa phrase tant l'émotion l'étreignait.

– En effet, cela pourrait signifier que…

Lucie releva son regard mouillé et le planta dans celui du vieil asiatique.

– Et comment se pourrait-il ? J'ai l'impression de n'être qu'une partie de moi-même !

Après un court instant de réflexion, elle reprit :

– Celle appartenant à la Lignée Divine n'est-elle pas sensée représenter l'Unité, le Tout ? En ce cas, comment pourrais-je être celle-la ? Tant de doutes assaillent mon esprit, tant de questions harcèlent mon discernement… et comme je viens de te le dire, je crains manquer cruellement des compléments de moi-même. Des pans entiers me restent inconnus, introuvables, comme si j'étais divisée, séparée, éparpillée. Et puis, qu'ai-je finalement vu dans cette insupportable fumée, une succession d'images incohérentes, floues, incompréhensibles, tronquées, voilées et desquelles aucun sens n'apparaît véritablement.

– Ta mère appartient à la Lignée Divine, insista l'asiatique, c'est une chose avérée. Sa mère aussi. Donc étant la fille d'Angèle, comment veux-tu qu'il en soit autrement !

– Il y a fatalement erreur sur la personne ! Suis-je vraiment la fille d'Angèle ? Se pourrait-il qu'une confusion soit intervenue à la maternité ?

– Seule ta mère a accouché ce jour-là, mentit le vieil homme.

Il désirait que la jeune femme restât pleinement maîtresse de ses moyens pour que la poursuite de la quête se fît sans accrocs. Toshiaki tentait d'amener doucement Lucie à accepter l'évidence, elle était la descendante logique de la Lignée Divine. Pouvait-il faire autrement ! La préservation tant mentale que physique de la jeune rousse en dépendait. Et puis, dans ce que le Feu lui avait révélé à maintes reprises, Lucie n'était-elle pas toujours présente ?

– Admettons ! fit Lucie perplexe.

– Oui, admets l'évidence en effet, c'est la plus sage des résolutions. Le Feu Primitif ne trompe jamais celui ou celle capable de le lire, ce depuis des millénaires. N'as-tu donc pas eu de visions dans cette fumée ? Si incompréhensibles pour toi ont-elles été, elles ont cependant le mérite d'être apparues.

– Explique-moi alors ce que j'y aie aperçu ! Ma mort, Beth à mes côtés avec mon enfant, emporté, et cette autre jeune femme rousse, inconnue…

– Sois patiente, nous y reviendrons bientôt et je te donnerai bien d'autres explications encore…

Au premier étage de la demeure, enfermée dans sa chambre à coucher, Marie essayait de reprendre corps et esprit avec la réalité. L'octogénaire s'était laissée submerger par les visions de Lucie qui n'abondaient pas dans le sens attendu. Pour autant, Lucie avait vu Elle-même, comme tous les autres, devaient se raccrocher à ce que la Voie plaçait sur le *Chemin des Destinées*, sous leurs yeux, sans chercher à nier l'évidence, sans vouloir corréler la suggestion humaine pragmatique à l'inexplicable don divin. Lucie ne pouvait être que l'Élue, celle choisie par la Voie, se rassura-t-elle, n'était-elle pas là, présente, à subir l'épreuve du Feu !… Qui d'autre ?…

Sa pensée torturée l'obligea néanmoins à replonger dans ce passé douloureux, au cœur des événements cruels qui l'avaient conduite à arranger la vérité, possiblement à dévier le *Chemin des Destinées*, bien inconsciemment certes mais peut-être de façon irréversible. Elle avait pourtant cru faire ce qu'il fallait !… Tout cela remontait à si loin, à tant d'années…

Angèle venait de sauver cet enfant des flammes de l'enfer. Il était celui de la Quête, celui qui ne devait pas mourir. Il était l'Élu, le dernier Porteur de l'Anneau avant la révélation de la *Grande Prophétie*. L'Être sans identité, anonyme, qui avait tant changé de nom qu'il n'en portait aucun, ineffable. HN 612Z-2 tatoué sur sa hanche, ensuite Karl pour l'humaniser, vite devenu Charles, puis Wesley Snarck lorsqu'il était Porteur pour démasquer la taupe dans les rangs de la société – cette maudite Rena – enfin Philip Carlson aujourd'hui… et demain ? Elle savait ! La certitude s'était imposée, par le *Feu*. Peut-être la seule chose finalement sur laquelle elle ne s'était pas trompée… car tout le reste n'avait été que catastrophes, jugements erronés, interprétations douteuses. N'avait-elle pas au final dévoyé la réalité de la Voie par l'accumulation de ses erreurs, de ses égarements ? N'étaient-ils pas tous dès lors sur un chemin de traverse mouvant, dans une impasse, sans issue, si loin de la Voie tracée par les Anciens ?

Tout avait commencé à l'orée des années 80 alors qu'elle dirigeait depuis peu l'organisation. Il y avait eu ce premier contact avec cette jeune étudiante très érudite qui souhaitait la rencontrer après la publication de son ouvrage sur la civilisation sumérienne. Leurs échanges avaient été délicieux, la jeune femme admirable de connaissances et de curiosité puis, au fil de leurs rencontres, elle avait testé cette Rena pour finir par lui proposer d'intégrer la ligue après une longue période d'observation assidue. Elle l'avait ensuite elle-même chapeautée, éduquée, instruite. Son ascension s'en était trouvée accélérée et Rena avait fini par être une pièce majeure de son échiquier, la confidente de la Reine, la Main sur laquelle elle pouvait s'appuyer, en laquelle elle avait mis toute sa confiance et délivré sans doute bien trop de secrets puisqu'elle avait à terme trahi la faction en emportant le Coffret.

Rena avait su stratégiquement la manœuvrer, la manipuler et elle, dans sa toute puissante vanité, s'était faite berner. La fortune familiale de Rena avait fait le reste et rendu les choses tellement plus faciles à une époque où les fonds financiers faisaient si cruellement défaut. La belle étudiante d'alors, impressionnée par les révélations obtenues hors du banc de la fac, n'avait pas hésité à puiser dans la colossale manne pour accélérer le processus matériel de la Quête. Sa fine psychologie avait orienté cette *gamine* à cela, sans grande opposition, pour en faire une adepte conditionnée à la cause de l'organisation. Aujourd'hui, avec plus de distance, Marie se demandait qui avait manipulé l'autre avec excellence… car dans sa fragilisation mentale consécutive au décès de son aînée, n'avait-elle pas cherché dans les traits de Rena ceux perdus de Corinne ? En effet, les doutes de malversations qui entouraient cet orphelinat en Allemagne, l'avaient conduite à envoyer, en marge de toute concertation collégiale, Corinne, son aînée, pour espionner ce qu'il s'y tramait réellement. Quelques semaines seulement et Corinne avait perdu la vie dans un terrible accident. *Était-ce vraiment un accident ? N'était-ce pas elle finalement qui représentait la Lignée Divine et non Angèle ? Encore une fatale erreur d'appréciation ?* Rena s'était occupée de tout suite à cette effroyable disparition et avait été particulièrement présente et prévenante pour la soutenir dans cette rude épreuve dolosive. Puis, forte de sa conviction au sujet de cet établissement, elle avait fait fi de sa douleur et, en aveugle asservie aux devoirs indécodables de cette Quête, sans avouer avoir déjà fait infiltrer ce lieu, elle expédia Angèle pour remplacer Corinne. *Quelle folle !...* Avec le recul, elle aurait immédiatement dû comprendre que Corinne avait été repérée et éliminée. Elle avait jeter sa deuxième fille dans la fosse aux lions. *Folie pure !...* Elle avait bien cru perdre une nouvelle fois son enfant quand Angèle avait réchappé de justesse à l'effroyable incendie en sauvant le garçonnet. Son aveuglement était sinistre, son entêtement morbide car la mort d'Angèle aurait fait s'éteindre à tout jamais la Lignée Divine. *Mais ne s'était-Elle préalablement éteinte avec la perte de Corinne ? Saurait-on un jour ?...*

Quand elle avait rapatrié Angèle et le petit garçon, sa fille s'était avérée enceinte. Cette dernière ne comprenait pas, n'avait eu aucune relation. Elles avaient cherché ensemble longuement, se querellant sans cesse. Elle avait mis en doute la franchise de sa fille, l'accusant de taire une évidence. Puis… Angèle avait trouvé ! *Peut-être aurait-il mieux valu d'ailleurs qu'elle ne trouvât pas... car la monstruosité du Diable avait investi son corps juvénile de ses germes fétides, tentaculaires...* Sa fille se remémora avoir subi une intervention bénigne sous anesthésie générale, pratiquée par le Dr Schteub en personne. *Sachant son laboratoire infiltré, le cruel généticien démoniaque avait-il implanté ces machiavéliques embryons pendant l'inconscience de sa fille ? Pour se venger ?... S'amuser ?... Marquer de sa griffe un territoire qu'il s'annexait de force ?... Ou simplement parce qu'Angèle représentait, de sa toute jeunesse, un ventre fécond à ses expériences sataniques ?* Horrible questionnement arbitraire d'un constat malheureusement resté sans réponse précise… Angèle avait refusé l'IVG – *Pourquoi ?* – alors même qu'elle apprît attendre des triplées.

Marie revit sa fille, torturée par l'approche du terme de sa grossesse délicate. Les problèmes étaient advenus juste après la naissance du premier enfant. Anesthésie, césarienne, prématurité excessive, fragilité de cristal, coma… Il avait fallu prendre des décisions impossibles, immédiates, sans réflexion approfondie. Elle s'était astreinte somme toute à interroger le *Feu Primitif*, devoir ancestral de la Voie. Préparatifs trop sommaires, empressés, pour des visions inextricables, incompréhensibles. Elle avait dû trancher !… sans conseil, sans appui, sans force supérieure pour la guider. Elle avait clairement remarqué l'aura blanche illuminant le visage poupon de cette première née, issue des voies naturelles, puis tout s'était indéniablement obscurci, voilant les traits de ce nourrisson. Une vague d'encre avait laminé la candeur du songe, la qualité de l'ange. Un faciès tordu, démoniaque, méphistophélique, voilà ce qui était survenu dans la fumée ! Elle en avait tremblé, de frayeur et d'incompréhension mêlées, mais elle s'était astreinte à poursuivre. Une telle vision n'était pas possible, la Vie et la Mort au combat dans un même corps fragile. *Pauvre corps !...* Vision apocalyptique ! *Comment agir ? Quelle décision ?* Soudain, dans la nébuleuse, des nuances moirées étranges en avaient repoussé la noirceur. *Que représentaient-elles ?* Interprétation impossible, elle n'était pas préparée à cela. Quelles certitudes avoir face à ces mouvances continuelles qui apparaissaient, boréales et aériennes, entrecoupées par l'image du visage d'une fille adulte, inconnue, sporadique. Que penser aussi de ces flashs tranchants au désespoir profond, déchirant la pureté virginale immaculée et sereine avec, filigranés, ces reflets de nacre qui irradiaient les sombres volutes... *Vision figurative de cette obscure conception même, inavouée ?* Elle s'était retirée de la fumée, aussi dubitative ou presque qu'en y entrant, et avait dû décider de choix insupportables, improbables, cornéliens, si délicats. Elle avait fini par se fier à l'interprétation infidèle de ce qu'elle tenait pour juste. La Lumière ne pouvait être que la Voie Vraie à suivre : Lucie ! *Ainsi se prénommerait-Elle ! La première venue, l'Origine.* Tout le reste n'était qu'indécision, mortifère présence à détruire, l'inadéquat reliquat d'une obscurité totale éclipsant la Pure Irradiation et serait donc annoncé comme tel. Ainsi sa décision fut prise, précipitamment. *Trop peut-être ?* Aujourd'hui, ne regrettait-elle pas de s'être empêtrée et flouée d'avoir choisi l'exégèse duale du profane créant d'irrémédiables césures inaltérables ? C'était de la Grande Quête dont il s'agissait, pas d'un simple choix humain ! Les éléments avaient été là, devant ses yeux, dans le ventre de sa fille, dans la matrice de la Voie. La Lumière, bien présente, première à paraître mais unilatérale donc non divine. La Ténèbre refoulée dans un carcan de violence et de dureté, formatée. L'Union de ces deux antagonistes, l'Intersection de ces complémentaires, ne s'était-elle pas effacée dans les profils dédaléens de cette terre... *Où ?...*

Dans la pièce contiguë, Angèle fouillait sa mémoire. Quels étaient les mots exacts que sa mère avait employés lors de son éveil des limbes de cette strate irréelle et intemporelle où elle avait erré durant presque deux semaines ? Elle était de nouveau ravagée par cette déchirure horrible, la même que celle subie vingt-sept ans plus tôt, qui lui broyait les tripes. Aujourd'hui, la douleur n'en était que pire, le plus cruel des mensonges s'ajoutait aux affres de la mort annoncée. Souffrance labyrinthique, insondable…

Angèle finit par se résoudre à rejoindre sa mère, elle seule pouvait apporter des réponses aux viles questions qui l'assaillaient. Confrontée à celle qui avait su lui mentir aussi férocement et réorganiser sa vie avec autant d'aplomb, elle voulut déverser son torrent de reproches, ses cris – *des coups ?* – mais, face au miroir de ce qu'elle-même avait fait endurer à sa propre fille, elle s'écarta de cette impulsion délétère. N'avait-elle pas abandonné sa fille au nom de cette Quête, de la Voie ? Valait-elle mieux que cette mère et ses mensonges ? Au final, l'une et l'autre avaient été emportées par le devoir impérieux d'une mission qui avait occulté l'ensemble des choses de la vie, même les plus élémentaires et primordiales.

Toutes deux s'étaient finalement accordées à échanger sans reproches, des aspects de leurs existences au canevas de la Grande Prophétie. Même en équilibre au bord du gouffre de l'Inéluctable, elles ne surent dissocier leurs vies de cette trame pantagruélique vieille de plus de quatre mille ans…

Marie confia alors à sa fille que tout découlait de la Quête, tout était fait en son nom, que demain il n'y aurait rien à regretter quand la Grande Prophétie s'établirait entre leurs mains initiées. Certaines destinées le sont au service du bien commun…

Enfin, avant qu'Angèle éprouvée ne quitte la pièce, elle ajouta dans un souffle, sans tristesse : *« c'est pour cette nuit…*

79

Paris Est, Appartement de Amy Doherty
Non loin de la Porte de Pantin

Quand Doherty repassa la tête par l'embrasure du bureau, sa foisonnante chevelure de feu était enturbannée dans une moelleuse serviette éponge et son corps enveloppé d'un long peignoir épais d'une blancheur immaculée.

– Elle est calmée, mère Grand ? Elle a bu sa tisane ? attaqua l'informaticienne, en pleine forme.

Beth grogna dans son coin, incompréhensible, elle déplorait déjà son retour. Cependant, plus sérieusement, la programmeuse s'enquit des nouvelles de son implant.

– Toujours rien pour l'instant, fit l'autre en réponse. J'ai eu le temps de gagner trois parties de solitaire.

– Madame a de l'humour maintenant ?

– Va donc récupérer tes pizzas, grommela Beth, j'ai le livreur en ligne de mire, à la porte d'entrée.

Doherty disparut pour reparaître presque aussitôt, filmée par une caméra installée discrètement dans le luminaire du palier. Le livreur semblait embarrassé devant cette superbe jeune femme qu'il devait imaginer nue sous son peignoir. Il saisit le billet tendu par Amy, lui déposa les boîtes en carton dans les bras et farfouilla à l'arrière de son jean. L'instant d'après, une lame effilée brillait dans son dos sous l'éclairage électrique. Avant qu'il n'ait eu le temps d'armer son attaque, Beth avait surgi et tordait son bras jusqu'aux omoplates dans un sinistre craquement. Elle embarqua l'assaillant à l'intérieur et finit de le maîtriser définitivement en lui brisant les cervicales. Elle lâcha sa prise qui s'écroula sur le carrelage, inerte.

Sur le palier, Doherty était pantoise, boîtes de pizzas dans les mains. Son regard porta sur le fin poignard qui traînait sur le paillasson. D'un coup de mule brodée, elle l'expédia agilement dans l'appartement. Elle n'avait toujours pas assimilé ce qui s'était passé. Deux étages plus haut, une porte claqua : « Un problème, ma petite Amy ? ».

– Non, non, tout va bien Madame Chanson…

Beth lui saisit les épaules et la guida jusque dans la cuisine. Là, elle lui libéra les mains et constata la légèreté des emballages. Ils étaient vides ! *Tu aurais au moins pu t'en rendre compte et rester sur tes gardes*... pensa-t-elle. Silencieuse, elle fit asseoir la jeune femme désemparée.

– Un p'tit tranquillisant, mamie ? Tes gouttes peut-être ? fit Beth en pleine possession de ses moyens.

– Oh, ça va ! maugréa Doherty grincheuse, ne parvenant à s'extraire de sa torpeur.

Lorsqu'elle pris enfin la mesure des événements, elle souffla d'une voix blanche.

– Ils nous ont repérées, ils savent où je crèche. on est dans la merde !

– Mais comment ? interrogea Beth, inquiète.

– Carte SIM ! L'appel pour commander les pizzas. Fait chier ! Objet connecté.

Une dissonante sonnerie nasillarde sectionna leurs réflexions. L'interphone ! Beth décrocha.

– Bonjour ! *Stefano Pizza*... c'est le livreur.

La rousse appuya machinalement sur le bouton.

– Quel étage, svp ? demanda le coursier.

– 3ème gauche.

Une minute plus tard, par l'œilleton de la porte, Beth vit apparaître un homme casqué, les bras chargés d'un sac isotherme rouge au logo ostentatoire *Stefano Pizza*. Main droite dans le dos, doigts enserrant la crosse du calibre coincé dans sa ceinture, elle ouvrit lentement de la gauche, aux abois. L'homme souriait à pleines dents. Il fouilla l'intérieur du sac – le canon de l'arme se dégagea de moitié derrière Beth – et retira la livraison dont le suave fumet appétissant n'augurait plus aucun danger.

– Voilà, jolie demoiselle !

« Jolie demoiselle » régla la course puis verrouilla la porte d'entrée à l'instant où les coulissants de l'ascenseur se refermaient sur *Stefano*. De retour devant les écrans du bureau où l'attendait Amy contrariée, elle proféra.

– Ils vont te courir après un moment…

Affamée et gourmande, elle déposa avec envie les deux boîtes sur une table de travail, aux côtés du portable éventré d'Amy duquel elle avait retiré la carte SIM pour la glisser dans un pisteur doté d'une micro-puce à activation cyclique puis, avec discrétion, le tout dans une des poches du blouson de *Mister Stefano Pizza*. L'à propos facétieux redonna quelques couleurs à Doherty et un semblant de rictus amusé lorsqu'elle ouvrit les cartons.

– Et une veggie pour « Jolie Demoiselle », une !

– Tu savais que j'étais végétarienne ?

Sans répondre, elle retira l'autre rondelle odorante.

– Et une veggie pour la gourde de service, ajouta-t-elle avec un peu de tristesse dans la voix.

– T'es végétarienne aussi ? questionna Beth.

– Je l'ai toujours été… ce qui ne me rend pas plus perspicace et intelligente pour autant, à la vue des circonstances !

La pilule avait vraiment du mal à passer.

Les filles mordirent avec envie et allégresse dans la pâte croustillante agrémentée de sa succulente garniture. Entre deux bouchées, les yeux à nouveau rivés sur les moniteurs, leur patience s'étiolait, mise à rude épreuve par le sursis interminable du résultat de leur machination. De plus, cette attaque improvisée était un véritable avertissement qui n'améliorait en rien leurs capacités à attendre sereinement.

– Nous ne pouvons pas rester là, lâcha Beth. Le subterfuge ne fonctionnera pas bien longtemps. Ils vont revenir, en nombre, pour nous trouer la peau et mettre à sac ton appartement.

– Ce n'est qu'une coquille vide, ici ! Ils ne trouveront rien d'important, rétorqua Amy la bouche encore pleine.

– Mais tes bécanes ? Ton informatique… ce n'est rien peut-être ? C'est sans importance ?

– De simples terminaux, des boîtiers creux, des écrans nus, une simple illusion pour novice. Sois rassurée, le cœur stratégique est bien planqué, inaccessible !

– Et le fil conducteur entre tout ça et ton cœur stratégique ?… Tu disais que tout objet connecté…

– Clé cryptée à chiffrement aléatoire et encodage asymétrique à 25 occurrences, source impossible à craquer. Même moi je me fais peur ! Un AVC et tout serait perdu ! Une copie tronquée en sept morceaux épars existe mais…

Elles en étaient là de leurs considérations sécuritaires quand un signal discontinu interpella l'informaticienne.

– Yesss !…

Cri du cœur, le piège tendu avait fonctionné.

– Le piratage, c'est comme une partie de pêche… quand tu fais une touche, ça sonne !

Ses doigts couraient déjà, véloces, sur les touches du clavier. Elle commentait tout haut son hameçonnage réussi.

– Schteub a envoyé un mail perso depuis son poste pro. Il vient de l'effacer après l'avoir transférer vers sa boîte privée. Paf ! Double entrée… stupide…

Beth n'existait plus. L'immeuble aurait bien pu s'écrouler que Doherty n'aurait pas lâché les manettes, ni ses écrans pas plus que ses claviers. Elle pianotait, frénétique, entrait des codes, insérait des chiffres, intercalait des lettres, ajoutait des caractères spéciaux et autres slashs avec une dextérité phénoménale ; jonglait d'un ordi à l'autre, moniteurs surchargés de cryptogrammes bizarroïdes et sans logique apparente, charabia impénétrable au regard d'un non-initié. Ça bipait de partout, Amy virait la tête en tous sens, tapotait à droite, frappait à gauche, inscrivait un langage obscur animé de surbrillances aveuglantes, vertigineux défilés de lignages abscons, clignotements hypnotiques…

Face à ses pupitres, Amy *Von Karajan* magnait la baguette avec célérité, du Grand Art. Beth ouvrait des yeux ébahis. *Vrai qu'elle maîtrise un peu mieux l'outil que moi,* plaisanta-t-elle en son for intérieur.

Un cri de victoire :

– Bingo ! IP de la clinique à Tampa, IP pro et perso de Mister Schteub, IP d'une bécane au Chili et maintenant, cerise sur le gâteau… IP du téléphone portable d'une certaine Albizya Schteub, la fille que l'on recherche je crois, alias Kira Yamiko, les échanges de mails sont assez clairs…

Beth O'Neill était totalement sciée. En quelques heures et une poignée de clics, Amy avait mis la main sur leur cible. Il ne restait plus qu'à localiser avec précision leur proie, ce qui ne demanderait certainement pas plus de…

– Elle est dans l'Oregon ! La fille est en communication au téléphone, en grande discussion en avec un dénommé… Vockler à Holmès Beach en Floride.

… quelques secondes ! Sa coéquipière était une pointure réellement incroyable, un vrai phénomène de foire. Elle commençait à sérieusement l'apprécier. À elles deux, elles allaient faire des éclats dans tous les sens du terme, en farfouillant magistralement dans tout ce qui s'apparentait à du matériel électronique connecté et en réduisant les propriétaires adverses à un amas d'ossements brisés et de chairs mortellement mutilées. Beth était heureuse. Avec cette timbrée d'Amy Doherty à ses côtés, elle excellerait encore un peu plus facilement dans son Art mortifère. À ce constat, elle accepta sans sourciller de poursuivre leur collaboration, tant pis pour les sarcasmes permanents, l'humour pour le moins alambiqué et la construction mentale très crispante de sa partenaire… à elles deux, sans doute allaient-elles bien s'amuser !

Miss Foldingue coupa court aux pensées jouissives de Beth.

– Nous la tenons dans nos filets ! Chaque fois qu'elle passera un appel, nous saurons exactement où elle se trouve. Petit jeu de piste avec un risque de décalage géographique entre chaque appel. Reste à savoir maintenant ce que Toshiaki veut que nous fassions.

– Bon, fit Beth redevenue pragmatique, mission accomplie ! Faut qu'on dégage au plus vite. J'ai de mauvais pressentiments sur les copains du gars qui traîne dans ton salon.

Doherty acquiesça et abandonna une seconde son matériel.

– Je vais faire intervenir une équipe de nettoyage, comme chez Mac Nollaghan.

Elle fouilla un tiroir, en sortie une SIM neuve sous blister qu'elle logea dans son portable et passa un appel. Ensuite, pliée sous le plateau du bureau, elle déconnecta un boîtier du rack où il était enfiché et le fourra dans un sac à dos.

– Tu vois Beth, le danger que représentent les appareils connectés ! Petit conseil, ne fais jamais transiter tes mails via ton cellulaire.

La guerrière rousse sortit son portable et le tendit à Doherty, la mine déconfite.

– Tu pourras désactiver la fonction et le sécuriser ? Je crois que c'est plus dans tes cordes que dans les miennes…

La technicienne empocha le téléphone avec un petit rire de compassion. Elle retourna à ses claviers, ultime manip et les écrans s'éteignirent dans un ensemble parfait. La symphonie informatique était finie, un vraie triomphe. La chef d'orchestre ramassa quelques indispensables puis disparut dans une des pièces. Elle en ressortit avec un gros sac de voyage bondée, cuir sur les épaules et paire de gants à la main.

– On peut y aller, je suis prête, dit-elle en attrapant son casque intégral.

80

Résidence secondaire du Sénateur R. W. Harris
Dans les méandres de la Forêt de Grizzli Mountain

Cette douce main qui enserrait la sienne… Rena se délecta de l'instant sans ouvrir ses paupières qui pesaient des tonnes. Était-ce un songe post-mortem ou bien le fameux couloir – fuite précipitée vers la source illuminée – couloir dans lequel tant de choses se manifestent, tant de pensées, avant le grand départ. Tunnel de tous les espoirs, de tous les regrets ! Elle ne chercha pas à savoir, resta immobile et savoura encore. *Pouvait-elle seulement bouger ?...* Ces longs doigts fins accrochés aux siens possédaient une vraie liesse vibratoire, agréable chaleur dans les glaces de sa dimension parallèle. Elle frissonna, glacée. Une couverture la recouvrit mais le froid rémanent cristallisait tout son corps, s'infiltrait dans la fibre de ses muscles, jusque dans la moelle de ses os.

Frémissement encore, imperceptible.

– Rena… te voilà de retour…

Des mots flous, presque inaudibles. La tiédeur d'un souffle si près de son oreille. Souffle de Vie, flamme gracile du retour ? Un filet de bave s'échappa à la commissure de ses lèvres sans qu'elle pût le contenir, corps plombé, carcasse lestée. Un linge parfumé essuya promptement ce désagrément, délicate intention. Tout était si sombre, la pièce aveugle, ses paupières scellées, immuables, condamnées. Et ce froid vif partout, prégnant. *Mortel ?...* Humour caustique. *Était-elle dans un service de réanimation ? Non !* Pas de signaux sonores d'appareillage de contrôles médicaux vrillant ses tympans. *Elle était bien morte !* En partance pour cet au-delà, elle flottait, libre, dans ce corridor lisse où se chevauchaient tous les sentiments, toutes les frayeurs, tous les « tout ». Elle avait tant lu sur ce sujet qu'elle ne comprenait pas pourquoi ses ressentis, à l'instant même, n'étaient pas ceux décrits dans les témoignages des « revenants ». *Avait-elle déjà dépassé la lointaine frontière ?* Et toujours cette voix qui susurrait…

– Rena, mon Amour… reviens !

Quelques connexions se firent dans la torpeur de son cerveau. *Mon Amour ! Qui pouvait bien l'appeler ainsi ? Pour l'inciter au retour !...* Lorsque la chape sur ses yeux se fissura quelque peu, pas plus de lumière que dans ses profondes ténèbres. Entre ses cils, une noirceur épaisse et silencieuse, mais une vague forme aussi, indéfinissable, comme un dôme sombre et gluant, vorace, qui voudrait l'engloutir, la happer. *Contours familiers ?... Hostiles ?... Cette voix !...*

Soudain, un courant d'air arctique traversa la pièce au moment même où une jeune femme brune y entra en trombe. Kira venait d'interrompre furieusement sa communication avec Tom. *Que lui proposait-il ?...* Le spectacle affligeant de son père penchée sur l'autre « folle » l'emporta dans un fou-rire sardonique. *Peut-être Tom avait-il raison finalement...*

Une trille aiguë perça sa carapace, Rena s'en inquiéta ; n'était-ce pas la Mort qui s'invitait cette fois, jubilait désormais et ricanait comme une hyène dans la nuit ?

– Kira, je t'en prie…

Wolfgang ne goûtait pas la plaisanterie de ce rire excentrique en pareille situation.

– Elle est complètement fêlée ! Et tu ne vaux guère mieux… des vrais ados boutonneux, cracha fielleuse la trentenaire dont les yeux lançaient des éclairs.

Le médecin obliqua la tête, le regard mauvais.

– Arrête maintenant ! Elle revient à elle.

Sur le traversin, la tête bougea imperceptiblement. Un long soupir refoula des relents aigrelets qui firent reculer l'amant à ses côtés. Les pâles paupières firent un effort intense pour se soulever durant d'infimes secondes puis, retombèrent, hermétiques. Lutte inconsidérée…

– Laissons-la se reposer, dit doucement Wolfgang. Il lui faut un peu de tranquillité pour se remettre sur pieds.

– Pathétiques ! balança Kira, haineuse, vous êtes pathétiques ! Vous briguer un pouvoir absolu mais vous n'êtes que des faibles, des insectes insignifiants, des larves rampantes devant une telle puissance si lumineuse qu'elle irradie à vos yeux défaits et rongés. Vos stratégies sont pitoyables, ridicules, vos ambitions étriquées, minuscules. Finalement, elle me plaît bien cette Beth qui décime vos rangs sans vergogne, sans se poser mille questions. Elle a la force de vos grands secrets si tant est qu'ils soient à la hauteur de vos suppositions imaginatives…

– Albizya ! Tu as conscience de tes paroles ? grinça amer le généticien profondément meurtri.

– Malheureusement, oui ! Je vous laisse, vulgaires microbes inoffensifs, à vos espérances vénielles, à vos désirs étroits. Je taille ma route, débrouillez-vous de vos pâles combines. J'interviendrai quand le moment m'apparaîtra opportun, pour finaliser les choses que vous aurez ratées, si j'en juge ma participation profitable.

La panthère quitta la pièce sans se retourner. Depuis le couloir elle allégua avec force.

– Je ne regrette vraiment pas qu'elle n'ait été ma mère car posséder ses gènes m'aurait insupportée.

– Tais-toi à la fin, hurla Schteub, hors de lui.

Rena ouvrit les yeux à cet instant. Deux lagons verts et tristes, ridés par la puissance d'alizées improbables. Des larmes affluèrent, averse tropicale salvatrice effaçant les polluants jetés aux grèves abandonnées de ses paupières. Elle chercha à se relever sans y parvenir. Elle restait inerte au centre de ces draps givrés. Wolfgang l'installa au mieux dans ses oreillers où elle s'enfonça pesamment à craindre qu'ils ne l'engloutissent. Tout son corps, guindé de lests, caparaçonné de ferrailles rouillées, n'avait capacité à se mouvoir, mouette engluée sur une mer mazoutée. Seule sa poitrine creuse intimait quelques faibles va-et-vient incertains et saccadés laissant présumer qu'elle faisait encore partie de ce monde-ci.

– Tu reviens de loin, Rena, il était moins une.

Les yeux hagards tentèrent de se fixer dans la pupille de ceux qui patientaient à son chevet.

– Tu es venu ! souffla-t-elle. Je compte donc encore un peu pour toi alors…

– Bien sûr, Folle. Tu en doutais ?…

Un sourire paresseux glissa sur ses lèvres atones. Ses idées, tout doucement, reprenaient corps. Elle tendit une main fragile et polaire à celle brûlante à lui redonner vie. Une vague d'énergie extraordinaire – fluide de vie – galopa alors dans tout son être, bouillonnante et conquérante. Son regard reprit des reflets plus naturels sur lesquels vint se superposer une dureté effrayante que Wolfgang ne lui connaissait pas encore.

– Pourquoi as-tu fait ça ? cracha-t-elle.

Le timbre s'affermissait vivement, dangereusement. Médusé, le médecin répliqua :

– Fait quoi ! Ne serait-ce pas plutôt à moi de te poser cette question ?

Sans dévier de son idée, elle poursuivit, tranchante :

– Renvois-la d'où elle vient ! Qu'elle retourne dans son Chili ou au Diable ! Je ne veux pas l'avoir dans nos pattes si près du but.

Cette énergie mauvaise ornée d'une haine malsaine n'augurait rien de bon. Le médecin chercha à la tempérer.

– C'est elle qui a dégoté un avion et trouvé le vol pour venir ici ! Sans hésitation, elle a voulu te sauver…

– Foutaise ! cria la quinqua alitée. Elle voulait s'assurer que je sois bien morte ! « Me sauver » ne fait pas partie de son répertoire. Personnellement, je n'aurais pas bougé le petit doigt pour accourir à son chevet. En cela je lui ressemble beaucoup. Pour me sauver… vous pouviez appeler les services d'urgences plutôt que traverser tout le pays en affrétant un avion…

– Te rends-tu bien compte de la situation, la coupa le médecin terriblement excédé. As-tu songé une seconde aux conséquences de tes actes. C'était quoi ton choix : TE foutre en l'air ou TOUT foutre en l'air ?

Wolfgang sentait une rage folle l'envahir. La colère sourdait telle une source acide, corruptrice et dévastatrice. Il aurait voulu épargner Rena, ne pas trop la ballotter mais présentement, les événements prenaient des proportions telles qu'ils n'admettaient plus de temps morts.

– Tais-toi et écoute donc, égoïste ! Nous sommes à la veille de posséder cet anneau que nous convoitons depuis des décennies et toi, tu avales un flacon de somnifères… Pauvre idiote ! fit-il, le ton acerbe.

Sur son lit, la femme sursauta.

– Comment ça, à la veille.

– Oui ! hurla-t-il, demain Mac Nollaghan atterrit à Miami où il présente sa conférence après-demain. J'ai besoin de Robert en Floride ! De faire le point avec lui, pas de faire le garde-malade à l'autre bout du pays pour je ne sais quel état d'âme incongru.

– Demain dis-tu…

La femme sembla réfléchir un court instant.

– C'est Kira qui devait s'occuper de lui ? questionna-t-elle.

– Pas au départ mais elle a surgi à Tampa et s'est proposée… tu connais son efficacité ! J'ai accepté. Maintenant, je doute qu'elle remplisse ce contrat, elle préférera rester dans l'ombre à nous épier et se délecter en cas d'échec !

– Va, Wolfgang ! File en Floride. Je m'occupe de Robert et de lui expliquer. Je te promets qu'il sera là-bas dès demain, en pleine forme, accompagné d'un trinôme dont l'efficacité n'a rien à envier à cette morveuse hystérique et mal élevée. Nous allons lui montrer ce qu'est notre organisation et nos « si petites » prétentions. Fais en sorte qu'elle déguerpisse de nos pattes, qu'elle quitte la scène, elle n'est pas invitée au final ! Le grand jour, c'est demain, pour nous, seuls… et surtout sans elle !

Rena tenta de s'extraire de son lit mais fut prise d'un vertige invalidant. La pièce tournoyait dans la spirale d'un cyclone. *Foutus médocs !* Un geyser de regrets corrosifs explosa dans son crâne. *Imbécile ! Qu'as-tu fait ? À quelques heures de la Grande Vérité !* Wolfgang l'aida à se recoucher, précautionneux, amoureux.

– Reste tranquille et repose-toi. C'est ce que tu as de mieux à faire dans ton état.

Il embrassa son front fiévreux.

– Je m'occupe de tout, ma chérie. Je vais gérer la fin de cette fichue histoire. Sois sans crainte…

– Non ! je veux en être, claqua-t-elle. Remets-moi sur pieds tout de suite, bon sang, tu es médecin, non ?

Face à l'air pincé de son amant, elle rabaissa d'un cran. Il était bien le seul à pouvoir la comprendre, il était le seul aussi qu'elle voulait surtout ne pas perdre.

– Occupe-toi de faire déguerpir cette stupide petite gamine de malheur ! Le reste dépend de mon domaine.

Puis, tournant des yeux enamourés, d'une voix mielleuse elle susurra, suppliante, au seul amour de sa vie.

– Embrasse-moi encore, s'il te plaît, maintenant. Et pardonne-moi Wolf, pardonne-moi de mes erreurs… Je t'aime.

Le généticien joignit ses lèvres humides à celles craquelées de son amante alitée puis se dégagea pour conclure.

– Je t'aime aussi, Rena, plus que tout au monde ! Je te prépare un cocktail détonnant. Demain nous attend…

Il caressa sa joue douce, elle souriait béatement.

– Concernant Albyzia, sois rassurée, elle m'a dit qu'elle filait directement à Paris par le premier vol.

81

Forêt Noire, Région de Schluchsee, Allemagne
Chalet de Léo Meyer

Les deux hommes s'étaient réveillés avec difficulté, éreintés et courbaturés par une nuit bien trop courte au confort spartiate. À deux pas, Valérie s'affairait autour du réchaud. L'arôme suave d'un café emplissait agréablement tout l'espace et flattait leurs narines émoustillées.

Pendant que Philip et Léo cherchaient un peu de sommeil réparateur, Valérie avait rempli le dernier tour de garde. Toute une longue traîne de nuit infinie à disséquer les noirs fantômes gesticulants des arbres se déhanchant lentement au gré de la brise légère, comme autant de dangers potentiels. Mis à part le bruissement de la seule nature, rien n'avait remué et personne ne s'était approché de leur repaire improvisé. Quelques rares animaux insomniaques l'avaient faite sursauter, traversant rapidement le tertre à découvert. Rien de plus. Elle avait alors profité de ces longues heures de guet pour cogiter puis, elle s'était décidée à joindre Beth pour échanger de leurs dernières mésaventures et tant d'autres choses encore… Face à l'attaque subie, sa belle amoureuse avait conseillé de plier bagages et de rentrer en France sans attendre. Rester sur place, c'était prendre le risque de retomber sur ces hommes surentraînés qui n'attendaient que de les retrouver pour finir leur sale besogne. Le surplus du temps suspendu, les yeux brûlés de sommeil et une épaule calée sur le bord d'une meurtrière, n'avait été qu'éveils somnolents et sursauts instinctifs à chaque maudit craquement, à chaque trouble hallucinatoire ou chaque ombre suspecte à vouloir accourir pour les agresser sauvagement.

Alors qu'ils dégustaient une tasse de café brûlant, Léo Meyer rompit le silence :

– Il faut impérativement que nous repassions à mon chalet ! J'ai là-bas des dossiers cachés et tous mes fichiers informatiques à récupérer sans faute.

– N'est-ce pas trop dangereux ? le coupa Carlson.

La capitaine rebondit, d'un ton ferme :

– Beth, que j'ai eue cette nuit, m'a certifiée que nous devrions prendre nos jambes à notre cou et fuir cet endroit au plus vite. Nos agresseurs sont sans doute terrés en embuscade quelque-part pour finir leur boulot ! Retourner au chalet, c'est se jeter dans la gueule du loup. Pas question !

– Et bien soit, mais moi, j'y vais ! Je ne peux laisser tout mon matériel d'investigation abandonné. C'est ma vie ! J'irai donc, quoi qu'il advienne ! conclut Léo, têtu et obstiné.

Les deux autres se regardèrent subrepticement. Visiblement, il était inutile de chercher à opposer au journaliste une quelconque argumentation pour essayer de le raisonner. De plus, lui refuser cet accès était à coup sûr le ramener à son misérable combat contre la petite mort de ces trente dernières années.

– OK ! dit Carlson en ramassant divers objets épars de leur campement. Allons-y, mais à pied ! Laissons ici le 4X4 bien trop bruyant. Une fois sur place, on se pose, on observe et on intervient que si cela semble possible. Pas de fanfaronnade, compris !

Valérie faisait déjà l'inventaire de ses munitions et enfila son blouson. Léo était aux anges, sur ces deux-là, il pouvait compter. Dès la double porte entrouverte, il glissa un œil circulaire pour s'assurer qu'ils étaient bien seuls. Le groupe traversa promptement la clairière et se jeta dans le couvert de la forêt. Là, le trio entreprit sa randonnée sur le terrain escarpé et glissant qui s'offrait à ses pas. Pour approcher le chalet, deux heures leur furent nécessaires, dans un enchevêtrement végétal épuisant, un sol accidenté à perdre l'équilibre. Ils évitaient toutes les voies tracées ainsi que les rares habitations perdues dans les confins du massif forestier. Lorsqu'ils ne furent qu'à quelques encablures, leur foulée ralentit, convoitant la discrétion. Ils épièrent chaque bruit, chaque mouvement, aussi faible fut-il. Leur progression, dans ce silence presque absolu, était craintive, anxieuse. Chaque brindille craquant sous la semelle, les stoppait dans leur avancée. Bientôt, la toiture du chalet se profila à travers le fouillis végétal. À l'abri des regards, en retrait de la lisière touffue, ils patientèrent d'interminables minutes, scrutant tout l'entour, l'œil affûté, l'ouïe aux aguets. Rien, pas la moindre trace de vie, pas le moindre soupçon d'un quelconque combattant. Ils sortirent prudemment du bois. Après avoir contourné la bâtisse, de sorte qu'ils s'y présentaient par l'arrière, ils firent mentalement le calcul du temps nécessaire pour rejoindre l'orée de la forêt si des tirs éclataient. Ils avancèrent encore un peu, hésitants, jusqu'au pied du mur de rondins. Par une des fenêtres, ils virent ! L'intérieur du chalet avait été dévasté, fouillé dans les règles de l'art. Du bureau de Léo, il ne restait rien ; seul un amas de feuilles éparses, de dossiers éventrés, de tiroirs et portes béants. Sa table de travail était cruellement vide.

– Ils ont volé mon ordinateur portable, fit-il, livide, comme si son cœur venait de lui être arraché.

Puis, il se jeta à terre et glissa dans l'espace réduit ménagé entre le sol et le soubassement du chalet. En un instant, il avait disparu. Valérie et Philip n'entendaient plus qu'un faible éboulis de pierres pour suivre et imaginer son cheminement. D'où ils patientaient, inquiets, ils perçurent un sourd raclement de bois, Léo décalait des planchettes pour soutirer à l'épaisseur du plancher de nombreux dossiers secrètement gardés. Pendant qu'il les extrayait un à un, ses yeux se posèrent sur un des poteaux de soutènement à l'angle du chalet. Quand son cerveau assimila enfin que les formes cubiques qu'il distinguait n'étaient autres que des pains d'explosifs scotchés au bois, une vague de sueur vint perler à son front. Il tourna son regard dans les autres directions et s'aperçut, depuis sa position, que tout l'embasement visible supportait, au moins en six endroits, les mêmes charges explosives. D'une voix blanche, il souffla à ses amis :

– Ne bougez surtout pas, ne touchez à rien ! Le chalet est une véritable poudrière. J'arrive tout de suite.

À cette terrible évocation, Valérie et Philip se rapprochèrent, instinctivement, comme pour mieux se protéger. La seconde d'après, Léo réémergea, le visage blafard et tourmenté.

– Il y a de l'explosif partout là-dessous. Ne restons pas dans les parages, tout va sauter !

– Mais… vos fichiers informatiques ? s’alarma Valérie.

– Ils ont emporté mon portable, les sauvegardes sont dans le coffre de mon bureau, inaccessibles. Tant pis pour les fichiers, faut sauver notre peau… ça va péter !…

– Un instant, trancha Valérie, s'ils ont pris votre PC, c'est pour fouiller dans ses entrailles et transférer son contenu. On peut donc espérer que l’ordi soit connecté en ce moment ?

– Oui, encore faut-il qu'ils aient craqué mon mot de passe… l'accès est verrouillé !

– Parfait ! On va vous les récupérer vos fichiers…

Sans plus d'explications, elle sortit son téléphone et appela Olivier à Paris, son chimiste préféré, qui décrocha dans la seconde.

– Waouh Valy, qu'est-ce que tu deviens ?

– Salut Oliv', dans une enquête, comme d'hab'. Dis-moi, tu as bien un pote expert en informatique ?

– Ouais, y'a Lulu qui s'débrouille plutôt bien ! Pourquoi ?

En quelques mots, Valérie lui exposa la situation. À l'autre bout du fil, conscient de l'urgence, Olivier débita le numéro du fameux Lulu. Dès qu'elle eût raccroché d'avec son protégé, Valérie se rua pour appeler le dénommé Lulu. Une fois, deux fois… l'attente lui était insupportable. À la troisième tentative, une voix endormie marmonna.

– Qu'est-ce que c'est ?…

– Bonjour, je suis Valérie, une amie d'Olivier.

– Ah ! La fameuse Valy, j'ai entendu parler de toi… en bien d'ailleurs. Qu'est-ce que je peux faire pour toi ?

– Voilà…

En quelques phrases choisies, Valérie lui expliqua l'objet de son appel. Lulu la rassura en lui indiquant qu'en informatique, tout était possible. Si les saligauds étaient en train de tenter de briser la défense de l'ordinateur, c'était dans la poche. Dans l'écouteur, elle entendait déjà les bips caractéristiques de sortie de veille des machines du *hacker* et le cliquètement frénétique de ses doigts sur le clavier. En bien peu de temps, Lulu l'interpella, voix pâteuse dans le haut-parleur maintenant en fonctionnement.

– C'est quoi le code d'accès de la bécane ? J'imagine qu'on a pas de temps pour les devinettes…

Valérie interrogea Léo du regard.

– 1990 XII 16.

À cet énoncé, l'informaticien s’esclaffa.

– Quelle originalité ! Sa date de naissance à l'envers, ou celle de sa copine, peut-être celle de son fils ? J'ai raison ?

– Le jour de ce putain d'incendie, éructa Léo.

Dans le silence qui suivit, un grognement incompréhensible emplit le haut-parleur, comme une excuse.

– Ouais, bon… Ah ! Ça y est, je suis dans le bide de votre bécane ! Bah, les couillons n'ont toujours pas craqué votre code, des amateurs ! Par contre, maintenant que je suis dedans, dès le début du transfert, ils auront une entrée valide et pourront pomper vos fichiers. Vous voulez quoi en priorité parce que si vous voulez tout récupérer, va falloir patienter une demie plombe et je ne crois pas que dans votre situation, ça va vous ravir.

– Commencez par tous les dossiers intitulés…

Pendant que Léo énumérait les fichiers primordiaux, Valérie s'était accroupie pour voir l'étendue du problème sous le chalet. Elle remarqua trois des paquets d'explosifs, reliés entre eux par des fils. Elle en conclut que le système de mise à feu l’était par piège déclencheur. Couper un seul filin, c'était tout faire sauter ! Il fallait trouver la source. Elle attendit que Léo termine son listing pour en faire part à Philip ; le journaliste, lui, imperturbable, était toujours fébrilement accroché à l'écoute du téléphone. Quelques minutes encore et la voix de Lulu se fit entendre.

– Tous les fichiers demandés sont transférés. Je peux avaler le restant du disque dur, si le temps me le permet ! Ça commence à s'agiter grave sur le clavier en face… faut dire que j'écrase au fur et à mesure que je transferts, ça doit les énerver un poil.

– Alors allez-y, cria un Meyer rasséréné, tout ce que vous récupérerez sera au moins sauvé. Et un grand merci… du fond du cœur, très sincèrement, merci !

– OK ! Ça roule, ma poule. Je mets tout ça au chaud sur un de mes serveurs. Tchao !

Lulu avait raccroché.

Ils se félicitèrent de l'intuition géniale qui venait de sauver au moins les fichiers les plus importants de Léo si ce n'était l'entier de son ordinateur. Le journaliste, les yeux humides, leur avoua qu'il lui aurait été difficilement supportable de perdre ainsi un tel pan de sa vie, trente années d'une enquête minutieusement documentée, un vrai travail de fourmi qui avait happé le plus clair de ses jours et de ses nuits sur les trois dernières décennies.

Valérie revint à plus de pragmatisme. Elle argua qu'il fallait déclencher le piège et que se produise l'explosion. Léo la fixa, interrogateur, sans bien comprendre la finalité de la chose. Valérie exposa la véritable opportunité qui s'offrait à eux pour simuler leur disparition définitive ainsi que celle de l'ensemble de la documentation sur cette sombre affaire. Tout faire sauter était une aubaine ! Cela rassurerait les lignes ennemies qui d'évidence, relâcheraient un peu la pression à leurs basques.

– Plus rien ne me rattache à Schluchsee dorénavant, acquiesça Léo Meyer sans tristesse. L'essentiel est chez Lulu. Vous avez raison, faisons tout péter !

Ils firent rapidement le tour du chalet, à la recherche d'un filin translucide apte à déclencher la mise à feu des pains d'explosifs. Ils ne trouvèrent cependant aucune trace d'un moindre fil piégeux, ni camouflé dans les herbes, ni tendu en travers des marches de l'escalier ou même sur la terrasse.

– Les déclencheurs sont reliés aux ouvertures, à coup sûr ! Ne touchons à rien.

À cette affirmation, les deux hommes interrogèrent la flic du regard. Elle poursuivit, déterminée.

– Nous allons actionner la poignée de la porte arrière avec une ficelle suffisamment longue pour que nous soyons à l'abri des arbres quand se produira l'explosion. Léo, vous avez ça quelque part, de la ficelle ?

Le journaliste n'hésita pas longtemps. Il replongea sous la plate-forme du chalet, fouilla l'endroit où il stockait son matériel de jardinage et en revint avec une grosse bobine de cordage en sisal, l'air satisfait. Les trois acolytes retournèrent à l'arrière de la bâtisse, nouèrent délicatement le cordon autour de la poignée, l'enfilèrent dans l'œilleton d'un crochet fixé au bas de la porte, à la verticale, de sorte qu'en tirant fermement depuis le couvert des arbres protecteurs ils puissent l'abaisser d'un coup. Ils déroulèrent précautionneusement des dizaines de mètres de cordelette avant de dépasser les premiers fûts de la lisière du bois. Chacun choisit l'arbre le plus adéquat à le protéger.

Valérie, ficelle enroulée autour de la main droite, les regarda, angoissée de l'échec éventuel de leur stratagème. Ensuite, après l'accord tacite de leurs regards, elle tira violemment sur le filin. Le bec de cane s'affaissa, trop légèrement et rien ne se passa ! Le montage avait ses failles. Trop de distance, pas assez de force, une végétation adverse à accrocher la ficelle. L'attente fut douloureuse, la crainte irrépressible et la peur crue. Aucun d'eux ne pouvait redescendre jusqu'au chalet pour tenter de parfaire le dispositif sauf peut-être à se retrouver réduit en charpie au moindre faux geste. Valérie leur conseilla de ne pas bouger. Résolue, elle secoua énergiquement le cordon et soudain, la poignée s'abaissa, d'un coup sec, totalement. Une fraction de seconde plus tard, le chalet de Léo Meyer volait en éclats, projetant tuiles, poutres, planches et débris variés sur plus de trente mètres. Abrités derrière leurs gros troncs, ils n'assistèrent pas au spectacle détonnant mais reçurent, véhément, un tel souffle tonitruant que leurs oreilles en sifflèrent encore longtemps après. À la place de son logis, le journaliste découvrit un cratère fumant impressionnant et Philip, les vestiges d'une citadine pulvérisée et calcinée. Valérie n'y voyait qu'un lieu à fuir sans retenue.

– Bien, fit-elle énergique, maintenant tous à la grange !

Devant l'épave de la voiture qui gisait bien plus bas, au cœur du fatras de l'explosion, elle ajouta :

– Le *Land* nous ramènera bien jusqu'à Paris. Il nous faut aussi trouver un médecin, Léo, vous ne pouvez pas rester dans cet état.

Dans un bar du centre bourg de Schluchsee, face à l'*Hôtel du Lac* où le « couple » avait séjourné une nuit, un groupe d'hommes prêta l'oreille. Une monstrueuse déflagration venait d'envahir tout le vallon, répercutant son écho violent sur les pentes abruptes qui l'encaissaient. Les clients curieux accoururent jusqu'aux fenêtres pour constater qu'une épaisse colonne de fumée sombre s'élevait du cœur de la forêt. Les hommes, eux, restèrent assis, l'explosion ne les étonna pas le moins du monde. Ils étaient attablés devant l'écran désespérément vide d'un ordinateur portable connecté au réseau wifi de l'établissement. Tout avait si rapidement disparu, octet après octet, dans une affligeante efficacité métronomique et ce, dès qu'ils eurent enfin pénétré cette fichue machine, presque miraculeusement. À l’apparition des premières données, réactifs, ils avaient réussi à sauvegarder quelques rares fichiers sur une clef USB détenue par l'un d'eux au fond de sa poche. Puis, l'effacement s’était mis en route au fur et à mesure que s’affichaient les octets pour devenir total. Une poignée de fichiers, un bien maigre butin ! Mais bon, au moins avaient-ils éliminé leurs trois cibles, à grand bruit, et éradiqué ainsi les entraves qui biffaient la bonne marche des choses et, peut-être aussi, écarté l'ensemble des investigations de ce fouineur de journaliste puisque l'ordinateur n'était plus qu'un abîme creux sans fond, un néant abyssal.

82

Mésopotamie, IIIe millénaire avant J.-C.
Village d'Akurgal le Grand

Dans la crypte où reposait son enveloppe, l'esprit d'Akurgal s'enroulait autour du tronc lisse de l'Arbre aux mille mystères. *Tant de questions !* De ses mille feuilles interrogatives, beaucoup étaient tombées sinon toutes mais quelqu'une persistait toujours, farouchement accrochée, à l'automne de son Grand Départ. Son corps figé ne bougeait plus bien-sûr, enserré par ces bandelettes poussiéreuses – sa dépouille avait été apprêtée selon les pratiques et rites venus du Pays du Grand Delta, afin qu'elle traversât sans encombres les âges à venir – mais son fluide spirituel vagabondait, son essence ne pouvait se résoudre à quitter définitivement cet ici avant de comprendre la raison pour laquelle la *Grande Prophétie* sommeillait encore dans les venelles du village au lieu de porter et semer ses germes de la Connaissance en ces terres meurtries, à fertiliser l'humus des espèces primitives dont l'homme était, à ensemencer mers et océans d'incroyables joyaux, et enluminer la Voûte Céleste de ses millions de larmes scintillantes.

Il fallait pourtant faire vite, avant que le *Feu Vif* de l'Anneau ne s'éteignît irréversiblement car l'Alliance se mourrait de n'être portée par une matière vive, à la façon de ces magnifiques perles mystérieuses, d'un noir vitreux, au sein desquelles brillait faiblement le spore d'une étoile dorée, l'embryon d'un cœur en devenir, sensible et pur, à patienter une âme si respectable et méritoire à l'apprivoiser.

Sa carcasse était embaumée depuis presque une année entière et où se cachait Aleth à venir quérir le Jonc. Sa peau n'était plus qu'une triste mue desséchée pourtant l'Anneau ceignait toujours son doigt, s'affaiblissant jour après jour. Ses organes fossilisés se fendillaient dans leurs urnes fendues aux substances évaporées et Néferhétépès restait résolument absente, statique, désespérément immobile, le regard vide plongé dans l'immensité du Devoir à accomplir. Son esprit même maintenant se froissait dans le crissement glacé de ses particules dissipées alors que la petite Bittati n'augurait déjà plus qu'un lointain souvenir flou, imaginaire…

Que faisaient-ils ? Aucun deuil ne tolérait une telle absence. Ne devait-il pas lui-même devenir Signe ?…

Alors le léger courant d'air de son discernement fit s'effondrer les dômes ténus, formés de voiles de poussière, qui obturaient ses orbites. Du tréfonds de ses cavités creuses, de fringantes étincelles prirent leur envol dans un preste tourbillon évanescent. Elles embrasèrent, durant un accroc de temps, les savantes ogives minérales créées avant de s'enfuir par l'orifice circulaire qui conduisait à l'interminable escalier rejoignant l'extérieur. Les lueurs demeurèrent virevoltantes derrière l'épaisse dalle de pierre qui verrouillait l'accès au tombeau mais bientôt la traversèrent, soumises à un appel impérieux. Dans la fraîcheur des frondaisons, de part et d'autre de cette inviolable porte, deux fantassins ourdis d'un arsenal impressionnant en préservaient l'approche ; le dernier des Grands Sages était un si miraculeux trésor à protéger. Mine crispée sous leur casque de fer, ils observaient, impassibles, cette intrigante fillette coiffée de feu, de sept ans à peine, qui officiait d'une frêle brindille entre ses doigts fluets et dirigeait l'extraordinaire ballet chorégraphique luminescent de ces deux feux follets étonnamment sortis de nulle-part, des entrailles de la terre. Les furoles stagnèrent devant leurs yeux ébahis avant de s'enchâsser à leur front. L'instant d'après, au moyen de solides leviers de bois, les soldats ébranlèrent de peu la roche puis libérèrent un passage suffisant pour qu'un homme menu s'y immisçât. La bouche fendue exhalait son haleine fantasmatique d'entre ses lèvres minérales étrécies. Bittati la Sereine maintint les gardes hallucinés dans l'étrangeté opulente et richement colorée de la dimension de leurs songes d'enfance oubliés, du simple bout de sa baguette, aérienne et précise à tracer au céleste la portée éphémère de leurs souvenirs emportés. Ainsi ne virent-ils pas approcher Aleth. Le petit-fils de

Dumuzi disparut dans l'anfractuosité et pénétra le vaste mausolée ; profanatrice incursion.

Les marches étaient piégeuses, recouvertes d'une fine couche volatile et incertaine de poussière de sable, les degrés abrupts et le tout intégralement enténébré. Aleth alluma un flambeau de résine puis s'enfonça avec prudence dans ces profondeurs inhospitalières. Il n'avait cependant aucune crainte, une pensée furtive lui avait commandé ce troublant périple, il était là par obéissance au Devoir transmis et dehors, sous le feu solaire, veillait Bittati.

Au plus profond de l'édifice, ses yeux éblouis furent brutalisés par l'éclat pervers et perfide d'un amoncellement d'offrandes faites au Grand Sage. La Chambre aménagée à cet effet brillait outrageusement à la clarté vacillante de la flamme et étalait son ostensible impudence de richesses peu communes. Imperturbable, en fidèle servant du devoir, le jeune homme détourna son regard de cette impudique fascination pour découvrir plus avant, éberlué, dans un renfoncement, des braises qui rougeoyaient passives, inaltérables.

D'où tiraient-elles leur érubescente puissance infinie ?...

Décontenancé, il s'achemina jusqu'à l'oculus ouvrant sur la salle basse où reposait la dépouille. Il se recueillit avant d'y entrer puis rampant et se contorsionnant, bientôt fut dans un sépulcre de taille modeste, quelques pieds de large sur une longueur avoisinant deux corps mis bout à bout ; le plafond ne s'élevait pas à plus de la stature d'un enfant. Aleth prit place aux côtés du Grand Sage et échangea avec ce corps momifié tout ce que son âme lui avait dicté depuis si longtemps ; chuchotements étouffés à l'épaisseur de la voûte, murmures à l'écho sourd de la roche. Il lui sembla bien que le Sage répondait néanmoins à ses interrogations. La béatitude l'étreignit, seul dans le ventre de cette terre, accroupi dans les énergies dégagées par le lieu, jouxtant ce corps divin recouvert de bandelettes. *Était-il encore Aleth, fils de Yarim le Visionnaire et petit-fils de Dumuzi le Forgeron ? Était-il encore lui-même à cet instant ?* Il aurait pu rester ainsi la fin de son existence entière, en cet endroit où des forces fabuleuses vous nourrissent pleinement, où se superposent des vaillances irréelles, constances fantastiques, résolutions et persévérances, un lieu à part, en équilibre sur le bord de la dimension compréhensible, prêt à vous faire basculer dans l'infinité inexprimable. Soudainement, son esprit déformé par ses ultimes pensées féeriques aperçut le longiligne squelette enrubanné se dresser et tendre à sa raison une main décharnée. Aleth s'ébroua, reprit pied dans ce monde et s'enhardit. *N'avait-il pas une mission à mener ?* Il saisit alors le bras droit du Grand Sage et entreprit d'en dérouler méticuleusement les écharpes textiles craquelées enveloppant sa main. Dans l'obscurité de son flambeau abandonné à l'extérieur, une lueur pâlissait sous les bandages, implorante à plus de célérité, dans d'ultimes soubresauts. Le jeune homme ne pouvait agir plus vite au risque de briser l'intégrité divine de celui qui sommeillait là, ce pourtant qu'inexorablement s'amenuisait le *Feu Vif*. Après d'interminables rotations, les ossements de la dextre du sage, gansés de leurs lambeaux d'un parchemin si altérable, se révélèrent à ses yeux attentifs ; cette vision ne le rebuta pas. Avec d'infinies précautions, il déposa cette fragile chose sans pesanteur, racornie, à sa cuisse large, si bien irriguée, si vivante, puis tournant laborieusement l'anneau supérieur senestrorsum, révolution inverse au cheminement solaire, désengagea les pointes acérées de l'os vulnérable. Il escamota ainsi le *Souffle Circulaire* de la *Grande Prophétie* à ce que fût autrefois l'auriculaire du Très Vénérable Sage Akurgal Le Grand. Un intarissable soupir anima la momie un instant tandis qu'une mystérieuse puissance circulait dextrorsum dans l'espace confiné. Auréolée d'une longue traîne de paillettes scintillantes, la nue resplendissante fondit sur l'Anneau, en franchit précise l'orifice et disparut aussi subitement qu'elle était apparue. L'Alliance palpita insensiblement dans la paume rugueuse d'Aleth puis des scories cristallisées de Lumière vinrent l'iriser faiblement. Le joyau reprenait timidement vie. *Renaissance !* L'instant d'après, alimenté par la force émanant de cette chair reconnue, le bijou frémit, l'intensité de son éclat s'accrût, exponentielle, pour bientôt irradier la minuscule chambre mortuaire. Les perles profondément enchâssées d'Aleth cillèrent pour fuir cet aveuglement de la salle embrasée puis promptement, il couronna son doigt de l'Anneau. Il y imprima une première rotation et les huit broches piquèrent légèrement peau et chairs cependant que l'irradiation s'atténuait. L'Alliance, Portail de Passage aux Dimensions, avait retrouvé sa place ; son large jonc bombé, aux huit bossettes externes rappelant la barre d'un navire, intimait Devoir à son Porteur de se transmuer en *Capitaine des Destinées* à savoir mener à bon port la *Grande Prophétie* dans la véhémente tempête éternelle de flots tumultueux courant cette Terre d'en-bas. Le flamboiement s'estompa encore un peu, docile, pour ne plus devenir que brillance ordinaire de l'or. Le jeune Aleth, fortement ému, remit ordre et sens aux bandelettes avec une dévotion rituelle, tendit l'oreille aux prudentes recommandations de l'Illustre Sage étendu, lui susurra l'opiniâtreté du zèle dont il ferait preuve dans l'exercice de sa mission et s'enquit de son retour vers le monde des vivants.

Il dépassa la Chambre aux Trésors, sans un regard, et escalada les gradins vers le jour. Dans le dénuement total du pauvre hère qu'il était et cependant riche de la magnificence qui encerclait son auriculaire, il émergea, les yeux brûlés, dans la cruauté solaire. Les gardiens ne firent aucune difficulté pour qu'il passât son chemin. Ils étaient apathiques, sourire béat aux lèvres, regard tourné sur l'intériorité de leur lointain passé retrouvé. Bittati, la petite fille rousse, orchestrait toujours la symphonie si merveilleuse de leurs souvenirs, hochant sa crinière cuivrée à la rythmique martelée par leurs songes. L'Anneau venait de reprendre enfin existence et une très longue voie tracée s'ouvrait à lui, une grande destinée étalant ses sinuosités sur plusieurs millénaires.

Dans l'encuvement rocheux où il flottait, le corps physique de l'Illustre Sage se désagrégea en fine poussière qui voletait avant de s'amalgamer pour renaître à la vie en cristaux de silice. Ses ultimes pensées à cette terre fusèrent : si les codes et lois n'avaient encore porté leurs beaux fruits ni même effleuré l'efficacité escomptée ; au moins l'espoir pouvait être fondé maintenant que l'Homme, ce piètre animal si récalcitrant à la simplicité de son bonheur, glissât ses pas hésitants sur le chemin vertueux menant à la Perfection... ce dès lors que la Grande Prophétie avait repris sa substance. L'espérance désormais viendrait appuyer les fondations de son essor aux limons mouvants de la barbarie humaine. Si, sans faiblir, l'espèce humaine continuait à s'entre-tuer avec sauvagerie pour ravir aux vaincus leurs territoires, découvertes techniques et cette chose étrange nouvellement instituée, la monnaie ; une lueur, si faible serait-elle, parviendrait à illuminer le sombre versant septentrional de sa raison. Il comprendrait bien vite que la valorisation des échanges ne générait que conflits supplémentaires repoussant toujours plus bas une masse de laissés pour compte aux accents du grand dépouillement. L'Homme éclairé ne saurait accepter que cette lèpre s'étendît, prît suprématie sur la Vie Bonne. *Impossible !*

L'Homme possède l'incorruptible potentiel du discernement. Ces armes inventées, constamment plus sophistiquées à anéantir le plus grand nombre, ce pouvoir fielleux de si peu convoité à l'encontre de tant d'autres, cette triste mort singulière devenue si lugubrement plurielle aux champs funestes de la désolation de guerres fratricides toujours plus meurtrières… Barbarie, Sauvagerie, Avidité… tout cela bientôt n'existerait plus ! La *Grande Prophétie* déposerait son germe divin à l'intelligence de l'Homme, terreau fertile à la perfectibilité, et lors *Ses* secrets enfin révélés, n'apparaîtraient-ils pas comme une évidence ? Un simple rappel aux voies librement choisies et suivies ? Sinon, lui-même comme les siens, les Grands Sages, auraient-ils échoué dans leurs desseins ? Que pourraient contenir leurs écrits, à être lus dans quatre mille d'années, pour rendre l'espèce enfin sage à améliorer son sort et qu'elle n'aurait déjà trouvé par elle-même durant cette longue attente ? Maintenant qu'eux sept avaient été décrochés de l'Arbre Vif par l'Inévitable, fallait-il cesser d'espérer ?…

Sur l'horizon incendié, arpentant le sentier traversant tertres et marécages, se dessinaient les incertitudes mouvantes de silhouettes heureuses, à si bientôt disparaître dans l'entrelacs des contrées de cette Terre d'en-bas, à l'image radieuse de l'Astre Suprême s'affaissant derrière les monts sacrés de l'Occident. *Quelle âme du village d'Akurgal se souviendrait de ces étranges chimères ?...* Un couple si tendrement enlacé, une petite fille joyeuse et sautillante, boule de feu, agrippée à la main diaphane de sa mère et, un peu à l'écart, un jeune homme rayonnant d'une aura tellement particulière avec à son auriculaire droit, un si étrange anneau scintillant.

Et voilà déjà qu'ils n'étaient plus... ligne pure de l'horizon à la vacuité du désert... mirage dans la mémoire de tout un peuple... le chemin paraîtrait cruellement vide de sens maintenant, pourtant il contenait tout le foisonnement miraculeux des particules de la Haute Connaissance...

Au Nadir de la monumentale stèle, dans les abîmes de la Grande Nourricière des Hommes, une larme étincelante, véritable Perle de Cristal, submergea l'intégralité de l'excavation de son onde claire, avant qu'un Souffle Pur n'engloutît tout l'ouvrage de sa tornade dextrogyre, édifiant sur lui la plus haute dune de sable, magnifique Pyramide de silice aux si parfaites proportions.

83

Ardèche – lieu-dit « Noy »
Commune de Ste Symphorine de Mathun

Lucie attendait avec impatience, un baluchon posé à ses pieds. Antoine évita de croiser son regard et disparut rapidement dans les méandres de la maison. *Mais que faisait donc Maître Yashido ? Elle était prête !* Prête à quitter cet endroit qu'elle aurait aimé ne jamais avoir à connaître. Un lieu de souffrances et de doutes, un berceau de mensonges, l'ayant affectée plus que de raison.

Un peu plus tôt, elle était montée à l'étage saluer la vieille dame avant son départ. Cette dernière, très affaiblie par l'épisode étrange de la caverne sans qu'elle-même n'en comprît vraiment le sens, lui avait souri faiblement. Voix feutrée, « *Tu ignores tant de choses encore...* » Puis, elles étaient restées silencieuses, un long moment, les yeux dans les yeux, rivés, sans rien se dire. La main parcheminée bougea imperceptiblement sur le revers du drap et Lucie l'effleura à peine, gênée. Un trouble important s'empara d'elle, une sensation très bizarre, quelque-chose qui bousculait son interne sans qu'elle pût en interpréter la clef. Dans son corps, une transmutation s'opéra, subite, à la limite du haut-le-cœur, comme une force vive, une substance concrète, un condensat compact, s'infiltrant dans toutes ses cellules, dans le plus infime recoin de son être. Une curieuse chaleur l'envahit, elle s'éventa sans efficacité et le feu courut le long de ses veines enflammées pour atteindre son cœur sensible puis, s'amenuiser. Marie ne la lâchait pas de son regard délavé, l'octogénaire assistait, ravie, à toute sa métamorphose. Soudain, sa tête la fit atrocement souffrir, comme enserrée par les mâchoires d'un puissant étau, castratrices de la fertilité de sa conscience puis, plus rien, idées claires, fluides, visions nettes, précises, parcourant le labyrinthe complexe de son intelligence. *Qu'étaient ces manifestations ?* Très troublée, Lucie voulut replonger ses iris verts dans ceux de sa grand-mère mais, les paupières presque translucides de l'aïeule ombraient les lagons turquoises éthérés, coagulées. *S'était-elle endormie ?* Les doigts osseux pressèrent un court instant la main de la jeune femme puis relâchèrent leur étreinte comme si plus aucune vitalité n'émanait de cette enveloppe fatiguée, comme si l'once d'énergie résiduelle avait quitté ce corps usé pour aller en quérir un autre, réceptif, plus fringant. *Elle dormait !...* Lucie embrassa le calque fripé déposé sur ces perles de jade closes puis le front serein de la vieille dame. Elle semblait s'être consumée de l'intérieur, éteinte telle la faible flamme vacillante d'une chandelle au souffle tendre et doux du repos. *Elle dormait profondément...* Lorsque Lucie quitta la pièce, elle entendit chuchoter la voix de l'aïeule : « Nous nous reverrons très bientôt, ma chère enfant ». *Elle dormait, définitivement !...*

De retour dans la salle principale du rez-de-chaussée, Lucie, perturbée, croisa Angèle, lugubre, qui s'apprêtait à rejoindre celle qu'elle-même venait de quitter. Un courant glacial tissa un ersatz de lien entre les deux femmes, un fil polaire. Lucie, sèchement, en ramassant son sac posé au sol, lâcha un laconique : « J'y vais... ». La porte claqua sur la svelte silhouette de celle qu'elle avait portée au creuset de son sein. Une pensée dolosive dans l'esprit de la mère affectée. Elle n'avait su retrouver sa fille et à l'étage sa mère partait, inexorablement. Elle allait se retrouver cruellement seule pour les temps à venir. Une émotion vint altérer la rude carapace qu'elle s'était forgée depuis tant de décennies, depuis qu'elle était corrélée à cette vile légende antique, depuis toujours en fait ! Une main rugueuse mais familière et protectrice se posa à son épaule nue, frémissante. Le vaillant Antoine prenait pleinement la mesure de son rôle à suivre.

Angèle grimpait à l'étage quand Lucie refit son apparition dans la pièce ; puisque le vieil asiatique demeurait introuvable, elle l'attendrait là !

Dès son entrée dans la chambre, Angèle comprit. Un froid austère s'était installé malgré la belle flambée qui crépitait dans un angle de la pièce. Elle refoula une triste pensée qui l'assaillait, les regrets tardifs n'étaient en aucune façon constructifs. Elle s'assit au chevet de sa mère, prit une main glacée dans les siennes si chaudes de vie et put enfin épancher des torrents intarissables de larmes bien trop longtemps retenus.

Beaucoup plus tôt, Marie lui avait annoncée sereine : *« C'est pour cette nuit ! »*. Dans la tourmente de tous ces événements qui l'avaient sévèrement bousculée, elle avait zappé l'essentiel, ce que le rude *Chemin des Destinées* traçait depuis des siècles : la mort imminente de sa mère, programmée, cyclique, inéluctable. En effet le passage de chaque nouvelle jeune fille de la *Lignée Divine* dans les volutes du *Feu Principiel*, au cours de sa vingt-huitième année, emportait irrémédiablement et presque concomitamment la génération aînée au-delà des sept portes du Monde Inférieur. Il en avait toujours été ainsi depuis le fondement de la *Grande Prophétie*, depuis la naissance de la fille de cette Néferhétépès, irradiation ineffable à l'origine de la *Lignée Divine*. Lucie, qu'elle n'était parvenue à attendrir ni infléchir à son amour, venait de sceller le destin de sa grand-mère. Il en serait de même pour elle quand la fille de Lucie – qui naîtrait immanquablement dans le courant de l'année à venir – subirait l'épreuve du *Feu* avant le terme de la cinquième lunaison suivant ses vingt-sept ans. La Règle Cosmique des trois fois vingt-sept ans accomplis était immuable, la Grande Loi Universelle l'imposait. Ainsi s'inscrivait le Haut Temple du Temps, la Pyramide de la Vérité aux dix mille marches, qui, de ses dix mille jours figuratifs, entre la venue de l'enfant et sa révélation aux *Braises Originelles*, enveloppait la trame occulte que chacune d'elles poursuivait. Au-delà des vingt-sept ans révolus, s'inscrivait l'épreuve temporelle nécessaire à en gravir le haut sommet, lente ascension de son faîte culminant jusqu'à l'illumination divine, par le *Feu Principiel*. Ainsi, depuis plus de quatre mille ans, pour cent soixante générations d'élues.

« Ma fille a vécu dix mille jours et je ne la connais pas ! J'ai seulement partagé avec elle les quelques heures passées, cruelles et dévastatrices, sans nous adresser plus de dix mots. Elle me hait, elle me fuit, nous ne nous connaîtrons donc jamais »

Les sanglots redoublèrent, lavant le terne regard maussade de la femme bouleversée. Le poids des années soudainement accablait ses trop frêles épaules. Elle appuya son front brûlant à celui de sa mère, arctique. Rien ! La fusion des esprits ne prenait plus, même cela dorénavant serait rompu !...

Après s'être redonnée bonne figure, elle redescendit dans la salle où s'agaçait sa fille toujours sans nouvelles du Senseï. Angèle approcha de Lucie qui recula instinctivement.

– Pardon, fit cette dernière, mais c'est encore un peu tôt... demain peut-être...

– Je sais, je comprends, répondit la mère blessée.

À bonne distance de la jeune femme, elle lui glissa cependant l'information tant attendue.

– Toshiaki est dans le Temple...

Lucie sortit en la remerciant d'un signe de tête.

Dans la cour, la Jeep attendait le départ, docile, seul manquait son pilote. Autour du véhicule, la chienne Polka entama une ronde bondissante. *Que voulait-elle lui indiquer ?* La main de Lucie la tempéra et la flatta puis, l'animal en grognant prit la direction du Temple où se trouvait Maître Yashido. *Quelque-chose d'anormal se passe !... Toshiaki est-il en détresse ? En Danger ?...*

Dès ses premières foulées dans le goulet d'accès, Lucie fut énergiquement ceinturée par une sorte de mousseline laiteuse, une chantilly aérienne, en apesanteur, qui voulait catégoriquement la refouler à l'extérieur. *Que cela signifiait-il ? Qu'était cette Chose ? Un avertissement ? Une agression ? Non !* Cet édredon duveteux voltigeant autour d'elle figurait bien plus un désir de protection. *Mais la protéger de qui, de quoi ? D'elle-même ?* Dans l'épaisseur invisible, sourdaient des particules hostiles, en suspension. Elle pressentait cela, puissamment, comme une évidence. *Il se passait bien quelque-chose d'anormal !* Un danger sous-jacent braquait son adversité comme un étendard, une oriflamme. Elle frissonna malgré la touffeur, se débattit pour se libérer de cette camisole de buées qui ne la lâchait pas. Opiniâtre et résolue, elle finit par se dégager, avec force. Elle était venue voir Maître Yashido, elle le verrait ! *Qu'est-ce que ces phénomènes étranges se manifestant à tout instant ?* La chimère abandonna sa domination, la précéda dans le corridor minéral, projetant son rayonnement irréel sur les murailles de granit. Mais subitement, le condensat fit volte-face, se transmua en une pointe acérée et d'une gerbe d'écume transperça la jeune femme. Pliée en deux sous la violence de l'impact, Lucie ressentit immédiatement un malaise expansif qui torturait son corps, bousculait ses viscères. Haut-le-cœur, envie de renvoi, colonne acide le long de son œsophage. La *Chose*, cette énergie, l'avait envahie, s'accaparait tout son être, pénétrait sa pensée. *Ce substrat fait-il partie de ma conscience ? Essence de mon esprit ?* Tout à coup, ses instincts guerriers refirent surface, une force nouvelle, inconnue, indestructible. La clairvoyance irisa la frange de sa raison, étonnamment lucide. *Acuité exacerbée !* La *Chose* était elle, substance même de son entité, complément à ses vides jusqu'alors abyssaux. Pour la première fois, elle se découvrit totale, se perçut globale, se discerna intégrale. *Complète ! Révélation !...* D'un pas décidé, elle poursuivit sa course, nimbée des brouillards opalins de ses pensées lactescentes : Détermination blanche, Force immaculée, Puissance lumineuse. Elle était la *Nitescence Pure*, diffraction de toutes les nuances, elle était l'Élue !…

À son entrée dans l'enceinte circulaire de la caverne, Lucie fut estomaquée. Ses certitudes tout juste apparues s'effondrèrent, ses dernières impressions s'estompèrent avec soudaineté. *Quelle force destructrice, quel cyclone était survenu ? Quel cataclysme !* Une indescriptible faiblesse réintégra sa pensée, désarticula sa cuirasse, lambeaux de ferraille inutiles, déjà. Plus rien n'avait sa place, tout était sens dessus-dessous, brutalisé, saccagé, sacralité dévastée, symbolisme évaporé, l'espace violemment illuminé. La pénombre connue jusqu'alors, si réconfortante, et qui traçait les contours humainement admissibles, était reléguée aux anfractuosités des parois de la grotte, sévèrement rabattue par de tentaculaires volutes fluorescentes escaladant l'antre jusqu'à son faîte puissamment éclairé. Lucie, stupéfaite, en découvrit alors toute la symbolique, voûte infinie, éternelle. *Existait-il de la roche palpable par-delà ces milliers d'étoiles si prodigieusement illuminées ? Que recelait la profondeur ténébreuse dans laquelle elles baignaient ? Tout semblait suspendu, en équilibre, entre deux mondes...* Elle n'eut de temps à s'attarder à cette magie qu'un éclair étonnamment sombre jaillit de nulle-part et la fit lourdement basculer sur le sol. Elle se réceptionna tant bien que mal puis vit s'élever, depuis l'écrin de la

Fulgurance, trois colonnes fuligineuses torsadées et entremêlées, trois querelleuses entrelacées dans un vil combat dantesque. Tout proche, solidement campé sur ses deux jambes, Toshiaki donnait l'impression de vouloir diriger ce funeste ballet amphigourique, en orienter les arc-boutants éthérés indomptables, en apprivoiser au mieux les folles émanations sauvageonnes. Il intimait l'illusion à souhaiter infléchir ainsi les voies de l'avenir à ses prédispositions, en chef d'orchestre dément du *Chemin des Destinées* aux ultimes résistances de la *Grande Prophétie*. À tous moments, les vapeurs, telles des lames effilées, tentaient de trancher bras, jambe ou cou du vieil homme qui, vif et leste, parait les coups au mieux de ses savantes maîtrises et d'un bâton étrangement lumineux armant sa main droite. Les pupilles effarées de Lucie rencontraient tantôt une trombe macabre, d'une noirceur impénétrable, tantôt une tornade opalescente, presque diaphane, ou encore un typhon virulent aux accents phosphorescents.

Chaque émanation, engagée dans cette bataille acharnée, folle mouvance suffocante à ce nid reptilien, cherchait l'ascendant victorieux sans qu'aucune toutefois ne parvînt à imposer sa suprématie. De cet entrelacement insoluble surgissaient de nombreuses effigies à chaque instant, maltraitées par la véhémence de ce cordage serré d'écharpes nébuleuses : vautour sépulcral à l'encolure effrayante et au funeste criaillement ; aigle noir aux orbites scintillantes de jets ambrés corrosifs ; scarabée dont les élytres d'une pureté étonnante bruissaient d'effroi ; rongeur des sables à l'innocence suprême, ses deux perles rubis scrutaient, candides ; serpent-dragon à collerette enroulé d'une mue vespérale, cape de moire chatoyante qui battait à la tourmente, démiurge crachant sa rivière de flammes fluides à toute l'épaisseur du dôme.

Lorsque la jeune femme immobile fut de nouveau irradiée par une fulguration, les colonnes restèrent en suspens au-dessus d'elle, statiques. La plus irascible balança alors son ruban ténébreux sur sa silhouette pétrifiée et fondit sur sa proie, plongeant des éperons foudroyants au centre de sa poitrine transie. La guivre opalescente tenta d'en dévoyer les aiguillons mais fut violemment repoussée aux érections rocheuses du Midi. La nuée crayeuse et joufflue voulut s'interposer à son tour ; elle s'éparpilla en mille flocons cotonneux sur le rempart du Septentrion. La jeune rousse, projetée avec virulence contre la paroi, perdit connaissance dès le choc. La cordelière obscure qui entourait son corps pantelant, arracha soudain un tentacule du buste figé et maintint le cœur vif dans l'entrelacs de ses doigts brumeux. Puis, la tenaille digitale lâcha l'organe encore palpitant sur le sol, enchaîna les membres de liens vaporeux et écrasa la gorge du poids de ses éthers…

Dans la géhenne de son cerveau nécrosé, une lueur furtive passa. Le Sceptre de Lumière de Maître Yashido frappait, brisait les osselets arachnéens dentelés qui lâchèrent prise, se pulvérisant tel un squelette de cristal. Au relâchement de cette étreinte, un air sulfureux embrasa les bronches de la jeune femme qui recouvrit quelque esprit. Devant elle, les yeux révulsés de son Senseï…

– Sors de là, Lucie… Va-t-en ! Prends la Jeep et pars, au plus vite… au plus loin…

Sans voix, elle obtempéra. Le passage enténébré la ramenant à l'extérieur résonnait de bruits atterrants, de hurlements glaçants.

L'instant d'inattention à la sauver avait permis à l'obscure bestiole de malmener rudement Maître Yashido. Il gisait au sol et son bâton de Lumière, à quelques distances, s'éteignait doucement. Un tentacule reptilien d'annelets flexibles broyait, de ses écailles inconsistantes, le larynx du Senseï, douloureusement, à l'étouffer. Accrochées aux escarpements abrupts, en spectatrices désarmées, d'interminables larmes lactescentes et iridescentes formaient un piteux halo anémié, d'une pâleur exsangue, réverbération du Mal à leurs stalactites mystérieux.

Dehors, le moteur de la Jeep ronronnait, Antoine au volant, son baluchon dans le caisson arrière. Dès qu'elle grimpa dans l'engin, il démarra sans attendre et fila en direction de la ville. Ce soir, Lucie serait à Paris.

Lorsque Maître Yashido expira son dernier souffle de vie, les trois virulentes colonnes gazeuses s'effondrèrent sur elles-mêmes, absorbées par le *Feu Primitif* qui réinstalla son cours, crépitant sagement dans son écrin. Après quoi, le brasier les recracha avec vigueur, indigestes et profanatrices ; chacune disparut par l'un des orifices percés à la falaise orientale. La pénombre se glissa de nouveau à la voûte céleste, fantasmagorique ; les douze flambeaux équitablement répartis hésitèrent encore un peu puis se renflammèrent timidement, dispensant leur faible clarté équivoque. Le puits sacré déglutit la vague de fiel venue inonder le Temple. Des brumes éclaircies, réémergea l'autel sacré, splendide, si garant de tant d'espoirs. Bientôt, tout fut en place, l'ordre se réinitialisait du chaos… seul, au centre juste et parfait de l'espace circulaire, se tenait, tout à côté du feu docile, le corps sans vie de Toshiaki.

L'esprit des Grands Seigneurs disloqua le miroir de cette terre d'en-bas, une fraction du temps des hommes, un léger battement d'aile du grand oiseau cosmique, et une image éphémère, grêle silhouette d'un très vieux sage, apparut. Une larme étincelante d'Akurgal le Grand, véritable Perle de Cristal, dégringola au front ridé du mort, puis émanant de la forme diaphane penchée sur la dépouille, un Souffle Pur vint courir le visage cireux de l'asiatique, caresser avec délicatesse ses lèvres atones pour enfin investir son Cœur.

84

Vincennes, Clinique du Parc
Nuit du18 au 19 juin 1991 – 2h50

Une noirceur impénétrable enveloppait le bois de Vincennes. De l'autre côté de l'avenue, nimbée dans le halo blafard de rares réverbères, s'élevait l'ombre des bâtiments de la clinique. La flèche élancée d'une grue transperçait le ciel, tel le clocher acéré d'une cathédrale contemporaine. Les extensions en cours de construction étiraient le squelette frileux du maillage de leur structure en béton armé inachevée, hérissée de mille tors vertigineux. Tout n'était que silence, chantier déserté, activités endormies ; seulement la rumeur de la respiration sourde et fantomatique de la grande capitale, si proche, palpitation inaltérable.

Plus bas, à l'intersection des voies, des pneumatiques crièrent sur l'asphalte lorsque les feux passèrent au vert, déchirant le soupir nocturne. Le rude vrombissement du véhicule s'accrût, emplissant la vacuité de l'air, puis, juste avant l'entrée de l'établissement, la camionnette ralentit, vira en éteignant ses phares et roula au pas jusqu'aux urgences. Là, l'homme au volant alluma tranquillement une cigarette pendant que quatre silhouettes lestes s'échappaient des portes arrières.

Derrière la banque d'accueil, l'infirmière de garde, interpellée inconsciemment, releva la tête un instant, décortiqua la pénombre aveugle à travers les larges baies puis replongea sur son ouvrage. Des quatre ombres furtives, trois se détachèrent pour contourner la bâtisse. La dernière pénétra les urgences sans bruit. Ce n'est que lorsqu'elle sentit sur sa tempe le silencieux glacé de l'arme que l'infirmière se redressa une nouvelle fois. Une main plaquée sur la bouche pour empêcher tout cri d'alerte, son regard pétrifié vira pour se figer sur une cagoule noire où de sombres perles brillant au fond de trouées sommaires l'invitaient à ne pas bouger. Terrifiée, la femme s'immobilisa.

– La chambre d'Angèle Fourot, la brusqua l'homme. Vite !

Entre les doigts gantés qui lui écrasaient les lèvres, l'agent hospitalier marmonna quelques mots hachés, incompréhensibles. Son agresseur relâcha l'étreinte mais accentua la pression de la gueule froide sur le temporal. Bruyamment, l'infirmière expira en tapotant le clavier de l'ordinateur.

– Angèle Fourot, fit-elle dans un souffle, Ah oui, la jeune femme qui vient de mettre au monde les trois petites filles... En service de réanimation !

Une odeur sure de transpiration angoissée et d'urine fétide remontait de l'otage jusqu'aux narines pincées de l'intrus qui, d'un simple hochement de tête, acquiesça.

– La « réa », c'est où ?

– Au sous-sol... en bas de l'escalier, à droite, dernière salle au fond du couloir, déballa-t-elle d'un trait.

D'une torsion sèche et rapide, l'homme lui brisa le cou, la réduisant à un silence éternel, la moelle épinière sectionnée. Son cadavre pantelant s'avachit lentement sur la chaise.

Par une issue de secours du premier étage s'infiltrèrent trois corps athlétiques, moulés dans des combinaisons anthracite. Sans aucune hésitation, ils se dirigèrent en file indienne jusqu'au milieu du corridor où un rectangle de lumière éclatait dans la nébulosité. Le premier dégaina, entra et tira à deux reprises dans un son mat étouffé par l'efficacité du long silencieux. Les personnels soignants s'écroulèrent, sans réaction, une balle en pleine tête. Les autres assaillants avaient poursuivi leur course pour s'arrêter devant la porte d'entrée de la nursery où les rejoignit le tireur. Une fille de salle finissait d'astiquer un berceau en plexiglas alors que dans la pièce voisine, une soignante donnait le biberon à un nouveau-né. D'une maîtrise et synchronicité remarquables, ils entrèrent dans un seul et même élan. Un projectile atteignit la femme de ménage à la carotide faisant jaillir un geyser de sang glissant le long des parois en plastique qu'elle désinfectait l'instant d'avant. Les deux autres ombres approchèrent lestement de la nourrice que le bruit feutré du corps de sa collègue s'effondrant au sol avait alerté. À travers la vitre de la fenêtre séparative, elle vit une main prolongée d'un automatique et l'index de l'autre barrant des lèvres, l'intimant au silence. Lorsque sa bouche s'ouvrit d'effroi, mille éclats de verre formaient une rosace esthétique et régulière, s'épanouissant autour d'une abeille cuivrée qui en formait le cœur. L'insecte brûlant pénétra son dard au front, juste entre les deux yeux qui admiraient cette corolle expansive aux minuscules pétales miroitants. Ce fut la dernière image intelligible enregistrée par sa conscience. Pendant que dégringolait la nurse, morte instantanément, deux mains agiles retenaient le nourrisson repu dont la bouche imprimait encore un réflexe de succion.

Dans sa guérite pompeusement surnommée « Le Mirador », le tout jeune José, fier de son premier emploi, observait, en pestant, des écrans d'assez mauvaise qualité. Le véhicule au ralenti sous ses fenêtres l'avait réveillé. La seconde suivante, s'habillant à la hâte, il scrutait par les fentes des persiennes cette satanée camionnette avançant bizarrement tous feux éteints. S'en étaient extraites quatre ombres véloces, professionnelles. Cela n'augurait rien de bon ! Il fulminait, trop peu de caméras installées rendait sa surveillance inefficace. *Économies, toujours ces foutues économies et sacro-saintes restrictions budgétaires ! Mais que voulez-vous qu'il arrive d'extraordinaire ici ?* La réponse était là ! Limpide, devant ses yeux sidérés. *Connards !* Sans réfléchir, il enfila son harnais, vérifia le chargeur de son arme, en ajouta deux dans ses poches et courut jusqu'à l'arrière du vaisseau. Courte observation. Tout paraissait si calme, si serein, normal en fait ; à part l'autre salopard qui tirait furieusement sur sa clope derrière son volant, ne cherchant pas même à en dissimuler le rougeoiement intermittent. *Je m'en occuperai, plus tard...* Gonflé à bloc, le vigile se glissa vers les sous-sols, certain de sa stratégie et de l'effet de surprise lui conférant l'ascendant sur ses opposants. Pression sur la porte au vitrage dépoli, coup d'œil furtif. Stupéfaction !

En salle de réanimation, étendue sur un lit, une jeune femme rousse affolait les appareils de contrôle auxquels elle était reliée.

Son corps, parcouru de soubresauts et d'influx nerveux, semblait vouloir reprendre vie. Le disque dur de son cortex tournait à plein régime sans pour autant qu'une lecture concrète ne soit valide, tel un vinyle sur une platine lancée à bonne vitesse avant que la pointe diamant ne l'effleure pour soutirer le signal mélodieux. L'agitation inhabituelle dans le couloir s'enroulant à son inconscient la mit cependant en mode décryptage actif. Instinctivement, elle roula sur le côté et se laissa choir derrière l'armature de son lit, entraînant draps, couverture et instruments dans un capharnaüm total. Depuis cinq jours, elle errait dans des limbes inextricables, à la lisière d'une mort accueillante et d'une vie trop complexe à poursuivre, hésitante. Le retour à la réalité était musclé, sauvage, sans douceur. Une fulgurance brûlante traversa ses chairs, brisa des os dans sa poitrine. Un ultime effort pour se raccrocher au présent délétère puis… la nuit, les abîmes, le néant.

Face au regard décontenancé de José, s'étalait sur le linoléum le cadavre de l'interne baignant dans une mare de sang. Trot rapide, vif. Par la large porte entrouverte, une peur viscérale, dévastatrice, lui sauta au visage. Dans sa main, son arme, lourde, rassurante. Dans une combinaison élastiquée sombre, un homme tirait sans distinction sur les lits médicalisés. Les draps immaculés s'engluaient de cercles purpurins grandissants. Réactif, l'agent de sécurité vida son chargeur dans le dos du meurtrier. Dix-sept détonations brutales, assourdissantes, emplirent toute la clinique d'un tonnerre retentissant dont le lugubre écho malveillant se répercutait dans chaque recoin.

À l'étage, alarmés par les nombreuses déflagrations, les trois intrus n'hésitèrent pas longtemps. Inspectant les berceaux alignés, ils s'en éloignèrent, bredouilles. Dans un angle, un imposant cube vitré. À l'intérieur de la couveuse, deux minuscules nourrissons s'éveillaient. Coup de crosse à la paroi transparente. Ceignant les poignets, des bracelets de caoutchouc mauve où était inscrit T2 et T3. *Où se cachait T1 ?* Pas le temps de chercher, il fallait fuir au plus vite. Les trois spectres se saisirent des deux nouveaux-nés, écartèrent le voilage de la baie coulissante. En équilibre sur l'appui de la fenêtre, le premier sauta dans le vide maintenant fermement contre lui le poupon T3. Le second, déséquilibré, échappa l'enfant T2 en grimpant le rebord de l'ouverture et chuta lourdement au sol avant de se relever en boitillant. Le petit corps fragile rebondit mollement sur la pelouse en contre-bas, inerte. Le dernier, d'un bond fut sur le gazon, examina sommairement l'enfant défenestré.

– Elle est morte ! Laissons-la et filons.

Les kidnappeurs galopèrent jusqu'à la camionnette sans se retourner, abandonnant aux abords d'une bordure de trottoir la petite chose flasque. Dans un hurlement de gomme, le véhicule emporta les rescapés et le tiers de leur butin puis disparut dans la paisible nuit banlieusarde.

Dans un coin enténébré, un peu à l'écart de la grosse couveuse démantelée, pleurait à pleins poumons l'aînée des triplées nées quelques jours plus tôt. Sa naissance naturelle lui avait épargnée un séjour prolongé en couveuse où ses deux sœurs étaient gardées.

Masquée par un buisson, Marie, la Très Honorable Grande Maîtresse de la plus obscure des sociétés secrètes, avait assisté à l'horreur de la scène. Appelée en urgence par l'homme chargé de la sécurité avant même qu'il ne sorte de son bunker, elle s'était précipitée. Elle tenait maintenant dans ses mains l'infime créature recroquevillée qui gisait sur la pelouse détrempée du parc. Sans être vue, elle transporta et déposa la *chose* inconsciente dans son espace réservé. Du tiroir d'un meuble, elle saisit une arme munie d'un silencieux, en vérifia le bon fonctionnement. *Pas une seconde à perdre !* Elle dévala les marches puis arpenta les couloirs. Un impressionnant désordre régnait partout. Soignants et patients affolés se bousculaient, se piétinaient pour fuir un danger supposé dont ils n'avaient idée et qui pourtant n'était déjà plus, enfui dans l'agglomération. Marie profita de cet affolement anarchique pour passer inaperçue. Une fois arrivée à la nursery, elle en condamna la porte. *Ne pas tergiverser !* Constatations rapides. Là, Lucie – elle se prénommait Lucie, la « Lumière » – s'époumonait dans son berceau, agitant ses petits bras et le bracelet mauve tagué T1. Un peu plus loin, la couveuse éventrée était désespérément vide. Ce qu'elle craignait par dessus tout prenait consistance : ils savaient ! *Ils étaient venus voler les enfants.* Une brève pensée pour sa fille. *Pourvu qu''elle soit sauve !* Puis, sans le moindre scrupule, l'importance de la Voie l'emportant sur tout autre considération même vitale, elle s'approcha des berceaux, choisit deux fillettes âgées d'environ une semaine et les transposa dans la couveuse. *Leurs mères sont déjà reparties en mission, quelle importance !* Ensuite, elle pointa son arme et fit feu sans vergogne, défigurant les bébés, méconnaissables. Elle arracha les bracelets vert pastel, traça d'une main fébrile T2 et T3 sur des mauves qu'elle attacha aux poignets immobiles. Tout était parfait, tout reprenait sens, tout retrouvait sa place et rentrait dans le bon ordre. Son machiavélique stratagème ferait illusion et garderait le secret, du moins l'espérait-elle, le temps qu'il faudra ou mieux pour toujours.

De retour dans son appartement, téléphone portable en main, elle conversait avec la seule personne en ce monde sur laquelle elle pouvait fonder une confiance aveugle. Ses yeux se posèrent sur l'insignifiance vivante calée dans les coussins du sofa.

– Toshiaki, un grand malheur vient d'arriver ! Ils ont attaqué la clinique… non, non, Angèle est dans le coma, blessée, mais vivante. Ils ont réussi à enlever une de ses filles. J'ai devant moi sa sœur abandonnée pour morte pendant leur fuite. Par chance, Lucie est bien là ! L'Élue est toujours entre nos mains, en parfaite santé. Viens chercher sans attendre la petite blessée, emporte-la loin, qu'elle disparaisse mais prends-en soin et garde sur elle un œil vigilant, sait-on jamais. Bien sûr, tout ceci n'est jamais arrivé !

Dès qu'elle eût raccroché, elle s'obligea à porter les premiers soins indispensables au nourrisson, bien que cela la répugnât. N'était-elle pas le Mal personnifié ? Tout comme sa sœur enlevée ! Sa vision prophétique, bien que trouble, attestait de la présence de deux masses parasites autour de Lucie, une espèce de monstre à deux têtes, un hydre repoussant, indomptable, qui s'entre-dévorait sans merci, cherchant à décapiter la tête surnuméraire, au risque de tuer l'Élue, Lucie, Celle par qui seraient révélés les secrets des Sept Grands Sages sumériens, Celle qui dissiperait les ténèbres et remettrait le monde en Lumière.

Professionnelle, elle élabora une atèle enserrant la jambe qui formait un angle aventureux, ramenant le membre à bonne position avec d'infinies précautions. À cet âge, la petite n'aurait pas à en souffrir ni même peut-être à en subir quelconque séquelle.

Son deuxième accessit à la tête des « Sumériennes Antiques » commençait de bien piètre façon…

85

Paris, rue de l'Espérance, 10 e arrondissement
Arrière-salle de La Pinte Dorée

Son cocon démasqué, le repaire d'Amy débusqué, que leur restait-il comme solution de repli ? Beth savait ! Elle savait où personne ne les surprendrait, d'autant qu'en face, ce n'était pas la Société et ses dangereux éléments mais ces amateurs américains et leurs trinômes décevants. La rousse prit soin d'avertir Lucie, Valérie et Philip de leur nouveau point de chute ; tous avaient, d'un bel ensemble, décidé d'un retour sur la capitale dès ce jour. Elle en était ravie, tant à revoir ses amis – et tout particulièrement Valérie – qu'à pouvoir se raconter leurs mille aventures. Ils s'étaient quittés à peine trois jours plus tôt, au petit matin, après s'être rencontrés pour la première fois la veille au soir. Aucun n'aurait probablement cru possible qu'en si peu de temps, autant de péripéties puissent survenir dans leurs existences. *Ils sauraient quoi se dire...*

Beth et Amy attendaient au lieu prévu, à l'abri d'une arrière-salle discrète de *La Pinte Dorée*, le bar de Tim et Jane. Elles avaient écumé les systèmes informatiques du généticien et par extension ceux d'un sénateur nommé Harris, outre-Atlantique ; de la traître Rena ; d'un certain Tom Vockler qui semblait jouer un jeu très ambivalent et bien entendu, ceux de cette Albizya alias Kira Yamiko dont Toshiaki les avait missionnées de retrouver trace. Elles ne pouvaient qu'être satisfaites de leur collaboration. Elles détenaient quantité d'informations sur leurs ennemis et surtout, les avaient identifiés. Seule ombre au tableau, le silence inquiétant de Maître Yashido. Elles n'avaient réussi à le joindre, mais peut-être Lucie saurait-elle leur apporter des nouvelles du Senseï.

Un grand escogriffe passa sa tête à la porte. Crâne rasé pour masquer une calvitie prononcée, de volumineuses rouflaquettes flamboyantes mangeaient ses joues roses et dodues. Ses yeux, un peu exorbités, d'un bleu électrique intrigant vous perçaient à cœur mais son immense sourire permanent en adoucissait la rigueur en tissant un entrelacs de ridules sympathiques aux coins de ses paupières, créant de fait un être très attachant. Beth lui vouait une passion sans bornes.

– Ton amie Lucie vient d'appeler ! Elle arrive en gare d'ici vingt minutes. Si tu veux aller l'accueillir…

– OK Tim, je te remercie.

Timothy était déjà reparti à ses verres et ses torchons ou plutôt à son violon. Les filles entendirent les premiers crissements véloces d'airs traditionnels irlandais et les cris d'enthousiasme des habitués de ce bistrot si singulier.

Beth traversa la salle – non sans entamer quelques pas de danse – et sortit dans la fin d'après-midi mité. Elle releva le col de sa pelisse, marcha d'un trot rapide jusqu'à la première bouche de métro et s'y engouffra. Elle réémergea Gare de Lyon au moment où le long convoi ferroviaire en provenance du sud-est faisait crier son système de freinage. Dès qu'il s'immobilisa enfin, une horde chamarrée envahit les quais gris. Debout sur une pilastre, Beth guettait son amie et bientôt la repéra sans difficulté. Une crinière de feu illuminait la longue couleuvre taciturne des passagers qui ondoyait. Elles s'étreignirent longuement avec force joie et au grand soulagement de s'être retrouvées, en pleine forme.

Quand les deux filles approchèrent *La Pinte Dorée*, une bise glaciale semblait avoir investi l'étroite rue. Ce n'était cependant qu'une désagréable impression car l'air était totalement statique et la température particulièrement clémente en cette soirée. Elles frissonnèrent, une buée cristallisée s'échappait de leur bouche, une expiration polaire. Sur le trottoir opposé, juste en face de la porte du troquet, appuyé contre une voiture en stationnement, un spectre les observait, caparaçonné d'un long manteau sombre aux plis dégringolant jusqu'au bitume laqué. Une silhouette inquiétante et filiforme, apparition troublante, émergence arctique. *La Mort ? Qui d'autre !* Dans l'ombre de la capuche rabaissée, des cheveux noir de jais, plats, tirés, lissés, encadraient un visage d'une lividité extrême, cadavérique. Seule touche de couleur dans ce « *Noir & Blanc* » stupéfiant, des lèvres garance, très criardes, d'un rouge beaucoup trop rouge, presque vulgaire... *Rouge Sang !* L'entier de cette *Chose* exsudait malheur, calamité, maléfice et catastrophe. *Damnation ?* Mais cet artefact n'était rien de plus que le simple écrin sordide à deux braises émeraude incrustées dans l'opacité de cet abîme, les deux cœurs fulgurants de ces ténèbres, palpitants. Gemmes étincelantes qui épiaient, sans ciller. L'une comme l'autre perçurent ce regard comme un glaçon glissant le long de leur échine, terrifiées. *Qui était cette succube brune aux prunelles boréales ?* Lucie tressaillit puis se paralysa, blême, poumons figés, pâle comme une morte. *Ne l'était-elle pas d'ailleurs, transpercée par ces deux faisceaux ?* Beth ne cilla pas plus que l'hologramme spectral, elle avait plongé ses iris profonds dans les pupilles adverses. Les deux belliqueuses se jaugeaient, se toisaient crânement, bien conscientes qu'il n'était ni lieu ni temps à ce combat. Beth avait tout de suite décrypté l'autre, comme la *Chose* avait instinctivement compris qui lui faisait opposition. *Pensées qui fusionnent, respect mutuel !* Elles n'avaient d'arme, ni l'une ni l'autre, mais elles se savaient « arme », l'une et l'autre... seul l'endroit ne répondait pas aux exigences de ce duel tout comme l'heure pétrifiée de la Grande Horloge Cosmique !

Lucie avait aussi assimilé l'alliage de cette menace – forte de son expérience éprouvante ardéchoise – à l'instant où Beth pesa sur la poignée pour ouvrir la porte du bar ; le bec de cane lui resta dans la paume de la main, brisé net. En face, la *Chose* avait cliqué la télécommande, son véhicule lui répondait par des flashs orangés éclaboussant les façades. Au même instant, à l'extrémité de la rue, un vieux *Land Rover* cabossé profilait sa carcasse hommasse dans un tintamarre éloquent.

Dans la salle, la vie, les chants, la musique, belle insouciance des âmes ignorantes et tranquilles. *Heureux les simples d'esprit !* La touffeur moite et suffocante bondit à la figure de Beth et Lucie, groggy, comme une gifle bien pesée, un revers inattendu. Elles fendirent cet engouement indolent de la contrariété de leur vision, telles des automates, l'esprit si coagulé que rien de cette euphorie ne l'imprégnait, hermétique qu'aucune particule de cette allégresse ne l'emportait, sourdes et aveugles. Statufiées au centre de la salle, leurs yeux s'exprimèrent, mots inutiles, osmose cérébrale. Il leur faudrait trouver un moment d'intimité pour se dire… *Beth, j'ai tant à te relater de mes expériences récentes... Lucie, j'ai tant t'avouer de celles que je t'aie toujours tues... Tant à échanger de toutes ces incroyables choses qui articulaient leurs vies...* Un bras paternel vint s'enlacer à leurs épaules frémissantes et une voix chaleureuse intima un ordre, en douceur : *« Décrochez les filles ! Déconnectez et restez parmi nous, vos amis arrivent... »*. Un tendre baiser humide sur leur joue puis la « bienveillance » les guida par-delà le comptoir. *Elles devaient à tout prix s'extraire de cette gangue pernicieuse pour fuir la folie menaçante.*

Quand ils se furent tous rassemblés dans l'arrière-salle, Jane abandonna un plateau de tasses fumantes d'un café délicieusement aromatique, théière odorante, corbeille de viennoiseries et autres attentions, puis les délaissa à leurs retrouvailles. Ils étaient là, tous les quatre, comme soixante-douze heures auparavant ; et venaient compléter la troupe, le journaliste déphasé Léo Meyer ainsi que la caustique informaticienne Amy Doherty. Dehors, les brumes de la ville contenaient une ombre surnuméraire, errante et délétère, une infâme prédatrice, patiente et cruelle, une abominable chasseresse qui traquait, sereine et confiante, et attendait son heure venue pour agir et frapper, dangereusement efficiente et précise. Dans la pièce surchauffée, tout n'était que liesse, joyeuses embrassades, douces étreintes, tendres effusions et œillades gourmandes. Les voix se mêlaient enjouées, empressées, impatientes à dire, narrer, raconter. Lucie décrochait avec lenteur de ses pensées parasites, découvrant un nouveau Philip, tellement différent, plus attirant que jamais, plus… *Révélation subite ! pour tous les deux.* Ils se dévoraient littéralement de leurs yeux émus, bientôt leurs doigts s'enserrèrent. *Trouveraient-ils un instant rien qu'à eux ?* Beth avait recouvré un naturel pouvant faire illusion dès le seuil de l'arrière-salle franchi et chuchotait à Valérie qui susurrait à Beth qui… *Émerveillement réciproque.* Amy, fidèle à son image, balançait des vannes acides à l'encontre de ces déploiements sentimentaux qui n'entraient pas dans son algorithme de vie. Quant à Léo, un peu esseulé au milieu de ce joyeux foutoir de complicités, il domptait avec un plaisir non dissimulé, l'alignement de bouteilles sur les étagères de la réserve du bar de Tim et Jane.

Ce fut lui qui rompit la bonne humeur ambiante, en mettant l'accent sur un présent beaucoup moins idyllique que chacun s'attachait à le manifester, avec à leurs trousses de très furieux et féroces ennemis qui cavalaient avec un flingue à la main !

– Bon ! Le quatuor amouraché… y'a *MissBit* et *BottleMan* qui aimeraient bien faire un point de la situation. Les bécots ne vont pas faire avancer les choses ni le fait de rester ici d'ailleurs… la suite des événements se passe outre-Atlantique !

Les deux couples égoïstes se détachèrent à regret, confus. Le journaliste avait raison. Ils auraient temps de consommer leurs agréables retrouvailles un peu plus tard. L'actualité les transportait indéniablement vers d'autres considérations qu'ils ne pouvaient pas négliger, surtout maintenant, si proches de l'issue de la voie tracée par la *Grande Prophétie*. Doherty embraya :

– Léo a tapé juste ! Tout conduit aux États-Unis. Les mails épluchés ont montré que c'est aux States que se localise le coffret dérobé. L'Anneau, à cette heure, s'y trouve aussi, autour du doigt de Mac Nollaghan. C'est donc là-bas que nous devons aller… s''il n'est pas trop tard ! N'oublions pas que Mac Nollaghan n'est qu'un appât, un subterfuge. Il va y avoir du monde dans son sillage pour le délester, beaucoup de monde, et personne en soutien pour lui.

Beth reprit les choses en main, consciente qu'il fallait élaborer rapidement une stratégie sans faille.

– OK ! Soyons concis, annonça-t-elle, nous sommes six face à des légions, plus quelques rares appuis… Au fait, avons-nous des nouvelles de Maître Yashido ?

Lucie hocha négativement de la tête. « Non, toujours rien ! Ça devient très préoccupant ! »

– Mmm, fit d'une moue Beth, je n'aime pas ça du tout… Bref, résumons ! D'un côté nous avons la Société, les « Sumériennes » et ses troupes de combattantes affûtées…

– *Red Ants*, la coupa Amy, les fourmis rouges ! Nombreuses, toutes rousses, disciplinées, efficaces et très piquantes. Derrière elles, aucune trace à part quelques cadavres bien proprets !

– Pas mal, reprit Beth, donc d'un côté les *Red Ants* et de l'autre, le groupe Schteub & C° et ses trinômes à l'efficacité très relative. Un pion, Mac Nollaghan, mais aussi un électron libre, d'une dangerosité extrême, qui est déjà dans nos parages, Kira !

– Si elle est là, c'est que tout ne se passe pas aux USA, ajouta Lucie, il reste quelque chose d'important à Paris ! Quoi ?…

Lucie et Beth évoquèrent l'apparition devant le bar. Tim et Jane étaient en danger avec celle-ci traînant dans le quartier. Leur devoir était aussi de les protéger, en remerciement d'avoir su leur procurer un refuge et parce qu'ils faisaient indirectement partie de leur équipe dorénavant.

Philip intervint, d'un ton décidé, combatif.

– Si c'est aux États-Unis que la suite des opérations se déroule comme tout semble l'indiquer, je suis partant, surtout si ce monstre de Schteub y est établi. Il me faut une nouvelle identité, encore une, et un point d'attache là-bas.

Il avait au fond de son esprit quelque idée toxique, une graine corrompue ayant germé sur les flancs du Mont Feldberg alors que sa mémoire assimilait les tourments de son passé. Dès lors, son but se situait ailleurs, en marge de cette quête qui le dépassait certes, mais qui l'amènerait à ses fins. Il entendait bien faire d'une pierre deux coups !

Valérie poursuivit ; elle devait réintégrer le rang, son équipe, son enquête. Elle avait des comptes à rendre. Sa place était ici, à orienter les investigations de la police à distance de leur groupe, juguler toute suspicion pouvant naître et mettre en place un discret dispositif de protection autour de *La Pinte Dorée* – en piochant dans le milieu de ses relations parallèles, Guido saurait constituer une escouade efficace dans l'heure – voire établir une filature serrée si la *Chose* réapparaissait.

– Je m'occupe également des passeports, identités et autres paperasses administratives, conclut-elle, j'ai mes contacts. Il me faudra des photos de chacun. Dans quarante-huit heures maxi, décollage envisageable.

En abondant dans le sens de ses nouveaux amis – celui de cette quête improbable – elle savait devoir la jouer fine. Elle outrepassait gaillardement toutes les frontières admissibles et sa légendaire intégrité policière risquait d'en prendre un sacré coup pour la mettre en bascule à point tel que son job s'en trouverait placé sur une orbite périlleuse, au bord de la satellisation. La case *Prison* n'était pas loin… mais le jeu n'en valait-il pas la chandelle ? et Beth ?…

Lucie asséna que tout départ la concernant était à exclure dans l'immédiat, certaines priorités devaient être réglées auparavant. Ses origines floutées la taraudaient et seule Angèle semblait détenir les réponses appropriées, peut-être Marie, si elle était toujours de ce monde. De plus, l'énigme Toshiaki, toujours introuvable, restait entière ! En outre, elle tut qu'elle possédait d'inavouables objectifs personnels sur lesquels elle n'envisageait pas de transiger ni faire l'impasse.

Amy, toujours liée aux « Sumériennes Antiques », tiendrait son rôle et resterait infiltrée dans le giron de la Société et aux abords de la clinique. Dans leur situation, toutes les informations seraient bonnes à prendre. Elle s'étonnait d'ailleurs de ne pas avoir été contactée pour diriger la dizaine de filles expédiée en Floride, au train du Porteur. Randy Mac Nollaghan faisait partie de ses attributions ! Beth lui assura que ce dernier l'avait vue après qu'elle ait abattu son agresseur, ceci expliquait sans doute cela. Vigilance et défensive devaient constituer ses préoccupations prioritaires car probablement était-elle dans le collimateur et surveillée de près. Les dirigeants de la faction n'étaient pas des idiots…

– Certainement, répondit-elle ironique, mais ils n'ont pas été capables de déceler la taupe qui navigue en sous-marin dans leurs eaux !… et au plus haut niveau vues les infos confidentielles qui transitent depuis Vincennes jusqu'aux *States*... Je suis à deux doigts de la dénicher mais pour cela, je dois visiter les entrailles de leur système… sur place ! Des modifs matérielles indispensables, *Hardware* oblige.

Beth enchaîna :

– Moi, je suis grillée ici ! J'ai failli à ma dernière mission, celle d'éliminer Valérie, et d'avoir trucidé plusieurs membres des *Rousses* ne va pas faire de moi leur préférée. Je suis une paria avec un joli contrat sur la tête. Toutes mes ex-congénères sont à mes trousses avec sûrement la consigne la plus simple, celle de tirer avant de parlementer. Si je reste ici, je serai morte avant peu, j'irai donc où cette aventure nous conduira. De plus, si Lucie doit rester en France, j'accompagnerai Philip, nous ne serons pas trop de deux pour assumer cette mission

Valérie prit l'info en pleine face, sonnée. Elle avait espéré pour elles deux, un futur immédiat un peu différent. La décision de

Beth lui fit sérieusement grincer des dents et l'assombrit aussitôt. *Cette fichue quête l'emporterait donc toujours sur tout le reste,* pensa-t-elle avec amertume. *Au moins avaient-elles les quarante-huit heures à venir pour en profiter avant une nouvelle séparation*, se radoucît-elle, déjà friande de l'après réunion.

Léo Meyer était loin de ce genre de considérations. Pour lui, seule importait l'enquête dans laquelle il venait de replonger. Une toute petite révélation lui avait permis de reprendre l'ascendant sur trente années de vacuité. Il ne lâcherait plus rien, resterait asservi à sa propre quête, même si celle de ses comparses était fascinante, pour qu'enfin éclate au grand jour la vérité. Établir son QG dans cette arrière-salle de bar lui convenait parfaitement si les propriétaires lui en accordaient un accès durable, au moins les munitions étaient-elles nombreuses.

Pendant qu'ils évoquaient les diverses stratégies à mettre en œuvre pour poursuivre leur but, Jane fit une courte apparition, une grosse cafetière à la main.

– J'ai pensé que la nuit risquait d'être longue…

Tous la regardèrent avec gourmandise.

– Quand vous aurez décidé de dormir un peu, j'ai préparé des chambres au-dessus… fit-elle en lâchant des trousseaux de clefs sur la table.

Tim et Jane avait acquis tout l'immeuble, à restaurer, un vieil hôtel déglingué où, outre un grand appartement qu'ils occupaient, les étages et combles étaient composés d'une multitude de petites chambres vétustes à rafraîchir mais bien utiles dans le cas présent.

– Et bien moi, je suis vannée, bailla l'informaticienne, je profite donc de la proposition. Bonne nuit !

Amy gravit lestement les premières marches de l'escalier en chantonnant *« Grand-mère sait faire un bon café... »*. Une pensée amusée traversa l'esprit de Beth : « Et dire qu'un jour *ça* va se reproduire… » puis elle se focalisa de nouveau sur le sérieux de leurs discussions.

86

Du Pays d'Entre les Fleuves à Celui des Pyramides
Quelque Part sur cette Terre d'en-bas, Partout.

Le village d'Akurgal était loin derrière eux. Ils l'avaient quitté depuis des lunes et des lunes si bien que Bittati était maintenant une ravissante jeune fille d'une dizaine d'années. La coexistence n'avait pas toujours été facile avec Aleth qui les accompagnait comme leur ombre. Mais, depuis longtemps déjà, tous s'étaient accommodés de cette promiscuité inévitable car le petit-fils de Dumuzi portait l'Anneau d'Akurgal, sa place était donc dans le clan, à arpenter déserts, marécages, montagnes. Ils se devaient tous une protection mutuelle. De plus, grâce à sa présence permanente, le jeune couple avait finalement recouvré une certaine intimité dès lors que la petite Bittati s'était éprise des contes mirifiques distillés par un Aleth très imaginatif, fables peuplées de monstres singuliers et effrayants fusionnant toutes sortes de matières avec les métaux pour en faire des armes aussi variées qu'hallucinantes. Ces récits oniriques arrachaient à la fillette émerveillée des cascades de rires aigus d'enthousiasme. Devenus très complices, ils échangeaient leurs secrets durant de longs moments de connivence faits de jeux, d'apprentissages divers et d'histoires rocambolesques.

Un jour qu'ils sillonnaient un sempiternel désert, trois insectes pareils à des coccinelles s'étaient agrippés à l'épaule nue de Bittati le Sereine. Néferhétépès s'empressa de vouloir les chasser mais les minuscules coléoptères restèrent accrochés à la chair fraîche et fragile de l'enfant. *Un Signe ! Voilà qu'un Signe se manifestait.* La jeune mère rassurée se pencha à l'omoplate de son enfant, observa ce qu'avaient à lui communiquer ces insectes ainsi placés puis, souffla doucement sur cette triangulation bien étrange. Un premier insecte, le plus sombre, prit son envol et, à quelques encablures, se transforma en imposant vautour au cou décharné. Son cri perçant emplit toute la voûte céleste pendant un long moment, jusqu'à ce qu'il disparaisse haut dans les éthers. Le deuxième insecte, d'une blancheur virginale, se laissa choir sur le sol. Dès que ses pattes atteignirent le sable chaud, il se transmua en rongeur des dunes, immaculé, et se faufila d'entre les rochers. Le crissement de sa course sur la silice brûlante emplit longuement toute l'immensité du désert avant qu'il ne s'engouffre dans un trou. Le dernier insecte, dont la carapace moirée reflétait la cartographie de l'Univers, le Grand Plan de l'Architecte, hésita le temps d'un soupir puis se déposa sur le bout du doigt de l'enfant. Face aux grands yeux enchantés, l'animal sourit, déploya ses ailes et, à quelques distances, devint une nuée irisée aux épées solaires qui s'évapora lentement dans un tonnerre apocalyptique pour disparaître sur l'horizon incendié.

Tel était le Signe à interpréter...

Loin devant, en éclaireur, Abban exhorta le groupe statique à avancer pour le rejoindre. Rien de ce qui venait de se passer ne l'avait interpellé. Il n'avait vu ni le vautour sombre ni la souris blanche pas plus que cet étrange nuage nacré dans le mystérieux azur du ciel pur et limpide. Il n'avait non plus entendu le tumulte de ces manifestations.

Les yeux aux émeraudes translucides de la fillette croisèrent les perles d'un vert plus profond de sa mère. D'un hochement de tête, elle lui indiqua une sente à peine perceptible qui divisait les dunes. Bittati hésita puis suivit le sentier. Avant de tourner l'arête d'un imposant rocher, elle fit volte-face. Dans l'incandescence rubescente du couchant, sa mère l'encourageait à poursuivre, rassurante. Tout en haut des montagnes de sable, sur l'horizon crénelé, son père revenait sur ses pas, serein. L'enfant s'engagea plus avant jusqu'à un goulet étroit, presque impraticable. Les monts de silice avaient enserré le chemin comme pour y déposer une porte, un passage vers une autre dimension. Dès lors, après chacun de ses pas, une profonde crevasse s'ouvrait au fur et à mesure, puits sans fond, cruellement aveugle, insondable. Un souffle d'air chaud appuyait aux frêles épaules, invitant l'enfant à prolonger encore son cheminement. De ce qu'elle avait traversé l'instant d'avant, plus rien, seul ce gouffre noir, peu engageant, dépeçant les lambeaux du cuir de sa route. *Où était sa mère ? Où se trouvait son père ? Et Aleth ?... Où courait la sente à les retrouver sans plus attendre ? Allait-elle croiser les monstres effrayants narrés par Aleth ?* Pour conjurer son effroi, la petite fille ouvrit la bouche et entonna la comptine que sa mère lui chantonnait à l'oreille le soir pour l'endormir. Sa voix resta inaudible dans la vacuité de l'air. Aucun support tangible, aucun appui palpable, les notes s'échappaient de sa bouche pour y reprendre aussitôt racine, portant leur écho aux os crâniens de la fillette, intonations mélodieuses de la voix suave maternelle dans la caisse de résonance de son esprit. Cette évocation alourdit ses paupières à point tel que Bittati sombra lentement dans un songe où ses pas retentissaient dans un corridor étroit formé par de hautes murailles minérales infinies. Ses enjambées l'emportèrent au cœur d'une grotte enténébrée au centre de laquelle reposait le piteux cadavre avarié d'un vieil homme. Un bourdonnement assourdissant envahissait toute la haute voûte noyée dans la pénombre. Des nuées de mouches virevoltaient, s'entremêlaient, des centaines, des milliers, comme de viles volutes indomptables, tantôt sombres, tantôt claires, parfois moirées. Trois mouches assaillirent la figure de l'enfant, une noire, une blanche et une aux reflets nacrés. Elle les chassa lestement et poussa une onde sonore si puissante que toutes – les assaillantes comme celles qui assombrissaient la haute voûte – s'abattirent au sol, foudroyées. En rebondissant sur l'âpre poussière, les bestioles se transmuaient en dalles de pierre, noires et blanches, avec une régularité impressionnante. Bientôt tout le sol de la caverne fut pavé de cette mosaïque dichromatique. Chaque tentative de pas vers le centre de l'espace voyait s'élever un parallélépipède jusqu'au faîte de la voûte, tantôt blanc, tantôt noir, barrière insurmontable à dépasser. Bittati resta songeuse devant cet épreuve riche d'un enseignement à découvrir. *Qu'était-il advenue de l'onde chatoyante ?* Elle plongea dans le tréfonds de son âme et regarda ce pavement non plus avec des yeux ordinaires mais à travers le prisme de la sagesse du Cœur. D'entre les dalles antagonistes courait un fil tenu, imperceptible au regard empressé, miroitant ses reflets irisés à le rendre visible à celui qui désirait voir, ru désaltérant serpentant à fleur de terre entre les sombres roches rugueuses du désert et les claires plages de sable blond. Bittati y glissa ses pieds nus dans un précaire équilibre, bras battant l'air, en appui sur les particules invisibles du vide. Un vent frais fit voleter les boucles légères de sa chevelure. Ses poumons se gorgeaient de cette fraîcheur bienfaitrice. En quelques bonds aériens, elle était aux côtés du gisant. Son regard croisa la pupille sombre d'un vautour qui n'avait osé entamer son festin. Il était en grande discussion avec une souris blanche aux yeux rubescents. L'enfant sourit aux animaux puis claqua sèchement des mains. La caverne s'effondra dans l'instant et fut aussitôt ensevelie dans la fondrière qui poursuivait toujours chacun de ses pas. Chaque pierre, chaque roche devint grain de sable. Tout fut bientôt cristaux de silice, étoiles tombant de la Voie Lactée à former le désert, ses dunes, ses sentes et ses histoires d'animaux improbables…

Sur le chemin d'entre les dunes, gisait la dépouille d'un vieil homme, sous une cape aux reflets moirés. Bittati s'approcha, fit fuir un imposant vautour sombre au cou décharné. Son cri perçant s'atténua presque aussitôt. Peu après son envol dans la limpidité mystérieuse d'un ciel particulièrement angélique, il devint aigle majestueux puis plus qu'un infime point sur l'horizon, minuscule coléoptère noir de nuit, que seule l'acuité exacerbée de l'enfant put voir disparaître. Une souris albinos, de ses perles purpurines observa la scène, cligna ses paupières roses et se faufila au cœur des grains de silice, se transmuant en un imposant scarabée aux élytres immaculés. Chaque battement de pattes l'enfonçait un peu plus dans la fine poudre du sol asséché. Après quelques efforts soutenus, il semblait n'être plus qu'un minuscule coléoptère blanc de lait, avide de la fraîcheur des profondeurs du désert. Alors Bittati, d'un geste ample, retira la cape de la dépouille et la lâcha dans un tourbillon de vent. La cape s'envola et se transforma en une nue chargée d'eau qui déversa son tribut au pied de la plus haute des dunes. À l'emplacement exact naquit une fleur, au milieu du cordage serré des anneaux d'un serpent-dragon à collerette. La fleur accoucha, dans l'immensité du désert, d'une autre nouvelle magnificence puis d'une autre et une autre encore. L'une d'elles sauta à la crinière de l'enfant et s'accrocha juste au-dessus de son oreille. Elle lui chuchota son message de Paix et d'Amour. Les autres continuèrent à se multiplier, de plus en plus vite, à former un magnifique bouquet, un grandiose buisson, un fastueux bosquet pour qu'aujourd'hui demeure l'une des plus luxuriantes oasis de ces contrées arides. L'enfant auréolé de cuivre pencha son visage à celui cireux du vieil homme mort. *Ces sillons creusés, ce périlleux faciès gris, elle les connaissait, les reconnaissait...* Une étincelante perle de cristal s'accrocha à sa paupière avant de dégringoler sur le front ridé du cadavre à ses pieds. C'était la première fois que l'enfant rencontrait le spectacle d'un mortel, décroché de l'Arbre Vif par l'Inévitable. Elle en était triste sans en connaître la raison profonde mais surtout intriguée. Ainsi la Mort ressemblait à s'y méprendre à la Vie... Bittati frôla le visage émacié pour l'ausculter de plus près. Son souffle, véritable onde de vie, balaya la face terreuse. La brise légère caressa les lèvres étrécies puis pénétra cette coquille creuse pour enfin investir le Cœur de l'Homme. L'instant d'après, le pâle gisant s'effondra sur lui-même, particules désagrégées. Un peu plus loin, sur la plus haute des dunes au pied de laquelle s'étendait un immense champ de fleurs chatoyantes, un vieil homme à l'effigie de ceux venus du Grand Orient remercia l'enfant. Dans sa main, un bouquet multicolore qu'il lança à la course du vent joyeux, puis il s'évapora dans la touffeur du jour.

Ainsi Bittati venait de redonner vie à une des choses mortelles de cette énigmatique Terre. Son Feu Ardent avait régénéré ce cœur et ce corps pour leur redonner consistance et existence. Un sourire ravi se dessina sur les lèvres de la petite fille. Derrière elle, ses parents étaient épris d'une grande fierté pour celle qui venait de lever le voile nébuleux sur un pan de ses extraordinaires pouvoirs. Cependant, ils lui expliquèrent avec douceur qu'en cette terre d'en-bas, les choses mortelles devaient le rester, qu'il ne fallait pas leur ré-insuffler vie. Qu'ainsi étaient les choses, ici.

Un peu en retrait, Aleth, le petit-fils du grand fondeur Dumuzi s'interrogeait avec un ravissement indéniable sur ces êtres pour le moins bizarres qu'il accompagnait maintenant depuis si longtemps.

Ces voyageurs intemporels le fascinaient, créatures étranges aux pouvoirs miraculeux, sans limites… véritables magiciens en chef d'orchestre de la Loi du Grand Tout.

Emporté par cette félicité, le jeune Élu inscrivit une rotation partielle à l'Anneau supérieur qui lui ceignait l'auriculaire, les huit broches traversèrent un peu plus les chairs et entamèrent l'os. La douleur lui tira un sentiment de contentement malgré l'irradiation. Bientôt, il lui faudrait s'en séparer pour le passer au doigt de son successeur…

ÉPILOGUE

Caverne du Temple de « Noy » - Ardèche
Commune de Ste Symphorine de Mathun

Sur le pavement du Temple reposait le corps inerte du vieil asiatique. La lutte avait été rude et il n'en était pas sorti indemne. Il avait perdu l'essentiel, la fragile flammèche qui maintenait son enveloppe en vie en ces terres d'en-bas. Comment aurait-il pu en être autrement ! Que pouvait-il raisonnablement opposer, simple mortel, aux puissances incommensurables de ces forces occultes ? Le combat était consommé d'avance. La meilleure des volontés n'aurait su prendre l'ascendant. Capituler et rendre les armes n'avaient qu'ouverte la brèche dans laquelle s'était engouffrée, ravie, l'Inévitable, à investir sa carcasse disloquée, la rouler d'un long manteau sombre pour l'emporter vers des territoires connus d'Elle seule. Les limbes de l'Inévitable restaient des lieux secrets qu'aucun vivant n'avait jamais su décrire. La Mort ne rendait pas ce qu'Elle s'était accaparée ou alors dans de si exceptionnelles guises que ceux en revenant, pitoyables choses démentielles apeurées de leurs funestes visions, n'auraient osé en délivrer mot.

Il était maintenant doucement ballotté sur une onde épaisse et molle, à peine fluide, presque coagulée, la lave lourde et sombre du long fleuve tortueux de sa fin d'existence. Une écaille de sa conscience lui contait cela. Il venait d'en dépasser les tumultueux rapides – les plus effrayants qu'il ait jamais rencontrés ; véloces, si hostiles mais vivants – pour se retrouver dans ce flot morne, presque statique à l'embouchure calme du Delta, face à une mer étale. Plus aucune illusion sur le port à atteindre ! Il ne retournait pas vers sa Source Vive ; la glauque coulée l'enfonçait dans les confins sans limites du Vaste Néant…

Quelques faibles frémissements de sa conscience, encore. Les *Autres* ouvriraient le coffret sacré grâce à l'Anneau, s'indigneraient bien-entendu et tueraient encore pour s'approprier la suite de la légende. Cette Quête n'aboutira donc jamais, égrenant toujours plus de cadavres le long de ses fossés que de pavés révélateurs à son chemin. L'Inévitable était toujours la Grande Triomphatrice ! Toshiaki se sentait las, fatigué, épuisé. Quel équilibre entre ces deux forces à en trouver la juste intersection, le point culminant de leur jonction ? La sempiternelle vision de l'œil vulgaire n'y voyait qu'opposition, depuis la nuit des temps, dès lors que l'homme avait existé et conceptualisé l'idée de sa finitude. Était-ce de cet aspect que provenait ce cheminement errant dans le Dédale de l'Erreur ? Fallait-il inévitablement opposer la Vie à la Mort ? L'Une était-elle pendant de l'Autre ? Son esprit ravagé ne savait plus, n'entrevoyait pas, ne comprenait davantage…

La mue moirée du long serpent serein de sa raison déposa son discernement sur une grève de limons fins, un isthme étroit mais suffisant pour que la compréhension y établisse son camp. Au-delà de ce tendre rivage paisible, s'élevaient les hauts remparts abrupts et inextricables du questionnement, vaste labyrinthe insoluble de la Grande Question. Le Fleuve n'était déjà plus, devenu puits sans fond, abysse dont l'obscurité happait les imprudents et ceux que ces interrogations existentielles n'interpellaient pas. Seul se tenait sur la fine langue de silice le Cherchant, coincé et molesté entre les Ténèbres aquatiques, profondeurs éternelles engloutissant les âmes sceptiques, et la Fulgurance aveuglante des sommets inaccessibles, éclat onirique de l'ego pulvérisant les esprits perdus. La sente était presque impalpable, fil ténu et invisible en équilibre sur la raide inclinaison du fléau du jugement. S'y engouffrer pouvait paraître périlleux. Cependant, sur la noirceur des flots rescapés, brillait erratique, à l'écume terne, le reflet irisé d'une source de Lumière insoupçonnable. Sur ce fil si faiblement éclairé, le pied hésitant du Cherchant tenait. Il suffisait de jeter ses pas, l'un puis l'autre, pour découvrir aux circonvolutions de la voie des évidences jusqu'alors masquées. Ce sentier si peu marqué poursuivait le Curieux tout au long de sa vie, la Vraie, sa Grande Vie, celle qui déroulait son dallage irrégulier le temps éphémère d'un battement de paupière cosmique, celle du temps court de l'existence d'un homme, enlacée à celle sans bornes, qui étalait ses strates absconses au regard avide de sens. La Vie n'était qu'un court songe de la Mort ensommeillée. Cette Dernière, le long rêve perpétuel d'une Existence éveillée. L'Une et l'Autre ne s'opposaient donc pas, Elles représentaient les deux seuls aspects des mille facettes du cube ciselé de la Question. Son pendant était cette dimension étrange, pyramidale, celle de la volonté impériale du Cherchant en quête de la Vérité et parvenant parfois, ultime sagesse, à apercevoir l'union des deux, la Sphère chatoyante et lumineuse de la Grande Connaissance, là où naissait la Pleine Conscience, ce lieu où l'Illustre Concepteur époussetait ses crayons de leur poussière graphite, à tracer la Loi Universelle de notre Cosmos – infime galaxie parmi les milliards de facettes du cube des galaxies – un des dix mille sages versets de la Sublime Grande Loi Universelle, la Loi du Cosmos Absolu, Celle du Vaste Intégral.

Déjà s'altérait cette approche plus globale, cette révélation. Le pied égaré ripait sur l'obstacle inconsistant du dualisme humain, glissait dangereusement vers l'abîme de l'Ignorance, se rattrapait pour tenter de gravir le haut talus des sommets d'une Ambition dénaturée, puis retombait aux œillères étriquées du vil Fanatisme. Si rarement, il reprenait sa marche sereine au fil onirique de la Sagesse. Les Grands Seigneurs mettaient donc « Tout » à portée d'Intelligence, drapant cela dans le voile éthéré du Spirituel ; à chacun d'y retrouver sa Voie.

La nécrose désagrégeait les ultimes particules de sa réflexion, solidifiait la fluidité du vif courant de sa pensée, invalidait les plus extrêmes soubresauts de sa conscience. L'Inévitable se régalait. Le fruit était mûr à la branche usée de l'Arbre Vif. Elle avait patienté si longtemps à quérir celui-là, infatigable, éternel questeur de la Grande Vérité, apôtre si proche des Grands Seigneurs, tant d'autres à orner les parcelles de ses contrées infinies. Mais le voici enfin, ce vieux sorcier fou, enroulé dans le long manteau sombre…

Ce que savait mais taisait l'Inévitable, parfois à Elle-même, était cette infime étincelle qui demeurait cachée au Cœur de ceux qu'Elle attirait dans son antre. Un germe latent, indécelable, une Veilleuse Éternelle qui jamais ne s'éteignait vraiment mais restait là, en dormance jusqu'à l'incoercible volonté des Grands Seigneurs à l'abandonner définitivement ou à en provoquer l'éveil par une larme étincelante, Perle de Cristal, et la brise tiède du Souffle Pur, si Ils en jugeaient le parcours de l'itinérant inabouti.

Dans la grotte figée, frémissait la carcasse démantelée du vieil homme, imperceptiblement. Les méandres de sa Voie n'avaient pas encore à s'évaporer dans les brumes lourdes et opaques des territoires inconnus de la Mort. Son si Haut Devoir restait inachevé ! L'Inévitable aurait à revenir plus tard pour le cueillir à la branche de l'Arbre Vif. Cette Terre d'en-bas nécessitait encore un peu son enveloppe à diriger les âmes les plus pures vers leurs destinées.

Dans un recoin insoupçonné de sa lente résurgence, figurait l'image filigranée d'une enfant rousse, triste mais surtout intriguée, silhouette flamboyante au cœur d'un désert de fleurs chatoyantes...

Autour de Toshiaki tout était ordonné, parfait. *Rêve ? Songe ?* Après qu'il eût recouvré quelque esprit ainsi qu'une once de force, Maître Yashido ranima les braises endormies au nid de leur écrin minéral, sema les poudres, déversa l'eau.

Face à cette aura prémonitoire de tant de choses de la Vie, le vieil homme, secoué de son échec à dominer les forces, s'abstint d'y enfouir son visage. *Était-il nécessaire d'interroger encore ce que son âme savait déjà ? Que pourrait bien annoncer de plus cette incandescence énigmatique qu'il ne sût ?* Une mystérieuse impulsion l'avait pourtant poussé à pénétrer ce lieu magique et à y préparer le Feu, un peu plus tôt, avant cet assaut fulgurant.

Une voix à l'intérieur de son crâne, dans ce langage que lui seul pouvait comprendre, et l'Élu, mais aussi Celle représentant la Lignée Divine. « Voir ce que nous sommes est particulièrement dangereux ! La jeune Lucie court un grave danger. Si elle a pris conscience de la nature de son émanation, toute efficacité en est réduite. Elle n'a plus de protection et en devient très vulnérable, exempte de ses dons »... Akurgal le Grand ! Le Vénérable Sage sumérien ne l'abandonnerait donc jamais mais l'accompagnerait autant que nécessaire. Maître Yashido s'en trouva ragaillardi et flatteusement honoré. Souffle de Vie... Renaissance ! Une intense énergie traversa soudain son organisme. Il eut cette impression bizarre de quitter à nouveau la vieille enveloppe racornie de son corps usé pour entrer dans la solide cuirasse d'un jeune homme vigoureux, si alerte, fringant. Sa pensée reprenait vie, la fusion opérait. Une onde limpide balayait la fange, un influx lumineux repoussait l'obscurité.

À son questionnement sur la folie qui s'emparait des hommes à l'approche du terme de la *Grande Prophétie*, la Voix souffla :

« Crois-tu cette déviance nouvelle ? Il en a toujours été ainsi, depuis que l'Homme est homme. Nous *Sept* avons probablement présumé de l'efficience de nos dons car au final rien n'a vraiment changé depuis notre lointaine époque. Avons-nous échoué ? Tant de guerres, tant de vies arrachées dans la quête de cette Prophétie. Tant de Ténèbres aussi pour si peu d'éclat à cet *Anneau*. Garde la Foi, Toshiaki, maintiens-toi sur la Voie et jusqu'alors, ne crois surtout pas que tout s'est déroulé sans heurts et sans pertes. Tes combats ne sont pas plus féroces que ceux d'antan, moins peut-être ! La perversité de l'humanité, ce virage incontrôlé qu'elle a pris, rend ces batailles plus insondables. Les vices n'ont guère changé, leur répartition diffère à toujours tourmenter un peu plus l'homme face au grand désastre qu'il a lui-même orchestré pour conduire l'espèce à sa propre perte ».

L'oriental plongea alors dans l'épaisse nuée et ouvrit ses yeux. Il devait gravir les derniers degrés, il fallait trouver le *Signe*. Les volutes corrosives piquaient atrocement ses pâles iris qui virèrent lactescents. La plus obscure des solfatares s'acharnait pendant que la candeur de celle vaporeusement virginale tentait de l'en délier. Un fol ruban moiré, vouivre indépendante et autonome, dansait au-dessus de cette joute brumeuse, irradiant de sa Lumière les arêtes acérées des annelets barbares. Les très vives braises consumaient toujours un peu plus la cornée durcie. Cette ultime confrontation au *Feu* lui arracha la vue. *« Point nécessaire est l'œil à celui qui voit avec le Cœur... »*. Était-ce le signe tant attendu ? Fallait-il perdre la vue à gravir le faîte de l'Édifice ? Assurément ! Sa Voie Initiatique venait d'être prolongée, rien donc n'était inutile, tout revêtait intérêt. Ses yeux face au Grand Salut de l'Humanité, quelle importance… *Vérité Lumineuse !*

La révélation était cruellement floue, si partielle. Il avait beau concentrer ses énergies sur l'interprétation de sa vision, rien ne se matérialisait vraiment. Puis la Voix, encore : « Tes pouvoirs sont immenses mais ce *Feu Primitif* est là pour t'en indiquer les limites. Tu es fruit de mes origines, tes facultés sont donc analogues aux miennes. Ce n'est que la vile et duale empreinte humaine qui pervertit l'infinitude de tes capacités en y dressant des barrières ».

Le vieil asiatique se retira du *Feu Primitif*, sa récente cécité révélait le lien improbable qu'il maintenait à cette Terre, telle une entrave, des chaînes paralysantes. Avait-il encore vraiment besoin de ce support matériel pour voir ?

Une nuée fantasmagorique illumina les parois et la haute voûte du Temple. La Voix : « Tu es si assidu… »

Si lui n'avait plus besoin, alors Celle représentant la Lignée Divine nécessitait-elle ? Il devait entrer en contact sans attendre, pour en avoir l'assurance. Du fond de son crâne, le timbre chaud néanmoins le refréna : « Patience ! Tu cours au-devant de créatures dont tu n'imagines pas même les potentialités ; non que tu perdes en puissance, ce n'est pas cela, mais tu vas être confronté à des forces qui te sont tellement supérieures qu'elles vont neutraliser toutes tes formidables aptitudes. Dans ce que tu as vu, reconsidère ces éventualités, la colossale force du Mal qui t'a terrassé sans être supérieure cependant à celle du Bien même altérée par l'attitude de Lucie. Souviens-toi surtout qu'il existe une influence bien plus puissante encore à elles, ascendante car élévation subliminale de l'union des deux… charisme impassible, invulnérable, inflexible, incorruptible. Cherche et trouve cette énergie nouvelle, volontaire et infaillible, véritable jouvence à l'espèce humaine. Reconnais-la, prends appui à son incommensurable résolution. Le terme de la *Grande Prophétie* ne se jouera que de la mise en confrontation de ces trois entités. Tu le sais depuis le début. Te masquer cette évidence ne la réduit pas à l'insignifiance, ne la fait pas disparaître. Reprends les choses dans leur entier et privilégie la force divine à celles qui tendent aux facilités de la compréhension terrestre ».

Toshiaki Yashido savait dès lors que sa place n'était plus ici. Les Grands Seigneurs lui avait offert un sursis non pour qu'il lui soit profitable mais bien pour qu'il soit universellement fécond à la Quête, véritable Devoir d'Allégeance à la *Grande Prophétie*, en Fidèle assujetti au destin de l'Humanité.

Demain il serait parti !…

Sur l'épaule gauche d'une jeune femme rousse, une intrigante triangulation de stigmates apparaissait sur sa peau si diaphane, signatures antiques et mystérieuses laissées par des coléoptères à l'écorce juvénile du tronc naissant de l'Arbre de la Lignée Divine.

La représentante contemporaine de cette Lignée se dévoilait enfin. Le vieil asiatique revigoré en était heureux pour Elle mais il ne pourrait plus la cacher désormais…

Au sortir de la caverne, son ouïe perçut un cri virevoltant, si haut dans le ciel. Il reconnut celui d'un Aigle Royal qui se jouait des ascendances du vent porteur, libre de toute entrave, particule du Souffle Universel.

Sur le dos de sa main, il ressentit le chatouillis léger des pattes d'un insecte. À travers le prisme opalin de sa vision perdue, le coléoptère ressemblait à un scarabée aux fins élytres immaculés, poussière du sable blanc des confins, *Materia prima !* Le bourdonnement feutré de son envol guida ses pas sur le juste chemin à poursuivre.

D'entre ses pieds trébuchants se faufila une guivre irisée qui élargissait sa collerette colorée à chaque danger rencontré pour cracher un court jet incandescent à éliminer l'obstacle, gerbe du Magma Originel. Son glissement sur les herbes sèches emporta les pas assurés du si sage homme jusqu'à la porte de la vieille bâtisse.

Dans la quiétude de l'ancienne maison, le fin parchemin des paupières flétries de ses yeux morts s'humidifièrent à sa source de larmes chaudes au Cœur, les gouttes de l'Eau Sacrée de l'Océan Primordial… alors son esprit s'octroya le temps d'un échange de pensées, fusion avec celui attentif d'une jeune femme rousse qui caressait, intriguée, son omoplate pour saisir la signification des curieuses estampilles qui venaient d'être abandonnés là !

Une exquise béatitude s'empara de Maître Toshiaki Yashido à ce choix émanant des arcanes hermétiques de l'antiquité.

Avait-il douté un seul instant que ce ne serait Elle…

--- ∞ ---

Floride, USA
Parc National des Everglades

Quand les projectiles éclatèrent à l'intérieur de son abdomen, l'homme savait sa mort imminente. Son esprit tout comme son corps luttaient désespérément contre cela mais, inconsciemment, il était certain de l'issue du combat. Sa main tentait de refluer le flot de sang qui s'épanchait, sans y parvenir. Il voyait sa vie s'écouler inexorablement à travers ses doigts serrés et se répandre sur le sol tout autour de lui …

… La lueur de son regard s'éteignait inéluctablement mais il observa cependant les trois formes qui approchaient, revolver au poing, toujours pointé sur lui. Tout son corps s'engourdit, vidé de son essence de vie. Un des hommes se pencha à lui, arracha sa main crispée de son ventre ensanglanté. Il ne put résister, sans plus aucune force vive, et l'homme…

À travers l'onde saumâtre, l'œil jaune d'un alligator géant renvoyait son reflet circulaire et lumineux…

… une auréole d'or !

Contacts :

Retrouvez toute l'actualité de Stan KARKO

sur le compte Facebook : Stan Karko

et sur la Page Facebook :

Stan KARKO – Auteur, Conteur, Poète & Musicien

courriel : stankarko@gmail.com

Contact Roger AMIOT

Artiste Peintre, Graphiste, Illustrateur

rodgeramigo@gmail.com

Remerciements

Une première salve de remerciements pour ma très chère et tendre Florence qui fait vieillir passionnément sa peau contre la mienne ; supporte, jour après jour, les humeurs de mes combats d'idées et de lettres... Tu as su sans faillir m'assister dans cet accouchement long et difficile mais Ô combien merveilleux.

Tu es ma Muse, Celle grâce à qui, durant tant d'échanges et de sempiternels partages, le germe de cet ouvrage a pris naissance, s'est développé et a grandi pour se conceptualiser en ce qu'il est devenu : ce livre en mains étrangères.

L'existence à tes côtés est un songe éveillé admirable...

Ma deuxième salve de remerciements très spéciaux est dédiée à Môssieur Roger Amiot, mon ami, mon frère, mon artiste...

Tes pinceaux féeriques ont su mettre en images les esquisses de mes mots, avec magnificence.

Que de si bons moments de travail et de rigolade...

Merci bien-sûr à Miss Super Laulau, première lectrice assidue de toutes mes hésitations et tous mes tâtonnements... ma « pique-fesses » adorée ! Love

Special Thanks également à *LadySion* et *C.T. Right* pour leurs commentaires élogieux repris en 4e de couv'

Mes plus grands remerciements à vous toutes et tous qui tenez ce livre entre vos mains... merci d'avoir choisi d'entrer dans les contrées les plus intimes du Pays de mon Imaginaire.

Bonne lecture et bon voyage... nos chemins se recroiseront sans doute très bientôt pour un plaisir partagé.

Stan KARKO

STAN KARKO